司法試験　予備試験

2025年版

完全整理
択一六法

司法試験&予備試験対策シリーズ

Criminal Law

刑法

はしがき

★令和5年改正刑法に全面対応

令和5年6月16日、改正刑法（令和5年法律第66号）が可決・成立し、同月23日に公布され、既に施行されています。今般の法改正では、「近年における性犯罪をめぐる状況に鑑み、この種の犯罪に適切に対処する」という理由の下、①強制わいせつ罪及び準強制わいせつ罪並びに強制性交等罪及び準強制性交等罪がそれぞれ統合され、それらの構成要件が改めて不同意わいせつ罪及び不同意性交等罪として整理されるなどの改正のほか、②これらの罪の構成要件がより詳細に定められるとともに、③16歳未満の者に対する面会要求等の罪が新設されるなどの改正が行われました。本書は、これらの改正について全面的に対応しています。

なお、令和4年6月17日に公布された懲役刑・禁錮刑を「拘禁刑」に統一する令和4年改正刑法（令和4年法律第67号）は、令和7年6月1日に施行される予定となっています。そのため、この令和4年改正刑法が司法試験及び予備試験の出題範囲に含まれるのは令和8年ということになります（各年における司法試験・予備試験については、当該年の1月1日現在において施行されている法令に基づいて出題されます）。

★令和6年の短答式試験<刑法>の分析

司法試験では、総論分野から9問、各論分野から11問出題されました。令和4年・令和5年ともに各論分野の出題数が総論分野の出題数を1～2問ほど上回っており、今年も同じ傾向となりました。出題範囲については、例年どおり、総論分野・各論分野ともに満遍なく出題されています。また、全体の平均点については、令和元年から順に、「31.4点」（令和元年）→「29.6点」（令和2年）→「34.3点」（令和3年）→「36.8点」（令和4年）→「38.2点」（令和5年）→「34.9点」（令和6年）と推移しています。そして、最低ライン（40%）未満の者の数は、令和元年から順に、「368人」（令和元年）→「376人」（令和2年）→「147人」（令和3年）→「67人」（令和4年）→「28人」（令和5年）→「122人」（令和6年）と推移しています。これらのデータから、今年の刑法科目の難易度は、令和元年からの直近6年間の中で中間に位置する程度のものと思われます。

予備試験では、全13問が出題され、そのうち、予備試験オリジナル問題は3問出題されました。また、全体の平均点については、令和元年から順に、「14.5点」（令和元年）→「14.5点」（令和2年）→「17.3点」（令和3年）→「17.1点」（令和4年）→「18.2点」（令和5年）→「18.2点」（令和6年）と推移しています。これらのデータから、今年の刑法科目の難易度は、令和元年からの直近6年間の中で、昨年と同じ程度に易しかったものと思われます。

★令和6年の短答式試験の結果を踏まえて

今年の司法試験短答式試験では、採点対象者3,746人中、合格者（短答式試験の各科目において、満点の40%点［憲法20点、民法30点、刑法20点］以上の成績を得た者のうち、各科目の合計得点が93点以上の成績を得たもの）は2,958人となっており、昨年の短答式試験合格者数3,149人を191人下回りました。昨年から法科大学院在学中でも受験が認められることになり、在学中受験資格に基づいて受験した方が参入した結果、昨年は合格者数が大幅に増加しましたが、今年は3,000人を割り込む形となっています。

まず、「合格点」についてですが、平成29年から令和元年までの「合格点」は「108点以上」と高い水準でした。これらの年度の短答式試験では、各科目の6割（合計105点）を正答しても、わずかに合格点には到達できないことになります。一方、令和2年から今年にかけて、近時の「合格点」は「93点以上」～「99点以上」の間で推移しており（今年の「合格点」は「93点以上」でした）、各科目の6割（合計105点）を正答すれば、一応、合格点には到達できることになります。そのため、来年以降も、短答式試験を突破する最低限の目安として、「各科目の6割」を下回らない水準での得点を意識するとよいでしょう。

また、「合格率」（採点対象者に占める合格者数の割合）についてですが、令和元年から令和3年までは70%台を超えており（令和元年：約74.22%、令和2年：約76.23%、令和3年：約78.77%）、更に直近では2年連続で80%台に到達していました（令和4年：約81.50%、令和5年：約80.81%）が、今年の合格率は約78.96%となり、再び80%を割り込む形となりました。仮に、来年以降も今年と同水準の合格点が継続すると考えた場合、70%後半～80%前半の合格率も同様に維持されるものと考えられます。

次に、今年の予備試験短答式試験では、採点対象者12,469人中、合格者（270点満点で各科目の合計得点が165点以上）は2,747人となっており、昨年の短答式試験合格者数2,685人を62人上回りました。

まず、「合格点」についてですが、過去の直近5年間（令和元年～令和5年）の合格点は「156点～168点以上」という幅のある推移となっており、特に昨年（令和5年）の合格点は、令和元年以降最も高い「168点以上」となっていました。このような近年の状況において、今年の合格点は「165点以上」と高い水準を維持する形となりましたが、来年の合格点については、引き続き「156点～168点以上」の間で推移するものと予測されます。

また、「合格率」（採点対象者に占める合格者数の割合）についてですが、昨年（令和5年）の合格率は、予備試験が実施されるようになった平成23年から見て最も低い約20.26%でしたが、今年は約22.03%となり、約1.8%上昇しました。このように、予備試験短答式試験の合格率は、おおよそ20%台にあるといえますが、司法試験短答式試験の今年の合格率が約78.96%（採点対象者数：合格者数＝3,746：2,958）であることと比べると、予備試験短答式試験は明らかに「落とすための試験」という意味合いが強い試験だといえます。

そして、受験者数・採点対象者数は、令和2年を除き、平成27年から微増傾向にあり、昨年（令和5年）の受験者数は、予備試験史上最も多い13,372人を記録していましたが、今年の受験者数は12,569人となり、一転して減少することとなりました。採点対象者数についても、昨年（令和5年）は13,255人と予備試験史上最も多い数字でしたが、今年は12,469人となり、増加傾向に歯止めがかかった形です。

受験率については、直近２年連続で80％台を維持していましたが、今年は「79.7％」となり、わずかに80％を割り込みました。もっとも、来年以降も同様の「受験率」が維持されるものと考えられ、合格者数も2,500～2,800人前後となることが予想されます。

予備試験短答式試験では、法律基本科目だけでなく、一般教養科目も出題されます。点数が安定し難い一般教養科目での落ち込みをカバーするため、法律基本科目については苦手科目を作らないよう、安定的な点数を確保する対策が必要となります。

このような現状の中、短答式試験を乗り切り、総合評価において高得点をマークするためには、いかに短答式試験対策を効率よく行うかが鍵となります。そのため、要領よく知識を整理し、記憶の定着を図ることが至上命題となります。

★必要十分な知識・判例を掲載

刑法の出題の多くは、具体的事例における学説からの帰結・あてはめや判例の立場からの結論を問うものです。そのため、条文や判例、主要な学説を正確に理解し、適切にあてはめて結論を導く力が試されます。

このような問題に対応するため、本文中に具体的事例を多く盛り込み、できるだけ表の形でまとめ、複数の事案の違いが意識できるように工夫しています。盛り込んだ事例は、過去の司法試験で実際に出題されたものをベースにしており、狙われやすい具体例を効果的に学習できるようになっています。また、重要論点における学説の対立・あてはめについても図表にまとめ、比較しながら知識を整理できるように工夫しています。さらに、判例に関する知識は特に重要ですので、百選掲載判例及び重判掲載判例を多数ピックアップし、判旨を紹介しています。

★司法試験短答式試験、予備試験短答式試験の過去問情報を網羅

本書では、司法試験・予備試験の短答式試験において、共通問題で問われた知識に共マーク、予備試験単独で問われた知識に予マーク、司法試験単独で問われた知識に司マークを付しています。複数のマークが付されている箇所は、各短答式試験で繰り返し問われている知識であるため、より重要性が高いといえます。

★最新判例インターネットフォロー

短答式試験合格のためには、最新判例を常に意識しておくことが必要です。そこで、ＬＥＣでは、最新判例の情報を確実に収集できるように、本書をご購入の皆様に、インターネットで随時、最新判例情報をご提供させていただきます。

アクセス方法の詳細につきましては、「最新判例インターネットフォロー」の頁をご覧ください。

2024年9月吉日

株式会社東京リーガルマインド
ＬＥＣ総合研究所　司法試験部

司法試験・予備試験受験生の皆様へ

ＬＥＣ司法試験対策　総合統括プロデューサー
反町　雄彦　ＬＥＣ専任講師・弁護士

◆競争激化の短答式試験

短答式試験は、予備試験においては論文式試験を受験するための第一関門として、また、司法試験においては論文式試験を採点してもらう前提条件として、重要な意味を有しています。いずれの試験においても、合格を確実に勝ち取るためには、短答式試験で高得点をマークすることが重要です。

◆短答式試験対策のポイント

司法試験における短答式試験は、試験最終日に実施されます。論文式試験により心身ともに疲労している中、短答式試験で高得点をマークするには、出題可能性の高い分野、自身が弱点としている分野の知識を、短時間で総復習できる教材の利用が不可欠です。

また、予備試験における短答式試験は、一般教養科目と法律基本科目（憲法・民法・刑法・商法・民事訴訟法・刑事訴訟法・行政法）から出題されます。広範囲にわたって正確な知識が要求されるため、効率的な学習が不可欠となります。

本書は、短時間で効率的に知識を整理・確認することができる最良の教材として、多くの受験生から好評を得ています。

◆短答式試験の知識は論文式試験の前提

司法試験・予備試験の短答式試験では、判例・条文の知識を問う問題を中心に、幅広い論点から出題がされています。論文式試験においても問われうる重要論点も多数含まれています。そのため、短答式試験の対策が論文式試験の対策にもなるといえます。

また、司法試験の憲法・民法・刑法以外の科目においても、論文式試験において正確な条文・判例知識が問われます。短答式試験過去問を踏まえて解説した本書を活用し、重要論点をしっかり学んでおけば、正確な知識を効率良く答案に表現することができるようになるため、解答時間の短縮につながることは間違いありません。

司法試験合格が最終目標である以上、予備試験受験生も、司法試験の短答式試験・論文式試験の対策をしていくことが重要です。短答式試験対策と同時に、重要論点を学習し、司法試験を見据えた学習をしていくことが肝要でしょう。

◆苦手科目の克服が肝

司法試験短答式試験では、短答式試験合格点（令和６年においては憲法・民法・刑法の合計得点が93点以上）を確保していても、１科目でも基準点（各科目の満点の40％点）を下回る科目があれば不合格となります。本年では、憲法で317人、民法で192人、刑法で122人もの受験生が基準点に達しませんでした。本年の結果を踏まえると、基準点未満で不合格となるリスクは到底見過ごすことができません。

試験本番が近づくにつれ、特定科目に集中して勉強時間を確保することが難しくなります。苦手科目は年内に学習し、苦手意識を克服、あわよくば得意科目にしておくことが必要です。

◆本書の特長と活用方法

完全整理択一六法は、一通り法律を勉強し終わった方を対象とした教材です。本書は、司法試験・予備試験の短答式試験における出題可能性の高い知識を、逐条形式で網羅的に整理しています。最新判例を紹介する際にも、できる限りコンパクトにして掲載しています。知識整理のためには、核心部分を押さえることが重要だからです。

本書の活用方法としては、短答式試験の過去問を解いた上で、間違えてしまった問題について確認し、解答に必要な知識及び関連知識を押さえていくという方法が効果的です。また、弱点となっている箇所に印をつけておき、繰り返し見直すようにすると、復習が効率よく進み、知識の定着を図ることができます。

このように、受験生の皆様が手を加えて、自分なりの「完択」を作り上げていくことで、更なるメリハリ付けが可能となります。ぜひ、有効に活用してください。

司法試験・予備試験は困難な試験です。しかし、継続を旨とし、粘り強く学習を続ければ、必ず突破することができる試験です。

皆様が本書を100％活用して、試験合格を勝ち取られますよう、心よりお祈り申し上げます。

CONTENTS

◆図表一覧

CONTENTS

CONTENTS

◆論点一覧表

【司法試験】

年度	論点名	備考	該当頁
H18	正当防衛・過剰防衛の成否（侵害の急迫性、防衛の意思、相当性）		65 70 75
	現場共謀の成否		134
	承継的共同正犯の成否		137 139
	同時傷害の特例（207）の適用の可否	最判昭 26.9.20	361
H19	恐喝的手段と詐欺的手段が併用された場合	最判昭 24.2.8	475
	権利行使と恐喝	最判昭 30.10.14・百選Ⅱ 61 事件	473
	共犯関係の解消（着手後の離脱）	最決平元 .6.26・百選Ⅰ 96 事件	161
	横領の手段として詐欺的手段を用いた場合における詐欺罪の成否		485
H20	共同正犯と幇助犯の区別		132
	共謀の射程		136
	強盗致傷罪の成否（特に暴行・脅迫と負傷との関連性）		434
	共犯と錯誤（異なる構成要件間の錯誤）		157
H21	横領と背任の区別		470
	預金の占有		476
	共犯と間接正犯の錯誤（被利用者が途中で情を知った場合）	・乙の道具性が失われると解する場合 →甲：教唆犯、乙：直接正犯 ・乙の道具性が失われないと解する場合 →甲：間接正犯、乙：故意ある幇助的道具 →甲の因果関係の錯誤が問題となる	160
	共犯と身分（業務上横領罪と 65 条の関係）	最判昭 32.11.19・百選Ⅰ 94 事件	168

年度	論点名	備考	該当頁
R元	誤想防衛の成否	大阪高判平 14.9.4・百選Ⅰ 28 事件	95
R2	恐喝的手段と詐欺的手段が併用された場合	最判昭 24.2.8	475
	1項恐喝罪か2項恐喝罪か（銀行口座に送金させた場合）		474
	権利行使と恐喝	最判昭 30.10.14・百選Ⅱ 61 事件	473
	実行行為性（実行の着手）	現場思考	――
	相当因果関係における相当性の判断資料		14
	故意（因果関係の錯誤）	第1行為によって死亡結果を惹起する認識・予見がないという説明もあり得る（出題趣旨参照）。	34
	1項詐欺罪の成否（犯罪被害金であることを秘した払戻行為は欺罔行為に当たるか）		442
	横領行為の客体	現場思考 ・甲が現実に600万円をCに交付した行為を「横領」と捉える場合、客体は甲が所持している現金となる ・甲が払戻しを受ける行為を「横領」と捉える場合、客体は口座に預金として預け入れられた金員となる	――
	早すぎた構成要件の実現	クロロホルム事件（最決平 16.3.22・百選Ⅰ 64 事件）	36
	2項強盗殺人罪の成否	現場思考	――
	事後的奪取意思		424
R3	窃盗罪における占有の帰属（複数の保管者間に上下関係がある場合）	最決昭 31.1.19 （なお、Cの占有を否定した場合、甲丙間に業務上横領罪の共同正犯の検討の際に問題となる。）	409 414
	共同正犯と幇助犯の区別		132
	共犯の錯誤（異なる構成要件間の錯誤）		157
	抽象的事実の錯誤		37
	盗品等保管罪の成否（保管途中の知情）	最決昭 50.6.12・百選Ⅱ 76 事件	491

年度	論点名	備考	該当頁
R3	共犯関係の解消（着手後の離脱）	① 甲丙間で共犯関係の解消を認めた場合、甲の刑事責任を否定するためには同時傷害の適用について検討する必要がある。 ② 甲丙間で共犯関係の解消を認めない場合、一部実行全部責任により甲丙に傷害罪の共同正犯が成立する。	161
	同時傷害の特例（207）の適用範囲	最決平 28.3.24・百選Ⅱ 6 事件 傷害結果について明らかに責任を負う者が存在する場合にも、同時傷害の特例を適用できるかが問題となる（出題趣旨・採点実感参照）。	361
R4	横領罪の成否（窃盗犯人との委託信任関係の要保護性）		476 484
	「横領した」の意義（不法領得の意思の内容）	最判昭 27.10.17（領得行為説） 最判昭 24.3.8・百選Ⅱ 66 事件	478
	正当防衛の成否	① 他人のための正当防衛（被侵害者と防衛者が同一でないことから、いずれを基準に侵害の急迫性を判断すべきか） ② 侵害の予期と急迫性（最決平 29.4.26・百選Ⅰ 23 事件）	68 69
	誤想過剰防衛（故意犯の成否と 36 条 2 項の準用の可否）		96
	自招危難	最決平 20.5.20・百選Ⅰ 26 事件（自招侵害） 大判大 13.12.12・百選Ⅰ 32 事件 東京高判昭 45.11.26	80
R5	手段・態様が限定される詐欺罪について、現金の交付を求める文言が述べられるより前に、実行の着手を認めて詐欺未遂罪が成立するとする場合の論拠	最判平 30.3.22・百選Ⅰ 63 事件 なお、手段・態様を限定した犯罪ではないが、殺人罪に関し、最決平 16.3.22・百選Ⅰ 64 事件参照	444
	上記の論拠に基づき具体的事実関係に即して実行の着手が認められる時点を明らかにすること	現場思考	——
	強盗致傷罪の成否（特に緊縛行為と傷害結果との間の因果関係の有無）		15

年度	論点名	備考	該当頁
R5	共謀共同正犯の成否（共謀の射程と共犯の錯誤）		136 157
	公務と業務	妨害の対象となる公務を的確に把握する必要がある（出題趣旨参照）。	401

【予備試験】

年度	論点名	備考	該当頁
H23	嘱託殺人罪（202 後段）の成否		354
	遅すぎた構成要件の実現	第二行為に関しては抽象的事実の錯誤、第一行為に関しては因果関係の錯誤が問題となる（出題趣旨参照）。	34 35 37
	証拠隠滅罪（104）の成否（特に「他人の刑事事件に関する証拠」）		239
	親族による犯罪に関する特例（105）		243
H24	被害者の承諾	最決昭 55.11.13・百選Ⅰ 22 事件	61 63
	具体的事実の錯誤（方法の錯誤）		32
	共謀の意義	現場思考	——
	共犯関係の解消（着手前の離脱）		161
	傷害罪の「人」の意義		356
H25	振り込め詐欺		461
	共謀の射程	なお、詐欺罪の共謀共同正犯を否定した場合には、詐欺罪の幇助犯の成否が問題となる。	136
	不能犯と未遂犯の区別（窃盗未遂罪の成否）		107
H26	詐欺罪と窃盗罪の区別（処分行為の有無）		446

年度	論点名	備考	該当頁
H26	財物の占有を確保した後の暴行・脅迫（2項強盗殺人未遂罪の成否）	最決昭 61.11.18・百選Ⅱ 40 事件	426 433
	正当防衛の成否（特に防衛の意思と攻撃の意思が併存している場合）	最判昭 50.11.28・百選Ⅰ 24 事件	75
	盗品等保管罪の成否（保管途中の知情）	最決昭 50.6.12・百選Ⅱ 76 事件	489
	盗品等の横領		484
H27	業務上横領罪の成否		486
	共謀共同正犯の成否		134
	共犯と身分（業務上横領罪と65条の関係）	最判昭 32.11.19・百選Ⅰ 94 事件	168
	受託収賄罪の成否		345
	贈賄罪の成否		350
	身分なき故意ある道具		124
H28	現住建造物等放火罪の成否（現住性、建造物の一体性、「焼損」の意義）	最決平 9.10.21・百選Ⅱ 84 事件	250 252 254
	抽象的事実の錯誤		37
	中止犯の成否		112
	共犯と中止（中止犯が成立する場合に他の共犯へ及ぼす影響）		164
H29	実行の着手（離隔犯）		106
	不能犯と未遂犯の区別		107
	間接正犯の成否		122
	因果関係	被害者の特殊事情が行為時に存在し、第三者の過失行為も介在する場合	14 15
	証拠偽造罪（104）の成否（特に「他人の刑事事件に関する証拠」）		239

年度	論点名	備考	該当頁
R4	間接正犯の実行の着手	大判大 7.11.16・百選Ⅰ 65 事件	106
	共謀共同正犯の成否（共謀の射程と共犯の錯誤）		136 156
	事後強盗罪の既遂・未遂の判断	最判昭 24.7.9	431
	事後強盗罪における「窃盗の機会」	最判平 16.12.10・百選Ⅱ 43 事件	428
	事後強盗罪における暴行・脅迫の程度		428
R5	監禁罪の保護法益（被監禁者における監禁の認識の要否）		382
	窃盗罪における不法領得の意思	利用処分意思を認めなかった場合には、器物損壊罪の成否を検討することになる（出題趣旨参照）。	415
	死者の占有（窃盗の故意と関連して）	最判昭 41.4.8・百選Ⅱ 29 事件	37 413
	遅すぎた構成要件の実現	第１行為と死亡結果との因果関係及び因果関係の錯誤並びに第２行為の処理等を検討する必要がある（出題趣旨参照）。	35

本書の効果的利用法

論文式試験の過去問で問われた項目に下記のマークを明示
司法試験　⇒〈司R5
予備試験　⇒〈予R5
（数字は出題された年度を表しています。）

●信用及び業務に対する罪　［第233条～第234条］

《論　点》

◆　公務と業務

＜公務と業務の区別に関する学説＞

学説	内容	理由	批判
無限定積極説	公務は全て「業務」に含まれる	公務も公務員としての個人の社会的活動にほかならないし、刑法は「業務」について特に限定を加えていない	①　強制力を行使する権力的公務は暴行・脅迫に至らない妨害（威力）を排除できる以上、威力による妨害にとどまる場合にまで本罪を成立させて権力的公務を保護する必要はない ②　公務執行妨害罪という国家的法益に対する罪と業務妨害罪という個人的法益に対する罪とを安易に混同している
消極説	公務は一切「業務」に含まれない	公務執行妨害罪は国家的法益に対する罪であるのに対し、業務妨害罪は個人的法益に対する罪であるから、個人的法益を保護するための業務妨害罪によって公務が保護されるべきではなく、公務執行妨害罪によってのみ保護されるべきである	公務というだけで、民間の業務と実質的に異ならない公務まで偽計・威力による妨害から保護されないとするのは不合理である
公務振分け説	一定の基準により公務を振り分けた上で、その基準を満たす公務については専ら業務妨害罪のみ成立し、それ以外の公務は専ら公務執行妨害罪のみ成立する	一定の基準（民間類似性、非権力性、現業性など）を満たす公務については民間の業務と同じ保護を与えるべきであり、それゆえ専ら業務妨害罪の成否のみが問題となるが、それ以外の公務については公務執行妨害罪で保護される	一定の基準を満たす公務については公務執行妨害罪が成立しないことになるが、それでは公務執行妨害罪の成立範囲が著しく狭められてしまう

各論

2025年に出題が予想される項目をマークで明示

判例には〈判マーク、通説には〈通マークを明示し、短答式試験の過去問で問われた項目にも下記のマークを明示
司法試験　⇒〈司
予備試験　⇒〈予
司法試験・予備試験共通問題　⇒〈共

責任能力　●責任

総論体系編

二　現行法の規定

1　心神喪失者・心神耗弱者（39）・刑事未成年者（41）

＜責任能力に関する規定の整理＞

概念	内容	処置	備考
心神喪失者（39 Ⅰ）（＊）：責任無能力	①　精神の障害により ②　行為の是非を弁別する能力（是非弁別能力）又はその弁別に従って行動する能力（行動制御能力）のない者	犯罪不成立	生物学的要件（精神の障害）と心理学的要件（是非弁別能力、行動制御能力）を併用する定義の仕方を、混合的方法という
心神耗弱者（39 Ⅱ）（＊）：限定責任能力	①　精神の障害により ②　是非弁別能力又は行動制御能力が著しく低い者	刑の必要的減軽	
刑事未成年者（41）：責任無能力	14歳未満の者	犯罪不成立	・公訴提起時に14歳以上であったとしても、犯行時に14歳に満たなければ、本条が適用される ・犯行時に14歳未満であれば、たとえ是非弁別能力及び行動制御能力があっても、本条が適用される ・犯行時に14歳以上であれば、たとえ精神能力が14歳未満の者のそれと同じであっても、本条が準用されることはない

＊　アルコールによる酩酊等一時的な意識障害も含む。

2　心神喪失・心神耗弱の認定・判断の方法

心神喪失・心神耗弱に当たるかどうか（責任能力の有無・程度）の判断は、病歴、犯行当時の病状、犯行前の生活状態、犯行の動機・態様、犯行後の行動、犯行以後の病状などの諸事情を総合的に考察して判断される（最判昭53.3.24・百選Ⅰ 34事件）。この責任能力の有無・程度に関する判断は、法律判断であって、専ら裁判所の判断にゆだねられるべき問題であるから、専門家たる精神医学者の精神鑑定等があっても、裁判所はそれに事実上拘束されるものではない（最決昭59.7.3）。

また、責任能力の有無・程度の判断の前提となる生物学的要素（精神の障害）及び心理学的要素（弁識能力・制御能力）についても、究極的には裁判所の評価にゆだねられるべき問題である（最決昭58.9.13、最決平21.12.8・百選

86

<正当防衛・過剰防衛・誤想（過剰）防衛の整理>

行為の相当性＼急迫不正の侵害		存在	不存在だが存在と誤信
相当		正当防衛（36 Ⅰ） →違法性阻却	（狭義の）誤想防衛 →責任故意阻却＋過失犯の成否
過剰	過剰性の認識なし	誤想防衛 →責任故意阻却＋過失犯の成否 ＋36条2項適用（＊1）	誤想過剰防衛 →責任故意阻却＋過失犯の成否 ＋36条2項準用（＊2）
過剰	過剰性の認識あり	過剰防衛（36 Ⅱ） →違法・責任減少（通説）	誤想過剰防衛 →故意犯成立＋36条2項準用 （＊2）

※　誤想防衛（過剰性の認識がない場合の誤想過剰防衛）の問題は（責任）故意を阻却するかしないかという罪名の問題であるのに対し、36条2項の適用・準用の可否の問題は刑の任意的減免を認めてもよいかという科刑の問題であり、別次元の問題であるので、それぞれ別個に論じられるべきであるとされる。

＊1　この類型では、急迫不正の侵害が現に存在しており、これに対して客観的には不相当な防衛行為を行った場合であるから、36条2項の規定が「適用」される。

＊2　これらの類型では、急迫不正の侵害が存在しないので違法減少は認められないが、その侵害が存在すると誤信しているので責任減少が認められ、36条2項の規定が「準用」される。

六　誤想自救行為・誤想過剰自救行為

誤想自救行為とは、誤解によって自救行為と認識していた場合をいう。その行為が過剰性を有する場合は、誤想過剰自救行為となる。これも違法性阻却事由の錯誤の問題であるから、誤想防衛・誤想過剰防衛と同様に考えられる。

もっとも、自救行為は正当防衛より成立要件が厳しいので、認定には慎重を期する必要がある。　⇒ p.58

4　期待可能性

《概　説》

◆ 意義

行為の際の具体的事情の下で行為者に犯罪行為を避けて適法行為をなしえたであろうと期待できることをいう。期待可能性が欠ける……る。

判例（最判昭33.7.10・百選Ⅰ〔第7版〕61事件）に……いて肯定も否定もしていない。

総論体系編

随所に図表を設け、ビジュアル的にわかりやすく学説の対立等の情報を整理

当該項目と関連する部分や詳細な記述がなされている部分を ⇒p. で表示し、直ちに当該部分を参照することが可能

いて、甲自身はわいせつな動画を投稿していなくても、甲にわいせつ電磁的記録記録媒体陳列罪の共同正犯が成立するとしている。

∵　動画配信サイトの運営者甲と、同サイト上にわいせつな動画を投稿した乙との間には、わいせつな動画を投稿・配信することについて、黙示の意思連絡があったと評価することができ、甲の勧誘及び同サイトの管理・運営行為がなければ、乙がわいせつな動画を不特定多数の者が認識できる状態に置くことはなかったこと等の事情によれば、甲乙間の共謀が認められる

【不同意わいせつ罪】

第176条　（不同意わいせつ）

Ⅰ　次に掲げる行為又は事由その他これらに類する行為又は事由により、同意しない意思を形成し、表明し若しくは全うすることが困難な状態にさせ又はその状態にあることに乗じて、わいせつな行為をした者は、婚姻関係の有無にかかわらず、6月以上10年以下の懲役に処する。

① 暴行若しくは脅迫を用いること又はそれらを受けたこと。
② 心身の障害を生じさせること又はそれがあること。
③ アルコール若しくは薬物を摂取させること又はそれらの影響があること。
④ 睡眠その他の意識が明瞭でない状態にさせること又はその状態にあること。
⑤ 同意しない意思を形成し、表明し又は全うするいとまがないこと。
⑥ 予想と異なる事態に直面させて恐怖させ、若しくは驚愕させること又はその事態に直面して恐怖し、若しくは驚愕していること。
⑦ 虐待に起因する心理的反応を生じさせること又はそれがあること。
⑧ 経済的又は社会的関係上の地位に基づく影響力によって受ける不利益を憂慮させること又はそれを憂慮していること。

Ⅱ　行為がわいせつなものではないとの誤信をさせ、若しくは行為をする者について人違いをさせ、又はそれらの誤信若しくは人違いをしていることに乗じて、わいせつな行為をした者も、前項と同様とする。

Ⅲ　16歳未満の者に対し、わいせつな行為をした者（当該16歳未満の者が13歳以上である場合については、その者が生まれた日より5年以上前の日に生まれた者に限る。）も、第1項と同様とする。

【令5改正】近年における性犯罪をめぐる状況に鑑み、この種の犯罪に適切に対処し、性犯罪に対する処罰を強化するという理由の下、改正刑法176条1項は、改正前の強制わいせつ罪（旧176）・準強制わいせつ罪（旧178 Ⅰ）を「不同意わいせつ罪」として規定し直すとともに、その成立要件を大きく改めた。

なお、今般の改正によって、改正前刑法下では処罰できなかった行為が新たに処罰の対象に含まれることになるわけではなく、規定が明確化されることにより、改正前刑法下でも本来であれば処罰されるべき行為が、より的確に処罰されることになるものと解されている。

各論

令和5年刑法改正部分を下線で強調

【令5改正】で令和5年刑法改正の経緯・理由を丁寧に説明

※　なお、本書における条文番号の横に記載されている見出し部分については、学習の便宜のため、弊社が付したものがあります。

● 最新判例インターネットフォロー ●

本書の発刊後にも、短答式試験で出題されるような重要な判例が出されることがあります。

そこで、完全整理択一六法を購入し、アンケートにお答えいただいた方に、ウェブ上で最新判例情報を随時提供させていただきます。

- ユーザー名は〈WINSHIHOU〉、パスワードは〈kantaku〉となります。

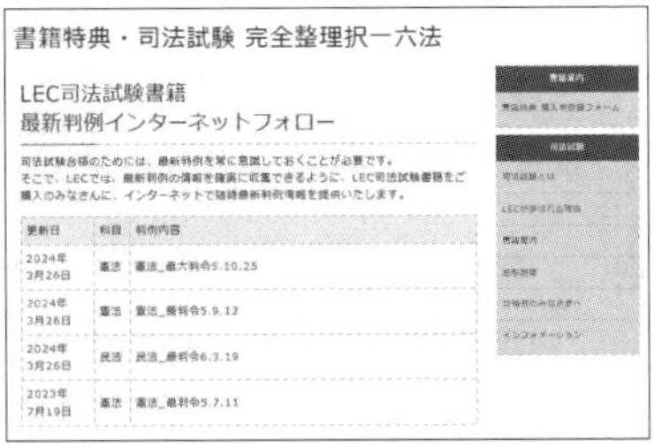

※画面イメージ

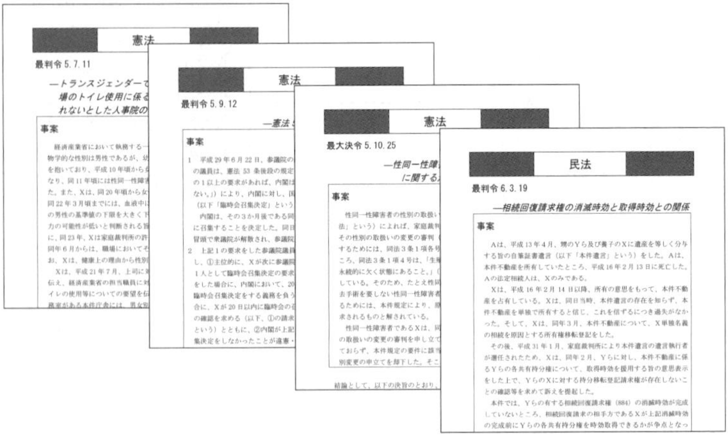

アクセス方法　ＬＥＣ司法試験サイトにアクセス
(https://www.lec-jp.com/shihou/)

↓

ページ最下部の「書籍特典 購入者登録フォーム」へアクセス
(https://www.lec-jp.com/shihou/book/member/)

↓

「完全整理択一六法 書籍特典応募フォーム」にアクセスし、
上記ユーザー名・パスワードを入力

↓

アンケートページにてアンケートに回答

↓

登録いただいたメールアドレスに最新判例情報ページへの
案内メールを送付いたします

総　論

体系編

第１編　体系編

・第１章・【犯罪論総論】

◆　犯罪論の体系

《概　説》

一　罪刑法定主義

1　意義

罪刑法定主義とは、犯罪（構成要件に該当する違法で有責な行為）と刑罰（犯罪に対する法律上の効果として、国家が犯人に科す法益のはく奪）はあらかじめ法律で定められていなければならないという刑法の基本原則をいう。罪刑法定主義は憲法31条の保障内容に含まれると解されている。そして、罪刑法定主義には次の２つの意義があるとされる。

⑴　民主主義的要請（法律主義、憲31、73⑥）

どのような行為が犯罪となり、どのような刑罰が科せられるかは、国民が、その代表である国会の議決によって成立する形式的意味の「法律」で定めておかなければならない。

＊　法律が下位規範である政令以下に罰則を設けることを具体的・個別的に委任した場合はこの限りでない（憲73⑥ただし書）。

⑵　自由主義的要請（事後法の禁止、憲39前段）

犯罪と刑罰は、国民の権利、行動の自由を守るために、犯罪が行われる前に成文法により明示して自らの行為が処罰されるかどうか予測できるようにしておかなければならず、事後の法律で処罰してはならない。

2　派生原理

⑴　慣習刑法の禁止〈同

法律主義の帰結として、慣習法は刑法の直接の法源とはなりえない。しかし、刑法の規定に示された一定の概念の解釈にとって慣習が意味をもつ場合はありうる。

⑵　遡及処罰の禁止　⇒ p.180

憲法39条前段は、行為の時に「適法」であった行為は処罰されない、と規定するが、①行為時に違法であったが罰則がなかった行為を事後立法で罰則を定めて処罰すること、②行為時に規定されていた刑よりも重い刑で処罰すること、をも禁止する趣旨と解されている〈同。

cf.　同一の事件は、一度審理し終えたならば、再度審理をすることはない

という一事不再理の原則は、裁判制度そのものに内在する要請であり、罪刑法定主義の要請ではない

(3) 絶対的不定期刑の禁止

絶対的不定期刑とは、①「……した者は刑に処する」というように、刑種と刑量をともに法定しない場合、及び②「……した者は懲役に処する」というように、刑種だけを法定するが刑量は法定しない場合の法定刑のことをいう。このような絶対的不定期刑は、刑罰を法定したことにならず、法律主義に反し禁止される。

cf. 長期と短期を定めて言い渡す相対的不定期刑は、罪刑法定主義に反するとはされていない〈司〉

(4) 類推解釈の禁止

法律の適用に際し、法規を超えた事実について他の規定から類推して犯罪の成立を認めることは許されない。しかし、刑罰法規も、具体的な適用に際して裁判官の目的的・合理的解釈による補充が当然必要となるから、拡張解釈は許容されると解されている〈司〉。

* 類推解釈の禁止は、国民の行動の自由を保障するために要請されるものであるから、被告人に有利な類推解釈は許容される。

▼ 最判平 8.2.8・百選Ⅰ 1 事件

マガモ・カルガモをねらい洋弓銃で矢を射かけた行為は、矢が外れたため鳥獣を自己の実力的支配内に入れられず、かつ、殺傷するに至らなくても、鳥獣保護法が禁止する「捕獲」に当たる。

3 罪刑法定主義の実質化〈司〉

「法律」さえあれば、規定の内容はどのようなものでも、罪刑法定主義に反しないとするのではなく、不合理な刑罰法規を憲法 31 条違反として違憲・無効とする憲法解釈原理を、実体的デュー・プロセス論という。

* 明確性の原則

国民からみて不明確な文言を含む刑罰法規は、憲法 31 条に反し無効である。

→通常の判断能力を有する一般人の理解において、具体的場合に当該行為がその適用を受けるものか否かの判断を可能とするような基準が読み取れることが必要（最大判昭 60.10.23・百選Ⅰ 2 事件）

二　刑法思想の史的展開

刑法理論

→刑罰とは何か、犯罪とは何かについて、種々の理論的見解が主張されてきたが、大別して2つの学派に分けることができる

<刑法理論> 〈同

	旧派（古典派）	新派（近代派）
意思の自由を	肯定（非決定論）（＊1）	否定（決定論）（＊2）
犯罪行為とは	自由意思の外部的発現（犯罪現実説）	反社会的性格の徴表（犯罪徴表説）
罰せられるべきは	現実的な行為（行為主義）	危険な行為者（行為者主義）
犯罪論の中心は	行為の客観的側面と結果（客観主義）	反社会的性格・動機等の主観的側面（主観主義）
責任とは	自由意思で行為に出たことへの道義的非難（道義的責任論）	社会的危険性ある者が甘受すべき負担（社会的責任論）
刑罰の本質は	応報として科せられる害悪（応報刑論）〈共	反社会的性格を改善・教育する手段（改善刑論、教育刑論）
刑罰の機能は	社会一般人をいましめ犯罪を予防（一般予防）	行為者の再犯の予防（特別予防）
刑罰と保安処分（＊3）は	刑罰は責任、保安処分は危険性に対するもので異なる（二元主義）	行為者に対する改善の手段として本質を同じくする（一元主義）

＊1　非決定論とは、人間には自由意思があり、自己の行動について因果の法則に支配・決定されることなく、理性的判断により選択できるとする考え方をいう。

＊2　決定論とは、人間に自由意思はなく、自己の行動は遺伝的素質と社会的環境によって支配・決定されているとする考え方をいう。

＊3　保安処分とは、主として特別予防の目的をもって設けられた、刑罰以外の刑法上の法効果をいう。たとえば、裁判所は、「心神喪失等の状態で重大な他害行為を行った者の医療及び観察等に関する法律」に基づき、一定の重大犯罪を行った心神喪失・心神耗弱者に対して、入院又は通院させる旨の決定をすることができる。

三　刑罰論

人に対し国家が意図的に害を加える行為である「刑罰」は、いかなる理由から正当化されるか。

＜刑罰の正当化根拠＞司

	応報刑論 （＊1）（＊2）	目的刑論	
		一般予防論	特別予防論
根拠	犯罪に対する応報である	刑罰を科すことによる社会的な威嚇を通して、一般人が将来犯罪を行うことを防止する効果がある	刑罰を科すことにより、犯人自身が将来再び犯罪を行うことを防止する効果がある
内容	刑罰は、苦痛ないし害悪を指すが、犯罪に対する応報という正当化根拠から、犯罪との均衡を失するような刑罰を科すことは刑罰の役割に反し許されない	刑罰を予告することにより一般人の心理を強制して犯罪を抑止する（消極的一般予防） 処罰により行為者の行為が犯罪であると公的に確認されることにより、一般人の規範意識を維持・覚醒させる（積極的一般予防）	一般社会から隔離することで再犯を防止（隔離効果）し、犯罪傾向が比較的軽い者に対しては、改善・教育を施し、社会復帰を促す（教育刑主義）
批判	①　刑罰を加えることそれ自体が目的であるから、犯罪を行った者に対し、特別予防効果を期待してその処罰の執行を猶予する余地がなくなる ②　犯罪予防のために必要な刑であっても、責任に対応する刑を超える刑を科すことができなくなる	一般予防を過度に重視すれば、窃盗にも死刑を科し得ることとなるなど、往々にして厳罰化の方向に向かう危険性がある司	①　特別予防の効果が生じるまで刑罰を継続する考え方をとりうるため、軽微な犯罪を行った者であっても、更生のために必要であれば、長期の拘禁刑を科すことも正当化されるおそれがある ②　刑罰と保安処分（行為者の再犯防止に対する予防措置）の区別がなくなってしまう

＊1　近時、刑罰の本質は応報としての苦痛ないし害悪であるが、その目的は犯罪の防止であるという相対的応報刑論が有力に主張されている。

＊2　応報刑論は、非決定論を前提としている。

・第2章・【構成要件該当性】

1　構成要件

《概　説》

一　構成要件の意義

構成要件とは、刑罰法規に定められた犯罪の類型をいう。

二　客観的構成要件要素

1　行為の主体

(1)　身分犯

構成要件上、行為者に一定の身分があることが必要とされている犯罪をいう。

＜身分犯＞

	意義	具体例
真正身分犯	身分があることによって犯罪を構成する場合	収賄罪(197)、背任罪(247)
不真正身分犯	身分があることによって法定刑が加重・減軽される場合	保護責任者遺棄罪（218)、常習賭博罪（186)

(2)　法人の犯罪能力　⇒ p.8

(3)　両罰規定における法人処罰の根拠　⇒ p.9

2　行為の客体

(1)　行為の客体とは、行為が向けられる対象としての人又は物をいう。

なお、名誉毀損罪（230 Ⅰ)、信用毀損罪（233 前段)、業務妨害罪（233 後段、234）など、刑法各則に規定された行為の客体には法人を含むものがある共。

(2)　行為の客体と当該刑罰法規における保護の客体(法益)とは必ずしも一致しない。

ex.　公務執行妨害罪（95 Ⅰ）における行為の客体は公務員であるが、保護の客体は公務自体である

3　行為の状況

構成要件に定められている行為が成立するための一定の状況をいう。

ex.　消火妨害罪（114）の「火災の際に」

4　実行行為

構成要件に該当する結果発生の現実的危険性のある行為をいう。

5　結果

構成要件は、通常、一定の結果の発生を構成要件要素として規定している。この発生すべき一定の結果を構成要件的結果という。

(1) 分類

＜挙動犯・結果犯＞

	意義	具体例
挙動犯	構成要件的行為としての人の外部的態度があれば足り、結果の発生を必要としない犯罪	住居侵入罪（130前段） 偽証罪（169）
結果犯	構成要件的行為のみならず、一定の結果の発生が必要とされる犯罪	殺人罪（199）、窃盗罪（235）等の大部分の犯罪

＜形式犯・実質犯、侵害犯・危険犯＞

<table>
<tr><td>形式犯</td><td colspan="4">一定の法規に形式的に違反しただけで成立し、法益侵害の抽象的危険の発生さえも必要としない犯罪
ex. 食品衛生法における不衛生食品貯蔵・陳列罪</td></tr>
<tr><td rowspan="3">実質犯</td><td rowspan="3">一定の法益の侵害又は危険を内容とする犯罪</td><td>侵害犯</td><td colspan="2">法益が現実に侵害されることを必要とする犯罪
ex. 殺人罪（199）、窃盗罪（235）</td></tr>
<tr><td rowspan="2">危険犯</td><td rowspan="2">単に法益侵害の危険の存在だけで足りる犯罪</td><td>抽象的危険犯
：一般的定型的に危険な行為そのものが処罰されている犯罪
ex. 現住建造物放火罪（108）、名誉毀損罪（230 Ⅰ）</td></tr>
<tr><td>具体的危険犯
：法益侵害の具体的・現実的危険の発生を要件とする犯罪
ex. 自己所有非現住建造物放火罪（109 Ⅱ）、往来危険罪（125）</td></tr>
</table>

＜即成犯・状態犯・継続犯＞ 〈同共〉

	意義	具体例
即成犯	一定の法益侵害又は危険の発生によって、犯罪は直ちに完成し、かつ終了するもの	殺人罪（199） 放火罪（108）
状態犯	一定の法益侵害の発生によって犯罪は終了し、その後の法益侵害状態の存続は犯罪事実とみなされないもの	窃盗罪（235） 横領罪（252）
継続犯	一定の法益侵害が継続している間、犯罪の継続が認められるもの →犯罪の継続中は、共犯の成立、正当防衛（36）が可能	逮捕監禁罪（220） 保護責任者不保護罪（218）

(2) 結果的加重犯　⇒ p.10

基本となる構成要件が実現された後に、さらに一定の結果が発生した場合について、加重処罰するものをいう。

ex.　傷害致死罪（205）、保護責任者遺棄致死傷罪（219）

6　因果関係

結果犯では、行為と結果との間の因果関係が構成要件要素となる。

三　主観的構成要件要素

1　一般的主観的要素

(1)　故意　⇒ p.24

犯罪（構成要件）事実を認識・表象することをいう。

(2)　過失　⇒ p.40

不注意によって、犯罪（構成要件）事実の認識・表象を欠くことをいう。

2　特殊的主観的要素（要否につき争いあり）　⇒ p.39

(1)　目的犯における「目的」共

ex.　偽造罪における「行使の目的」（148）、営利目的等拐取罪における「営利の目的」（225）

(2)　傾向犯における「主観的傾向」

＊　傾向犯とは、行為者の心情又は内心の傾向を構成要件要素とする犯罪をいう。

(3)　表現犯における「心理的過程」

ex.　偽証罪（169）通

＊　表現犯とは、行為の要素として、行為者の心理的経過又は内心状態の表現を必要とする犯罪をいう。

四　記述的構成要件要素と規範的構成要件要素

<記述的構成要件要素・規範的構成要件要素>

	意義	具体例
記述的構成要件要素	構成要件要素の存否の認定について、価値判断を入れずに裁判官の解釈ないし認識的活動によって確定できるもの	「人を殺した者」（199）という場合における「人」及び「殺」すという行為
規範的構成要件要素	構成要件要素の存否の認定について、裁判官の規範的・評価的な価値判断を要するもの	(1)　法的評価による判断を必要とするもの ex.「他人の財物」（235） (2)　認識上の評価を必要とするもの ex.「人を欺」く（246 Ⅰ） (3)　文化的評価による判断を必要とするもの ex.「わいせつ」（174～176）

《論　点》

一　法人の犯罪能力

刑法典は、行為の主体として自然人である個人を前提にしてきたが共、法人

（企業）自体の責任を問うことができないか、その前提として法人の犯罪（行為）能力が問題となる。

＜法人の犯罪能力＞

学説	犯罪能力否定説	犯罪能力肯定説
根拠	①　法人は意思及び肉体を有しない擬制的存在であるから、刑法的評価の対象となるべき行為能力がない	①　法人も機関の意思に基づいて機関として行動するから行為能力を有する
	②　責任は行為者人格に対する非難であるから、倫理的実践の主体でない法人は責任を負担する能力がない	②　法人の意思に基づく行為が認められる以上は法人を非難することも可能である
	③　自由刑を中心とする現行の刑罰制度は法人の処罰に適合しない	③　法人に適した財産刑が存在している他、現在行政処分となっている法人の解散・営業停止などの制裁を加えることによって、法人の違法行為の責任を追及しそれを防止するのに有効な刑罰を設けることが可能である
	④　法人の機関を担当する自然人を処罰すれば足りる	④　法人においては、機関の意思は集団的に決定されて、その結果は法人に帰属するのであるから、もし、個人としての行為者だけが処罰されるのであれば、個人を犠牲にしながら法人は何らの痛痒も感じないことになり、法人自体の違法行為を抑止できない

二　両罰規定の根拠

両罰規定とは、従業者の違反行為につき当該従業者（行為者）本人を処罰するとともに、その業務主である法人・自然人をも併せ処罰する規定である。このような両罰規定に基づく法人処罰はどのような根拠に基づくのであろうか。刑法は個人責任の原則を採用しており、他人の行為に対する責任を負わせるのは責任主義（⇒ p.84）に反することから問題となる。

＜両罰規定の根拠＞ 共

学説	無過失責任説	過失責任説		
内容	行政取締目的から、従業員の責任が無過失的に法人に転嫁されるとする	事業主の従業員に対する選任監督上の過失を根拠とする		
		過失擬制説	過失推定説（最大判昭32.11.27）	純過失説
		事業主は過失の不存在を立証しても免責されない	事業主は過失の不存在を立証してはじめて免責される	事業主は過失の存在が立証されてはじめて処罰される

学説	無過失責任説	過失責任説		
批判	故意又は過失がない限り処罰されないという責任主義に反する	実質上、無過失責任と変わりがない	過失の不存在の立証責任を被告人側に負わせるというものであるならば、過失が積極的に認められなくても被告人が処罰されることになり責任主義に反する	選任監督過失の立証困難性からして行政刑法における取締目的という合目的性を無視することになる
コメント	法人の犯罪能力を否定し、両罰規定は受刑能力を肯定するものとする見解から主張される		法人の犯罪能力を肯定する見解になじむ	

▼ 最大判昭 32.11.27

事業主が人である場合の両罰規定は、従業者の選任・監督その他違反行為防止について事業主が必要な注意を尽くさなかった過失の存在を推定したものであり、事業主が注意を尽くしたことを証明しない限り刑責を免れない。

▼ 最判昭 40.3.26・百選Ⅰ3事件

上記最大判昭 32.11.27 の法意は、事業主が法人で、行為者がその代表者でない従業者である場合にも、当然推及されるべきである。

＊　事業主を処罰するためには、現実に行為者を処罰しなければならないものではなく、従業者を処罰しないで、事業主だけを処罰しても差し支えないとするのが判例である（大判昭 15.9.26、最決昭 31.12.22）。また、従業者が既に死亡していたとしても、事業主を処罰できるとする判例（大判昭 17.8.5）もある〈共〉。

＊　従業者の違反行為につき、当該従業者本人を処罰する他、その業務主たる法人・自然人及びその法人の代表者・中間管理職をも処罰する規定を三罰規定という。

三罰規定があるときは、法人の代表者も処罰される場合がある〈共〉。

三　結果的加重犯の構造

Xが、Aに傷害を負わせる意図で暴行を加えたところAが死亡した。この場合、Xに傷害致死罪（205）が成立するには、加重結果（Aの死亡）について過失が必要か、責任主義と関連して問題となる。

甲説：基本犯たる傷害罪（204）と加重結果（Aの死亡）との間に因果関係が必要であり、かつそれで足りる（過失不要説）（最判昭 32.2.26・百選Ⅰ50 事件）〈予〉

∵① 基本犯について故意が認められる以上は責任主義の要請はみたされており、あとは因果関係の問題にすぎない
② 因果関係について条件説に立てば、処罰範囲が拡大するおそれがあるが、相当因果関係説によれば処罰範囲の限定は十分である

乙説：基本犯たる傷害罪と加重結果（Aの死亡）との間の相当因果関係とともに、重い結果の発生につき行為者（X）の過失が必要である（過失必要説）◁予
→結果的加重犯は基本犯（故意犯）と加重結果についての過失犯の複合形態
∵ 結果的加重犯は基本犯と重い結果の結合した特殊な犯罪類型であるから、基本犯の関係で責任主義がみたされただけでは足りず、責任主義の徹底の見地からは、加重結果との関係でも主観的責任が必要である

▼ 最判昭 32.2.26・百選Ⅰ 50事件

傷害致死罪の成立に、暴行と傷害致死の結果との間に因果関係が存在することは必要であるが、被告人において致死の結果を予め認識、予見する可能性は必要でない。

2 因果関係

2－1 因果関係総説

《概　説》

一 因果関係の意義

1 意義

因果関係とは、実行行為と構成要件的結果との間にある一定の原因と結果との関係をいう。

2 因果関係が否定された場合

たとえ結果が発生しても、因果関係が欠ければその結果をその行為に帰属させることができないから、未遂犯（43、44）の成否が問題となるのみである。

⇒ p.100

二 問題となる場面

因果関係が問題となる犯罪類型は、結果犯・結果的加重犯・過失犯であり、結果が発生してはじめて因果関係の問題となる。

＊ 構成要件上、結果を必要としない挙動犯については問題とならない。

2－2 条件関係

《概 説》

一 意義

条件関係とは、当該行為が存在しなければ当該結果が発生しなかったであろうという関係（「あれなければこれなし」という関係）をいう。

＊ 因果関係の内容として、条件関係が必要であることは争いない。

二 条件関係の判断方法

1 具体的に発生した結果について検討する。

ex. 飛行機の座席に毒針をしかけ殺害したが、5分後にその飛行機が別の原因で墜落し、乗員・乗客全員が即死した場合でも、毒針による死（墜落による死とは異なる）について検討する

＊ 毒針による殺害行為がなかったとしても、飛行機の墜落によって死んでいたともいえるが、死亡の結果を抽象的に考えずに、時刻、場所、形態などを含めて具体的に検討する。

2 付け加え禁止の原則

条件関係は、現実に存在しなかった事実（仮定的事実）を付け加えて判断してはならない（付け加え禁止の原則）。したがって、次のex.のように、現にある行為から結果が発生しているが、仮にその行為がなかったとしても、別の事情から同じ結果を生じたであろうとみられる場合（仮定的因果経過）であっても、条件関係は肯定される。

ex. 執行官Aが、死刑囚Bの死刑執行ボタンを押そうとした瞬間に、被害者の父親XがAを突き飛ばして自らボタンを押し、Bを死亡させた場合

3 条件関係（因果関係）の断絶〈同〉

同一の結果に向けられた先行条件が功を奏しないうちに、それと無関係な後行条件によって結果が発生した場合に、先行条件と結果との間に条件関係がないとすることをいう。

ex. XがAに致死量の毒を盛ったところ、毒が効き始める前にXと無関係のYがAを射殺した場合、Xの行為とA死亡との間の条件関係は否定される

三 択一的競合

競合したある結果を発生させた2個以上の各行為が、単独でもそれぞれその結果を生じさせ得たと考えられる場合を、択一的競合という。

ex. X及びYは、意思の連絡なくしてAを殺害しようとし、Aのワインにそれぞれ致死量の毒薬を投入し、Aは、そのワインを飲んだ結果、死亡した

→X（Y）が致死量の毒薬をAのワインに投入しており、Y（X）の行為を取り除いてもAの死亡という結果が生じることから、「あれなければこれなし」とはいえず、X（Y）の行為とAの死亡との条件関係が否定される結果、X及びYにはそれぞれ殺人未遂罪（203、199）が成立し得るにとどまる

一方、単独では結果を発生し得ない行為が２つ以上重畳して結果を発生させた場合を、重畳的因果関係という。

ex.　X及びYは、意思の連絡なくしてAを殺害しようとし、Aのワインにそれぞれ致死量の２分の１の毒薬を投入し、Aは、そのワインを飲んだ結果、死亡した

→いずれか一方の行為が欠ければ結果は発生しなかった以上、「あれなければこれなし」ということができ、各行為について条件関係が認められる結果、X及びYにはそれぞれ殺人罪（199）が成立し得る

しかしながら、致死量の毒薬を投入した択一的競合の場合には条件関係が否定され、致死量に達しない量の毒薬を投入した重畳的因果関係の場合には条件関係が肯定されるというのは不都合である。

そこで、「あれなければこれなし」という条件公式に、「ただし、いくつかの行為について、それを択一的に取り除いても結果が発生するが、全ての行為を取り除くと結果が発生しない場合には、そのいずれの行為についても、条件関係が認められる」という文言を追加し、条件公式を修正する見解がある。

→条件公式を修正する見解に立つと、択一的競合の場合におけるX・Yのいずれの行為についても条件関係が認められる

しかし、条件公式を修正する見解に対しては、単に「択一的競合の事案では、そのいずれの行為についても、条件関係が認められる」との結論を述べているにすぎず、その理論的根拠が明らかではないとの批判がなされている。

そこで、もはや条件公式は維持できないので、条件公式を放棄し、合法則的条件公式に置き換える見解が有力に主張されている。この見解は、「行為と結果との間に自然法則的な結びつきがある」といえれば条件関係を肯定する見解であり、いわば「あれ」あれば「これ」ありと判断するのが合法則的条件公式である。

→合法則的条件公式に置き換える見解に立つと、択一的競合の場合においては、「X（Y）がAのワインに致死量の毒薬を投入した」、「Aがそのワインを飲んだ」、「Aは死亡した」という事実的な経過の１コマ１コマが自然法則的に結びついているといえるので、X・Yのいずれの行為についても条件関係が認められる

2－3　因果関係論

《概　説》

一　意義

因果関係論とは、刑法上、行為と結果の帰属関係の存否を議論することをいう。

→行為と結果との間の必然関係を問題とすることで刑罰に値する行為の存否を検討する客観的帰責の問題

二　条件説

条件関係があれば刑法上の因果関係を認める見解をいう。この点、判例は、基本的に条件説を採用しているとされてきた。

ex.　甲がVを殴打したところ、Vには重篤な心臓疾患があったため、その疾患と相まってVが死亡した場合、V自身が同疾患の存在を認識していないとしても、甲の殴打とVの死亡の結果との間の因果関係を肯定することはできる〈司

←条件関係は無限に近く広がっていってしまう可能性があるため、犯罪の成立範囲を限定する必要がある〈予

三　相当因果関係説

一般人の社会生活上の経験に照らして、通常その行為からその結果が発生することが相当と認められる場合に、刑法上の因果関係を認める見解をいう。

→相当因果関係の判断は行為時を基準になされるが、基礎とする判断資料につき争いがある

もっとも、行為後に特殊な事情が介在する場合など、現に生じた異常な因果経過の事後的な評価は、行為時に立って結果発生が経験上通常かを判断する相当因果関係説では説明しきれない（「相当因果関係説の危機」）。

→そこで、相当性の内容につき新たな議論がなされ、判例は、次に述べる危険の現実化説の立場に立っているものとされている

四　危険の現実化説　⇒下記《論点》二

条件関係があることを前提として、行為の危険が結果へと現実化したときに刑法上の因果関係を認める見解をいう。

《論　点》

一　相当因果関係説〈司共予〈司R2 予H29

相当因果関係説を採るとしても、相当性判断に際していかなる事情を基礎として相当性の判断をすべきか、相当因果関係説内部で争いがある。

＜相当性の判断基底に関する学説の整理＞

学説	判断基底となる基礎事情	批判
主観説	①　行為者の認識・予見した事情 ②　行為者の認識・予見し得た事情	①　行為と結果との客観的なつながりを問題にする因果関係において、行為者の認識といった主観的基準により判断するのは妥当でない ②　行為者が認識・予見し得なかった事情については、一般人が認識・予見し得た場合でも判断の基礎とすることができない点で狭きに失する

学説	判断基底となる基礎事情	批判
折衷説	①　行為者の認識・予見した事情 ②　一般人の認識・予見し得た事情	①　主観説に対する批判①と同様 ②　折衷説は行為時の事情を基礎とするから、行為後の偶然的な因果経過を除くのに適しない ③　行為者の主観を考慮すると、共犯に典型的にあらわれるように、1個の犯罪現象でありながら、各関与者がその事実を認識していたか否かによって因果関係があったりなかったりするという不都合が生ずる
客観説	①　行為時に存在した全事情 ②　一般人が予見可能な行為後の事情	①　社会通念上偶然的結果というべきものについても広く因果関係を認めることになり、相当因果関係説の趣旨に反することになる ②　行為当時の事実と行為後の事実とを区別する理論的根拠を欠く

二　危険の現実化説 司共 司H22 司H26 司R5 予H29

1　危険の現実化説には、次の2つの特徴がある。

①　行為時の事情も行為後の介在事情も全て因果関係を判断する基礎事情となる。

②　行為のもつ危険が結果に現実化したか否かが因果関係の判断基準となる。これにより、介在事情の結果への寄与度を考慮した因果関係の判断が可能となる。

<相当因果関係説と危険の現実化説の比較>

	相当因果関係説（客観説・折衷説）	危険の現実化説（判例）
判断基底	判断基底を限定する	判断基底を限定しない
判断基準	一般人にとって経験的に通常といえるか	行為の危険が結果へと現実化したか

2　危険の現実化説は、①実行行為の危険性の大小、②介在事情の結果への寄与度を組み合わせて因果関係の有無を判断する。判例の判断の流れを整理すると、以下のようになる。

<判例における因果関係の判断方法>

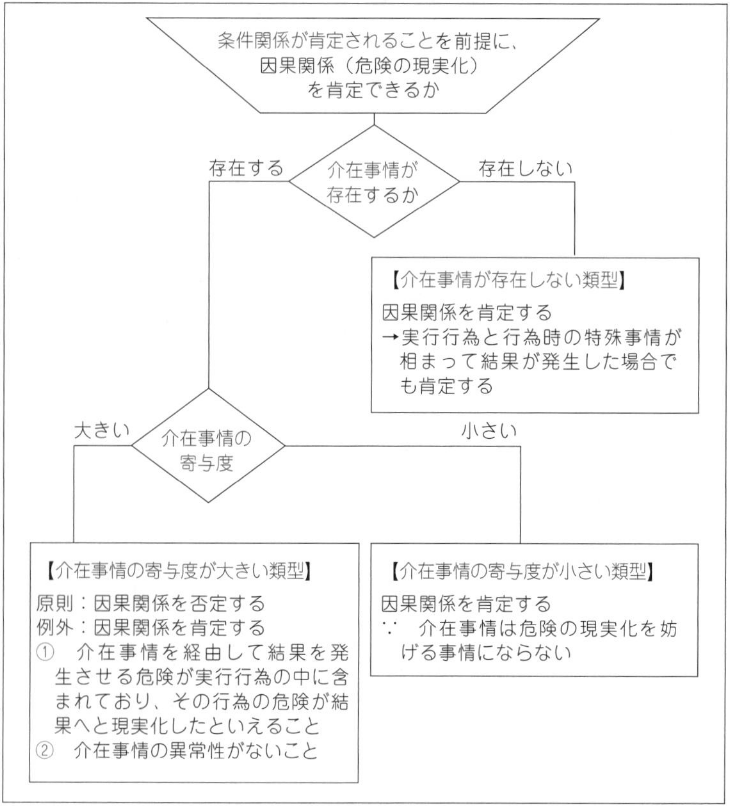

⑴　介在事情が存在しない類型

▼　布団蒸し事件（最判昭 46.6.17・百選Ⅰ 8事件） 共予

事案：　甲は、A宅に強盗に押し入ったところ、Aに見つかったため、Aの胸ぐらをつかんで仰向けに倒し、Aの顔面を布団でおおい、口を圧迫するなどの暴行を加えたところ、Aが心臓疾患を有していたために急性心臓死により即死した。

判旨：「甲の本件暴行が、Aの重篤な心臓疾患という特殊の事情さえなかったならば致死の結果を生じなかったであろうと認められ、しかも、甲が行為当時その特殊事情のあることを知らず、また、致死の結果を予見することもできなかったものとしても、その暴行がその特殊事情とあいまって致死の結果を生ぜしめたものと認められる以上、その暴行と致死の結果との間に因果関係を認める余地がある」。

⑵　介在事情の寄与度が小さい類型

▼　大阪南港事件（最決平 2.11.20・百選Ⅰ 10事件） 司予

事案：　甲は、自己の営む飯場において、Aの頭部を多数回殴打するなどの暴行（第1暴行）を加えて意識を失わせ、Aを大阪南港所在の資材置き場まで運搬して放置したところ、何者かがAの頭頂部を角材で数回殴打する暴行（第2暴行）を加え、翌日Aが死亡した。Aの死因となった傷害は甲の第1暴行によって形成されたものであったが、第2暴行により、甲の死期が幾分か早められたことが判明した。

決旨：「犯人の暴行により被害者の死因となった傷害が形成された場合には、仮にその後第三者により加えられた暴行によって死期が早められたとしても、犯人の暴行と被害者の死亡との間の因果関係を肯定することができ」る。

評釈：　介在事情である第2暴行の寄与度が小さく、介在事情は危険の現実化を妨げる事情にならないため、第1暴行と結果との間の因果関係を肯定している。

⑶　介在事情の寄与度が大きい類型

▼　高速道路進入事件（最決平 15.7.16・百選Ⅰ 13事件） 司共予

事案：　甲らがAに、深夜に公園及びマンションで長時間執拗な暴行を続けた後、隙を見て逃走したAが高速道路に進入し、疾走してきた自動車に追突され、後続の自動車に轢過されて死亡した。

決旨：「Aが逃走しようとして高速道路に進入したことは、それ自体極めて危険な行為であるというほかないが、Aは、甲らから長時間激しくかつ執ような暴行を受け、甲らに対し極度の恐怖感を抱き、必死に逃走を図る過程で、とっさにそのような行動を選択したものと認められ、その行動が、甲らの暴行から逃れる方法として、著しく不自然、不相当であったとはいえない。そうすると、Aが高速道路に進入して死亡したのは、甲らの暴行に起因するものと評価することができる」。

＜因果関係に関する判例の整理＞〈司

	判例	事案	判示事項
第三者の行為が介在する場合	米兵ひき逃げ事件（最決昭42.10.24・百選Ⅰ9事件）〈予	甲が自動車でAをはね、自動車の屋根にはね上げた状態で走行した後、助手席の同乗者乙が走行中にAを引きずり降ろし、Aが死亡した	「同乗者が進行中の自動車の屋根の上から被害者をさかさまに引きずり降ろし、アスファルト舗装道路上に転落させるというがごときことは、経験上、普通、予想しえられるところではなく、……死の結果の発生することが、われわれの経験則上当然予想しえられるところであるとは到底いえない」 →相当因果関係説の定式により因果関係を否定したが、結論・内容の理解について学説が分かれた
第三者の行為が介在する場合	大阪南港事件（最決平2.11.20・百選Ⅰ10事件）〈司予	甲がAの頭部を殴打し意識を失わせた上で、港の資材置き場にAを運搬して放置したところ、何者かがAの頭部を角材で殴打し、翌日Aが死亡した	「犯人の暴行により被害者の死因となった傷害が形成された場合には、仮にその後第三者により加えられた暴行によって死期が早められたとしても、犯人の暴行と被害者の死亡との間の因果関係を肯定することができ」る

	判　例	事　案	判示事項
第三者の行為が介在する場合	最決平16.10.19・平16重判2事件	甲は、大型トレーラーに乗車していた乙の運転態度に立腹し、謝罪させるために自車及び乙車を高速道路上に停止させた。乙は、甲から暴行を受けるなどしたため、自車のエンジンキーをズボンのポケットに入れた。甲は、乙に謝罪させた後、自車で現場から立ち去ったが、乙は自車のエンジンキーをズボンのポケットに入れたことを失念して周囲を探し、高速道路上に自車を停止させ続けた。その後、乙車にAが運転する後続車が追突し、Aらが死亡した	甲の乙車を停止させるという過失行為は、「それ自体において後続車の追突等による人身事故につながる重大な危険性を有していたというべきである。そして、本件事故は、……乙が、自らエンジンキーをズボンのポケットに入れたことを失念し周囲を捜すなどして、甲車が本件現場を走り去ってから7、8分後まで、危険な本件現場に自車を停止させ続けたことなど、少なからぬ他人の行動等が介在して発生したものであるが、それらは甲の上記過失行為及びこれと密接に関連してされた一連の暴行等に誘発されたものであったといえる。そうすると、甲の過失行為とAらの死傷との間には因果関係がある」
	最決平18.3.27・百選Ⅰ11事件 司共	甲がAを自動車後部のトランク内に押し込み、脱出を不能にして走行し、停車後、別の自動車の運転手が過失により、約60キロメートルで追突して、トランク内のAが死亡した	「被害者の死亡原因が直接的には追突事故を起こした第三者の甚だしい過失行為にあるとしても、道路上で停車中の普通乗用自動車後部のトランク内に被害者を監禁した本件監禁行為と被害者の死亡との間の因果関係を肯定することができる」
被害者の行為が介在する場合	柔道整復師事件（最決昭63.5.11） 予	医師の資格のない柔道整復師甲が、Aから風邪の診察依頼を受けて、Aの熱を高め汗を流すこと等を指示したところ、Aがこれを忠実に守り脱水症状を起こし、肺炎を併発して死亡した	甲の行為は、それ自体がAの病状を悪化させ、ひいては死亡の結果も引き起こしかねない危険性を有していた……A側に医師の診察治療を受けることなく右指示に従った落ち度があったとしても、右指示とAの死亡との間には因果関係がある →相当因果関係説の定式に代えて「行為の危険性」という概念を用いた

総論体系編

	判　例	事　案	判示事項
被害者の行為が介在する場合	夜間潜水事件（最決平4.12.17・百選Ⅰ12事件）〈共	夜間潜水の指導中、指導者甲が不用意に受講生Aらを見失ったところ、浮上して待機するよう注意を受けていた指導補助者Bが、Aの空気タンクの残圧量が少ないのを確認したのに水中移動を指示し、従ったAが空気を使い果たし溺死した	甲の「受講生らの動向に注意することなく不用意に移動して受講生らのそばから離れ、同人らを見失うに至った行為は、それ自体が、指導者からの適切な指示、誘導がなければ事態に適応した措置を講ずることができないおそれがあったAをして、海中で空気を使い果たし、ひいては適切な措置を講ずることもできないままに、でき死させる結果を引き起こしかねない危険性を持つものであり、甲を見失った後のB及びAに適切を欠く行動があったことは否定できないが、それは甲の右行為から誘発されたものであって、甲の行為とAの死亡との間に因果関係を肯定するに妨げない」
被害者の行為が介在する場合	高速道路進入事件（最決平15.7.16・百選Ⅰ13事件）〈司共予	甲らがAに、深夜に公園及びマンションで長時間執拗な暴行を続けた後、隙を見て逃走したAが高速道路に進入し、疾走してきた自動車に追突され、後続の自動車にれき過されて死亡した	「Aが逃走しようとして高速道路に進入したことは、それ自体極めて危険な行為であるというほかないが、Aは、甲らから長時間激しくかつ執ような暴行を受け、甲らに対し極度の恐怖感を抱き、必死に逃走を図る過程で、とっさにそのような行動を選択したものと認められ、その行動が、甲らの暴行から逃れる方法として、著しく不自然、不相当であったとはいえない。そうすると、Aが高速道路に侵入して死亡したのは、甲らの暴行に起因するものと評価することができる」

	判例	事案	判示事項
被害者の行為が介在する場合	最決平16.2.17・平16重判1事件〈共予	甲らは、Aにビール瓶で殴打するなどの暴行を加え、多量の出血を来たす頸部血管損傷等の傷害を負わせた。その後、Aは緊急の手術を受けていったんは容体が安定したが、医師の指示に従わず安静に努めなかったために治療の効果が上がらず、頭部循環障害による脳機能障害により死亡した	「甲らの行為によりAの受けた前記の傷害は、それ自体死亡の結果をもたらし得る身体の損傷であって、仮にAの死亡の結果発生までの間に、……Aが医師の指示に従わず安静に努めなかったために治療の効果が上がらなかったという事情が介在していたとしても、甲らの暴行による傷害とAの死亡との間には因果関係がある」
行為者自身の行為が介在する場合	熊うち事件（最決昭53.3.22・百選Ⅰ14事件）〈予	甲は、Aを熊と誤信して猟銃を発射し瀕死の重傷を負わせたが、Aが苦悶していたため、Aを早く楽にさせた上で逃走しようと決意し、さらに1発発射し、Aを即死させた	明確な理論的立場の表明を避けつつ、結果として誤射行為と死亡との因果関係を否定した（業務上過失傷害罪（209Ⅰ）と殺人罪（199）は併合罪（45前段）の関係にあるものとした）〈共
行為時の特殊事情がある場合	布団蒸し事件（最判昭46.6.17・百選Ⅰ8事件）〈共予	甲は、A宅に強盗に押し入ったところ、Aに見つかったため、Aの胸ぐらをつかんで仰向けに倒し、Aの顔面を布団でおおい、口を圧迫するなどの暴行を加えたところ、Aが心臓疾患を有していたために急性心臓死により即死した	「甲の本件暴行が、Aの重篤な心臓疾患という特殊の事情さえなかったならば致死の結果を生じなかったであろうと認められ、しかも、甲が行為当時その特殊事情のあることを知らず、また、致死の結果を予見することもできなかったものとしても、その暴行がその特殊事情とあいまって致死の結果を生ぜしめたものと認められる以上、その暴行と致死の結果との間に因果関係を認める余地がある」

3　不作為犯

《概　説》

一　不作為犯の意義〈司

不作為によって犯罪を実現する場合である。

1　真正不作為犯

構成要件自体が不作為の形式を採用するものをいう。

ex.　保護責任者不保護罪（218後段）、不退去罪（130後段）

2　不真正不作為犯

作為の形式で規定された通常の構成要件が不作為によって実現される場合をいう。

ex.　母親が殺意をもって嬰児に授乳せず餓死させた場合に、殺人罪（199）を成立させる場合

二　不真正不作為犯の成立要件 司H22 司H26 司H30

1　実行行為性

一般的に、①作為義務、②作為の可能性・容易性が要件として挙げられる。

(1)　作為義務

(a)　作為義務とは、構成要件的結果の発生を防止すべき義務をいう。そして、作為義務を負う立場のことを保障人的地位という。作為義務は、不真正不作為犯の成立範囲を妥当な範囲に限定し、その限界をできるだけ明確にするための要件として、特に重要視されている。

一般的に、ある結果発生の危険のある状態においてその発生を防止すべき特別の法的義務（作為義務）を有する者（保障人）の不作為のみが、不真正不作為犯の実行行為となりうるとされている（保障人説）司共。そして、作為義務は法的な義務であり、事案に即した個別具体的な義務でなければならない。そこで、作為義務が発生するのはどのような場合か、作為義務の発生根拠が問題となる。

(b)　作為義務の発生根拠

作為義務の発生根拠としては、①法令（親権者の子に対する監護義務（民820）など）、②契約・事務管理（看護契約を締結して病人の看護を開始した場合など）、③先行行為を含む条理（堕胎を行った医師が排出した嬰児が生育可能性を有するのに放置した場合など）といった形式的観点から導かれるもの、④排他的支配（自動車でひいた被害者を自動車内に引き入れて他人が救助の手を出せない状況に置く場合など）、⑤保護の引受け（病人を病院へ移送することを引き受ける場合など）といった実質的観点から導かれるものが考えられ、それぞれが作為義務の根拠となりうる司共。しかし、いずれか１つのみで作為義務が肯定される場合の全てを説明することは困難であり、判例は、これらの根拠を総合的に考慮して、作為義務の有無を判断する傾向にあると解されている。

判例上、作為義務が肯定されたのは、そのほとんどが④排他的支配や⑤保護の引受けが認められる事案である。そこで、上記の根拠を総合考慮に当たっては、④排他的支配や⑤保護の引受けの有無を検討し、その上で他に根拠となりうる事情がないかを検討するべきであると考えられている。

▼ 最判昭33.9.9・百選Ⅰ5事件 司共

被告人は「自己の過失行為により右物件を燃焼させた者（また、残業職員）として……建物に燃え移らないようにこれを消火すべき義務」を負っている。この場合において、被告人が建物への延焼を認識・認容しながら必要かつ容易な延焼防止措置を採らずに立ち去った行為は、不作為による現住建造物等放火罪（108）の実行行為に当たる。この判例は、「既発の火力を利用する意思」が不要であることを明らかにしたものと解されている。

▼ 最決平17.7.4・百選Ⅰ6事件 司共

事案：　被告人は、特殊な治療法を施す特別の能力を持つなどと謳って信奉者を集めていたところ、信奉者Vが脳内出血で倒れて病院に入院し、Vの息子Wから治療の依頼を受けたため、Wに指示を行い、依然として医療措置が必要な状態にあるVを病院からホテルに運び出させた。そして、被告人は、運び込まれたVの治療をWから委ねられ、そのままではVが死亡する危険があることを認識したが、必要な医療措置を受けさせないで約1日の間Vを放置し、死亡させた。

決旨：　被告人は、自己の責めに帰すべき事由により患者の生命に具体的な危険を生じさせた上、患者の親族から、重篤な患者に対する手当てを全面的に委ねられた立場にあった。その際、被告人は、患者の重篤な状態を認識していたから、直ちに生命維持に必要な医療措置を受けさせる義務を負っていたといえる。それにもかかわらず、未必的な殺意をもって、上記医療措置を受けさせないまま放置して患者を死亡させた被告人には、不作為による殺人罪（199）が成立し、殺意のない患者の親族との間では保護責任者遺棄致死罪の限度で共同正犯となる。

(2) 作為の可能性・容易性

(a) 作為義務が存在しても、刑法は一般人に対し不可能を強いるものではないから、不作為犯の実行行為性の要件として、作為可能性が存在することが必要となる司共。

ex.　母親Aが河岸にいながら溺れている子Bを助けなかったような場合でも、Aが泳ぐことができず、事実上救助が不可能であるときは不作為犯は成立しない

(b) 不作為犯の成立には作為の容易性も必要である（最判昭33.9.9・百選Ⅰ5事件）。

ex.　飛び込んで助けることができる可能性はあっても自らも溺れる可能性もある場合には、作為の容易性はなく不作為犯は成立しない

2　因果関係〈司共〈司H22

(1)　不作為の条件関係

「期待された作為がなされていれば結果は生じなかったであろう」という関係が認められれば、因果関係の前提となる条件関係が認められる。

不作為犯の条件関係（「期待された作為がなされていれば結果は生じなかったであろう」といえる関係）が認められるためには、「十中八九」結果の回避が可能であったこと、すなわち、期待された作為を行っていれば結果の回避が「合理的な疑いを超える程度に確実であった」ことまで必要になるものと解される。

判例（最決平元.12.15・百選Ⅰ4事件）は、「被害者の女性が被告人らによって注射された覚せい剤により錯乱状態に陥った……時点において、直ちに被告人が救急医療を要請していれば十中八九救命が可能であった……。そうすると、同女の救命は合理的な疑いを超える程度に確実であったと認められるから、……刑法上の因果関係があると認めるのが相当である」と判断した。

＊　作為犯における条件関係は、現実に存在しなかった仮定的事実を付け加えて判断してはならない（付け加え禁止の原則　⇒p.12）が、不作為犯の場合には、「期待された作為がなされていれば結果は生じなかったであろう」といえるかどうかで判断するので、例外的に、仮定的事実を付け加えて条件関係の有無を判断する形となる（付け加え禁止の原則の例外）。

(2)　不作為の法的因果関係（危険の現実化）

不作為犯における刑法上の因果関係が認められるためには、作為犯の場合と同様、条件関係のみならず法的因果関係（危険の現実化説）が肯定されることも必要となる。すなわち、期待された作為を行わなかったことによる危険が結果へと現実化したといえる場合には、不作為犯における刑法上の因果関係が認められる。

4　故意

4－1　故意総説

第38条　（故意）

Ⅰ　罪を犯す意思がない行為は、罰しない。ただし、法律に特別の規定がある場合は、この限りでない。

Ⅱ　重い罪に当たるべき行為をしたのに、行為の時にその重い罪に当たることとなる事実を知らなかった者は、その重い罪によって処断することはできない。

Ⅲ　法律を知らなかったとしても、そのことによって、罪を犯す意思がなかったとすることはできない。ただし、情状により、その刑を減軽することができる。

《概　説》

一　意義

故意（「罪を犯す意思」）とは、犯罪事実の認識・認容をいう（認容説）。

1　故意犯処罰の原則

犯罪は、原則として故意によるものであることが必要である。

→過失犯処罰は例外（Ｉただし書）

2　故意の体系上の位置付け

故意は本来責任要素であるとされるが、構成要件要素として位置付ける学説が多い。そのうえで、故意を構成要件的故意と責任要素としての故意（責任故意　⇒p.91）とに分けて考える立場が根強く主張されている。

＜故意の体系上の位置付け＞

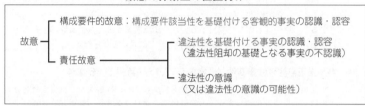

- 故意
  - 構成要件的故意：構成要件該当性を基礎付ける客観的事実の認識・認容
  - 責任故意
    - 違法性を基礎付ける事実の認識・認容（違法性阻却の基礎となる事実の不認識）
    - 違法性の意識（又は違法性の意識の可能性）

二　故意の成立要件

1　認識的要素

故意の成立には、構成要件該当事実（記述的要素と規範的要素）の認識（外形的事実の認識と意味の認識）が必要である。

cf.　事実の認識があれば意味の認識は不要であるとする見解もある

＊　薬物犯罪と故意　⇒下記《論点》一

(1)　記述的要素

記述的要素とは、構成要件要素の存否の認定について、価値判断を入れずに裁判官の解釈ないし認識的活動によって確定できる要素を指す。

具体的には、行為の主体、行為の客体、行為それ自体、行為の状況、結果、因果関係などが挙げられる。

▼　たぬき・むじな事件（大判大 14.6.9・百選Ｉ 45 事件）

甲が、我が国古来の習俗上の観念に従い「むじな」は「たぬき」と別物であると信じて捕獲した場合は、狩猟法（現・鳥獣の保護及び管理並びに狩猟の適正化に関する法律）で禁止された「たぬき」を捕獲するという認識を欠くがゆえに犯意を阻却する。

＊　たぬき・むじな事件では、甲は禁猟獣である「たぬき」と捕獲した「むじな」は別物であると明確に認識していた上、一般人も「たぬき」と「むじな」

は別物であると考えており、両者を同一であると知っていたのは動物学上の知識をもつ者だけであった。そのため、甲の「むじな」を捕獲するという認識事実から違法性を意識することは不可能であるので、事実の錯誤として故意が阻却される。

▼ むささび・もま事件（大判大 13.4.25）

禁猟獣「むささび」の俗称は「もま」であり、「むささび」と「もま」が同一であることは一般に知られていたところ、甲は「もま」という動物を「もま」として捕獲したものであるから、事実の認識に欠けるところはなく、法律の不知にすぎず故意を阻却しない。

＊ むささび・もま事件では、甲は「むささび」と「もま」を別物だと認識して捕獲したわけではなく、単に「もま」を「もま」として捕獲したにすぎない上、「むささび」と「もま」が同一であることは一般に知られていた。そうすると、甲の「もま」を捕獲するという認識事実から違法性を意識することは十分に可能であるので、法律の錯誤として故意は阻却されない。

▼ 特殊浴場無許可営業事件（最判平元.7.18・百選Ⅰ 46 事件）

実父名義の営業許可により公衆浴場を営業していた被告人が、被告会社名義への許可の変更を希望したが、公衆浴場法により営業名義の変更が許されないため、県係官の教示により、実父による最初の許可申請が設立中の被告会社の代表者の資格によるものであるとして申請者の名義変更届を県知事あてに提出し、受理された旨の連絡を県議を通じて受けたため、この変更届受理により被告会社に対する営業許可がなされたものと認識して営業を続けていた場合は、公衆浴場法８条１号の無許可営業罪の故意は認められない。

(2) 規範的要素

規範的要素とは、構成要件要素の存否の認定について、裁判官の規範的・評価的な価値判断を要する構成要件要素を指す。

たとえば、物の他人性、文書性、わいせつ性などがある。

素人が一般に行いうる認識があれば足り、法的概念として認識する必要はないとするのが一般である〈共〉。

▼ 最大判昭 32.3.13・百選Ⅰ 47 事件 同

わいせつ物頒布罪（175）のわいせつ性の認識について、問題となる記載の存在の認識とこれを頒布販売することの認識があれば足り、175 条所定のわいせつ性を具備するかどうかまでの認識は必要としないとした。

＊　これに対して学説は、一般の人が性的興味を抱くような意味内容の文書であるという認識を欠けば、故意は成立しないと批判している。

→「この写真は一般の人ならわいせつと思うだろうが、私は、芸術性が高いのでわいせつでないと思う」という場合はわいせつ性の認識があり、「この写真は個人的にはわいせつかもしれないと思うが、映倫が許可したのだからわいせつではないと思う」という場合は、わいせつ性の認識を欠く

▼ 最決平 18.2.27・平 18 重判 2 事件

乗車定員が大型自動車に該当する 11 人以上である自動車の座席の一部が取り外されて、現実に存する席が 10 人分以下となった場合でも、乗車定員の変更について自動車検査証の記入を受けていないときは、当該自動車は道路交通法上の大型自動車に当たるので、本件車両の席の状況を認識しながらこれを普通自動車免許で運転した被告人には、無免許運転の故意を認めることができる。

(3)　認識不要の場合

処罰阻却事由（窃盗罪（235）における親族間の特例（244 Ⅰ）など）は、構成要件該当事実ではないので、故意の認識対象とはならない。

また、結果的加重犯（基本となる構成要件が実現された後に、さらに一定の結果が発生した場合に加重処罰するもの）は、加重結果について認識がないことが前提となっている犯罪であるので、結果的加重犯における加重結果（傷害致死罪（205）における「人の死亡」など）も、故意の認識対象とはならない。

2　意思的要素

認識の内容を実現する意思（意思的要素）の要否については、故意の本質と関連して争いがある。　⇒下記《論点》二

三　故意の種類

＜確定的故意と不確定的故意＞

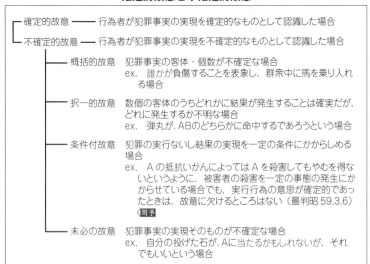

- 確定的故意 ―― 行為者が犯罪事実の実現を確定的なものとして認識した場合
- 不確定的故意 ―― 行為者が犯罪事実の実現を不確定的なものとして認識した場合
  - 概括的故意　犯罪事実の客体・個数が不確定な場合
    ex.　誰かが負傷することを表象し、群衆中に馬を乗り入れる場合
  - 択一的故意　数個の客体のうちどれかに結果が発生することは確実だが、どれに発生するか不明な場合
    ex.　弾丸が、ABのどちらかに命中するであろうという場合
  - 条件付故意　犯罪の実行ないし結果の実現を一定の条件にかからしめる場合
    ex.　A の抵抗いかんによっては A を殺害してもやむを得ないというように、被害者の殺害を一定の事態の発生にかからせている場合でも、実行行為の意思が確定的であったときは、故意に欠けるところはない（最判昭 59.3.6）司予
  - 未必の故意　犯罪事実の実現そのものが不確定な場合
    ex.　自分の投げた石が、Aに当たるかもしれないが、それでもいいという場合

《論　点》

一　薬物犯罪と故意

薬物事犯にかかわる取締法規の内容は高度に技術的・専門的で、構成要件も細分化されていることから、行為者の認識が、客体の名称や細部の性質に及ばないことが多い。そこで、故意の成立には薬物の属性についてどの程度の認識が必要となるかが問題となる。

覚醒剤を密輸入して所持した者が、その薬物が覚醒剤に当たるとの明確な認識を欠く事案について、判例（最決平 2.2.9・百選Ⅰ 40 事件）は、「覚せい剤であるかもしれないし、その他の身体に有害で違法な薬物かもしれないとの認識」があったとして、覚醒剤輸入罪・同所持罪の故意を肯定した司予。この判例によれば、覚醒剤が認識対象から除外されている場合（覚醒剤ではないが、身体に有害で違法な薬物かもしれないと認識していた場合）には、覚醒剤取締法違反の罪の故意を認めることはできないと解されている司。

このような事案における故意の有無を判断する基準については、学説上様々な見解が主張されている。

二　故意の本質

過失犯の処罰は例外であり（38 Ⅰ）、過失犯を処罰する場合もその法定刑は故意犯の法定刑に比べて著しく軽いため、故意と過失の限界をどのように画するかは重要な問題となる。この点は故意の成立要件として意思的要素を要求するか、故意の本質は何か、という点と関連する。

＜故意と過失の種類＞

犯罪事実の認識なし	犯罪事実の認識あり		
	認容なし	認容あり	確実性の認識
認識なき過失	認識ある過失〈司	未必の故意	確定故意
過　失		故　意	

＜故意の本質＞

学説		未必の故意（＊）	認識ある過失
故意の本質	過失との限界		
意思説 ：故意の本質は犯罪事実の実現を希望・意欲することにある （意思的側面を重視）	認容説（最判昭 23.3.16・百選Ⅰ 41 事件）〈通 ：故意の成立には、認識とあわせて少なくとも認容が必要	結果発生の可能性を認識し、しかも発生してもよいという認容がある場合	結果発生の可能性を認識しているが認容を欠く場合
表象説 ：故意の本質は犯罪事実の認識にある （認識的側面を重視）	蓋然性説 ：認識した結果発生の可能性の程度により判断	単なる結果発生の可能性を超えて、結果発生の相当高度の蓋然性を認識した場合	単に結果発生が可能だと思った場合
動機説 ：故意の本質は犯罪事実を認識しつつあえてその内容を実現する意思にある （意思説と表象説を統合）	動機説 ：行為者の認識が動機形成過程に与える影響を重視	結果発生の可能性（蓋然性）を認識し、結局は結果が発生するだろうと判断した場合	結果発生の可能性（蓋然性）を認識しているが、結局は結果は発生しないだろうと判断した場合

※　これらの学説は具体的な結論に、大きな差異はない。

＊　盗品有償譲受け罪（256 Ⅱ）の故意が成立するには、盗品等であるかもしれないと思いながらしかもあえてこれを買い受ける意思があれば足りるとするのが判例である（最判昭 23.3.16・百選Ⅰ 41 事件）〈司予。

4－2　錯誤

《概　説》

一　事実の錯誤と法律の錯誤〈司予

事実の錯誤とは、行為者が認識していた犯罪事実と現実に実現した犯罪事実との間に不一致があることをいう。

法律の錯誤（違法性の錯誤）とは、犯罪事実は正しく認識しているが、実現した事実に対する行為者の主観的な違法評価と客観的な違法評価との間に不一致があることをいう。

すなわち、事実の面での不一致が事実の錯誤であり、犯罪事実は正しく認識した上でその事実に対する評価の面での不一致が法律の錯誤である。そして、事実の錯誤は、自己の行為の違法性を意識し、反対動機を形成する機会が与えられないので、故意が阻却されることが多いが、法律の錯誤は、事実を正しく認識しているので、反対動機を形成する機会は十分に与えられており、原則として故意は阻却されないという違いがある。

二　構成要件的事実の錯誤〈司

1　具体的事実の錯誤と抽象的事実の錯誤　⇒下記《論点》一・三

具体的事実の錯誤とは、事実とその認識との間の齟齬が、同一構成要件内で生じている場合をいう。他方、抽象的事実の錯誤とは、事実とその認識との間の齟齬が、異なる構成要件にまたがって生じている場合をいう。

2　事実の錯誤の態様

事実の錯誤は、⑴客体の錯誤、⑵方法の錯誤、⑶因果関係の錯誤の３つの態様に分かれる。

⑴　客体の錯誤とは、行為者が認識した客体に結果を発生させたが、その客体は行為者の意図した客体ではなかった場合をいう。

ex.　Ａだと思って射殺したところ、それはＢだったという場合

⑵　方法の錯誤とは、認識した客体と異なる客体に侵害が生じた場合をいう。

ex.　Ａに向けて拳銃を発砲したところ、意外にもＢに命中してＢが死亡した場合

⑶　因果関係の錯誤とは、認識した客体に侵害が生じたが、因果経過が予見したものと異なる場合をいう。　⇒下記《論点》二

ex.　Ａを溺死させようとして川に突き落としたが、Ａは橋桁に頭を打ちつけて死亡した場合

《論　点》

一　具体的事実の錯誤〈司予

具体的事実の錯誤の処理に関しては、具体的符合説と法定的符合説とが対立する（抽象的符合説は、法定的符合説と同様の結論に至る）。

1　客体の錯誤

Xが A を殺そうと思って、Aだと思った人に向けてピストルを撃ち、弾はその人に命中したが、実はその人はBであったという場合、XにBの死についての故意責任を問うことができるか。

<客体の錯誤> 〈共予 〈司H30

学説	具体的符合説	法定的符合説
結論	XにBの死についての故意責任を問うことができる →Bに対する殺人既遂となる	
理由	狙った「その人」を殺害する意思で「その人」を殺害したのであるから、一定の具体性をもった殺害対象についての錯誤はない	およそ「人」を殺そうとして「人」を死亡させており、錯誤は構成要件の範囲内といえる

ex.　甲は、公務員乙がその法令上の職務Aを執行するに当たり、乙が執行している職務がそれとは別の法令上の乙の職務Bであると誤信して乙の顔面を手拳で殴る暴行を加えた。判例の立場に従うと、乙の執行する職務が職務Bでなく職務Aであると分かっていれば甲は上記暴行には及ばなかったという事情があった場合でも、甲には公務執行妨害罪が成立する〈司

2　方法の錯誤

XがAを殺そうと思って、Aに向けてピストルを撃ったが、弾はBに命中し、Bが死亡した場合、XはBの死についての故意責任を問うことができるか。

＜方法の錯誤＞ 司予 司R元 予H24

<table>
<tr><th rowspan="2">学説</th><th rowspan="2">具体的符合説（＊1）</th><th colspan="2">法定的符合説</th></tr>
<tr><th>数故意犯説
（最判昭 53.7.28・百選Ⅰ42 事件）（＊2）</th><th>一故意犯説（＊3）</th></tr>
<tr><td rowspan="2">理由</td><td rowspan="2">故意は構成要件該当事実の認識・予見であるから、存在する構成要件ごとにその存否を問題とすべき
→被害法益は重要な事実だからそれが異なれば構成要件該当事実も異なる</td><td colspan="2">① 法定の構成要件の上で同一の評価を受ける事実を認識すれば、行為者は規範の問題に直面
→行為者の認識した内容と現実に発生した事実とが構成要件の範囲内で一致する限り故意は阻却しない
② 実質的故意論の立場からは、結果と実行行為という構成要件の主要部分についての認識があれば足りる（たとえば、殺人罪（199）の故意非難には「人」を殺す認識で十分）</td></tr>
<tr><td>刑法が観念的競合を科刑上一罪としているの（54Ⅰ前段）は、一罪の意思をもってした場合にも数罪の成立を認める趣旨を含めるものである</td><td>故意行為が予想通り実現された場合以上の故意犯の成立を認めるべきではない</td></tr>
<tr><td rowspan="2">批判</td><td rowspan="2">① 軽微な錯誤までをいちいち問題とするため故意を認める範囲が狭すぎ、実際に適合しない
② 故意の阻却の可否につき結論を異にする客体の錯誤と方法の錯誤を区別するのは実質上困難
③ 未遂処罰や過失処罰の規定を欠く犯罪類型の場合に刑の不均衡が生じる（たとえば、Aの飼い犬を殺そうと思って隣にいたAの飼い猫を殺した場合、犬につき器物損壊未遂・猫につき過失の器物損壊ゆえ両者とも犯罪不成立になる）</td><td colspan="2">① たとえば、Aを殺そうと発砲したところ、弾がAとAの側にいたBの中間を通過した場合、A・B両者に対する2つの殺人未遂罪が成立することになり不当
② たとえば、Aを殺そうとしてこれを遂げず意外にもBを殺してしまった場合、Aの殺害を遂げなかったという構成要件該当事実と、Bの殺害という構成要件該当事実とが別個に存在
→この2つの客体（被害法益）の相違は明らかに構成要件的評価上重要</td></tr>
<tr><td>① 行為者に1個の故意しかないのに2個の故意犯の成立を認めることは故意の無限定の拡大を認めることになり、責任主義に反する
② 観念的競合は、故意犯か過失犯かが決まった後科刑上一罪として取り扱うものであるから、観念的競合となることを理由に故意犯の成立を認めるのは本末転倒である</td><td>Aが傷つきBが死んだのでAに対する過失傷害とBに対する殺人の有罪判決をした後にAが死んだという場合、その時点で、Aに対する殺人罪（199）とBに対する過失致死罪（210）に転化することになるのは不当である（事後の事実の変化により故意の有無が変わるのはおかしい）</td></tr>
</table>

＊1　具体的符合説の中には、同一の法益主体に属する財物間の錯誤についても故意が

認められるとする見解がある。この見解によれば、Ａの花瓶を壊す意図で石を投げ、石がＡのテレビに当たりこれを壊した場合、器物損壊罪（261）が成立することになる。

＊２　数故意犯説とは、１個の故意しかなくても数個の故意犯の成立を認める見解をいう。

＊３　一故意犯説（１個の故意しかない場合は１個の故意犯しか成立させるべきではないとする見解）の内部でも具体的な処理については争いがある。ここでは、意図した客体に結果が生じた場合は、その客体について故意犯の成立を認め、過剰に生じた結果については過失を問題とする立場によった。

ex.　甲は、乙に対する殺意をもって、乙の背後からけん銃を発射したところ、乙は赤ん坊の丙を抱いており、銃弾が乙の身体を貫通した後、丙にも命中して、乙及び丙の両名を死亡させた。判例の立場に従うと、甲が乙に抱かれている丙の存在を認識していなかった場合でも、甲には乙及び丙に対する殺人罪が成立する 同

<方法の錯誤の事例における各学説からの帰結> 同

学説		具体的符合説	法定的符合説	
			数故意犯説（最判昭53.7.28・百選Ⅰ42事件）	一故意犯説
Ａを殺す意思でＡを狙って発砲した場合の各類型における帰結				
典型類型	甲→Ａ（無傷） 甲→Ｂ（死亡）	対Ａ：殺人未遂 対Ｂ：過失致死	対Ａ：殺人未遂 対Ｂ：殺人既遂	対Ａ：不可罰 対Ｂ：殺人既遂
併発類型	甲→Ａ（傷害） 甲→Ｂ（死亡）	対Ａ：殺人未遂 対Ｂ：過失致死	対Ａ：殺人未遂 対Ｂ：殺人既遂	対Ａ：過失致傷 対Ｂ：殺人既遂
	甲→Ａ（死亡） 甲→Ｂ（死亡）	対Ａ：殺人既遂 対Ｂ：過失致死	対Ａ：殺人既遂 対Ｂ：殺人既遂	対Ａ：殺人既遂 対Ｂ：過失致死
	甲→Ａ（傷害） 甲→Ｂ（傷害）	対Ａ：殺人未遂 対Ｂ：過失致傷	対Ａ：殺人未遂 対Ｂ：殺人未遂	対Ａ：殺人未遂 対Ｂ：過失致傷
	甲→Ａ（死亡） 甲→Ｂ（傷害）	対Ａ：殺人既遂 対Ｂ：過失致傷	対Ａ：殺人既遂 対Ｂ：殺人未遂	対Ａ：殺人既遂 対Ｂ：過失致傷

総論体系編

▼ **最判昭53.7.28・百選Ⅰ42事件**〈司共

犯罪の故意があるとするには、犯人の認識した罪となるべき事実と現実に発生した事実の両者が法定の範囲内で一致すれば足り、人を殺す意思の下に、殺害行為に出た以上、犯人の認識しなかった人に対して、その結果が発生した場合にも殺人の故意があるといってよい。したがって、強盗殺人の故意で警察官甲に向けて発砲したが、甲のみでなく通行人乙をも負傷させた場合には、2個の強盗殺人未遂罪（243・240後段）が成立する。

二　因果関係の錯誤

1　因果関係の錯誤の処理〈司H25 司R2 予H23

Aを溺死させようとして川に突き落としたが、Aは橋桁に頭を打ちつけて死亡した場合、行為者に故意責任を問うことができるか。行為者が認識していた因果経過と、実際に発生した因果経過に齟齬がある場合における錯誤の処理が問題となる。

＜因果関係の錯誤の処理＞〈共

因果関係の認識の要否	理　由	結　論
必要説	①　実行行為と結果との相当因果関係は構成要件的故意の内容として行為者の主観にも反映しなければならない ②　行為者の予見した因果経過が相当因果関係の範囲内にあり、現実の因果経過もまた相当因果関係の範囲内であれば、両者は相当因果関係の範囲内で一致し、故意を阻却しない（法定的符合説）（＊）	錯誤が相当因果関係の範囲内にあれば、故意は阻却されない〈通
	①　上記の理由①と同様 ②　現実の因果経過につき相当因果関係が否定される場合は未遂にとどまり、因果関係の錯誤論に入らない（因果関係の錯誤無用論）	行為者の主観的責任の問題ではなく、因果関係論で処理すべき
不要説	①　犯罪行為の際に、因果経過の概要を常に意識しているわけではない ②　実行行為と結果を認識しつつも相当因果関係を外れる因果経過を思い描いて犯行（殺害）に及んだ場合に、殺害が否定されるわけではない ③　因果関係の錯誤による故意の阻却を認めれば、その際には故意の未遂犯も成立しないことになるはずであるが、その結論は不当である	

＊　具体的符合説からは、具体的に異なる因果経過を辿った以上すべて故意を阻却するとも思われるが、因果経過の相違は重要でなく、因果経過の具体的な一致を必要としないとして、法定的符合説と同様の結論を採る見解も多い。

2　遅すぎた構成要件の実現〈予H23 予R元 予R5

行為者が第一行為で結果を実現したと誤信し、犯行を隠すために第二行為をしたところ、その第二行為で初めて結果が実現されたような場合、どのように処理すべきか（いわゆるウェーバーの概括的故意の問題）。

ex.　Xが殺意をもってAの首を絞め（第一行為）、Aはすでに死亡したと誤信して自己の犯行を隠すためにAを海の中に投げ込んだ（第二行為）ところ、Aはまだ生存しており溺れて死亡した場合

(1)　行為の一個性について

まず、Xの行為を一個とみるのか二個とみるのかが問題となる。

第一行為と第二行為との間に時間的・場所的近接性が認められなければ、そもそもXの行為を一個の行為とみるのかという問題は生じない。

次に、第一行為と第二行為との間に時間的・場所的近接性が認められたとしても、意思の連続性がない場合には、Xの行為を一個の行為とみることはできない。本件において、Xの第一行為は殺人の故意ある行為であるが、第二行為は殺人の故意ある行為ではないから、意思の連続性を欠く。したがって、Xの行為を一個の行為とみることはできない。

→第一行為と第二行為は別々に評価する

＊　意思の連続性に欠けるという点で、早すぎた構成要件の実現の問題（⇒ p.36）とは異なる。

(2)　第二行為の犯罪の成否について

次に、結果に近い第二行為（まだ生存しているAを海の中に投げ込む行為）の犯罪の成否について検討する。

この点、Xの第二行為とAの溺死との間には因果関係が認められる。ところが、Xは死体遺棄（190）の故意で殺人の結果を発生させたことになるため、「抽象的事実の錯誤」（⇒ p.37）の問題となる。

この問題について、法定的符合説の立場に立つ場合、殺人罪と死体遺棄罪は法定の範囲内において重なり合うことはないため、Xの故意犯の成立は否定される。

→第二行為には（重）過失致死罪（210、211 後段）が成立するにとどまる

(3)　第一行為の犯罪の成否について

最後に、第一行為（殺意をもってAの首を絞める行為）の犯罪の成否について検討する。

第一行為が殺人の実行行為に当たることは明らかである。そこで、第一行為と死亡結果との因果関係が問題となるところ、上記と同様の事案において、判例（大判大 12.4.30・百選Ⅰ 15 事件）は、因果関係を肯定している。なお、危険の現実化説（⇒ p.15）によっても、因果関係を肯定できると解さ

れる。

そして、因果関係を肯定した場合、「因果関係の錯誤」が問題となる。この問題について、必要説（法定的符合説）によれば、現実の因果経過（溺死）も認識・予見した因果経過（絞扼による死）もともに殺人罪の構成要件に該当し、両者は相当因果関係の範囲内で一致するため、Xの故意は阻却されない。

→第一行為には殺人罪が成立する

(4) 結論

以上より、Xの第一行為には殺人罪が、第二行為には（重）過失致死罪が成立する。そして、第二行為は第一行為との間で介在事情となるにすぎず、後者は前者に包括吸収され、Xには殺人罪一罪が成立する。

▼ 大判大 12.4.30・百選Ⅰ 15 事件 司共予

殺意をもって就寝中の被害者の首を縄で絞めたところ動かなくなったので死亡したと思い、犯行発覚防止のため海岸砂上まで、運搬し放置したため被害者が砂末を吸引して頚部絞扼と砂末吸引とにより死亡したときは、殺人目的の行為がなければ放置行為も発生しなかったのであって、頸部を絞める行為と死亡との間に因果関係があり、運搬、放置行為によっては、因果関係は遮断されず、殺人罪（199）が成立する。

3 早すぎた構成要件の実現 司H25 司R2

早すぎた構成要件の実現とは、予定した第二行為により結果を発生させるつもりが、すでに第一行為により結果を生じさせてしまった場合をいう。

ex. XがAの首を絞めて失神させたうえ（第一行為）、首つり自殺を装って殺害しようとして（第二行為）、首を絞めたが、強く絞めすぎて死亡させた場合

(1) まず、第一行為が実行行為といえるかが問題となる。

この点については、第一行為と第二行為とが時間的・場所的に密接した一連の行為といえるか否かで実行行為性を判断する見解が有力である。

＊ 第一行為の実行行為性を認めることができない場合は、予備行為から結果が生じたのであり、銃の手入れをしている際に暴発して人に命中し死亡させた場合と同様に、過失致死罪（210）が成立しうるにとどまることになる。

(2) 第一行為に実行行為性が認められた場合には、因果関係の錯誤の一種として処理される。 ⇒p.34

▼　クロロホルム事件（最決平 16.3.22・百選Ⅰ 64 事件） 司

クロロホルムを吸引させて被害者を昏倒させ（第一行為）、自動車に乗せたうえで、自動車ごと岸壁から海岸海中に転落させて沈めて溺死させる（第二行為）計画を実行し、その結果被害者が死亡したが、死因がクロロホルム吸引か溺死か特定できない場合において、①第一行為は第二行為を確実かつ容易に行うために必要不可欠なものであったこと、②第一行為に成功した場合、それ以降の殺害計画を遂行するうえで障害となるような特段の事情はなかったこと、③第一行為と第二行為との間の時間的場所的近接性などに照らすと、第一行為は第二行為に密接な行為であり、第一行為を開始した時点で既に殺人に至る客観的危険性が明らかに認められるから、その時点で殺人罪の実行の着手があり、たとえ第二行為の前の時点で被害者が第一行為により死亡していたとしても、殺人の故意に欠けるところはなく、殺人既遂罪（199）が成立する。

三　抽象的事実の錯誤 司R3 予H23 予H28 予R元 予R3 予R5

抽象的事実の錯誤とは、事実とその認識との間の齟齬が、異なる構成要件にまたがって生じている場合をいう。

38 条 2 項は、抽象的事実の錯誤のうち、軽い犯罪を行うつもりで重い犯罪を実現した場合について、重い犯罪により処断することができない旨定めるが、軽い犯罪に対応する刑は科すことができるのか、それとも無罪なのかは明らかでない。また、重い犯罪を犯すつもりで、軽い犯罪を実現したという場合や、両者の法定刑が同じ場合については、定めがない。そこで、これらの点をめぐって、法定的符合説と抽象的符合説が対立する（具体的符合説は、法定的符合説と同様の結論に至る）共予。

＜抽象的事実の錯誤＞

学説	内容	処理	
法定的符合説	①　認識した事実と発生した事実が同一構成要件内にある限りで故意を認め、異なる構成要件間の錯誤は原則として故意を阻却する ②　異なる構成要件間の錯誤であっても、例外として、構成要件が重なり合う限度で故意を認める	形式説	法条競合の関係にある場合、軽い罪が成立する
		実質説	保護法益の共通性及び構成要件的行為の共通性が認められる場合、軽い罪が成立する

学説	内容	処理
抽象的符合説	異なる構成要件間の錯誤でも、およそ犯罪となる事実を認識して行為し犯罪となる結果を生じさせた以上、故意犯が成立する	① 軽い罪の故意で重い罪を実現した場合、軽い罪の既遂と重い罪の過失の観念的競合（54 Ⅰ前段）が成立する ② 重い罪の故意で軽い罪を実現した場合、重い罪の未遂（不能犯の場合あり）と軽い罪の既遂を合一し、重い刑で処断する

＜抽象的事実の錯誤における各学説からの帰結＞

	法定的符合説	
	形式説	実質説
殺人と承諾・嘱託殺人〈同 強盗殺人と強盗	○	○
強盗と窃盗・恐喝 殺人と傷害・傷害致死 恐喝と脅迫 窃盗と遺失物等横領 覚せい剤所持と麻薬所持 覚せい剤輸入と麻薬輸入	×	○
公文書偽造と虚偽公文書作成	×	○
単純遺棄と死体遺棄〈同	×	×
殺人と器物損壊	×	×

（○：符合を認める→軽い後者の罪が成立　×：符合を認めない）

＜抽象的事実の錯誤における判例の動向＞〈同

判例の動向		
	事　案	結　論
法定刑が異なる場合	覚醒剤の無許可輸入罪（軽い罪）の意思で、麻薬の禁制品輸入罪（重い罪）を実現した事案（最決昭 54.3.27）	構成要件が重なり合う限度で軽い罪である覚醒剤の無許可輸入罪が成立するとし、罪名も刑も軽い方に従うという態度を明確にした
	ダイヤモンドの無許可輸入罪（軽い罪）の意思で、覚醒剤の禁制品輸入罪（重い罪）を実現した事案（東京高判平 25.8.28・平 26 重判 1 事件）	構成要件の重なり合う限度で軽い罪であるダイヤモンドの無許可輸入罪の成立を認めた（＊ 1）

判例の動向		
	事　案	結　論
	麻薬所持罪（軽い罪）の意思で、覚醒剤所持罪（重い罪）を実現した事案（最決昭 61.6.9・百選Ⅰ 43 事件）	構成要件の重なり合う限度で軽い罪である麻薬所持罪が成立するとしたが、没収は、客観的に生じた覚醒剤取締法 41 条の 8によるとした
同じ場合	覚醒剤輸入罪の意思で、麻薬輸入罪を実現した事案（最決昭 54.3.27）	両罪の構成要件は実質的に全く重なり合っているとして客観的に実現された麻薬輸入罪の成立を認めた（＊2）

＊1　無許可輸入罪と禁制品輸入罪は、通関手続を履行しないという犯罪構成要件の重要な部分について重なり合いが認められるのであり、ダイヤモンドと覚醒剤のように貨物の形状等に差異があっても、重なり合いの判断に影響しない 同。

＊2　法定刑が同じ場合の処理について、多数説は判例と同様の結論を採るが、学説には行為者の認識した犯罪が成立するとするものもある（客観的に生じた罪の成立を認めることは、①行為者が認識していなかった罪を認める点で、行為者の認識内容から離れて故意を抽象化しすぎること、②軽い罪の認識で重い罪を犯した場合に行為者の認識していた罪が成立すると解されていることと矛盾することを理由とする）。

4－3　故意以外の主観的構成要件要素

《概　説》

◆　種類

主観的構成要件要素には、故意・過失といった一般的主観的要素と、以下の特殊的主観的要素がある。

1　目的犯の目的 共

ex.　通貨偽造罪における「行使の目的」（148 Ⅰ）

＊　目的犯とは、一定の目的を主観的構成要件要素とする犯罪をいう。

2　傾向犯における主観的傾向

→判例（最大判平 29.11.29・百選Ⅱ 14 事件）が出る以前は、不同意わいせつ罪（176）における「性欲を刺激興奮させ又は満足させるという性的意図」がその典型例とされていた　⇒ p.326

＊　傾向犯とは、行為が行為者の主観的傾向の表現として発現し、そのような傾向が見られる場合にのみ構成要件該当性が認められる犯罪をいう。

3　表現犯における行為者の内部的・精神的な経過又は状態

ex.　偽証罪（169）における証人の陳述が、証人の記憶に反していること（大判大 3.4.29・百選Ⅱ 120 事件）

cf.　偽証罪にいう「虚偽の陳述」の意義に関する主観説（証人の記憶に反する陳述）に立った場合のみ、偽証罪は表現犯となる

＊　表現犯とは、内心の表現が処罰の対象となる犯罪をいう。

5　過失犯の構造

5－1　過失犯総説

《概　説》

一　意義

1　過失犯の意義

故意ではなく、過失を成立要件とする犯罪である。

＜過失犯処罰規定がある犯罪＞

個人的法益に対する罪	過失傷害罪（209） 過失致死罪（210） 業務上過失致死傷罪（211 Ⅰ前段） 重過失致死傷罪（211 Ⅰ後段）
社会的法益に対する罪	失火罪（116） 過失激発物破裂罪（117 Ⅱ） 業務上失火罪（117の2） 重失火罪（117の2） 業務上過失激発物破裂罪（117の2） 重過失激発物破裂罪（117の2）
	過失建造物等浸害罪（122）
	過失往来危険罪（129 Ⅰ） 業務上過失往来危険罪（129 Ⅱ）

2　故意犯処罰の原則（38 Ⅰ）

刑法38条1項は、故意犯の処罰を原則としており、過失犯は「法律に特別の規定がある場合」に限って例外的に処罰される。これは、責任主義の要請に基づいている。

ただ、判例は、「法律に特別の規定がある場合」には、明文の規定がなくても、法律の精神からすると過失行為を処罰する趣旨であると解しうる場合を含むとしている（最決昭57.4.2参照）〈回。

二　過失の種類

1　通常の過失

特別の限定を設けられていない一般の過失をいう。

2　業務上の過失〈回

(1)　人の生命・身体に危害を加えるおそれのある行為等を反復継続して行う者が高度の注意義務を課されている場合をいう。

ex.　業務上過失致死傷罪（211前段）、業務上失火罪（117の2前段）

(2)　刑が加重される根拠について、判例（最判昭26.6.7）・通説は、一定の危険な業務に従事する業務者には通常人よりも特に重い注意義務が課せられていることに注目している。

一方、同じ行為に対して要求される注意義務は同一でなければならないとした上で、業務者は通常人に比べて一般的に高度な注意能力を有するから、注意義務違反の程度がより著しいことが加重処罰の根拠であるとする見解もある。

3　重大な過失〈同

通常の過失に対して行為者の注意義務に違反した程度が著しい場合、すなわち、行為者としてわずかな注意を用いることによって結果を予見でき、かつ、結果を回避することができる場合の過失をいう。

5－2　過失犯の構造

《概　説》

◆　**過失犯の構造**

故意犯は行為の内容が構成要件で明示されているので、実行行為を特定しやすい。他方、過失犯は単に「過失」と表現されているだけなので、具体的な構成要件の内容が不明確である点に特徴がある。

そして、「過失」とは注意義務違反をいうが、注意義務違反の内容をどのように解するかについて、以下の学説上の対立がある。

<過失犯の構造>〈同共予

学説		過失の内容	過失の体系上の位置	根　拠
旧過失論	旧過失論	結果予見義務違反 ：構成要件該当事実を予見可能であるのに、不注意のため予見しなかった	責任要素 →過失犯における違法性は法益侵害・危険の惹起という結果無価値にのみ求められる	過失犯の外部的行為の部分につき、故意犯との間に本質的な差異はなく、過失は主観的なものである
	修正旧過失論	結果予見義務違反	責任要素（構成要件要素でもあるとする見解もある）	構成要件的結果を生じさせる実質的危険性を有する行為が認められてはじめて、過失犯の客観的構成要件が充足されると解すべきである →過失行為を限定することにより、過失犯の処罰範囲を限定しようとする

学説		過失の内容	過失の体系上の位置	根　拠
新過失論	新過失論	結果回避義務違反 ：結果の発生を予見しながらも、それを回避するために一般人がとるであろう行為をとらなかった（予見義務は、回避義務の前提）	構成要件要素 違法要素（一般人基準） 責任要素（本人基準） →過失犯における違法性は、客観的注意義務違反（基準行為からの逸脱）という行為無価値にも求められる	予見可能性を基準とする旧過失論では、予見可能性が認められれば直ちに処罰することになりかねず、過失を結果回避義務違反と捉えることで処罰範囲を限定すべきである（＊）
	新新過失論	結果回避義務違反 ：一般人ならば結果の発生がありうるという危惧感を抱く場合であるにもかかわらず、その危惧感を打ち消すに足るだけの結果防止措置を採らなかった（予見義務は、回避義務の前提）	構成要件要素 違法要素（一般人基準） 責任要素（本人基準） →過失犯における違法性は、客観的注意義務違反（基準行為からの逸脱）という行為無価値にも求められる	結果の具体的予見可能性を要求していたのでは、「未知の危険」により結果が生じた場合に対応することができない

＊　新過失論に対しては、結果回避のための適切な措置の内容が明確ではないから、道路交通法上の速度制限といった行政取締法規から導出せざるを得ず、行政取締法規に違反する行為から結果が発生すれば過失が肯定される傾向があるため、刑法上の過失犯が行政取締法規違反の結果的加重犯になってしまうとの批判がある〈同共〉。

<旧過失論と新過失論>

	旧過失論		新過失論〈司	
構成要件	故意犯・過失犯 実行行為 → 結果 因果関係		故意犯 実行行為 → 結果 因果関係 構成要件的故意	過失犯 実行行為 → 結果 ‖　因果関係 構成要件的過失 （客観的注意義務違反）
違法性	故意犯・過失犯 違法性阻却事由		故意犯 違法性阻却事由	過失犯 違法性阻却事由
責任	故意犯 責任能力 故意 期待可能性	過失犯 責任能力 過失（予見義務違反） 期待可能性	故意犯 責任能力 責任故意 期待可能性	過失犯 責任能力 責任過失（主観的注意義務違反） 期待可能性

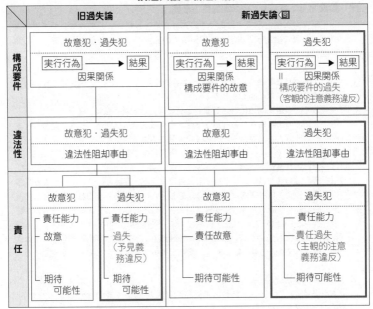

5－3　過失犯の成立要件〈司H22

《概　説》

一　注意義務の存否・内容

1　過失犯の注意義務は、法令・契約・慣習・条理等の様々な根拠から生じる〈司。

▼　最決平 5.10.12

自動車運転者が、同乗者の降車に際して、フェンダーミラーを通じて左後方の安全を確認した上、開扉を指示するなど適切な措置を採るべき注意義務を負うにもかかわらず、その義務を怠って、同乗者が不用意に扉を開けたために、そのドアに後方から進行してきた原付が衝突し、原付運転者が負傷した場合に、自動車運転者に業務上過失致傷罪（211 Ⅰ）が成立する。

▼ **最決平 22.5.31・平 22 重判 1 事件**

現地警備本部指揮官である被告人Aは、午後8時ころの時点において、歩道橋内への流入規制等を実現して雑踏事故の発生を未然に防止すべき業務上の注意義務があったというべきであり、また、警備員の統括責任者である被告人Bは、午後8時ころの時点において歩道橋内への流入規制等を実現して雑踏事故の発生を未然に防止すべき業務上の注意義務があったというべきであり、A・Bの結果回避義務が認められる。

そして、歩道橋周辺における機動隊員の配置状況等からは、午後8時10分ころまでにその出動指令があったならば、本件雑踏事故は回避できたと認められるところ、被告人Aについては機動隊の出動を実現できたものである。また、被告人Bについては、明石市の担当者らに警察官の出動要請を進言でき、さらに、自らが自主警備側を代表して警察官の出動を要請することもできたのであって、明石市の担当者や被告人Bら自主警備側において、警察側に対して、単なる打診にとどまらず、自主警備によっては対処しえない状態であることを理由として警察官の出動を要請した場合、警察官側がこれに応じないことはなかったものと認められる。したがって、被告人両名ともに、午後8時ころの時点において、上記各義務を履行していれば、歩道橋内に機動隊による流入規制等を実現して本件事故を回避することは可能であり、業務上過失致死傷罪（211 Ⅰ）が成立する。

2　行政取締法規の注意義務を尽くしたからといって、直ちに過失犯の成立が否定されるものでもなく、なお結果回避の措置を講ずべき余地がなかったか否かが検討されなければならない〈司〉。

▼ **最決昭 32.12.17**

単に列車の運転取扱に関する特別の規定を守るだけでその義務を常につくしたものということはできず、いやしくも列車の運転に関して危険の発生を防止するに可能なかぎり一切の注意義務をつくさなければならない。

二　予見可能性

過失犯の成立には注意義務違反が要件となるが、その注意義務を基礎付けるものとして予見可能性が必要となる〈予〉。そして、予見可能性については、①予見可能性の程度、②予見可能性の対象、③誰を基準に予見可能性を判断するか（予見可能性の基準）という3つの問題がある。

1　予見可能性の程度〈司共〉

どの程度の予見可能性が必要かについて、裁判例（北大電気メス事件、札幌高判昭 51.3.18・百選Ⅰ 51 事件）は、「具体的予見可能性」を要求している。結果発生の予見可能性は結果回避義務を導くものであるから、一般人を結果回避へと動機づける程度に具体的に結果を予見できることが必要であると考えられる。

▼ **北大電気メス事件（札幌高判昭 51.3.18・百選Ⅰ 51 事件）** 〈回〉

「およそ、過失犯が成立するためには、その要件である注意義務違反の前提として結果の発生が予見可能であることを要し、結果の発生が予見できないときは注意義務違反を認める余地がない。ところで、内容の特定しない一般的・抽象的な危惧感ないし不安感を抱く程度で直ちに結果を予見し回避するための注意義務を課するのであれば、過失犯成立の範囲が無限定に流れるおそれがあり、責任主義の見地から相当であるとはいえない。右にいう結果発生の予見とは、内容の特定しない一般的・抽象的な危惧感ないし不安感を抱く程度では足りず、特定の構成要件的結果及びその結果の発生に至る因果関係の基本的部分の予見を意味するものと解すべきである。そして、この予見可能性の有無は、当該行為者の置かれた具体的状況に、これと同様の地位・状況に置かれた通常人をあてはめてみて判断すべきものである」。

<予見可能性の程度>

	内　容	根　拠	批　判
具体的予見可能性説〈通〉	特定の構成要件的結果及びその結果の発生に至る因果関係の基本的部分を予見できたことが必要である	予見可能性は結果回避義務を生じさせるものであるから、一般人が犯罪結果の発生を回避できる程度に、結果を予見できることが必要である	①　具体的予見可能性を要求すると、企業や監督過失の多くの場合、過失責任を問えなくなってしまう ②　実際の処理に際しては危惧感説と同様に広く予見可能性を認めており、結局、文言上「具体的」といっているにすぎない
危惧感説（不安感説）	およそ何らかの結果が発生するかもしれないという危惧感（不安感）があれば足りる	科学実験や工事等で新しい試みをする場合、重大な結果が発生しても、それにつき経験の蓄積がない以上、具体的予見は不可能であるが、それを不可罰とすれば、不合理である	①　予見可能性をあまりにも抽象化してしまうため刑事過失の成立範囲を無限定にし、不当に拡大するおそれがある ②　曖昧な危惧感をもっていれば十分であるとするならば、結果責任を認めることになり妥当でない

2　予見可能性の対象

一般人を結果回避へと動機づける程度の具体的予見可能性を要求するとし

て、次にどの対象の事実について具体的予見可能性が必要となるかも問題となる。

裁判例（北大電気メス事件、札幌高判昭51.3.18・百選Ⅰ51事件）は、結果発生の予見可能性の対象について、「特定の構成要件的結果及びその結果の発生に至る因果関係の基本的部分」であるとしている。

もっとも、結果発生の日時・場所などを全て具体的に予見するのは不可能であるので、ある程度抽象化する必要がある。そこで、①結果（特に客体）の予見可能性、②因果関係の予見可能性に関して、どの程度抽象化してよいのかが問題となる。

⑴　結果（特に客体）の予見可能性

（業務上）過失致死傷罪を例にとってみると、判例（荷台乗車事件、最決平元.3.14・百選Ⅰ52事件）は、具体的な客体（たとえば「A」という特定の個人）に結果が発生することまでは予見できなくても、「およそ人」に結果が発生することの予見可能性があれば足りるとしている。

故意犯の成否を問う錯誤論においては、法定的符合説（認識事実と実現事実とが構成要件の範囲内において一致している場合には、実現事実について故意犯の成立を認める見解）が判例・通説の立場であるところ、過失犯の成否を問う場合も法定的符合説とパラレルに考えると、現実に発生した「Aの死亡」の予見可能性までは必要ではなく、「およそ人の死亡」が生じることへの予見可能性で足りることになる。

▼　荷台乗車事件（最決平元.3.14・百選Ⅰ52事件）

事案：　トラック運転手である甲が無謀な運転により、ハンドル操作を誤って自車トラックを電柱に衝突させて、助手席に乗っていたAに重傷を負わせた上、甲やAの知らないうちに荷台に乗り込んで積み荷の陰に隠れていたB及びCをも死亡させた。

決旨：　「甲において、右のような無謀ともいうべき自動車運転をすれば人の死傷を伴ういかなる事故を惹起するかもしれないことは、当然認識しえたものというべきであるから、たとえ甲が自車の後部荷台に前記両名が乗車している事実を認識していなかったとしても、右両名に関する業務上過失致死罪［注：現過失運転致死罪］の成立を妨げない」。

⑵　因果関係の予見可能性

裁判例（北大電気メス事件、札幌高判昭51.3.18・百選Ⅰ51事件）は、「結果の発生に至る因果関係の基本的部分」の予見可能性が必要であるとしており、現実に発生した因果経過の全てについて予見可能であったことまでは必要としていない。

▼ **生駒トンネル事件（最決平 12.12.20・百選Ⅰ 53 事件）**

事案：　トンネル内の電設工事の際、ケーブル接続工事業者である甲の部品取付けの不備→電流漏洩→炭化導電路形成→半導電層部・電力ケーブル炎上→電車停止という複雑な因果経過をたどり、トンネル内の火災事故が発生して死傷の結果が発生した。

決旨：「右事実関係の下においては、甲は、右のような炭化導電路が形成されるという経過を具体的に予見することはできなかったとしても、右誘起電流が大地に流されずに本来流れるべきでない部分に長期間にわたり流れ続けることによって火災の発生に至る可能性があることを予見することはできたものというべきである」として、本件火災発生の予見可能性を認めた原判決は相当である旨判示した。

3　予見可能性の基準

誰を基準に予見可能性の有無を判断すべきかについても問題となる。

この点、構成要件は犯罪として法律上規定された行為の類型であり、構成要件該当性は一般的・類型的な判断であるので、構成要件該当性の段階における過失（構成要件的過失）の有無を判断する際、その基準となるのは「行為者」ではなく「一般人」である。

もっとも、社会一般の一般人ではなく、行為者と同じ立場にある一般人を基準に予見可能性の有無を判断する。

裁判例（北大電気メス事件、札幌高判昭 51.3.18・百選Ⅰ 51 事件）は、「予見可能性の有無は、当該行為者の置かれた具体的状況に、これと同様の地位・状況に置かれた通常人をあてはめてみて判断すべきものである」としている。

三　結果回避義務違反

1　結果回避可能性

結果回避義務違反の前提として、結果回避可能性が必要になる。

結果回避可能性の有無を判断するに当たっては、まずは法令・慣習・条理に基づき、結果の発生を回避するために行為者にどのような措置が求められるかという結果回避義務の内容を具体的に特定する必要がある（最決昭 32.12.17）。その上で、行為者がその結果回避義務を履行することが可能であったかという点、その結果回避義務を履行すれば結果発生を防ぐことができたかという点を検討する必要がある。

下記判例では、結論として、過失が否定されている。この事案は、行為者が結果回避義務を履行していたとしても（適切な措置を講じていたとしても）、結果の発生を防ぐことは困難であったと考えられるので、結果回避可能性がないと判断された。

▼ 大判昭 4.4.11

小児が踏切上に立っていたにもかかわらず、前方注視義務を怠ったため、警笛吹鳴、非常制動措置を行わないまま、機関車を運転したためれき死させた場合、小児の存在を認識した時点で右措置を採ったとしても、小児に対する危害を防止できたとはいえないときは、右措置を怠ったとしても、因果関係がなく、業務上過失致死罪（211 Ⅰ）は成立しない。

▼ 最判平 15.1.24・百選Ⅰ 7事件

（左右の見通しが利かない交差点に進入するに当たり、何ら徐行することなく、時速約 30 キロないし 40 キロメートルの速度で進行を続けた被告人の行為は、道路交通法 42 条 1 号所定の徐行義務を怠ったものといわざるを得ない。しかし、）被告人が時速 10 キロないし 15 キロメートルに減速して交差点内に進入していたとしても、急制動の措置を講ずるまでの時間を考えると、被告人車が衝突地点の手前で停止することができ、衝突を回避することができたものと断定することは、困難であるといわざるを得ない。

2　結果回避義務違反

結果回避可能性が認められた場合、次に結果回避義務違反の有無を検討する。過失犯においては、この結果回避義務違反が実行行為となる。

▼ 最決平 24.2.8・平 24 重判 1 事件

事故事案の処理の時点において、A 社製ハブの強度不足のおそれの強さや、予測される事故の重大性、多発性に加え、事故関係の情報を一手に把握していたことを踏まえると、同社の品質保証部門の部長又はグループ長の地位にある被告人両名には、強度不足に起因するハブ破損事故の更なる発生を防止すべき業務上の注意義務があった。

そして、本件事故は、ハブの強度不足に起因して生じたものと認められるから、被告人両名の上記義務違反に基づく危険が現実化したものであり、両者の間に因果関係を認めることができる。

四　信頼の原則 司共 司H22

1　意義

被害者ないし第三者が適切な行動をとることを信頼するのが相当な場合には、たとえそれらの者の不適切な行動により犯罪結果が生じても、それに対して刑責を負わなくてよいとする理論である。

判例（最判昭 42.10.13・百選Ⅰ 54 事件）によれば、行為者自身に法令に違反する行動があった事案においてもなお信頼の原則が適用される場合がある 共。

▼　最判昭 42.10.13・百選Ⅰ 54 事件

右折の合図をしながら右折しようとする原動機付自転車の運転者としては、後方から来る他の車両の運転者が、安全な速度と方法で進行するであろうことを信頼して運転すれば足り、その右折方法が法規に違反している場合であっても、このことは、右注意義務の存否とは関係がない。

▼　最決平 19.3.26・平 19 重判 2 事件

医療行為において、対象となる患者の同一性を確認することは、当該医療行為を正当化する大前提であり、医療関係者の初歩的、基本的な注意義務であって、病院全体が組織的なシステムを構築し、医療を担当する医師や看護師の間でも役割分担を取り決め、周知徹底し、患者の同一性確認を徹底することが望ましいところ、手術に関与する医師、看護師等の関係者は、他の関係者が上記確認を行っていると信頼し、自ら上記確認をする必要がないと判断することは許されず、各人の職場や持ち場に応じ、重畳的にそれぞれが責任を持って患者の同一性を確認する義務がある。

▼　札幌高判昭 51.3.18・百選Ⅰ 51 事件〈司

チームワークによる手術の執刀医として危険性の高い重大な手術を誤りなく遂行すべき任務を負わされた医師が、その執刀直前の時点において、極めて単純容易な補助的作業に属する電気手術器のケーブルの接続に関し、経験を積んだベテランの看護師の作業を信頼したのは当時の具体的状況に徴し無理からぬものであったことを否定できないから、当該医師に注意義務違反はない。

2　過失概念内部における位置付け〈司

信頼の原則を予見可能性認定の基準と捉える立場、結果回避義務が否定されるとする立場がある。前者は旧過失論から、後者は新過失論から主張されている。

3　要件

①　他の者が適切な行動をすることに対する現実の信頼が存在し、かつ、こうした信頼が社会生活上相当なものであること

②　他の者が適切な行動をすることを信頼するに足りる具体的状況が存在すること

5－4　過失の競合〈司H22

《概　説》

過失の競合とは、複数の者の注意義務違反が重なって結果が発生した場合をいう。過失の競合の事案では、各人の立場・地位・職責、その職務の遂行状況等に着目しながら、各人の行為について過失犯の成否を判断していく。

そして、過失の競合は、複数の者の不注意が複雑に関与しているため、たとえば、他者の適切な行動を信頼していた場合には、信頼の原則の適用を検討しなければならない（患者取り違え事件、最決平19.3.26・平19重判2事件参照）。

また、ある者の過失行為と結果との間に他者の過失行為が介在する場合もあるので、その際には因果関係の有無についても検討しなければならない。さらに、互いに協力し合って結果を防止すべき義務がある場合には、過失犯の共同正犯の成否も検討しなければならない。

以上のほかにも、管理・監督過失の問題も、過失の競合と関連して問題となる。

▼ 患者取り違え事件（最決平19.3.26・平19重判2事件）

「病院全体が組織的なシステムを構築し、医療を担当する医師や看護婦の間でも役割分担を取り決め、周知徹底し、患者の同一性確認を徹底することが望ましいところ、これらの状況を欠いていた本件の事実関係を前提にすると、手術に関与する医師、看護婦等の関係者は、他の関係者が上記確認を行っていると信頼し、自ら上記確認をする必要がないと判断することは許されず、各人の職責や持ち場に応じ、重畳的に、それぞれが責任を持って患者の同一性を確認する義務がある」。

5－5 管理・監督過失

《概　説》

一　意義

管理過失とは、物的・人的設備等を整える注意義務に違反することをいう。

監督過失とは、他人が過失を犯さないように監督する注意義務に違反することをいう。

管理・監督過失における実行行為は、通常の場合、安全体制確立義務違反という不作為である。そのため、管理・監督過失における実行行為を確定するに当たっては、不真正不作為犯における保障人的地位（作為義務）の存在が必要になると解されている。

なお、管理・監督過失といっても、そのような特別の犯罪類型があるわけではなく、保障人的地位を認定した後に、過失犯の成立要件を検討すれば足りる。

二　判例

＜管理・監督過失に関する判例の整理＞

	判例	事案	判旨
管理過失	**大洋デパート事件（最判平 3.11.14）**	営業中のデパートから火災が発生したが、従業員らによる火災の通報が全くなされず、避難誘導もほとんど行われなかったため、多数の死傷者が出た	取締役人事部長につき、代表取締役が防火管理業務を遂行できない特別の事情がないこと、人事部の所管業務の中に防火管理業務は含まれていないことから「取締役会の決議を促して消防計画の作成等をすべき注意義務や、代表取締役に対し防火管理上の注意義務を履行するよう意見を具申すべき注意義務が」ないとして過失責任を否定した
管理過失	**ホテルニュージャパン事件（最決平 5.11.25・百選Ⅰ 58 事件）** 共	ホテルの客室からタバコの不始末により出火し、スプリンクラーの設備や防火区画の設置がなされておらず、従業員らも適切な消火活動や避難誘導ができなかったため多数の死傷者が出た	「昼夜を問わず不特定多数の人に宿泊等の利便を提供するホテルにおいては、火災発生の危険を常にはらんで」おり、「防火管理体制の不備を解消しない限り、いったん火災が起れば」死傷の結果が生じるおそれがあることを容易に予見できたとして、代表取締役の過失責任を肯定した
管理過失	**薬害エイズ厚生省事件（最決平 20.3.3・百選Ⅰ 56 事件）** 同	ミドリ十字社が米国から輸入した血漿を原料とする非加熱製剤を、厚生省（当時）から製造販売の認可を受けて販売していたところ、これを投与された患者がエイズにより死亡した	薬害エイズ事件の状況の下では、薬務行政上、その防止のために必要かつ十分な措置を採るべき具体的義務が生じたといえるのみならず、刑事法上も、非加熱製剤製造使用安全確保に係る薬務行政を担当する者には社会生活上、薬品による危害発生の防止の業務に従事する者としての注意義務が生じたものというべきとして、非加熱製剤の販売を中止、回収、患者への投与の控えさせる措置を採らなかった当時の厚生省薬務局生物製剤課長に業務上過失致死罪を認めた

	判例	事案	判旨
管理過失	ＪＲ福知山線脱線転覆事故事件（最決平 29.6.12・百選Ｉ 57 事件）	列車の運転士が適切な制動措置を採らず、転覆限界速度を超える速度で、速度照査機能を備えた自動列車停止装置（ＡＴＳ）が整備されていない曲線に同列車を進入させ、転覆させたことにより、多数の乗客を死傷させた	「本件事故以前の法令上、ＡＴＳに速度照査機能を備えることも、曲線にＡＴＳを整備することも義務付けられておらず、大半の鉄道事業者は曲線にＡＴＳを整備していなかったこと」等の事実関係の下では、「運転士がひとたび大幅な速度超過をすれば脱線転覆事故が発生する」という「程度の認識をもって、注意義務の発生の根拠とすることはできない」とした
監督過失	白石中央病院事件（札幌高判昭 56.1.22）	病院でボイラーマンの過失により火災が発生し、夜警員が駆けつけたが狼狽し立ち去ってしまい、看護師等も新生児の搬出や非常口の開錠、患者の避難誘導に思い及ばなかったため、死傷者が出た	「当直看護婦や夜警員が当然果してくれるものと予想されるような」救出活動・避難誘導活動がなされない場合まで「考慮に入れて火災発生に備えた対策を定めなければならないとまでいうのは行過ぎ」として、病院の理事長の過失責任を否定した
	埼玉医科大学事件（最決平 17.11.15・百選Ｉ 55 事件）	大学附属病院の耳鼻咽喉科の患者の主治医と指導医が、抗がん剤の投与計画を誤り、過剰投与などにより患者を死亡させた	同科の医療行為全般を統括し、同科の医師を指導監督していた耳鼻咽喉科科長は、主治医らに対し副作用への対応について事前に指導を行うとともに、懸念される副作用が発現した場合には直ちに報告するよう具体的に指示すべき注意義務を怠ったとして、過失責任を肯定した
	日航機ニアミス事件（最決平 22.10.26・平 22 重判２事件）	訓練中の管制官が言い間違えて降下の指示をした際、指導監督する管制官がこれを是正せず、航空機の異常接近・急降下により乗客が負傷した	不適切な管制指示を直ちに是正して事故の発生を未然に防止するという、指導監督者としての業務上の注意義務に違反したものであるとして、業務上過失傷害罪の成立を肯定した

《論　点》

◆ **監督過失と信頼の原則の適用の可否**〈司共〉

監督過失が問題となる事案において、信頼の原則を適用できるか（監督者的地位にある者が、被監督者が適切な処置・行動をとってくれるだろうと信頼してよいか）。

この点について、監督過失が問題となる事案のうち、指導的な監督関係がある場合であって、被監督者に職務遂行能力（知識・技術）がないときには、信頼の原則を適用することができないと解される一方、委任的な監督関係がある場合であって、被監督者に職務遂行能力（知識・技術）があるときには、信頼の原則を適用する余地があるものと解されている。

・第３章・【違法性】

1　違法性の概念

1－1　違法性の本質

《概　説》

一　形式的違法性と実質的違法性

1　形式的違法性

行為が実定法規に違反することをいう。

←行為が法律上許されないということを形式的に示すにすぎない

2　実質的違法性

行為が全体としての法秩序に実質的に違反するという性質をいう〈予〉。

実質的違法性の内容については、基本的に結果無価値論と行為無価値論が対立している。

二　結果無価値論・行為無価値論

1　結果無価値論

結果無価値論は、刑法の機能を法益保護に求め、違法とは、法益侵害・危険を惹起することを意味するとする立場である。

結果無価値論によれば、違法性の判断は、結果を中心に考えていくこととなる。また、法益侵害・危険の判断をできるだけ科学的・客観的に判断すべきであると考えるので、違法性阻却事由の具体的基準を定立する上で行為者の主観を考慮するべきではないとする。

2　行為無価値論

行為無価値論は、刑法の機能を法益保護のみならず社会倫理秩序維持にも求め、違法とは、社会的相当性を逸脱して法益侵害・危険を惹起することを意味するとする立場である。

行為無価値論によれば、違法性の判断は、行為と結果を総合して考えていくこととなる（結果無価値・行為無価値二元論）。また、社会倫理的観点を無視して違法性を考えるのは適切でないと考えるので、違法性阻却事由の具体的基準を定立する上で行為者の主観（故意・過失・目的等）や行為の社会的評価を考慮すべきであるとする。

3　両者の異同

両説とも刑法の役割を法益保護に求める点では共通しているが、以下の点において相違点がある。

① 結果無価値論は刑法の機能を法益保護にのみ求める一方で、行為無価値論は法益保護と社会倫理秩序維持の双方に求める点が異なる。

② 結果無価値論は、違法性阻却事由の具体的基準を定立する上で行為者の主観を考慮しないとする一方で、行為無価値論は、行為者の主観や行為の社会的評価を考慮すべきであるとする点が異なる。

三　可罰的違法性

1　意義

可罰的違法性を欠くときに犯罪の成立を否定する考え方をいう。

2　判例

判例（一厘事件、大判明43.10.11）は、煙草耕作者であるXが、政府に納入すべき義務を負う葉煙草を、価格にして一厘分のみ手刻みで消費したことが当時の煙草専売法48条1項の不納付罪に当たるか否かについて、軽微な犯罪行為は犯人に危険性があると認められる特殊な状況の下に行われたものでない限り、処罰の必要はないとしている。

他方、判例（最決昭61.6.24・百選Ⅰ17事件）は、電話の通話料金の支払を免れる機械であるマジックホンを一度だけ使用したことについて、偽計業務妨害罪などの成立を認めている。

1－2　違法性阻却の一般原理

《概　説》

◆　違法性阻却の一般原理

1　意義

違法性阻却の一般原理は、違法性阻却事由の規定の解釈における重要性をもつばかりでなく、不文の違法性阻却事由の要件論にとっても重要性をもつ。

2　違法性阻却の一般原理は、違法性の本質の議論と表裏をなし、結果無価値論からは法益衡量説、行為無価値論からは目的説、社会的相当性説が主張されている。

(1) 法益衡量説

価値の異なる法益が相対立する場合には、価値の大きい利益のために価値の小さい利益を犠牲にすることが違法性阻却の一般原理であるとする。

(2) 目的説

正当な目的のための正当（相当）な手段だから正当化されるとする。

(3) 社会的相当性説

行為が社会生活上要求される基準行為から逸脱していないことが違法性阻却の一般原理であるとする。

2 正当行為

第35条 (正当行為)

法令又は正当な業務による行為は、罰しない。

《概 説》

一 法令行為（前段）

1 意義

法律・命令により権利又は義務として行われた行為をいう。

2 類型

(1) 職務行為

法令の規定上、これを行うことが一定の公務員の職務とされている行為をいう。

ex. 逮捕（刑訴199）、勾留（刑訴207）、職務質問（警職2Ⅰ）、教員のする懲戒行為等

(2) 権利（義務）行為 司共

法令の規定上、ある者の権利（義務）とされている行為をいう。

ex. 私人による現行犯逮捕（刑訴213）、親権者の懲戒行為（民822）等

＊ ただし、外形上権利の行使であっても、濫用するときは違法性阻却されない。

(3) その他の法令行為

ex. 精神障害者に対する措置入院、母体保護法の人工妊娠中絶

二 正当業務行為（後段）

1 意義

「正当な」業務とは、法令上の根拠がなくても、正当と認められる業務をいう。

「業務」とは、社会生活上の地位に基づいて反復・継続される行為をいい、必ずしも職業として行われるものであることを要しない。

ex. スポーツ行為、記者の取材活動、弁護士の弁護活動

2 正当化の範囲

正当化されるためには、業務が正当なものであるとともに、行為自体も業務の正当な範囲内のものであることが必要である。

▼ 最判昭27.3.7 共

虚偽告訴の罪で起訴されたXが、人違いで告訴したことに気づきながら、公判廷において公然と虚偽の事実を摘示して被告訴人Yの名誉を毀損した場合、このようなXの行為は、もとより、Xとしての防禦権の範囲を逸脱したもの、Xの防禦権の濫用と認めるべきであり、名誉毀損罪（230Ⅰ）が成立する。

▼ **最決昭 51.3.23** 〈同共〉

殺人被告事件の弁護人が、同被告事件の真犯人は被告人の兄であると考え、第１審の有罪判決後に行った記者会見において、「同被告事件の真犯人は被告人の兄である。」旨発表した行為は、名誉毀損罪の構成要件に該当するとした上で、かかる弁護人の行為は、訴訟外の救援活動に属するものであり、弁護目的との関連性も著しく間接的であって、正当な弁護活動の範囲を超えるものというほかなく、その他諸般の事情を考慮しても法秩序全体の見地から許容されるべきものということはできないとして、正当な業務行為としての違法性阻却を認めなかった。

▼ **最決昭 53.5.31・百選Ｉ 18 事件** 〈同〉

報道機関が取材の目的で公務員に秘密を漏示するよう唆したとしても、それが真に報道の目的から出たもので、その手段・方法が法秩序全体の精神に照らし相当なものとして社会観念上是認されるものである限りは、実質的に違法性を欠き正当な業務行為というべきである。

もっとも本件では、取材方法が社会観念上不相当なものであり正当な取材活動の範囲を逸脱するとして違法性阻却を認めなかった。

▼ **福岡高判平 22.9.16**

爪切り用ニッパーで指先よりも深く爪を切除し、本来、爪によって保護されている爪床部分を露出させて皮膚の一部である爪床を無防備な状態にさらしたのは、傷害行為に当たり、傷害の故意もあるので、傷害罪の構成要件に該当する。しかし、看護目的でなされ、看護行為として必要性があり、手段、方法も相当といえる範囲を逸脱するものではないから、正当業務行為として違法性が阻却される。

3　治療行為

(1)　意義

治療行為とは、外科手術など病者の治療のために医学上一般に承認されている方法によって人の身体を傷つける行為をいう。

(2)　専断的治療行為

病者に対し、その者の同意なしに治療行為を行うことをいう。

ex.　医師が、乳癌の患者が患部の切除を明示的に拒否していたのに、癌の転移を防ぐために、あえて医学的に適切な手術を行った場合

＜治療行為＞

	甲説	乙説	丙説	丁説
	構成要件該当性阻却説		違法性阻却説	
治療行為	医学上一般に承認されている方法で行う医療は、類型的に人の身体に危険をもたらすとはいえず、社会通念上傷害の概念にあてはまらない	優越的利益の保護と患者の意思の尊重を根拠 →患者の承諾が最も重要であり、医的侵襲内容を完全に認識した上での真摯な同意が存すれば、構成要件不該当	被害者の同意及び推定的同意の法理を根拠とする立場	社会的相当性を根拠とする立場
専断的治療行為	同意がなくても治療行為であるから、傷害罪の構成要件に該当しない	患者の意思に反する以上構成要件に該当する →正当化のための要件は緊急避難類似の厳格なものが要求され、正当化される余地は少ない	たとえ治療の目的を達しても違法	患者の承諾なしに行われる場合は、社会的に相当な行為とはいえず、違法

(3)　その他

判例（最大判昭38.5.15）は、甲の行為がAの精神異常平癒を祈願するための加持祈祷としてなされたものであっても、甲の行為の動機、手段、方法及びそれによってAの生命を奪うに至った暴行の程度等は、医療上一般に承認された精神異常者に対する治療行為とは到底認められず、一種の宗教行為としてなされたものであったとしても、他人の生命、身体等に危害を及ぼす違法な有形力の行使に当たるものであり、これによりAを死に致したものである以上、甲の行為が著しく反社会的なものであることは否定し得ないところであって、憲法20条1項の信教の自由の保障の限界を逸脱したものというほかはなく、正当な業務行為にも当たらないとしている共。

4　労働争議行為

労働者がその主張を貫徹することを目的として行う同盟罷業、怠業などで、業務の正常な運営を阻害するものをいう。

ex.　労働者が賃金の値上げを求めてストライキをする場合

▼　最大判昭48.4.25・百選Ⅰ 16事件共

争議行為に際して行われた犯罪構成要件該当行為について刑法上の違法性阻却事由の有無を判断するに当たっては、その行為が争議行為に際して行われたものであるという事実をも含めて、当該行為の具体的状況その他諸般の事情を考慮に入れ、それが法秩序全体の見地から許容されるべきものであるか否かを判定しなければならない。

▼ **最大判昭 52.5.4**

争議行為に際しこれに付随して行われた犯罪構成要件該当行為についての違法性阻却事由の有無の判断は、行為の具体的状況その他諸般の事情を考慮に入れ、それが法秩序全体の見地から許容されるべきものであるかを考察しなければならない。

三　自救行為〈共〈予R3

1　意義

自救行為とは、権利を侵害された者が、法律上の手続による救済を待っていては時機を失して当該権利の回復が事実上不可能又は著しく困難となる場合に、自ら実力でその救済を図ることをいう。

判例（最決昭46.7.30）は、「自救行為は、正当防衛、正当業務行為などとともに、犯罪の違法性を阻却する事由である」としている。

＊　債権などの権利実現のための脅迫行為等を正当化する議論（⇒ p.473）、「自己の財物の取戻し」の議論（⇒ p.412）も自救行為の一種である。

2　要件

自救行為を安易に広く認めると、国家機関による救済を軽視し実力行為を容認することになり、また、自救行為者の実力の程度によって救済の不公平をもたらすことになるので、厳格な要件の下に肯定すべきと解されている。

一般的に、権利に対する侵害が存在し、権利を回復・実現するための実力行使の必要性・緊急性・相当性が必要と解されている〈共。

3　効果

一般に、35条の一部ないし実質的違法性阻却事由として正当化が認められている。

▼ **最判昭 30.11.11・百選Ⅰ 19事件〈同**

自己の借地内に突出している隣家の軒先の一部を、隣人の承諾がないまま切除することは、建造物損壊罪（260）の自救行為に当たらないので、違法性は阻却されない。

3　被害者の承諾〈同

《概　説》

一　意義・根拠・要件

1　意義

被害者の承諾（同意）とは、法益主体である被害者が法益侵害に対して承諾を与えることをいう。被害者の承諾は、個人的法益に対する罪において問題となる。

2　被害者の承諾が違法性を阻却する根拠

結果無価値論は、被害者の法益処分によって保護すべき法益が存在しなくなることに求められると説明する（法益欠如原理）。

これに対して、行為無価値論は、諸般の事情を総合考慮して、承諾を得た法益侵害行為が社会的相当性を有することに求められると説明する（社会的相当性原理）。この立場の特徴は、違法性阻却事由の具体的基準を定立するに当たり、行為者の主観や行為の社会的評価を考慮する点にある。

判例（最決昭55.11.13・百選Ⅰ22事件）〈同は、「単に承諾が存在するという事実だけでなく、右承諾を得た動機、目的、身体傷害の手段、方法、損傷の部位、程度など諸般の事情を照らし合せて決すべき」であるとしており、社会的相当性原理を根拠とする立場に親和的であるとされる。

3　要件

判例の立場を前提に、被害者の承諾により違法性が阻却されるための要件を挙げると、①処分可能な個人的法益であること、②承諾能力ある者の有効な承諾であること、③行為時までに承諾が外部に表示され、行為者が承諾の存在を認識していること、④行為が社会的相当性を有することが必要であると解される。

二　諸類型

＜被害者の承諾に基づく行為の諸類型＞〈同共

類型	同意の効果	犯罪	コメント
国家的法益・社会的法益に対する犯罪	何ら影響なし	・偽証罪（169） ・虚偽告訴罪（172） ・特別公務員暴行陵虐罪（195）	承諾は法益の主体が与えるところ、国家的法益・社会的法益の主体は、実際上承諾を与え得ない
	適用法条の変化	・放火罪（108～）	放火罪は、個人の財産を第二次的法益とする
個人的法益に対する犯罪	何ら影響なし	・未成年者に対する準詐欺（248） ・原則として16歳未満の者に対するわいせつ行為・性交等（176Ⅲ、177Ⅲ）	一般的に有効な承諾が期待できない
	構成要件該当性阻却	・財産罪 ・住居に対する罪 ・逮捕・監禁罪（220）	行為態様として被害者の意に反する態様を予定している

類型	同意の効果	犯罪	コメント
個人的法益に対する犯罪	適用法条の変化	・殺人罪（199） ・堕胎罪（212）	同意殺人罪（202、減軽類型） 同意堕胎罪（213、減軽類型）
	違法性阻却事由	・傷害罪（204）	争いあり

三　被害者の推定的承諾

現に被害者自身による承諾はないが、もし、被害者が事情を知ったならば、当然、承諾するであろうと考えられる場合に、その意思を推定して行われる行為をいう。

ex.　火災の際に不在者の家庭に立ち入って貴重品を搬出する行為

四　安楽死・尊厳死

1　安楽死

死期に直面して、激しい肉体的苦痛を訴える患者を、その苦痛から解放するために、患者の希望に応じて積極的にその死期を早める行為をいう。

<安楽死に関する裁判例>

	要件
名古屋高判 昭 37.12.22	①　病者が現代医学の知識と技術から見て不治の病に冒され、しかもその死が目前に迫っていること ②　病者の苦痛がはなはだしく、何人も真にこれを見るに忍びない程度であること ③　専ら病者の死苦の緩和の目的でなされたこと ④　病者の意識がなお明瞭であって意思を表明できる場合には、本人の真摯な嘱託又は承諾のあること ⑤　医師の手によることを本則とし、そうでない場合には医師の手によることのできないと首肯するに足る特別な事情があること ⑥　その方法が倫理的にも妥当なものであるとして許容できるものであること
横浜地判 平 7.3.28・ 百選Ⅰ 20 事件	①　患者に耐えがたい激しい肉体的苦痛が存在すること ②　患者について死が避けられず、かつ死期が迫っていること ③　患者の肉体的苦痛を除去・緩和するために方法を尽くし他に代替的手段がないこと ④　生命の短縮を承諾する明示の意思表示があること

2　尊厳死

「品位ある死」を迎えさせるために、意識が不可逆的に喪失した植物状態の患者に対する生命維持治療を断念若しくは中止することをいう。

▼ **最決平21.12.7・百選Ⅰ21事件**

「被害者が気管支ぜん息の重積発作を起こして入院した後、本件抜管時までに、同人の余命等を判断するために必要とされる脳波等の検査は実施されておらず、発症からいまだ２週間の時点でもあり、その回復可能性や余命について的確な判断を下せる状況にはなかったものと認められる。そして、被害者は、本件時、こん睡状態にあったものであるところ、本件気管内チューブの抜管は、被害者の回復をあきらめた家族からの要請に基づき行われたものであるが、その要請は上記の状況から認められるとおり被害者の病状等について適切な情報が伝えられた上でされたものではなく、上記抜管行為が被害者の推定的意思に基づくということもできない。以上によれば、上記抜管行為は、法律上許容される治療中止には当たらないというべきである」とし、抜管行為はミオブロックの投与行為と併せて殺人の実行行為を構成するとした。

《論　点》

◆ **傷害罪における被害者の同意** 予H24

1　同意傷害の処理

被害者の同意ある場合の傷害行為（同意傷害）は、いかなる限度で適法となるか。

たとえば、暴力団の組員甲が同じ暴力団の組員である被害者乙の承諾を得て乙の指を詰めた場合（事例１）、ＡがＢ女の求めに応じてひもで首を絞めてＢ女を死亡させた場合（事例２）において、甲に傷害罪（204）、Ａに傷害致死罪（205）が成立するかが問題となる。

＜傷害罪における被害者の同意＞ 共

学説	構成要件該当性阻却説	違法性阻却説		
	常に不可罰とする説		生命侵害危険説	社会的相当性説（最決昭55.11.13・百選Ⅰ22事件）
同意の効果	常に構成要件該当性が否定される	常に違法性が阻却される	重大な傷害、特に生命に危険のある傷害を除き違法性が阻却される	国家・社会倫理規範に照らして相当な場合にのみ違法性が阻却される

<table>
<tr><th rowspan="2">学説</th><th>構成要件該当性阻却説</th><th colspan="3">違法性阻却説</th></tr>
<tr><th colspan="2">常に不可罰とする説</th><th>生命侵害危険説</th><th>社会的相当性説（最決昭55.11.13・百選Ⅰ22事件）</th></tr>
<tr><td rowspan="2">根拠</td><td>① 自己決定権の重視
② 構成要件該当性判断は処罰に値する法益侵害の有無の判定のためのものであるから、本人が放棄した利益を「刑法を使ってまで保護する利益」に含ませるか否かの判断は、まさに構成要件判断である
③ 同意殺人罪に対応する同意傷害罪が規定されていない</td><td>身体の安全は個人の処分しうる法益である</td><td>① 法益主体が同意により処分可能な利益を放棄したため、保護すべき法益が存在しない
② 202条が同意殺人を処罰している点、及び生命の保護の重要性に鑑み、生命に危険を与える程度・態様の重大な傷害については法益の自由な処分は許されない</td><td>違法性阻却事由の一般原理は行為の社会的相当性であるから、傷害行為自体の意味を考慮すべきである</td></tr>
<tr></tr>
<tr><td rowspan="2">批判</td><td colspan="2">① 身体は生命に次ぐ重要な利益であり、すべてを不処罰とするのは妥当ではない</td><td rowspan="2">204条の解釈として、傷害のうち一部は同意のみで不処罰とし、他は通常の傷害罪として扱うとすることは困難である</td><td rowspan="2">被害者の身体の保護のために処罰するのではなく、道徳・倫理に反する行為であるから処罰するということになりかねない</td></tr>
<tr><td>② 被害者の同意ある傷害行為の構成要件該当性を否定するのは、構成要件を実質化することになる
③ 同意殺人罪は、殺人罪の法定刑の下限の重さが考慮され、その減軽類型として特に設けられたものであるから、同意傷害罪の規定がないことは理由にならない</td><td></td></tr>
<tr><td>要件</td><td colspan="2">① 処分可能な法益であること
② 承諾能力があり真意に出た承諾であること
③ 行為時に承諾が存在すること</td><td>左の①～③に加え、
④ 生命に危険のある傷害でないこと</td><td>左の①～③に加え、
④ 承諾の外部への表示
⑤ 承諾があることの認識
⑥ 行為の社会的相当性</td></tr>
</table>

学説		構成要件該当性阻却説	違法性阻却説	
		常に不可罰とする説	生命侵害危険説	社会的相当性説（最決昭55.11.13・百選Ⅰ22事件）
事例	1	甲：犯罪不成立	甲：犯罪不成立	甲：傷害罪
	2	A：過失致死罪	A：傷害致死罪	A：傷害致死罪

▼ 最決昭55.11.13・百選Ⅰ22事件〈司共〉〈予H24〉

被害者が身体傷害を承諾した場合に傷害罪（204）が成立するか否かは、単に承諾が存在するという事実だけではなく、承諾を得た動機、目的、身体傷害の手段、方法、損傷の部位、程度などの諸般の事情を照らし合わせて決すべきで、保険金騙取の目的で、被害者に身体傷害の承諾を得た場合には傷害罪の違法性は阻却されない。

2　同意の有無に関する錯誤〈司〉

暴力団員甲は指を詰めようとしたが、痛さのあまり中止を決意した。ところが、乙は甲が手助けを求めていると甲の意思を誤解し甲の指を切断した。この場合、指詰めに対する甲の同意はない以上、被害者の同意の法理によっては乙の罪は否定されない。ただ、乙は甲に同意があるものと誤解しているので、故意（ないし責任）が阻却されないか、同意傷害の処理に関連して問題となる。

<同意の有無に関する錯誤>

同意傷害の処理	構成要件該当性阻却説	違法性阻却説		
		常に正当化する説	生命侵害危険説	社会的相当性説
錯誤がある場合の処理	構成要件的事実の錯誤	違法性阻却事由に関する錯誤		
錯誤がある場合の処理	同意があると認識して傷害すれば錯誤の問題となる		生命にかかわらない傷害についての同意があると認識して傷害すれば錯誤の問題となる	社会的に相当な傷害についての同意があると認識して傷害すれば錯誤の問題となる
あてはめ	乙：犯罪不成立 →事実の錯誤として故意が阻却される	乙の罪責は、違法性阻却事由の錯誤の取扱いにかかわる ⇒p.91		乙：傷害罪成立 →「指詰め」は社会的に相当な行為とはいえないので、違法性阻却事由の錯誤の問題とはならない

総論体系編

4　正当防衛

第３６条　（正当防衛）

Ⅰ　急迫不正の侵害に対して、自己又は他人の権利を防衛するため、やむを得ずにした行為は、罰しない。

Ⅱ　防衛の程度を超えた行為は、情状により、その刑を減軽し、又は免除することができる。

《概　説》

一　正当化根拠

<正当防衛の正当化根拠>

根　拠	内　容	批　判
法益欠如原理	侵害された利益が刑罰による保護に値するような法益ではない場合には、侵害行為は実質的に違法ではないとする考え方 →急迫不正の侵害を行った者は、防衛に必要な限度で法益の要保護性が否定されるから、その者に対する防衛行為の違法性が阻却される	急迫不正の侵害を行った者であるからといって、その法益の要保護性が否定される理由が明らかではない。また、その法益が減弱するとしてもゼロになることはないはずである
優越的利益原理	別の法益を保護するために他の法益を侵害する必要がある場合に、保護される法益と侵害される法益とを衡量し、前者と後者が同等か、前者が優越している場合には侵害行為は違法ではないとする考え方 →正当防衛は自己保全の利益（自己の生命・身体等の利益）・法確証の利益（正当な権利の不可侵性を公的に宣言する利益）を保護する行為であり、被侵害利益に絶対的に優越するため、違法性が阻却される	法秩序は市民を保護するために存在しているが、市民が法秩序を保護するために行為を行うと考えるのは妥当ではない。また、法確証の利益は規範の意味を理解するものにしか認められないため、責任無能力者に対する防衛行為については法確証の利益が認められないこととなってしまう
社会的相当性原理	法益侵害行為であっても社会的にみて不相当な行為のみが違法となるとする考え方 →正当防衛は自己保全の利益・法確証の利益を保護する行為であり、社会的相当性が認められるため、違法性が阻却される	そもそも社会的相当性の判断自体が包括的、多義的、直感的であり、明確な判断基準とならないため、違法性阻却の根拠たりえない

二　要件〈予

① 「急迫不正の侵害」に対して
② 「自己又は他人の権利を防衛するため」
③ 「やむを得ずにした行為」であること

1 「急迫不正の侵害」（要件①について）〈司H18 司H23 司H27

(1) 「急迫」とは、法益の侵害が現に存在しているか、または間近に押し迫っていることをいう（最判昭46.11.16）〈共予。

(a) 自力救済の禁止の例外という正当防衛の制度趣旨から、正当防衛は、公的機関による法的保護を求めることが期待できないほど余裕がない緊急状況の下でのみ、例外的に許容される（最決平29.4.26・百選Ⅰ23事件参照）。

→被害が現に発生していることまでは要しない〈予

一方、過去の侵害や将来の侵害に対しては、公的機関による法的保護を求めることができるので、緊急状況の下にあるとはいえず、正当防衛を認める必要はない〈司。

(b) 急迫性の始期・終期

上記のとおり、急迫性は、法益の侵害が間近に押し迫っている場合にも認められる（最判昭46.11.16）。侵害者による侵害行為が「実行に着手」（43本文）する前の段階であっても、「押し迫っている場合」に当たり得る。

∵ 侵害者を未遂犯として処罰するかどうかを問題とするものではない

次に、侵害が終了した場合には急迫性は否定される一方、侵害がなお継続している場合には急迫性は肯定される。それでは、一見すると侵害が中断しているような場合には、侵害が終了したとみるべきか、なお継続しているとみるべきかが問題となる。

過去の侵害に対して正当防衛することはできないので、侵害の継続性の有無は、これから加えられる侵害が切迫しているか否かによって決せられる。具体的には、客観的に再度の攻撃可能性があるか、主観的に加害意思が存続しているかを基準に判断される。

▼ **最判平9.6.16**

事案：　Aに鉄パイプで1回殴打された甲は、もみ合いの末Aから鉄パイプを奪い、向かってきたAの頭部を鉄パイプで1回殴打した（第1暴行）。その後、再度Aが甲から鉄パイプを取り戻し、甲を殴打しようとしたので、甲が逃げ出したところ、甲を追ったAが勢い余って手すりの外側に上半身を乗り出す姿勢になった。しかし、Aは手すりの外側に上半身を乗り出しながらも、なお鉄パイプを握り続けていたため、甲は、Aの足を持ち上げて4m下のコンクリートに転落させた（第2暴行）。Aは、甲のこれら一連の暴行により、入院加療約3か月間を要する傷害を負った。

判旨：「Aは、甲に対し執ような攻撃に及び、その挙げ句に勢い余って手すりの外側に上半身を乗り出してしまったものであり、しかも、その姿勢でなおも鉄パイプを握り続けていたことに照らすと、Aの甲に対する加害の意欲は、おう盛かつ強固であり、甲がその片足を持ち上げてAを地上に転落させる行為に及んだ当時も存続していたと認めるのが相当である。また、Aは、右の姿勢のため、直ちに手すりの内側に上半身を戻すことは困難であったものの、甲の右行為がなければ、間もなく態勢を立て直した上、甲に追い付き、再度の攻撃に及ぶことが可能であったものと認められる。そうすると、Aの甲に対する急迫不正の侵害は、甲が右行為に及んだ当時もなお継続していたといわなければならない」として急迫性を認めた（結論としては、相当性を欠くから過剰防衛に当たるとした）。

(c) 侵害を予期していた場合

急迫性の要件を検討するに当たり、客観的な事情に照らして侵害が時間的・場所的に切迫していなければ、その時点で急迫性の要件は満たさない。

次に、侵害が時間的・場所的に切迫していたとしても、急迫性の要件が満たされるとは限らない。判例によれば、（防衛）行為者が侵害を予期していたかどうか、行為者に積極的加害意思があったかどうかといった主観的な事情を考慮して、急迫性の要件が満たされるかどうかを判断することになる。

まず、行為者が侵害を予期していた場合について、判例（最判昭46.11.16）は、侵害が予期されたとしても、そのことからただちに侵害の急迫性が失われるわけではない旨判示している〈司共〉。

∵ 侵害の予期を根拠に急迫性を否定してしまうと、侵害を予期していた者は防衛行為をしてはならないことになり、行動の自由を不当に制約する

他方、行為者が侵害を予期していなければ、行為者が積極的加害意思をもつこともないので、急迫性の要件は満たされることになる。

(d) 侵害の予期と積極的加害意思が併存する場合

判例（最決昭52.7.21・百選Ⅰ〔第7版〕23事件）は、行為者が侵害を予期していたことに加え、「その機会を利用し積極的に相手に対して加害行為をする意思」（積極的加害意思）で侵害に臨んだときは、もはや侵害の急迫性の要件を満たさないとしている〈共〉。

(e) 「刑法36条の趣旨に照らし許容されるものとはいえない場合」

判例（最決平29.4.26・百選Ⅰ23事件）は、時間的・場所的に侵害が切迫しており、かつ、侵害も予期しているが、行為者に積極的加害意思がない場合であっても、「刑法36条の趣旨に照らし許容されるものとはいえない場合」には、侵害の急迫性の要件を満たさないとしている。

＜急迫性の要件の判断順序＞

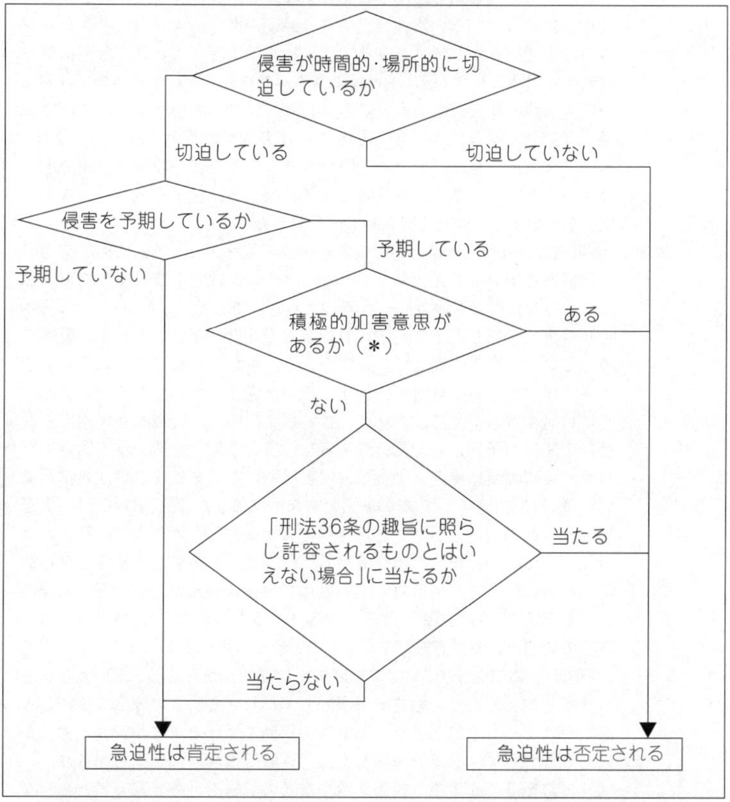

＊　積極的加害意思には、①急迫性を否定するもの（最決昭52.7.21・百選Ⅰ〔第7版〕23事件）〈共と、②防衛の意思を否定するもの（最判昭50.11.28・百選Ⅰ24事件）〈司共予があるが、ここにいう積極的加害意思は①の意味である。すなわち、①の積極的加害意思は、反撃行為に及ぶ以前の予備・準備段階における意思内容（行為者が予期した侵害の機会を利用して攻撃を加える積極的加害意思をもって反撃行為に出た場合かどうか）が問題となるのに対し、②の積極的加害意思は、現に反撃行為に及ぶ時

点における攻撃意思の有無・程度（行為者が専ら攻撃の意思をもって反撃行為に出た場合かどうか）が問題となる。

▼ 最決平 29.4.26・百選Ⅰ 23 事件 共 司R4

事案：　甲は、A（当時40歳）から、某日午後4時30分頃、不在中の自宅の玄関扉を消火器で何度も叩かれ、その頃から翌日午前3時頃までの間、十数回にわたり電話で怒鳴られたりするなど、身に覚えのない因縁を付けられ立腹していた。事件当日午前4時頃、甲は、Aから、マンションの前に来ているから降りて来るようにと電話で呼び出され、自宅にあった包丁（刃体の長さ約13.8cm）にタオルを巻き、それを携帯して自宅マンション前の路上に赴いたところ、Aがハンマーを持って甲の方に駆け寄って来た。甲は、Aに包丁を示すなどの威嚇的行動を取ることなく、歩いてAに近づき、ハンマーで殴りかかって来たAの攻撃を、腕を出し腰を引くなどして防ぎながら包丁を取り出すと、殺意をもって、Aの左側胸部を包丁で1回強く突き刺して殺害した。

決旨：「刑法36条は、急迫不正の侵害という緊急状況の下で公的機関による法的保護を求めることが期待できないときに、侵害を排除するための私人による対抗行為を例外的に許容したもの」である。したがって、「行為者が侵害を予期した上で対抗行為に及んだ場合、侵害の急迫性の要件については、侵害を予期していたことから、直ちにこれが失われると解すべきではなく、対抗行為に先行する事情を含めた行為全般の状況に照らして検討すべきである。具体的には、事案に応じ、行為者と相手方との従前の関係、予期された侵害の内容、侵害の予期の程度、侵害回避の容易性、侵害場所に出向く必要性、侵害場所にとどまる相当性、対抗行為の準備の状況（特に、凶器の準備の有無や準備した凶器の性状等）、実際の侵害行為の内容と予期された侵害との異同、行為者が侵害に臨んだ状況及びその際の意思内容等を考慮し、行為者がその機会を利用し積極的に相手方に対して加害行為をする意思で侵害に臨んだときなど、前記のような刑法36条の趣旨に照らし許容されるものとはいえない場合には、侵害の急迫性の要件を充たさないものというべきである」。

「甲は、Aの呼出しに応じて現場に赴けば、Aから凶器を用いるなどした暴行を加えられることを十分予期していながら、Aの呼出しに応じる必要がなく、自宅にとどまって警察の援助を受けることが容易であったにもかかわらず、包丁を準備した上、Aの待つ場所に出向き、Aがハンマーで攻撃してくるや、包丁を示すなどの威嚇的行動を取ることもしないままAに近づき、Aの左側胸部を強く刺突したものと認められる。このような先行事情を含めた本件行為全般の状況に照らすと、甲の本件行為は、刑法36条の趣旨に照らし許容されるものとは認められず、侵害の急迫性の要件を充たさないものというべきである」。

総論体系編

(2)「不正」とは、違法であることをいう〈司予。

(a) 適法な侵害に対しては、正当防衛は認められない。よって、正当防衛行為や緊急避難行為に対する正当防衛は認められない〈司共。

(b) 侵害行為は、犯罪構成要件に該当しない場合であっても「不正」となりうる（正当防衛の「不正」と処罰の一般的要件としての「違法性」とを区別して考えた場合）〈共。

(c) 侵害は、客観的に違法なものであれば足り、侵害行為者が有責であるか否かを問わない〈共。したがって、心神喪失者（39Ⅰ）・14歳未満の者（41）など責任無能力者の違法行為に対する正当防衛も認められる。

(d) 対物防衛　⇒p.73

(3)「侵害」とは、他人の権利に対し実害又は危険を与えることをいう。

→侵害は、故意行為によると過失行為によるとを問わず、不作為による場合も侵害に当たりうる〈司共

ex.　甲は道路を通行中、飼い主乙の不注意により乙のもとから逃げ出した犬に足首をかみつかれそうになった。甲は逃げ場がなかったことから、犬を足で蹴って怪我をさせた。この場合、甲には正当防衛が成立するので、器物損壊罪は成立しない〈司

2　「自己又は他人の権利を防衛するため」（要件②について）

(1) 防衛するための行為は、「自己」の権利を防衛するための行為（自己防衛）であっても、「他人」の権利を防衛するための行為（緊急救助）であってもよい。「他人」には、自然人のみならず、法人その他の団体も含む。

正当防衛の成否を検討するに当たっては、正当防衛状況を基礎づける侵害の急迫性が認められるか否かが問題となるが、被侵害者と防衛者が同一でない場合（他人のための正当防衛の事案）では、いずれを基準に侵害の急迫性を判断するべきかという問題がある。一般的には、侵害の急迫性は被侵害者の要保護性に関する要件であることから、被侵害者の事情を基準に侵害の急迫性の有無を判断するものとされている〈司R4。

(2)「権利」とは、個人の生命、身体、自由のみならず、財産も含まれる。また、法律上保護に値する利益であれば足り、厳密に法律上の権利でなくてもよいと解されている〈司。

「権利」には、国家的法益や社会的法益を含む〈共予。国家的法益を保護する目的で行われた私人の防衛行為（国家緊急救助）について、判例（最判昭24.8.18）は、「国家公共の機関の有効な公的活動を期待し得ない極めて緊迫した場合」に限り、例外的に許容されるとしている〈共。

(3)「防衛するため」とは、防衛行為が、客観的に侵害者の法益侵害に対する反撃として行われたものであることをいう。さらに、防衛の意思が必要か否かについては争いがある。　⇒p.75

総論体系編

3　「やむを得ずにした行為」（要件③について）〈司共〈司H18 司H23
防衛行為が必要性と相当性を具備していることをいう。

(1)　必要性とは、防衛行為が侵害を排除するために必要な限度であることをいう。
緊急避難（37 Ⅰ）と異なり、他にとるべき手段がないこと（補充性）を必要としない。

(2)　相当性は、一般に、法益の相対的均衡（保全すべき法益に比し、防衛行為がもたらした侵害が著しく不均衡ではないこと）と防衛手段の相当性（用いられた防衛手段の危険性が侵害に対し相当なものであること）の2つの面から判断される。

正当防衛は、正対不正の関係に基づくものであるから、反撃行為によって生じた結果が、たまたま侵害されようとした法益より大きくても成立する（最判昭44.12.4）〈司共。しかし、軽微な権利を妨害するために侵害者の重大な法益に反撃を加えることはできない。

ex.1　甲は、道路通行中、飼い主乙の不注意により乙のもとから逃げ出した犬に足首をかみつかれそうになった。甲は、逃げ場がなかったことから、近くで事態を傍観していた飼い主乙に対し、「犬をおとなしくさせないとお前を殺すぞ。」と怒鳴って脅した。この場合、甲には正当防衛が成立するので、脅迫罪は成立しない〈司

ex.2　年齢も若く体力も優れた相手方が、「お前、殴られたいのか」と言って手拳を前に突き出し、足を蹴り上げる動作を示しながら近づいてきたため、その接近を防ぎ、その危害を免れるため包丁を手に取って腰に構え、「切られたいんか」などと言う行為は、その行動が防御的なものに終始していた場合には、防衛手段としての相当性の範囲内のものである（最判平元.11.13・百選Ⅰ25事件）〈共

▼ 最判平21.7.16・平21重判1事件〈共

立入禁止等と記載した看板を建物に設置することは、権利や業務、名誉に対する急迫不正の侵害に当たるので、主として財産的権利を防衛するために相手の身体の安全を侵害した場合は、従前の侵害の程度や防衛者の年齢等、具体的状況下においては、侵害に対する防衛手段としての相当性の範囲を超えたものということはできない。

4　その他要件に関して問題となる点

(1)　自招侵害　⇒ p.76

(2)　喧嘩と正当防衛〈司

かつて判例は、喧嘩両成敗の考え方を前提にして、喧嘩闘争に正当防衛の観念を入れる余地がないとしていた。しかし、現在は、その考えを修正し、喧嘩闘争において正当防衛が成立するかどうかを判断するに当たって

は、喧嘩闘争を全般的に観察することを要し、闘争行為中の瞬間的な部分の攻防の態様のみによってはならないとして、喧嘩闘争においても正当防衛が成立する場合があることを認めるようになっている（最判昭32.1.22）共予。

三　効果

違法性が阻却され犯罪が不成立となる。

→正当防衛は、反撃が構成要件に該当しなければ問題にする必要はない

四　過剰防衛

1　意義

急迫不正の侵害に対し、反撃行為を行ったが、その反撃行為が防衛の程度を超えた場合をいう。

→急迫不正の侵害に対する防衛のための行為でなければ過剰防衛にもならない

2　態様

(1)　質的過剰

防衛行為が必要性・相当性の程度を超えていることをいう。

ex.　素手等の攻撃に対し凶器を用いて防衛する場合

(2)　量的過剰 予 司H23 予R2

(a)　意義

急迫不正の侵害に対してやむを得ずにした反撃行為（第１暴行）に続けて、侵害終了後も継続して追撃行為（第２暴行）に及んだ場合をいう。

ex.　Aの素手による攻撃に対し、甲がAの顔面を手拳で１回殴打したところ、Aが倒れて動かなくなったにもかかわらず、その後も甲が防衛の意思をもってAを殴り続けた場合

→上記のex.において、Aによる侵害が甲の第２暴行の時点でも終了せず継続していた場合、厳密には量的過剰の類型ではないものの、量的過剰と同じく行為の一体性が問題となる（防衛の意思が継続している限り、全体を急迫不正の侵害に対する一連一体の行為と評価することができ、１個の過剰防衛の成立が認められる）

(b)　量的過剰の取扱い

防衛の意思が継続しているか否かにかかわらず、第１暴行については正当防衛の成立を認め、第２暴行については単なる違法行為として扱う見解もある。

∵　第２暴行の時点では既に侵害が終了している以上、もはや過剰防衛すら成立せず、違法性の減少が認められない

これに対し、第１暴行については正当防衛の成立を認め、第２暴行については過剰防衛の成立を認める見解が有力に主張されている。

∵　防衛の意思が継続している限り、第２暴行についても防衛行為としての性格をなお肯定することができ、過剰防衛を認めてよいだけ

の責任減少がある

判例は、第１暴行と第２暴行が時間的・場所的に連続して行われた場合において、防衛の意思の同一性を基準に、行為の一体性の有無を判断する立場に立つものと解されている。

総論体系編

▼ 最決平 20.6.25・百選Ⅰ 27 事件〈回

事案： 甲は、Aからアルミ製灰皿を投げつけられたので、これを避けながら、体勢を崩したAの顔を殴打した（第１暴行）。Aは、甲の暴行により転倒し、後頭部を地面に打ちつけて仰向けに倒れ、動かなくなった。甲は、Aが意識を失ったように動かなくなって仰向けに倒れていることを認識していたが、憤激のあまり「おれを甘く見ているな。おれに勝てるつもりでいるのか」などと言い、Aの腹部等を足蹴にするなどの暴行を加え、肋骨骨折などの傷害を負わせた（第２暴行）。その後、Aは病院に搬送されたが、甲の第１暴行によるクモ膜下出血が原因で死亡した。

決旨： 「第１暴行により転倒したAが、甲に対し更なる侵害行為に出る可能性はなかったのであり、甲は、そのことを認識した上で、専ら攻撃の意思に基づいて第２暴行に及んでいるのであるから、第２暴行が正当防衛の要件を満たさないことは明らかである。そして、両暴行は、時間的、場所的には連続しているものの、Aによる侵害の継続性及び甲の防衛の意思の有無という点で、明らかに性質を異にし、甲が前記発言をした上で抵抗不能の状態にあるAに対して相当に激しい態様の第２暴行に及んでいることにもかんがみると、その間には断絶があるというべきであって、急迫不正の侵害に対して反撃を継続するうちに、その反撃が量的に過剰になったものとは認められない。そうすると、両暴行を全体的に考察して、１個の過剰防衛の成立を認めるのは相当でなく、正当防衛に当たる第１暴行については、罪に問うことはできないが、第２暴行については、正当防衛はもとより過剰防衛を論ずる余地もないのであって、これによりAに負わせた傷害につき、甲は傷害罪の責任を負うというべきである。」

▼ 最決平 21.2.24・平 21 重判２事件〈回

事案： 甲は拘置所に勾留されていたところ、同拘置所内の居室において、同室の男性Aから甲に向けて折りたたみ机を押し倒されたため、その反撃としてAに対し、折りたたみ机を押し返し（第１暴行）、反撃や抵抗が困難となったAに対し、その顔面を手拳で数回殴打した（第２暴行）。その結果、Aに加療約３週間を要する傷害を負わせた。

決旨： 「甲がAに対して加えた暴行は、急迫不正の侵害に対する一連一体のものであり、同一の防衛の意思に基づく１個の行為と認めることができるから、全体的に考察して１個の過剰防衛としての傷害罪の成立を認めるのが相当」であるとした。

評釈：① 第１暴行と第２暴行を一体的に評価し、１個の過剰防衛の成立を認める結論に対しては、正当防衛として不可罰であるはずの第１暴行まで処罰の対象に含めるのは不都合であるから、全体的に考察して１個の過剰防衛とされる事実の内から、犯罪とならない第１暴行を除き、第２暴行について暴行罪の過剰防衛を認めるにとどめるべきであるとの批判がなされている（なお、本判例は、第１暴行による傷害結果を過剰防衛として処罰の対象に含めることの不都合について、「有利な情状として考慮すれば足りる」としている）。

② 本判例の理解によれば、第１暴行と第２暴行のどちらから結果が生じたのかが分からない場合であっても、生じた結果に対する責任を問うことができるが、正当防衛から生じた可能性のある結果に責任を問うのは不当であり、そもそも結果がいずれの暴行によりもたらされたかが立証できないのであれば、むしろその結果について責任を問うべきではないとの批判がなされている。

3　効果

刑が任意的に減免される（36 Ⅱ）〈司。ただし、その根拠については争いがある。 ⇒ p.77

《論　点》

一　正当防衛の要件に関する論点

1　対物防衛

人間の行為のほか、動物その他のものによる侵害も「不正」の侵害に当たるとして、これに対する正当防衛が認められるか。

＜対物防衛＞

行為無価値か結果無価値か	行為無価値		結果無価値
「不正」とは	不正（違法）は法規範違反のことであり、規範が人間に対して与えられている以上、自然現象や動物による侵害は「不正」たりえない	「不正」は、当該侵害行為に対して、正当防衛は許されるかという見地から判断すべき	違法性は客観的に判断すべきであり、人間でなくても法益侵害ないしその危険を生ぜしめることはできる
結論	対物防衛否定（＊）	対物防衛肯定	

＊　ただし、人が動物を利用して侵害を行う場合は、正当防衛が可能。

2　防衛行為と第三者

防衛行為に伴い、侵害とは無関係な第三者の法益を侵害した場合、第三者に生じた結果をどのように取り扱うかが問題となる。

<防衛行為と第三者>

類型	具体例	学説
侵害者が第三者の物を利用した場合	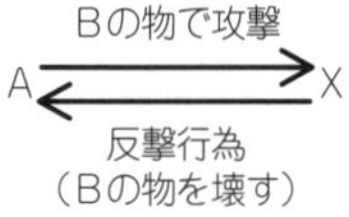	1　正当防衛説 ∵　Bの物は、Aの不正の侵害の手段としてその一部となっている 2　緊急避難説 ∵　違法な侵害を行っていないBとの関係では、正対正である
防衛者が第三者の物を利用した場合〈共	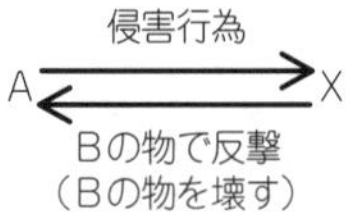	緊急避難 ∵　現在の危難を避けるため、危難とは無関係なBの法益を侵害して、危難を転嫁している
防衛行為の結果が第三者に生じた場合〈予〈司R元	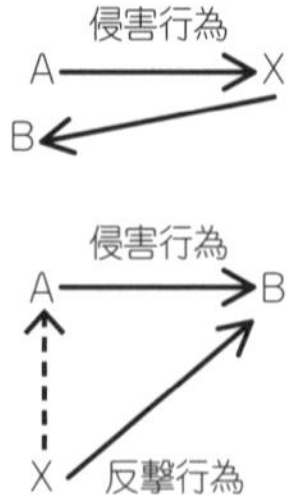	1　緊急行為説 (1)　正当防衛説 ∵　Bに対する行為は、Aに対する正当防衛行為から生じたものであり、正当性は失われない (2)　緊急避難説 ∵　結果的に無関係な第三者に対する反撃となっている 2　違法行為説 (1)　誤想防衛説 ∵　Bへの行為は客観的に緊急行為性を欠くが、ただ、Xが主観的に正当防衛だと認識して行為している以上誤想防衛の一種として故意責任が阻却される(Bの存在を認識していない場合) (2)　責任阻却説 ∵　第三者の法益を侵害しないことを期待することが不可能ないし困難であるから、責任が阻却される

▼　大阪高判平 14.9.4・百選Ⅰ 28 事件

木刀等で殴りかかられた者が自動車に逃げ込み、仲間である甲を助けるために運転する自動車を急後退させた結果、仲間を轢過して死亡させてしまった場合、不正の侵害を全く行っていない甲に対する侵害を客観的に正当防衛だとするのは妥当でなく、また、たまたま意外な甲に衝突し轢過した行為は客観的に緊急行為性を欠く行為であり、緊急避難だとするのも相当でない。被告人が主観的に正当防衛だと認識して行為している以上、故意非難を向け得る主観的事情は存在しないというべきであり、いわゆる誤想防衛の一種であって、故意責任を肯定することはできない。

3　防衛の意思〈共予〈司H18 司H23 予H26

(1)　防衛の意思の要否

正当防衛の成立要件として、防衛の意思が必要か、権利を防衛する「ため」（36Ⅰ）という文言の解釈と関連して問題となる。

＜防衛の意思の要否＞

	防衛の意思不要説	防衛の意思必要説 （最判昭50.11.28・百選Ⅰ24事件）
「ため」の解釈	客観的に権利を防衛するためにした行為と認められる場合と解する	防衛の意思を必要とする趣旨である
理由	①　違法性の判断は法益侵害又はその危険の有無という点から客観的になされるべきであり、行為者の主観的事情を考慮すべきではない ②　過失による正当防衛も認めるべきである	①　違法性の判断の対象は、主観･客観の全体構造をもつ人間の行為であり、行為の社会的相当性を判断するに当たって行為者の主観面をも考慮する必要がある ②　偶然防衛の場合に、犯罪の意図をもって犯罪結果を生ぜしめた者を正当防衛で保護すべきでない

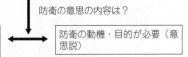

↓　防衛の意思の内容は？

急迫不正の侵害を認識しつつ侵害を避けようとする単純な心理状態で足りる（認識説）
∵　防衛行為は反射的に行われることが多く、防衛の目的や動機がない場合にも防衛の意思を否定すべきでない

⟷

防衛の動機・目的が必要（意思説）

(2)　防衛の意思の内容

防衛の意思とは、急迫不正の侵害を認識しつつ侵害を避けようとする単純な心理状態をいう。なお、判例上明確な定義は示されていない。

まず、憤激又は逆上して反撃したからといって、防衛の意思を欠くことにはならない（最判昭46.11.16）。

∵　急迫不正の侵害を受けて、憤激・逆上するのは人間として自然の感情である

また、防衛の意思と攻撃の意思とが併存している場合も、防衛の意思を欠くことにはならない（最判昭50.11.28・百選Ⅰ24事件）。

しかし、専ら攻撃の意思をもって反撃行為に出た場合（積極的加害意思がある場合）には、防衛の意思は認められない（最判昭46.11.16、最判昭50.11.28・百選Ⅰ24事件）。

＊　なお、現に反撃行為に及ぶ時点における積極的加害意思は、防衛の意思を否定するものであるが、反撃行為に及ぶ以前の予備・準備段階における積極的加害意思は、急迫性を否定するもの（最決昭52.7.21・百選Ⅰ〔第

7版〕23事件）であり、両者は明確に区別する必要がある。

(3) 偶然防衛

行為者が防衛の意思を欠き、専ら攻撃の意思で行為したのに、客観的には、偶然にも法益防衛の効果があがった場合を偶然防衛という。この場合、正当防衛が成立するかが問題となる。

ex. XがAを射殺したところ、実はAもXを射殺しようとピストルを構えて狙っていたという場合、Xに殺人罪（既遂又は未遂）が成立するか

<偶然防衛> 共

学説	防衛の意思必要説		防衛の意思不要説	
内容	防衛の意思を必要とする以上、防衛の意思が欠ければ既遂罪が成立する	結果無価値が欠けるので、行為無価値の存在する範囲で未遂罪が成立する	違法な結果はないが危険が発生しているので未遂となる	違法な結果が発生する客観的危険は事後的にみれば存在しないから不可罰となる
Xの罪責	殺人既遂罪が成立	殺人未遂罪が成立		不可罰

4 自招侵害 司 司H23

自招侵害とは、自らの行為によって相手方の侵害を招き、その状況下で反撃を行った場合に正当防衛が成立するかという問題である。①意図的自招、②故意的自招、③過失的自招の３つの類型がある。

① 意図的自招：相手を害する目的で、相手方の侵害を意図的に招致し、それに対して反撃をなす場合

→積極的加害意思があるので、侵害の予期と積極的加害意思が併存する場合（⇒ p.66）と同様に考えることができ、正当防衛は成立しない

② 故意的自招：相手方の攻撃を認容しながら自招行為を行う場合

→判例（最決平20.5.20・百選Ⅰ 26事件）は、急迫性の要件ではなく、「何らかの反撃行為に出ることが正当とされる状況における行為とはいえない」（緊急行為性がない）として、正当防衛の成立を否定する

③ 過失的自招：相手方の攻撃を予見しうるのに予見しないまま自招行為を行う場合

→原則として正当防衛は否定されないが、自ら侵害を招いたことにより防衛行為の相当性の要件が慎重に判断される

▼ 最決平 20.5.20・百選Ⅰ 26事件 共

事案： 被告人が言い争いになったVの左頬を殴打し、走って立ち去ったところ、Vが自転車で追いかけ、現場から約26.5 m先を左折して、約60 m進んだ歩道上で被告人を殴打した。これに対して被告人が携帯していた特殊警棒で、Vの顔面や左手を殴打して傷害を負わせた。

決旨：　Ｖから攻撃されるに先立ち、Ｖに対して暴行を加えているのであって、Ｖの攻撃は、被告人の暴行に触発された、その直後における近接した場所での一連、一体の事態ということができ、被告人は不正の行為により自ら侵害を招いたものといえるから、Ｖの攻撃が被告人の前記暴行の程度を大きく超えるものでないなどの本件の事実関係の下においては、被告人の本件傷害行為は、被告人において何らかの反撃行為に出ることが正当とされる状況における行為とはいえないというべきである。

評釈：　上記決旨にいう「被告人において何らかの反撃行為に出ることが正当とされる状況」がある場合には、自招侵害に対する反撃行為について正当防衛が成立する余地があると解されている。

二　過剰防衛における刑の減免の根拠

過剰防衛の刑の減免の根拠をどのように考えるかについては争いがある。

＊　この点における学説の差異は、誤想過剰防衛（⇒ p.96）、共犯と過剰防衛（共犯について過剰防衛の減免を個別的に考えるか連帯的に考えるかという問題）において影響する。

＜過剰防衛における刑の減免の根拠＞

学　説	理　由	批　判
違法減少説	正当防衛の程度を超えたため違法であるが、防衛のために行われたものであるため、違法性が減少する	違法性が減少しているのであれば、刑は必要的に減免すべきであるし、犯罪が完全に成立する場合であるのに刑の免除まで認めるのは不合理である
責任減少説	緊急状況下における心理的圧迫があるため、行き過ぎがあっても強く非難できず、責任が減少する	客観的な急迫不正の侵害があってもなくても心理的圧迫があれば責任が減少するのであれば、典型的な過剰防衛と誤想過剰防衛の区別ができなくなる
違法・責任減少説（通説）	急迫不正の侵害に対する防衛行為によって法益が保護されたことにより違法性が減少するとともに、緊急状況下における心理的圧迫があるので責任減少も認められる	――

5 緊急避難

第37条（緊急避難）

Ⅰ 自己又は他人の生命、身体、自由又は財産に対する現在の危難を避けるため、やむを得ずにした行為は、これによって生じた害が避けようとした害の程度を超えなかった場合に限り、罰しない。ただし、その程度を超えた行為は、情状により、その刑を減軽し、又は免除することができる〈共〉。

Ⅱ 前項の規定は、業務上特別の義務がある者には、適用しない。

《概　説》

一 意義

自己又は他人の生命、身体、自由又は財産に対する現在の危難を避けるためやむを得ずにした行為であって、他にその害悪を避ける方法がなく、また、その行為から生じた害悪が行為によって避けようとした害悪を超えないものをいう。

二 要件

① 「自己又は他人の生命、身体、自由又は財産」に対する
② 「現在の危難」を
③ 「避けるため」
④ 「やむを得ずにした行為」であること
⑤ 「これによって生じた害が避けようとした害の程度を超えな」いこと

1 「自己又は他人の生命、身体、自由又は財産」（要件①について）

(1) 例示列挙であり、名誉・貞操などの個人的法益も含むとするのが通説である。また、国家的法益（国家緊急避難）や社会的法益も含む〈共予〉。

(2) 他人に属する法益のための緊急避難について、その他人の意思に反しても可能か否かについては、肯定説と否定説の対立がある。

2 「現在の危難」（要件②について）

(1) 「現在」とは、法益侵害が現に存在していること、及び、法益侵害の危険が間近に切迫していることをいう。正当防衛の「急迫」と同様である〈司共〉。

ex. 村所有の吊橋が腐朽して危険になったとはいっても、人の通行には差し支えなく、重量制限違反の荷馬車の通行もまれであった事情のもとでは吊橋の動揺による危険は切迫したものではない（最判昭35.2.4・百選Ⅰ30事件）

(2) 「危難」とは、法益の侵害又は侵害の危険のある状態をいう。

正当防衛と異なり、「危難」が不正であることは要件とされていない。したがって、危難の原因は、人の行為、自然現象（ex.地震による建物の倒壊）、動物の挙動、社会関係（ex.急激な物資不足）等、制限はない〈司共〉。

⇒p.73

しかし、適法な逮捕行為など、法律により当該法益侵害の受忍義務が定められている場合には、法益の要保護性が否定されるので、「危難」があるとはいえない（大判昭 3.2.4 参照）〈共。

3　「避けるため」（要件③について）

避難行為に関し避難の意思が必要であるか否か、必要としても避難の意思の内容をいかに解するかについて、正当防衛における防衛の意思と同様に争いがある。　⇒ p.75

4　「やむを得ずにした行為」（要件④について）

当該避難行為をする以外には現在の危難を避けるために他に方法がなく、当該避難行為に出たことが条理上肯定できる場合を意味する（補充性の原則、最大判昭 24.5.18）〈司共予。

∵　緊急避難は、無関係な第三者の法益を侵害するものであるから、他にとるべき方法がない場合に限られるとする趣旨である

ex.　甲は、道路を通行中、飼い主乙の不注意により乙のもとから逃げ出した犬に足首をかみつかれそうになった。甲は、逃げる余地があったのにその場にとどまり、たまたま所持していた、所有の傘で犬を強打して怪我をさせるとともに、その傘を壊した。この場合、甲には器物損壊罪が成立する〈司

5　「これによって生じた害が避けようとした害の程度を超えな」いこと（要件⑤について）〈司

(1)　避難行為から生じた害（侵害法益）が、避けようとした害（保全法益）の程度を超えないことが必要であるという、法益均衡の原則を示す。

(2)　「程度を超えなかった場合に限り」とは、侵害法益と保全法益とを比較し、前者が後者を超えない限りという趣旨である〈共。

→法益の比較は、客観的標準によって行うことを要し、同一法益については、その量の大小が基準となる〈共

ex.1　価額 60 万円相当の猟犬が、価額 15 万円相当の番犬に襲われた際、猟犬を守るため猟銃で番犬を傷つけるのは、法益均衡の原則を満たす

ex.2　被告人が自己の生命、身体に対する現に切迫した危難を避けるため、酒気帯び状態で自動車を運転し警察署に逃げ出した行為は、やむを得ない方法であって、条理上肯定しうるが、適当な場所で運転をやめ、電話連絡等の方法で警察の助けを求めることが不可能ではなかったと考えられる以上、被告人全体の行為は、現在の危難を避けるためやむを得ずに行ったものであるが、その程度を超えたものと認めることが相当であるので、酒気帯び運転の罪が成立し、過剰避難に当たる（東京高判昭 57.11.29・百選Ⅰ〔第 7 版〕31 事件）

6　37条2項

⑴「業務上特別の義務がある者」とは、警察官、消防職員等、その業務の性質上危難に身をさらすべき義務のある者をいう。

⑵「業務上特別の義務がある者」には、緊急避難の規定は適用されない。

もっとも、絶対に緊急避難が認められないという趣旨ではなく、たとえば、消火作業中、燃え落ちてきた物を避けるためやむを得ずに隣家の塀を壊して退避する行為は緊急避難とされうる。

7　その他要件に関して問題となる点

⑴　自招危難〈司R4

自招危難とは、避難行為者が故意又は過失によって自ら現在の危難を招いた場合をいう。この場合において、その危難を避けるための行為について緊急避難が成立するかが問題となる。

判例（大判大13.12.12・百選Ⅰ32事件）は、自動車を運転していた甲が、対向車の荷車とすれ違う際、その荷車の背後から人が出てくるかもしれないにもかかわらず、これに注意を払わずにスピードを落とすことなく漫然と通過しようとしたところ、荷車の背後から突然人が飛び出してきたため、これを避けようとして急ハンドルを切った結果、歩行者に衝突して死亡させたという事案において、その危難は行為者がその有責行為により自ら招いたものであるから、社会通念に照らしてやむを得ないものとしてその避難行為を是認することはできない旨判示し、緊急避難の成立を否定した。また、裁判例（東京高判昭45.11.26）は、「行為者が自己の故意又は過失により自ら招いた危難を回避するための行為は、緊急避難行為には当らない」としている。

学説上では、過失によって危難を招くことは十分に起こり得るため、これを一律に緊急避難の成立を否定するのは妥当ではないとした上で、社会的相当性の観点から実質的に判断して緊急避難の成否を決めるべきであるとする見解が主張されている。

⑵　強要による緊急避難

強要によって犯罪行為が行われた場合に、緊急避難の成立を認めることができるかという問題がある。

この問題については、学説上、緊急避難は成立しないが責任が阻却されるとする見解（責任阻却説）が主張されている。

∵　避難行為者は強要されたとはいえ犯罪に加担した者である以上、その行為の違法性は阻却されるべきではないが、期待可能性に欠けるので責任が阻却される

これに対し、強要による緊急避難についても、緊急避難の成否が問題となる一般的な事例と異なるところはないので、補充性が認められれば緊急避

難の成立を認めるべきであるとする見解（違法性阻却説）が有力に主張されている。

ex. 警察官に情報提供を行う目的で、暴力団事務所に所属する捜査対象者に接触を試みた者が、深夜に暴力団事務所の室内に２人きりの状況で、相手方からけん銃をこめかみに突き付けられ、覚醒剤を使用するよう強要されたため、仕方なく覚醒剤を使用した。この場合、緊急避難が成立し、覚醒剤使用罪は成立しない（東京高判平 24.12.18・百選Ⅰ31事件）共

三 効果

犯罪不成立となる。その法的性質については争いがある。 ⇒下記《論点》

四 過剰避難（Ⅰただし書）

1 意義

緊急避難の他の要件がみたされている場合において、避難行為がその程度を超えた場合をいう。

→補充性の原則に反する場合と法益の均衡を失した場合とがある共

▼ 大阪高判平 10.6.24・百選Ⅰ 33 事件

事案： Xは、暴力団組長であるAの監視下で度重なる暴行を受けていた。Xは、某日、組事務所に連れて行かれ、同事務所内でAによる暴行を受けた。そのため、Xは、Aによる監視・暴行から逃れるため、A及び組員が同事務所から外出した機会を狙い、同事務所に放火して逃走した。本件では、Xに過剰避難が成立するかどうかが問題となった。

判旨： 「過剰避難の規定における『その程度を超えた行為』（刑法 37 条１項ただし書）とは、『やむを得ずにした行為』としての要件を備えながらも、その行為により生じた害が避けようとした害を超えた場合をいうものと解するのが緊急避難の趣旨及び文理に照らして自然な解釈であって、当該避難行為が『やむを得ずにした行為』に該当することが過剰避難の規定の適用の前提であると解すべきである（……もっとも、『やむを得ずにした行為』としての実質を有しながら、行為の際に適正さを欠いたために、害を避けるのに必要な限度を超える害を生ぜしめた場合にも過剰避難の成立を認める余地はあると考えられる。）。」

結論として、Xには過剰避難は成立しないとした。

2 効果司共予

刑が任意的に減免される。

五　正当防衛との関係

<正当防衛と緊急避難の異同>

		正当防衛	緊急避難	コメント
共通点		緊急行為に関する違法性阻却事由 通		――
相違点		正対不正の関係	正対正の関係	――
要件	客観的状況	急迫性	現在性	実質的に同じ
		不正の侵害 →人の行為に限られるかの問題あり（対物防衛）	危難 →何ら限定なし	両者の構造上の相違が反映
	防衛行為・避難行為	自己又は他人の権利	自己又は他人の生命・身体・自由又は財産 →例示列挙（名誉・貞操等も含む）	実質的に同じ
		必要性・相当性をみたせば足りる	補充性の原則・法益均衡の原則をみたす必要	両者の構造上の相違が反映
	主観的要件	防衛の意思	避難の意思	――

《論　点》

◆　**緊急避難が不可罰とされる根拠** 司共

緊急避難が、「罰しない」（37 Ⅰ本文）とされることの理論的根拠については、見解が対立する。

<緊急避難が不可罰とされる根拠> 共

学説	理由	批判
違法性阻却事由説	①　他人のための緊急避難が認められている ②　法が法益の均衡を要求している ③　緊急避難に対する正当防衛を認めることは避難行為者に酷である	①　法益が同価値の場合の説明が困難（＊） ②　責任阻却事由説の理由①
責任阻却事由説	①　理由なく危難を転嫁される無関係な第三者を保護し、避難行為に対する正当防衛を認めるべき ②　避難行為者は危機に直面しており、適法行為の期待可能性に欠ける	違法性阻却事由説の理由①②

学説		理由	批判
二分説	**原則として違法性阻却事由とするが､法益同価値の場合のみ責任阻却事由とする**	法益同価値の場合には、侵害の転嫁は認められず、避難行為の相手方に正当防衛を認めるべき	法益同価値の場合でも他の同価値の法益が保全される以上、侵害転嫁を正当化しうる
			同一の条文上に効果の異なる犯罪阻却事由が規定されていると解釈することは困難
	原則として違法性阻却事由とするが、生命対生命、身体対身体の場合は責任阻却事由とする	生命・身体は人格の根本的要素であって比較しえない	身体の侵害には程度をつけることができるので相互の比較は可能である

＊　この批判に対し、違法性阻却事由説は、侵害した法益が保全しようとした法益よりも大きくない限り、未だ社会的相当性の範囲を逸脱するものでないと反論している。

<緊急避難行為に対する正当防衛の可否>

<違法性阻却事由説>

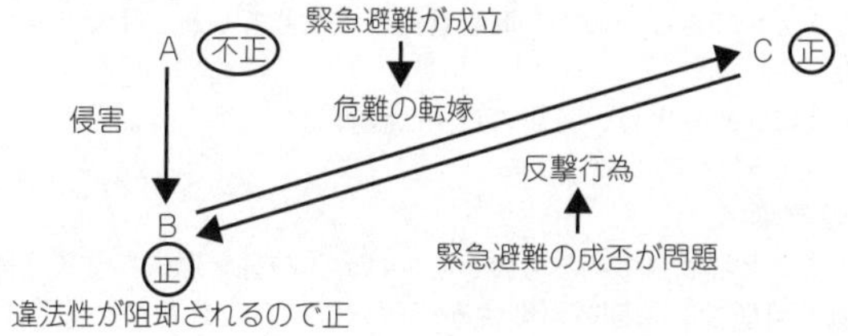

<責任阻却事由説>

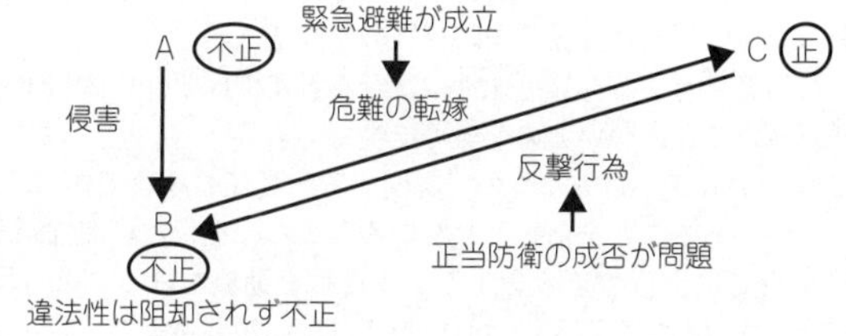

・第4章・【責任】

1　責任総説

《概　説》

一　責任主義

責任主義とは、犯罪の成立要件として責任の存在することを必要とする建前をいう。

二　責任の本質

責任の本質は、構成要件に該当する違法な行為を行ったことについて行為者を非難できるということ（非難可能性）にある。

人間には意思の自由があり、理性的な判断に基づいて自己の行動を自由に選択することができるはずである。そして、行為者は構成要件に該当する違法な行為をしない自由（他行為可能性）があったにもかかわらず、あえて（又は不注意により）違法な行為を行ったことに対して、道義的な非難を加えることができる。逆に、他人の法益を侵害する行為がなされたとしても、その行為者が心神喪失者（39 Ⅰ）であった場合のように、行為者に他行為可能性がなければ法の立場から非難することができないので、刑事責任を追及しても無意味であり、犯罪は不成立となる。

このように、責任とは、意思の自由と他行為可能性を基礎とした非難可能性である。

三　責任の要素

責任の要素と解されているものとしては、①故意・過失、②責任能力、③違法性の意識の可能性、④期待可能性が挙げられる。これらの要素を1つでも欠くと、その行為者には他行為可能性がなかったこととなり、非難可能性が認められないので、責任が阻却される。

→これらの責任の要素は、行為者が実行行為を行ったときに存在していなければならない（行為と責任の同時存在の原則〈同〉）

∵　行為者に対する非難可能性は、行為者が構成要件に該当する違法な行為を行ったことについての非難可能性である

ここでは、①故意・過失について説明する。責任の本質である非難可能性は、他行為可能性があることを前提としているところ、他行為可能性があるというためには違法行為に出るのを断念するよう自らを動機づけること（反対動機の形成）が可能でなければならない。言い換えれば、犯罪事実の認識（又はその可能性）・認容によって規範に直面し、反対動機の形成が可能であったにもかかわらず、あえて犯罪に及んだことに対して非難可能性が認められる。

しかし、行為者に故意・過失が認められないとき、すなわち、犯罪事実の認識（又はその可能性）・認容を欠く場合には、反対動機を形成し得ないので非難可能

性を欠くことになる。よって、故意・過失は責任の要素として必要であると解されている。

2　責任能力

第39条　（心神喪失及び心神耗弱） 共

I　心神喪失者の行為は、罰しない。
II　心神耗弱者の行為は、その刑を減軽する。

第40条　【瘖啞者（いんあしゃ）】　削除

第41条　（責任年齢） 共

１４歳に満たない者の行為は、罰しない。

《注　釈》

一　意義

責任能力とは、行為者を非難するために行為者に必要とされる一定の能力をいう。

刑法は、行為者の責任能力を欠く場合として、心神喪失（39 I）と刑事未成年（41）を規定している。これらを責任無能力といい、犯罪は不成立となる。

また、行為者の責任能力が限定的である場合として、心神耗弱（39 II）を規定している。この場合を限定責任能力といい、犯罪は成立するが、その刑は必要的に減軽（39 II）される。

これらに対し、心神喪失・心神耗弱でない場合を完全責任能力という。

責任能力は、行為者がした違法行為についての個別的な能力を意味するので、たとえば、精神の障害を有する甲について、Ａという罪に当たる行為については責任能力があるが、Ｂという罪に当たる別の行為については責任能力がない、といった事態も観念することができる（部分的責任能力、東京地判平 20.5.27）共。

二　現行法の規定

1　心神喪失者・心神耗弱者（39）・刑事未成年者（41）〈司

＜責任能力に関する規定の整理＞〈司共予

概念	内容	処置	備考
心神喪失者（39 Ⅰ）（＊）：責任無能力	①　精神の障害により ②　行為の是非を弁別する能力（是非弁別能力）又はその弁別に従って行動する能力（行動制御能力）のない者	犯罪不成立	生物学的要件（精神の障害）と心理学的要件（是非弁別能力、行動制御能力）を併用する定義の仕方を、混合的方法という
心神耗弱者（39 Ⅱ）（＊）：限定責任能力	①　精神の障害により ②　是非弁別能力又は行動制御能力が著しく低い者	刑の必要的減軽〈共	
刑事未成年者（41）：責任無能力	14 歳未満の者	犯罪不成立	・公訴提起時に 14 歳以上であったとしても、犯行時に 14 歳に満たなければ、本条が適用される〈共 ・犯行時に 14 歳未満であれば、たとえ是非弁別能力及び行動制御能力があっても、本条が適用される〈司共 ・犯行時に 14 歳以上であれば、たとえ精神能力が 14 歳未満の者のそれと同じであっても、本条が準用されることはない〈共

＊　アルコールによる酩酊等一時的な意識障害も含む〈共。

2　心神喪失・心神耗弱の認定・判断の方法

心神喪失・心神耗弱に当たるかどうか（責任能力の有無・程度）の判断は、病歴、犯行当時の病状、犯行前の生活状態、犯行の動機・態様、犯行後の行動、犯行以後の病状などの諸事情を総合的に考察して判断される（最判昭53.3.24・百選Ⅰ 34 事件）〈司。この責任能力の有無・程度に関する判断は、法律判断であって、専ら裁判所の判断にゆだねられるべき問題であるから、専門家たる精神医学者の精神鑑定等があっても、裁判所はそれに事実上拘束されるものではない（最決昭 59.7.3）〈司共予。

また、責任能力の有無・程度の判断の前提となる生物学的要素（精神の障害）及び心理学的要素（弁識能力・制御能力）についても、究極的には裁判所の評価にゆだねられるべき問題である（最決昭 58.9.13、最決平 21.12.8・百選

Ⅰ35事件）〈司共〉。もっとも、専門家の意見を一切無視してよいわけではなく、鑑定の前提条件に問題があるなど、これを採用し得ない合理的な事情が認められるのでない限り、その意見を十分に尊重しなければならない（最判平20.4.25・平20重判4事件）〈司共予〉。

三　原因において自由な行為

1　はじめに

⑴　行為と責任の同時存在の原則から、責任の要素である責任能力も実行行為時に存在しなければならない。よって、実行行為時に責任能力がない場合には責任が阻却され（39Ⅰ）、犯罪が不成立となるのが原則である。しかし、自ら責任無能力の状態を作出した場合にまで責任阻却を認めるべきではない。

そこで、判例・通説は、原因行為（心神喪失・心神耗弱を招く原因となった行為）の時点では完全責任能力があったことに注目し、結果行為（直接に結果を惹起した法益侵害行為）の時に責任能力はないが、原因行為の時点で行為者に完全責任能力が認められる場合には、39条の適用を排除する。この理論を、原因において自由な行為の理論という〈司共〉。

⑵　過失犯と原因において自由な行為について

▼　過失犯と原因において自由な行為（最大判昭26.1.17・百選Ⅰ37事件）

事案：　甲は、飲食店において多量に飲酒した後、同店の調理場において女給Aの左肩に手をかけ、甲の顔をAの顔に近寄せたが、すげなく拒絶されたためAを殴打したところ、その場に居合わせたBらに制止された。甲は憤激し、心神喪失の状態でとっさに傍にあった肉切包丁でBを突き刺し、出血多量により死亡させた。

判旨：　甲のように、多量に飲酒するときは病的酩酊に陥り、よって心神喪失の状態で他人に犯罪の害悪を及ぼす危険のある素質を有する者は、心神喪失の原因となる飲酒を抑止又は制限するなど、その危険の発生を未然に防止するよう注意する義務があるものといわなければならない。そうであれば、本件殺人の所為は甲の心神喪失時の所為であったとしても、①甲は自己の素質を自覚していたものであり、かつ②本件事前の飲酒につき前示注意義務を怠ったがためであるとするならば、甲は過失致死の罪責を免れ得ない。

この判例において、甲の飲酒行為は結果回避義務違反という過失の実行行為にほかならず、これとBの死亡結果との間に因果関係が認められる以上、甲にはBに対する過失致死罪（210）が成立する。

このように、過失犯の実行行為は原因行為それ自体と解することができる。そのため、原因行為（実行行為）の時点で行為者に完全責任能力が認められる以上、行為と責任の同時存在の原則上、なんら問題は生じない。したがって、過失犯の場合には、原因において自由な行為の理論を用いる必要がなく、端的に過失犯の成立要件を検討すれば足りる。

2　原因において自由な行為の理論構成〈共

(1)　原因行為説（かつての通説）

原因行為を実行行為とみて、行為と責任の同時存在の原則を守ろうとする立場を、原因行為説という。

原因行為によって作出された責任無能力状態の自分を「道具」として利用し、犯罪を実現するという点で間接正犯（⇒ p.121 参照）に類似するとして、原因行為に実行行為性を認める見解である（間接正犯類似説とも呼ばれる）。

(2)　結果行為説（多数説）

結果行為を実行行為とみて、「原因において自由な行為」は行為と責任の同時存在の原則の例外と位置づけた上で、責任非難の基準となる時点のみを原因行為時に遡らせるという立場を、結果行為説という。

結果行為説に立つ場合には、実行行為である結果行為時に完全な責任能力がなくても責任非難が可能となるのはなぜか、という問題が生じる。これについては、責任非難は行為者の意思決定に向けられるものであるので、責任非難にとって重要なのは、形式的に実行行為と責任能力が同時に存在することではなく、実行行為が完全責任能力のある状態での意思決定を実現したといえることであると説明される。

したがって、結果行為が完全責任能力のある原因行為時における意思決定を実現したといえる場合（原因行為と結果行為とが１個の意思決定に貫かれている場合）には、結果行為について完全な責任を問うことができると解する。

＜原因において自由な行為の理論構成＞〈共

	原因行為説（間接正犯類似説）	結果行為説（多数説）
実行行為	原因行為	結果行為
行為と責任の同時存在の原則にいう「行為」	原因行為（同時的コントロールの重視）	最終的意思決定に貫かれた一連の行為（事前のコントロールで足りる）
実行の着手時期	原因行為の開始時	結果行為の開始時

	原因行為説（間接正犯類似説）	結果行為説（多数説）
理論構成	①　自己の心神喪失状態における身体的動静を道具として利用する場合が原因において自由な行為である ②　原因行為に実行行為としての犯罪を実現させる現実的危険性があれば結果につき完全な責任を問いうる	①　責任能力は意思決定能力であり、行為をなすよう意思決定する際に要求される ②　刑法上の行為は１個の意思の実現過程であり、行為の開始時における最終的意思決定が結果発生に至る一連の行為の全体に貫かれている場合、責任能力は最終的意思決定の時にあれば足りる
批判	①　原因行為に未遂処罰の可能性を認めるため、あまりに早い段階で未遂犯の成立を認めることになる ②　限定責任能力（心神耗弱）の場合には自己を「道具」として支配・利用できていない以上、原因において自由な行為の理論を適用できないはずであるが、責任無能力に陥った場合と比較して不均衡である	①　最終的意思決定の時点が唯一の基準となることから、予備行為あるいはそれ以前の行為に遡る意思決定に対する非難を可能にする点で可罰性を拡大しすぎるおそれがある ②　責任能力が弁識能力だけでなく行動制御能力を含む点を見逃している

(3)　判例

判例は、原因において自由な行為が問題となる事案において、39条を適用していない。その理論的立場は明らかではないものの、心神耗弱の場合にも原因において自由な行為の理論を適用していることから、結果行為説に親和的であると解される。

▼　故意犯と原因において自由な行為（大阪地判昭51.3.4・百選Ⅰ38事件）

保護観察中の特別遵守事項として、禁酒を命じられている被告人が、強盗目的でタクシー運転手に暴行・脅迫を加えた事案において、積極的に右禁酒義務に背き、かつ、少なくとも「減低［注：限定］責任能力の状態において他人に暴行脅迫を加えるかもしれないことを認識予見しながら、あえて飲酒を続けたことを優に推断することができるから、暴行脅迫の未必の故意あるものといわざるをえない」旨判示した。

▼　心神耗弱と原因において自由な行為（最決昭43.2.27・百選Ⅰ39事件） 司共

酒酔い運転の行為当時に飲酒酩酊により心神耗弱の状態にあったとしても、「飲酒の際酒酔い運転の意思が認められる場合には、刑法39条２項を適用して刑の減軽をすべきではない」旨判示した。

3　実行行為の途中で心神喪失・心神耗弱に陥った場合

実行行為の開始時には責任能力を有していた行為者が、その後実行行為の途中で責任無能力・限定責任能力となった場合に、39条が適用されるかが問題となる。

ex.　Xは飲酒しながらAに対し暴行を加え始めた（暴行を開始した時点では完全責任能力状態であった）が、飲酒を続け継続的・断続的に暴行を重ねているうちに心神耗弱状態に陥り、その状態で加えられた暴行が主原因となってAが死亡した

→同様の事案において、「同一の機会に同一の意思の発動に出たもので、実行行為は継続的あるいは断続的に行われたものである」として、39条2項の適用を否定した下級審裁判例がある（長崎地判平4.1.14・百選Ⅰ 36事件）

(1)　因果関係の錯誤により処理する見解

この見解は、完全責任能力のある状態での行為を実行行為と解し、その後の完全な責任能力が失われた状態での行為を行為者自身の介在事情とみる見解である。上記のex.も現実の因果経過と行為者の認識・予見した因果経過との間に不一致がある場合（因果関係の錯誤）にほかならないので、原則として故意は阻却されず、39条の適用もないと解する。

この見解に対しては、完全な責任能力が失われた状態での暴行が結果に直結する重大な行為である場合には、その行為自体の可罰性を正面から検討すべきであるとの批判がなされている。

(2)　原因において自由な行為の理論を援用すべきであるとする見解

この見解は、原因行為時の最終的な意思決定に基づいて結果行為が行われていれば責任非難が可能であることを理由に、責任能力の認められる実行行為開始時に意思決定が行われたのであれば、原因において自由な行為の理論を援用できると解する見解である。この見解は、原因行為（責任能力状態下の暴行）と結果行為（完全な責任能力を喪失した段階での暴行）を最終的意思決定に貫かれた一連の行為とみる。

(3)　「一連一体」の実行行為と捉える見解

完全責任能力がある状態で開始された結果惹起に向けた「一連一体」の実行行為が、その後継続して行われている限りは責任を肯定できる（クロロホルム事件、最決平16.3.22・百選Ⅰ 64事件参照）と解する見解である。ただし、態様が大きく異なる場合には一連であっても一体とは評価できないので、「原因において自由な行為」の理論に従って処理すべきであるとされる。

3　責任故意

第38条（故意）

Ⅰ　罪を犯す意思がない行為は、罰しない。ただし、法律に特別の規定がある場合は、この限りでない。
Ⅱ　重い罪に当たるべき行為をしたのに、行為の時にその重い罪に当たることとなる事実を知らなかった者は、その重い罪によって処断することはできない。
Ⅲ　法律を知らなかったとしても、そのことによって、罪を犯す意思がなかったとすることはできない。ただし、情状により、その刑を減軽することができる〈司〉。

《概　説》

一　総説

構成要件該当事実の認識・認容を、構成要件的故意という。また、構成要件該当事実以外の違法性を基礎づける事実の認識・認容を、責任故意という。構成要件的故意は構成要件に位置づけられ、責任故意は責任に位置づけられる。このように、故意は、構成要件要素であるとともに責任要素でもある。

責任故意の内容としては、①違法性阻却事由不存在の認識があり、この認識に錯誤がある場合は、違法性阻却事由の錯誤が問題となる。次に、②違法性の錯誤がある場合は、違法性の意識の要否が問題となる。

①も②も、ともに自己の行為に対する構成要件的故意はあるが、①は、違法性阻却事由に当たる事実があるものと誤信している場合であり、②は、自己の行為が違法であることの意識がない場合である。

二　違法性の意識

1　違法性の意識とは、自己の行為が違法であることの意識である。

2　違法性の意識にいう「違法性」の内容については、「行為が刑法上禁止されていること」（刑法的禁止）と解する立場がある。判例（最判昭32.10.18・百選Ⅰ49事件）は、「自己の行為に適用される具体的な刑罰法令の規定ないし法定刑の寛厳の程度を知らなかったとしても、その行為の違法であることを意識している場合」には、刑の任意的減軽に関する38条3項ただし書は適用されない旨判示しており、この立場に親和的である。

3　違法性の意識については、その要否・程度等につき争いがある。これらの理解の相違により38条3項の解釈について見解が分かれる。⇒下記《論点》一

三　法律の錯誤（違法性の錯誤）

法律の錯誤とは、自己の行為が法律上許されていると誤信することをいう。法律の錯誤の取扱いは、違法性の意識に関する争いに応じて結論が異なる。

⇒下記《論点》二

四　違法性阻却事由の錯誤〈司〉

違法性阻却事由に当たる事実（違法性阻却事由の前提事実）がないのに、ある

と誤信した場合の取扱いには争いがある。 ⇒下記《論点》三

《論　点》

一　違法性の意識 同

1　違法性の意識について、その要否・程度・体系的位置付けが争われている。

(1)　違法性の意識不要説

違法性の意識は不要であるとする見解であり、かつての判例の立場である。「法の不知は許さず」という法格言に代表される考え方である。

∵　国民は法律を知っているべきであるので、違法性の意識の有無は犯罪の成否の判断と関係がない

この見解によると、違法性の意識やその可能性がない場合であっても責任故意が認められる。しかし、違法性の意識を欠いたことについて無理もないと認められるような場合でも故意責任を認めるので、責任主義に抵触するとの批判がなされている。

(2)　厳格故意説

違法性の意識は責任故意の要素であるとして、違法性の意識を必要とする見解である。

∵　故意責任の本質は、犯罪事実の認識があった場合に違法性の意識が喚起され、それが反対動機を形成したにもかかわらず、これを乗り越えて違法行為に出たところにあるから、違法性の意識があってはじめて故意責任としての非難が可能になる

この見解によると、行為者に違法性の意識がない限り責任故意は認められない。しかし、①いわゆる確信犯（政治的・宗教的な信念に基づいて自己の行為を正当と確信して行われる犯罪）を処罰できないこととなるので妥当ではないとの批判や、②犯罪を重ねるごとに違法性の意識が希薄になる常習犯人を重く処罰することが説明できないという批判がなされている。

(3)　違法性の意識の可能性必要説

違法性の意識は不要であるが、違法性の意識の可能性（自己の行為の違法性を意識することができたこと）が必要であるとする見解である。この見解は、①制限故意説と②責任説に大別される。

①　制限故意説

違法性の意識の可能性が責任故意の要素であるとする見解である。

∵　違法性の意識の可能性さえあれば反対動機の形成可能性があったといえる以上、違法な行為に出たことに故意責任が認められるべきである

この見解によると、違法性の意識の可能性がない場合は、責任故意が阻却されるのみであり、なお過失犯の成否が問題となる。この見解に対しては、違法性の意識の可能性という過失的な要素を故意の中に

組み込むことは、故意と過失の混同であり不当であるとの批判がなされている。

② 責任説（通説）

違法性の意識の可能性は故意犯と過失犯に共通の責任要素とする見解である。

∵ 違法性の意識の可能性があれば行為者を非難できるが、違法性の意識の可能性すらない場合にはおよそ行為者を非難できないので、責任を阻却して不可罰とするのが責任主義の要請である

この見解によると、違法性の意識の可能性がない場合は、責任それ自体が阻却されるので犯罪は不成立となり、過失犯の成否が問題となることはない。

なお、責任説は、主に誤想防衛で問題となる違法性阻却事由の錯誤の取扱いをめぐって、違法性の錯誤であり故意を阻却しないとする説（厳格責任説）と、事実の錯誤であり故意を阻却するとする説（制限責任説）に分かれる。以下では、通説である責任説を前提として検討する。

＜違法性の意識の要否＞

学説	違法性の意識不要説	厳格故意説	違法性の意識の可能性必要説	
			制限故意説	責任説（通説）
内容	違法性の意識は不要である	違法性の意識は必要である	違法性の意識は不要であるが、違法性の意識の可能性は、責任故意の要素として必要である（＊1）	違法性の意識は不要であるが、違法性の意識の可能性は、責任要素として必要である（＊2）
理由	国民は法律を知っているべきであるので、違法性の意識の有無は犯罪の成否の判断と関係がない	故意責任の本質は、犯罪事実の認識があった場合に違法性の意識が喚起され、それが反対動機を形成したにもかかわらず、これを乗り越えて違法行為に出たところにあるから、違法性の意識があってはじめて故意責任としての非難が可能になる	違法性の意識の可能性さえあれば反対動機の形成可能性があったといえる以上、違法な行為に出たことに故意責任が認められるべきである	違法性の意識の可能性があれば行為者を非難できるが、違法性の意識の可能性すらない場合にはおよそ行為者を非難できないので、責任を阻却して不可罰とするのが責任主義の要請である

学説	違法性の意識不要説	厳格故意説	違法性の意識の可能性必要説	
			制限故意説	責任説（通説）
批判	違法性の意識を欠いたことについて無理もないと認められるような場合にまで故意責任を認めることとなり、責任主義に抵触する	① 確信犯を故意犯としては処罰できないこととなってしまい妥当でない ② 常習犯人を重く処罰することが説明できない	違法性の意識の可能性という過失的な要素を故意概念の中に組み込むことは、故意と過失の混同であり不当である	―

＊1 違法性の意識の可能性がない場合は、責任故意が阻却されるのみであり、なお過失犯の成否が問題となる。

＊2 違法性の意識の可能性がない場合は、責任それ自体が阻却されるので犯罪は不成立となり、過失犯の成否が問題となることはない。

二 法律の錯誤（違法性の錯誤）

1 はじめに

違法性の錯誤とは、行為者が錯誤によって違法性の意識を欠いた場合をいう。

違法性の錯誤は、自己の行為に対する構成要件的故意はあるが、自己の行為が違法であることの意識がない場合に生じるものであり、これが生じる原因としては、①法律の不知、②あてはめの錯誤がある。

2 法律の不知

法律の不知とは、刑罰法規が自己の行為を禁止していること自体を知らない、あるいは忘れてしまった場合をいう。

ex. 変死者密葬罪（192）の存在を知らずに、検視を経ないで変死者を葬った場合

法律は、通常合理的な方法でその公布や施行がなされていることからすれば、違法性の意識の可能性（自己の行為が既に公布・施行された法により禁止されており、違法であることを意識することができたこと）は原則として肯定される。

3 あてはめの錯誤

あてはめの錯誤とは、刑罰法規の存在は知っているが、その刑罰法規の解釈を誤った場合をいう。

ex. わいせつ図書有償頒布罪（175）という犯罪があることは知っていたが、自己が出版するわいせつ図書について、この程度では「わいせつ」とはいえないと考えていた場合〈司〉

(1) 最高裁判所の判例を信じた場合（最判平8.11.18の補足意見参照）や、公的権限を有する機関からの照会に対する回答といった公式の見解、又は所轄官庁の公式の見解などを信じた場合、違法性の意識の可能性は原則として否定されると解される。

(2) 他方、判例は、公務員の個人的な意見を信じたにすぎない場合（最決昭62.7.16・百選Ⅰ48事件）や、法学者・弁護士といった法律専門家の意見を信じた場合であっても、違法性の意識の可能性を肯定している（大判昭9.9.28)。

ex. 100円紙幣を模したサービス券を製造することについて、知り合いの警察官に相談した場合であっても、違法性の意識を欠いたことにつき相当の理由がある場合には当たらない（最決昭62.7.16・百選Ⅰ48事件）

三　違法性阻却事由の錯誤

違法性阻却事由に当たる事実（違法性阻却事由の前提事実）がないのに、あると誤信した場合をいう。

1　誤想防衛 司 司H27 司R元 予R2

(1) 意義

誤想防衛とは、正当防衛を基礎づける事実が存在しないのに、その事実が存在すると誤信して防衛行為を行った場合をいう。

→違法性は阻却されないが、違法性阻却事由に当たる事実があると誤信している以上、責任故意を欠き故意犯は不成立となり、別途、過失犯の成否が問題となる

誤想防衛には、①急迫不正の侵害が存在しないのに存在すると誤信した場合（狭義の誤想防衛）と、②急迫不正の侵害が現実に存在し、行為者が防衛行為を行ったところ、客観的には防衛の程度を超えていたが、主観的にはその過剰性を基礎づける事実の認識（過剰性の認識）がなかった場合の2つがある。

＊　なお、上記②において、行為者に過剰性の認識がある場合、それは単なる過剰防衛（36Ⅱ）となる。判例（最判昭24.4.5）は、甲が老父による棒状の物での攻撃に対して、客観的に「斧」を用いて反撃し、老父を死亡させた事案において、甲は主観的には斧ほどの重みのある「棒」で反撃したという認識であったとしても、甲には過剰性の認識があるとし、過剰防衛が成立するとしている。

(2) 違法性阻却事由の錯誤の位置づけ

誤想防衛の処理の前提として、正当防衛のような違法性阻却事由に当たる事実が客観的には存在しないのに、存在すると誤信すること（違法性阻却事由の錯誤）は、何についての錯誤なのかが問題となる。

① 違法性の錯誤説：故意の対象を構成要件該当事実に限定し、違法性阻却事由の錯誤は違法性の錯誤であるとする見解

→この見解は、故意の認識・認容の対象ではない違法性阻却事由について錯誤があっても、原則として故意を阻却しないが、違法性の意識の可能性を欠く場合には、例外的に責任が阻却されるとする

② 事実の錯誤説◀通：故意とは犯罪事実の認識・認容をいい、「犯罪事実」には構成要件該当事実と違法性阻却事由の不存在という事実があるので、違法性阻却事由に当たる事実の存在を誤信している場合には、「犯罪事実」の認識・認容があるとはいえず、故意を阻却すると考える見解

→この見解によれば、責任故意を欠くためおよそ故意犯は成立せず、別途、過失犯の成否が問題となるにすぎない

なお、責任説は、違法性阻却事由の錯誤について、違法性の錯誤であり責任故意を阻却しないとする立場（厳格責任説）と、事実の錯誤であり責任故意を阻却するとする立場（制限責任説）に分かれるが、制限責任説の立場が通説的地位を占めている。

2　誤想過剰防衛◀司H27 司H29 司R4 予R2

(1)　意義

誤想過剰防衛とは、急迫不正の侵害が存在しないのに存在すると誤信し、防衛行為を行ったが、たとえ急迫不正の侵害が存在していたとしても防衛の程度を超えていた場合をいう。

ex.1　Aが甲を知人と勘違いし、驚かせようと思い正面に躍り出たところ、Aが殴りかかってくるものと誤信した甲は、とっさに足下にあった木の棒で反撃したつもりであったが、実はそれは鉄パイプであった。甲がAを鉄パイプで殴ったことにより生じた傷害によって、Aは死亡した

ex.2　上記の事案において、甲が、足下にあった鉄パイプを鉄パイプと知りつつ反撃し、Aを死亡させた

誤想過剰防衛は、行為者に過剰性を基礎づける事実の認識（過剰性の認識）がない場合（上記 ex.1）と、行為者に過剰性の認識がある場合（上記 ex.2）に分けられる。

(2)　故意犯の成否と36条2項の準用の可否

誤想過剰防衛においては、①誤想防衛として責任故意が阻却されるかという問題（故意犯の成否）と、②過剰防衛に関する36条2項の適用ないし準用による刑の任意的減免ができるかという問題（いかなる科刑がなされるか）が生じる。

(a) 故意犯の成否について

故意犯の成否については、通常の誤想防衛と同じく、違法性阻却事由の錯誤は事実の錯誤であると解する立場（制限責任説）を前提として、過剰性の認識がない場合とある場合とで異なる処理を行うという立場（二分説）が通説である。

① 行為者に過剰性の認識がない場合

行為者に過剰性の認識がない場合、その認識の内容を基準にすれば正当防衛が成立する以上、行為者に責任非難を加えることができない。

→行為者の責任故意が阻却される結果、故意犯は成立せず、過失犯の成否が問題となる

② 行為者に過剰性の認識がある場合

行為者に過剰性の認識がある場合、その認識の内容を基準としても正当防衛は成立しないので、行為者に責任非難を加えることができる。

→行為者の責任故意は阻却されず、故意犯が成立する

(b) 36条2項の適用の可否について

上記のいずれの場合においても、36条2項の適用ないし準用による刑の任意的減免の可否が問題となる。

まず、前提として、急迫不正の侵害がない以上、36条2項を直接適用することはできない。もっとも、過剰防衛における刑の任意的減免の根拠について、違法・責任減少説の立場に立つ場合、客観的には急迫不正の侵害が存在しないために違法性は減少しないが、主観的には急迫不正の侵害が存在すると認識している以上、責任減少が認められる。したがって、誤想過剰防衛においても36条2項の準用を認めるべきであると解される。

▼ 英国紳士騎士道事件（最決昭62.3.26・百選Ⅰ29事件）回

事案：　空手三段の甲は、A女がB男から暴行を受けているものと誤信し、Aを助けようと2人の間に割って入ったところ、Bは防御のために両こぶしを胸の辺りに上げた。甲は、このBの挙動を自分に殴り掛かってくるものと誤信し、自分とAの身体を防衛しようととっさに空手技の回し蹴りをBの顔面付近に当てたところ、Bは路上に転倒して死亡した。

決旨：　甲の「本件回し蹴り行為は、甲が誤信したBによる急迫不正の侵害に対する防衛手段として相当性を逸脱していることが明らかであるとし、甲の所為について傷害致死罪が成立し、いわゆる誤想過剰防衛に当たるとして刑法36条2項により刑を減軽した原判断は、正当である」。

総論体系編

＜正当防衛・過剰防衛・誤想（過剰）防衛の整理＞

急迫不正の侵害／行為の相当性		存在	不存在だが存在と誤信
相当		正当防衛（36 Ⅰ） →違法性阻却	（狭義の）誤想防衛 →責任故意阻却＋過失犯の成否
過剰	過剰性の認識なし	誤想防衛 →責任故意阻却＋過失犯の成否 ＋36条2項適用（＊1）	誤想過剰防衛 →責任故意阻却＋過失犯の成否 ＋36条2項準用（＊2）
	過剰性の認識あり	過剰防衛（36 Ⅱ） →違法・責任減少（通説）	誤想過剰防衛 →故意犯成立＋36条2項準用 （＊2）

※　誤想防衛（過剰性の認識がない場合の誤想過剰防衛）の問題は（責任）故意を阻却するかしないかという罪名の問題であるのに対し、36条2項の適用・準用の可否の問題は刑の任意的減免を認めてもよいかという科刑の問題であり、別次元の問題であるので、それぞれ別個に論じられるべきであるとされる。

＊1　この類型では、急迫不正の侵害が現に存在しており、これに対して客観的には不相当な防衛行為を行った場合であるから、36条2項の規定が「適用」される。

＊2　これらの類型では、急迫不正の侵害が存在しないので違法減少は認められないが、その侵害が存在すると誤信しているので責任減少が認められ、36条2項の規定が「準用」される。

六　誤想自救行為・誤想過剰自救行為 司H27

誤想自救行為とは、誤解によって自救行為と認識していた場合をいう。その行為が過剰性を有する場合は、誤想過剰自救行為となる。これも違法性阻却事由の錯誤の問題であるから、誤想防衛・誤想過剰防衛と同様に考えられる。

もっとも、自救行為は正当防衛より成立要件が厳しいので、認定には慎重を期する必要がある。　⇒ p.58

4　期待可能性

《概　説》

◆　意義

行為の際の具体的事情の下で行為者に犯罪行為を避けて適法行為をなしえたであろうと期待できることをいう。期待可能性が欠ける場合は、責任が阻却される。

判例（最判昭33.7.10・百選Ⅰ〔第7版〕61事件）は、期待可能性の理論について肯定も否定もしていない。

《論　点》

◆　**期待可能性の判断基準**

期待可能性の有無を判定する基準をどのように解するかは争いがある。

＜期待可能性の判断基準＞

学説		理由	批判
行為者標準説	行為の際における行為者自身の具体的事情を基準とする	①　期待可能性の理論は、行為者の人間性の弱さに対して法的救済を与えることを目的としているから、その存否を判断する標準も、行為者自身の立場に求められるべきである ②　刑法における責任は、構成要件に該当する違法な行為に加えられる人格的非難であるから、行為者個人の立場について考えられるべきである	あらゆる行為は必然的に行われるものであるから、行為者の側に立つと全て理由があって違法行為が行われたことになるので、結局、全てを許すことになる。そのため、 ①　不当に刑事司法を弱体化する（*） ②　極端な個別化をもたらし法の画一性の要請に反する ③　確信犯人は常に期待可能性がなく無罪にされてしまう
平均人標準説	行為者の立場に平均人を置いた場合、やはり他の行為を期待しえたかどうかを判断の基準とする	①　法は平均人に要求される準則の違背を有責的として非難するものである ②　「その人」を基準にした場合、極論すればすべての行為は「そうせざるを得なかったのだ」ということになりかねないから、責任評価の基準は一般人と考えざるを得ない	①　責任非難は行為者にとって可能なことを限界としなければならないから、平均人には期待が可能でも行為者に期待が不可能なときは非難ができない ②　「平均人」という観念は不明確であり、これを前提とする限り期待可能性の有無の判断が曖昧なものになる ③　責任能力の観念が、すでに平均人の観念を基礎として構成されているので期待可能性の標準として平均人の観念を用いるのは概念の重複に他ならない
国家標準説	適法行為を期待する国家ないし国法秩序を標準とし、その具体的要求を考慮すべきものとする	期待可能性は、期待する者（国家）と期待される者（個人）との間における現実の情況下での緊張関係として把握されるべきであり、個人の現実的能力を標準とするものではなく、さらに意思の緊張・努力を要求するものである	この説は、法律上いかなる場合に期待可能性が認められるかを論ずるについて、ただ法秩序がこれを期待する場合であると答えるものであって、問いに答えるに問いをもってする循環論である

*　この批判に対し、行為者標準説は、行為者自身の具体的事情を考慮することは、行為者の主観面のみを偏重するのではなく、行為者の能力を客観的に上限において判断するものである、と反論している。

▼　**最判昭33.7.10・百選Ｉ〔第７版〕61事件**

期待可能性についての判断は示さず、被告人は犯罪構成要件を欠き無罪であるとした。本判例も含め、最高裁は、期待可能性の理論を肯定も否定もしない。

・第５章・【修正された構成要件】

1　犯罪遂行の発展段階

1－1　未遂犯

第４３条　（未遂減免）

犯罪の実行に着手してこれを遂げなかった者は、その刑を減軽することができる。ただし、自己の意思により犯罪を中止したときは、その刑を減軽し、又は免除する。

第４４条　（未遂罪）

未遂を罰する場合は、各本条で定める。

1－1－1　未遂犯総説

《概　説》

一　意義

実行の着手以前の行為は、予備にとどまり、極めて例外的な場合を除いて処罰されないのに対し、実行の着手後の行為は、多くの場合、未遂犯として処罰される。

→実行の着手は、法的効果が大きく異なる予備罪と未遂罪との区別基準として極めて重要な意義を有する

二　未遂犯の処罰根拠　⇒下記《論点》

三　未遂犯の位置付け

＜未遂犯の位置付け＞

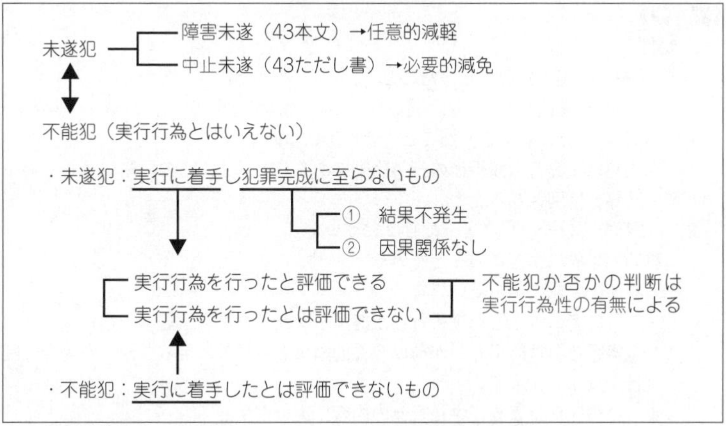

《論　点》

◆　**未遂犯の処罰根拠**

かつて、犯罪の処罰根拠を行為者の意思・性格の危険性に求める主観主義の立場から、未遂犯の処罰根拠は、行為者の意思・性格の危険性に求められるとする説が唱えられた（主観的未遂論）。主観的未遂論からは、「実行の着手」は行為者の意思・性格の危険性が外部にあらわれた時点で認められることになる。しかし、既に予備の段階で行為者の意思・性格の危険性の発露が認められるから、上記の見解によっては予備と未遂の区別を図ることが困難である。そこで、今日の判例・通説は、未遂犯の処罰根拠を行為の客観的な危険性、すなわち法益侵害ないし結果発生の危険性に求める客観的未遂論に立っている。これによれば、結果発生の危険性が生じた時点で実行の着手が認められる。

＜未遂・予備・既遂＞

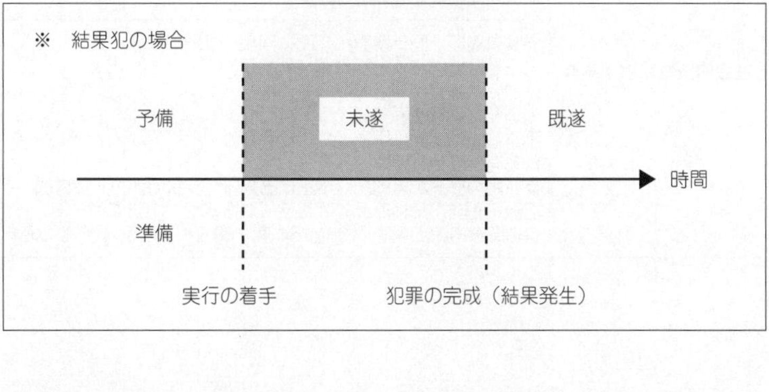

1－1－2　狭義の未遂犯（障害未遂）

《概　説》

一　要件

① 「犯罪の実行に着手し」たこと

② 「これを遂げな」いこと

1 「犯罪の実行に着手し」たこと（要件①について）

未遂犯は、実行の着手後の行為段階にある点で、まだその段階に至らない予備・陰謀と区別される。

2 「これを遂げな」いこと（要件②について）

犯罪の完成に至らないことをいう。

(1) 犯罪の完成に至らない場合

(a) 行為者の着手した実行行為が終了しなかった場合（着手未遂）

(b) 実行行為は終了したが構成要件的結果を生じるに至らなかった場合（実行未遂）

* この区別により、中止行為の内容に違いが生じる。

(2) 構成要件的結果を生じるに至らなかった場合には、結果が発生したが、行為と結果との間に因果関係が欠ける場合も含まれる。

二　処分

未遂犯は、刑法各本条に未遂犯処罰の規定がある場合にのみ処罰される（44）。

<未遂処罰規定がある犯罪>

国家的法益に関する罪	内乱罪（77 Ⅱ、付和随行者・単なる暴動参加者を除く） 外患罪（87）
	逃走罪（102）
社会的法益に関する罪	放火罪（112・108、109 Ⅰのみ） 往来妨害罪、往来危険罪、汽車転覆罪（128・124 Ⅰ、125、126 Ⅰ Ⅱのみ）
	あへん煙に関する罪（141）
	通貨偽造罪・同行使罪（151・148、149、150） 公正証書原本等不実記載罪（157 Ⅲ） 偽造公文書行使罪（158 Ⅱ） 偽造私文書行使罪（161 Ⅱ） 不正電磁的記録供用罪（161 の2Ⅳ） 偽造有価証券行使罪（163 Ⅱ） 支払用カード電磁的記録不正作出等罪・支払用カード電磁的記録不正作出準備罪（163 の5・163 の2、163 の4 Ⅰ） 偽造印章不正使用罪（168・164 Ⅱ、165 Ⅱ、166 Ⅱ、167 Ⅱのみ）

個人的法益に関する罪	住居侵入罪（132）
	不同意わいせつ罪、不同意性交等罪（180） 強要罪（223 Ⅲ） 略取誘拐罪（228・224、225、225の2 Ⅰ、226、226の2、226の3、227 Ⅰ Ⅱ Ⅲ Ⅳ前段のみ）
	殺人罪、自殺関与及び同意殺人罪（203・199、202） 不同意堕胎罪（215 Ⅱ）
	窃盗罪、不動産侵奪罪、強盗罪、事後強盗罪、昏酔強盗罪、強盗致死傷罪、強盗・不同意性交等罪（243、235、235の2、236、238、239、240、241） 詐欺罪、電子計算機使用詐欺罪、背任罪、準詐欺罪、恐喝罪（250）

1－1－3　実行の着手時期

いかなる場合に実行の着手が認められるか、実行の着手時期が問題となる。

<実行の着手時期>

学説	内容	理由	批判
形式的客観説	実行行為の開始行為がなされた時点で実行の着手を認める	43条本文の「犯罪の実行に着手して」は、「実行行為に着手して」と解釈すべきである	窃盗罪においては財物を「窃取」する行為、放火罪においては「放火」する行為の開始がなければ未遂犯が成立しないこととなるが、これでは未遂犯の成立時期が遅すぎる
修正された形式的客観説	実行行為の開始行為に密接する行為がなされた時点で実行の着手を認める	①　形式的客観説に対する批判と同じ ②　罪刑法定主義が刑法の基本原則とされていることからすれば、「実行に着手して」という文言による制約を重視すべきである	「密接する行為」かどうかを専ら形式的な観点から判断することは困難であり、実質的な観点を併せて考慮せざるを得ない

学説	内容	理由	批判
実質的客観説	結果発生の現実的危険性が生じた時点で実行の着手を認める	刑法の法益保護機能に鑑みると、法益が侵害されたときにはじめて処罰するのでは遅く、侵害の危険性があることをもって処罰する必要がある一方、国民の自由保障機能に鑑みると、処罰範囲を明確化するとともに、刑罰という最も峻厳な制裁に見合うだけの危険性がある場合に限定する必要がある	① 危険性という概念は必ずしも明確ではなく、その判断にも幅がありうるため、危険性の有無の判断は容易ではない ② 危険性の理解によっては、実行行為の開始行為に密接する段階を超えて、より早い段階で着手を認めることにもなりうるので、未遂犯の成立時期が早すぎる
形式・実質二元説	実行行為に密接し、かつ結果発生の現実的危険性が認められる行為が行われた時点で実行の着手を認める（＊）	① 実質的客観説の理由と同じ ② 危険性という概念は必ずしも明確ではないため、「実行に着手して」という文言による制約を重視し、実行行為との密接性という形式的な観点からの限界づけを行う必要がある	① 修正された形式的客観説に対する批判と同じ ② 実質的客観説に対する批判と同じ

＊　実行の着手の有無を判断するに当たり、客観的事情に加え、故意や犯行計画などの主観的事情をも判断資料として考慮する。

∵　故意や犯行計画などの主観的事情をも判断資料として考慮に入れなければ、行為のもつ密接性や危険性を適切に評価することができない

＜実行の着手時期に関する判例の整理＞ 司共

具体例		着　手　時
窃盗罪	住居侵入窃盗 （最決昭40.3.9・百選Ⅰ61事件）	物色行為開始時 司共 ex. ① たんすに近づいた時点 ② 現金レジスターのある煙草売場へ行こうとした時点
	土蔵内での窃盗	侵入行為時
	スリの場合	窃取しようとしてポケットの外側に手を触れた時（いわゆる「あたり」行為では足りない）

具体例		着手時
詐欺罪	保険金騙取目的の放火（大判昭 7.6.15）	保険金支払請求時
	詐欺被害を回復するための協力名下での嘘（最判平 30.3.22・百選Ⅰ 63 事件）	振り込め詐欺の被害者に対し、警察官を装い、捜査協力名下で現金を支払わせる計画の下、被害者に対して銀行から現金を払い戻すよう指示し、同現金の交付を受けるため自宅へ向かう旨を告げた時点
住居侵入強盗（強盗罪）		暴行・脅迫の開始時〈司
昏酔強盗罪		相手方を昏酔させる行為の開始時〈共
放火罪		①　木造平屋建家屋について、家屋の床面の大部分にまんべんなくガソリンをまいた時 ②　自然に発火し導火材料を経て目的物を燃やす装置を設置した時（大判昭 3.2.17）〈共 ③　住宅焼損の目的で、住宅に近接する物置に放火し物置の一部を焼損した時→現住建造物放火罪の実行の着手あり（大判大 12.11.12）〈司

三　不作為犯の実行の着手時期〈司H26 司H30

不作為犯の実行の着手時期は、結果を防止すべき法律上の作為義務を負う者が、その義務に違反して作為を行わず、構成要件的結果の現実的危険を惹起させた時である。また、結果発生の現実的危険がすでに発生しているときは、作為義務違反が生じた時に実行の着手が認められる。

四　間接正犯の実行の着手時期

他人を道具として利用して犯罪を実現する間接正犯の実行の着手時期については争いがある。

＜間接正犯の実行の着手時期＞ 司 予H29 予R4

	実行の着手時期	理由	批判
利用者基準説	利用者が被利用者を犯罪に誘致する行為を開始した時点	① 実行の着手は実行行為の起点となるものであるところ、実行行為は正犯者、すなわち利用者にしか行うことができない ② 実行行為は実行の意思に基づくものでなければならないところ、間接正犯における実行の意思は利用者のみが有する	① 実行行為の概念を不当に拡大し、実行の着手を早く認めすぎる ② 利用者が被利用者を道具として利用する場合でも、必ずしも利用行為の開始が構成要件的結果発生の現実的危険性を惹起するわけではない（たとえば「物を盗んでこい」と指示しただけでは、具体的な窃盗の結果発生の危険は生じていないのが通常である） ③ 実行の着手時期について、直接正犯では法益侵害の現実的危険性の惹起が要求されるのに対し、間接正犯では被利用者に対する誘致行為で足りるとするのでは早すぎて均衡を欠く 司
被利用者基準説	被利用者が実行行為を開始した時点（＊）	間接正犯において被利用者の行為そのものは、多くの場合被利用者の意思に基づくものであり、利用行為の終了により、直ちに犯罪実現の現実的危険性が顕著になったとはいえない	①（被利用者基準説に対して） 利用行為の開始をもって実行の着手とすべき場合もあるので、一律に被利用者の行為を基準とするのは不当である ② 被利用者の中には心神喪失者など刑法的意味における行為をなしえない者も含まれるが、そのような者の行為は実行行為たりえないはずである ③ 被利用者が道具としての行為を開始した時に実行の着手を認めると、実行の着手時期を他人の動作に依存させることになり不当である
個別化説 通	構成要件的結果発生に至る現実的危険性を惹起した時点	実行の着手とは、結果発生の現実的危険を含む行為の開始をいうのだから、間接正犯の場合でも、一律に利用者又は被利用者いずれか一方の行為を基準とするのではなく、実質的見地から個別に解決すべきである	
	当該犯罪類型の未遂犯として処罰に値するだけの法益侵害の危険性が高まった時点	実行「行為」と実行の着手「時期」とは必ずしも同時である必要はなく、利用行為を処罰の対象たる実行行為としつつ、その着手時期は被利用者の行為を基準に決定することができる	

＊　判例は、被利用者基準説に立つとされている。すなわち、殺人目的で、毒物を混入

した白砂糖を、郵便小包として送付した場合、被告人がこれを発送したときでなく、被害者がこれを受領したときに殺人罪（199）の実行の着手が認められるとした（大判大7.11.16・百選Ⅰ65事件）〈司共〉。

＊　現金を喝取する目的で、現金の交付を要求する脅迫状を郵送し、被喝取者が不在中、その家族が同脅迫状を受け取った場合、恐喝罪の実行の着手が認められる〈司共〉。

1－2　不能犯

《概　説》

一　意義

不能犯とは、行為者の認識においては実行の着手があり、未遂犯が成立するようにみえるが、結果発生が不可能なので未遂犯の成立に必要な危険性が認められないため、未遂犯が成立しないことをいう。

二　種類

1　方法の不能

方法が、性質上、結果を発生させることの不可能な場合をいう。

ex.　農薬と誤信し、人を殺す目的で胃腸薬をジュースに入れ人に飲ませた場合

2　客体の不能

行為の客体が存在しないために結果の発生が不可能な場合をいう。

ex.　人であると誤信してかかしに発砲する場合

3　主体の不能

行為の主体を欠くために結果の発生が不可能な場合をいう。

ex.　公務員でない者が自己を公務員であると誤信して職務に関し他人から金銭を受領した場合

《論　点》

◆　不能犯と未遂犯の区別〈司共予〈司H30 予H25 予H29

不能犯は、犯罪の完成に至るべき危険性を含まない行為であるために不可罰とされる。そこで、いかなる場合に危険性がないといえるのか、可罰的な未遂との区別基準が問題となる。

1　学説の対立

学説	内容	理由	批判
具体的危険説	行為時に一般人が認識し得た事実及び行為者が特に認識していた事実を基礎に、一般人の危険感を基準に危険性の有無を判断する	①　行為無価値論によれば、違法性の本質は行為が社会倫理規範に違反することであるので、違法かどうかは行為時における一般人の立場から判断されるところ、未遂犯の違法性を基礎づける危険性の有無の判断についても、その行為時における一般人の立場からなされるべきである ②　行為無価値論の立場からは、違法性を判断する際に行為者の主観的事情を考慮するので、行為者が特に認識していた事実も考慮に入れることができる	①　危険性の基礎となる事実が過度に抽象化されてしまい、現実的危険性が認められない場合にまで未遂犯の成立が肯定されてしまう ②　一般人の危険感という基準が曖昧である ③　行為者の認識により危険性の有無が異なるのは妥当ではない
客観的危険説	行為時に存在した全ての事実（行為後に判明した事実を含む）を基礎に、科学的見地から危険性の有無を判断する	結果無価値論によれば、違法性の本質は法益侵害又はその危険を惹起したことであるので、客観的に存在した全事情を基礎として科学的な事後判断により違法かどうかが判断されるところ、未遂犯の違法性を基礎づける危険性についても、科学的な事後判断がなされるべきである	客観的に存在した全事情を基礎として科学的な事後判断を行うと、結果の不発生はいわば必然であり、未遂犯の全てが不能犯となってしまい、未遂犯の処罰がありえなくなる点で43条に抵触する
修正された客観的危険説	結果が発生しなかった原因を解明した上で、仮にどのような事実があれば結果が発生したかという仮定的な事実を科学的に明らかにし、結果を発生させる仮定的事実の存在可能性を一般人の立場から事後的に判断した結果、仮定的事実が存在し得た蓋然性が高い場合には危険性があるとする（＊）	科学的な事後判断を行うと未遂犯は全て不能犯になってしまう点で未遂処罰規定である43条と抵触することから、事実をある程度抽象化する必要性が生じた	結果発生の現実的危険性は、構成要件該当性の問題として社会一般の目から見た類型的な危険性を意味するというべきであり、科学的な危険性を中心に考えるのは不当である

＊　たまたま弾丸が装填されていなかった拳銃を警察官から奪って発砲する行為の危険性は、「拳銃を発砲することは一般的・類型的に危険か」という視点（具体的危険説）で判断するのではなく、「弾丸が装填されている可能性がどの程度あり得たか」という仮定的な置き換えによって判断し、通常、警察官は装備する拳銃に弾丸を装填するものであり、たまたま当該警察官がこれを怠ったにすぎない場合には、危険性が認められて未遂犯が成立すると解する。

2　学説の整理

＜未遂犯の処罰根拠に関する学説の整理＞

学　説	判断資料	判断時	基準
具体的危険説	一般人＋本人	行為時判断	一般人
客観的危険説	（行為後の事情を含めた）客観的全事情	事後的判断	科学的
修正された客観的危険説	行為時に存在した客観的全事情	行為時判断	裁判官が科学的一般人の視点で

3　各学説からの帰結

＜不能犯における各学説からの帰結＞

<table>
<tr><th></th><th>具体例</th><th>具体的危険説</th><th>客観的危険説</th><th>修正された客観的危険説</th></tr>
<tr><td rowspan="3">方法の不能</td><td>Xは、Aを殺害しようと決意し、自宅の戸棚に瓶入りの毒薬を隠していたが、貼付されたラベルを確認しないまま、毒薬の瓶の隣にあった栄養剤の瓶を毒薬と誤信して持ち出し、ひそかにAの飲食物に混入した</td><td>×</td><td>×</td><td>×</td></tr>
<tr><td>Xは、Aを毒殺しようと決意し、研究室から毒薬の瓶を持ち出そうとしたが、栄養剤の入った瓶に毒薬のラベルが貼付されていたことから、これを毒薬の瓶と誤信して持ち出し、ひそかにAの飲食物に混入した</td><td>○</td><td>×</td><td>×</td></tr>
<tr><td>Xは、自己を追ってきたAを殺害しようと、警ら中の警察官から拳銃を奪い、Aの身体に向けて拳銃の引き金を引いたが、たまたま弾倉に弾丸が装てんされていなかった</td><td>○</td><td>×</td><td>○</td></tr>
</table>

	具体例	具体的危険説	客観的危険説	修正された客観的危険説
客体の不能	Xは病院の死体安置所に置かれていた死体がまだ生きていると誤信し、殺意をもってこれに切りかかった	×	×	×
	XがAを殺す意思でAのベッドに向けてピストルを撃ったが、Aは外出中であった（一般人から見て就寝中と考えられる場合）	○	×	×
	Xは交通事故で重傷を負い、病院に担ぎ込まれたAに殺意をもって切りかかったが、検死の結果、Xが切りかかる直前に出血多量によりすでに死亡していた	○	×	○

（○：殺人未遂罪成立　×：不能犯）

4　判例

判例の立場は、必ずしも明らかではないが、結果が発生する可能性を科学的に分析し、それが絶対に発生しない場合（絶対不能）か、結果発生が相対的に不能であった場合（相対不能）かという基準によって、未遂犯の成否を判断しているとする学説がある（大判大6.9.10参照）。

(1)　不能犯とされたもの

判例（大判大6.9.10）は、硫黄の粉末を飲食物に混入して人に服用させて毒殺しようとした甲の殺人未遂罪（203、199）の成否が問題となった事案において、硫黄粉末で人を殺すことは絶対に不能であるとして殺人未遂罪の成立を否定し、傷害罪の成立を認めた。

→具体的危険説の立場から一般人の危険感を基準とすると、硫黄の粉末を飲食物に混入して人に服用させる行為は一般的に危険だと判断されるはずであるので、殺人未遂罪の成立が肯定されうるが、判例はこれを否定しているので、（修正された）客観的危険説の立場に親和的であるとされている

(2)　未遂犯とされたもの

▼　最判昭37.3.23・百選Ⅰ 66事件

殺害目的で、致死量以下の空気の静脈注射をすれば、被注射者の身体的条件その他の事情の如何によっては死の結果発生の危険が絶対にないとはいえないから、不能犯とはいえず、殺人未遂罪（203・199）が成立する。

▼　広島高判昭 36.7.10・百選Ⅰ 67 事件

既に銃撃を受けて倒れていた者に、とどめを刺そうと思い、日本刀を突き刺したときは、被害者が突き刺した時点で、医学的には既に死亡していたとしても、犯人だけでなく、一般人もその当時死亡の事実を知り得なかったことからすれば、右の加害行為により被害者が死亡するであろうとの危険を感ずるので、不能犯とはいえず、殺人未遂罪（203・199）が成立する。

▼　岐阜地判昭 62.10.15・百選Ⅰ 68 事件

被告人が室内に充満させた都市ガスは人体に無害であるが、ガス爆発事故や酸素欠乏症により人の死の結果発生の危険が生じうるものであることが明らかである。その上、社会通念上は人を死に致すに足りる危険な行為であると評価されている。よって、不能犯とはいえず、殺人未遂罪（203・199）が成立する。

近時、郵便や宅配便を利用して犯人が指定した場所に配達させる「現金送付型」の振り込め詐欺事案において、被害者が騙された振り作戦を展開した後に共犯関係に入った者に詐欺罪の共同正犯が成立するかどうか（不能犯となるかどうか）が問題となった裁判例がある。

▼　名古屋高判平 28.9.21・平 28 重判 2 事件

事案：　Vは、Vの息子を名乗る者から300万円が必要だとの電話を受けたが、詐欺であることに気付き、警察に相談した。Vは、Xの住所宛てに現金を送付するよう犯人から指示を受けたが、警察の指示により、模擬現金を入れた本件荷物を宅配便で発送した。その後、便利業を営むXは、本件詐欺の共犯者のひとりであるAから電話で本件荷物を受け取るよう依頼され、これを了承したところ、配達員を装った警察官が本件荷物を届け、Xはこれを受領したため、現金受取役（受け子）として逮捕され、詐欺未遂の共同正犯として起訴された。

判旨：「不能犯の考え方が、結果発生が不可能と思われる場合に、未遂犯として処罰すべきか、未遂犯としても処罰すべきではないかを分ける機能を有するものであり、結果発生が不可能になる事由や時期も様々であることに鑑みれば、単独犯だけでなく、共犯の場合、それも共犯関係に後から入った場合でも、不能犯という言葉を使うかどうかはともかく、同じような判断方法を用いることは肯定されてよい。単独犯で結果発生が当初から不可能な場合という典型的な不能犯の場合と、結果発生が後発的に不可能になった場合の、不可能になった後に共犯関係に入った者の犯罪の成否は、結果に対する因果性といった問題を考慮しても、基本的に同じ問題状況にあ」る。

「そして、実際には結果発生が不可能であっても、行為時の結果発生の可能性の判断に当たっては、一般人が認識し得た事情及び行為者が特に認識していた事情を基礎とすべきである。そうすると、仮に、Vが、XがAからの荷物受領の依頼を受ける以前に既に本件荷物の発送を終えていたとしても、Vが警察に相談して模擬現金入りの本件荷物を発送したという事実は、X及び氏名不詳者らは認識していなかったし、一般人が認識し得たともいえないから、この事実は、詐欺既遂の結果発生の現実的危険の有無の判断に当たっての基礎事情とすることはできない」。したがって、Xが犯人らとの間で共謀したとみられれば、Xに詐欺未遂罪が成立する（しかし、Xが犯人らとの間で共謀を遂げた事実を認めるに足りる証拠はないから、Xは無罪である）。

1－3　中止犯（中止未遂）

《概　説》

一　意義

犯罪の実行に着手したが、自己の意思により、犯罪を完成させることを止めた場合（43ただし書）をいう。

二　要件〈司H26 予H28

①　実行の着手があること

②　結果の不発生

③　「自己の意思により」（任意性）

④　「犯罪を中止した」こと（中止行為）

⑤　中止行為と結果不発生の因果関係　→要否につき争いあり

1　実行の着手があること（要件①について）

障害未遂（43本文）の場合と同様の基準で判断する。

∵　未遂犯の一種であるから

＊　実行の着手に至っていない予備段階での中止行為について、中止犯の規定を準用ないし類推適用できるかについては争いがある。　⇒p.117

2　結果の不発生（要件②について）

中止犯は、43条の文言からも明らかなように、あくまでも未遂犯が成立する前提で刑の特別扱いをするものであるので、既遂に達した時点で中止犯の成否を検討する余地はないと一般に解されている。

3　「自己の意思により」（任意性）（要件③について）

いかなる場合に「自己の意思により」中止したといえるかについては争いがある。　⇒下記《論点》二

4　「犯罪を中止した」こと（中止行為）（要件④について）

中止犯の成立には、犯罪を「中止した」こと、すなわち中止行為が必要であ

る。この点について、放置しても結果が発生する危険性がない場合には単なる不作為でも「中止した」といえるが、放置すれば結果が発生する危険性がある場合には作為がなければ「中止した」とはいえないと解するのが一般的である。

ex.1　Xは、Aを殺そうと思って、Aに切りかかったが、かすり傷を負わせただけで、Aが死亡する危険は生じなかった
→放置してもAの死亡の危険性はないので、不作為でも「中止した」といえる

ex.2　Xは、Aを殺そうと思って、Aの腹部を包丁で刺したが、Aの苦しむ姿を見て反省し、直ちにAの止血をし、救急車を呼んでAを救助した
→放置すればAが死亡する危険性があるので、Aを死なせないための作為（積極的救助措置）をしなければ「中止した」とはいえない

作為による中止について、判例（大判昭12.6.25）は、放火の犯人があまりの火勢に恐怖をおぼえて通行人に「放火したからよろしく頼む」と叫びながら逃走した事案において、結果発生の防止は必ずしも犯人単独で行う必要はないが、自ら防止しない場合は、少なくとも犯人自身が防止に当たったのと同視できるだけの努力が必要である旨判示し、中止犯の成立を否定している。

学説上も、他人の助力を受ける場合には、単に他人に任せるだけでは不十分であり、少なくとも行為者自らが結果発生の防止に尽くしたのと同視しうる程度の積極的な作為が必要であるとされている〈司予〉。

＊　従来、実行行為がなお未完了である場合（着手未遂）と、既に終了している（実行未遂）とで区別し、着手未遂の場合には不作為でも中止行為として足りるが、実行未遂の場合には結果回避へ向けた積極的な作為が必要であると説明されることが多く（東京高判昭62.7.16・百選Ⅰ70事件参照）、そこから実行行為の終了時期をめぐる諸見解が主張されていたが、現在では、実行行為の終了時期と連動させる必要はなく、より実質的に上記のような説明がされるのが一般的である。

▼　東京高判平13.4.9・百選Ⅰ71事件

事案：　被告人は、アパートの自室に放火し自殺することを企て、畳の上に積み上げられた衣類に点火して放火したものの、その後翻意し、まだ燃えていない洗濯物を炎の上からかぶせて押さえつけることにより初期消火を行い、さらに戸外へ出て119番通報を行った結果、消防隊員により消火され、小物入れなどを焼損したにとどまった。ただし、被告人は、さらに水をかける等の消火措置や、アパートの他の住人に火事のおそれがあることを知らせ、消火の助力を求めるなどの措置は執っていない。

判旨：　被告人が、燃えていない洗濯物を燃えた衣類にかぶせて押さえつけた後に、火が室内の木製３段の小物入れや畳などに燃え移っていることが

認められるのであるから、被告人の行為をもって結果発生を防止したと同視し得る行為ということはできず、被告人が119番通報をしたことをあわせてみても、被告人がアパートの居住者に火事を知らせ、消火の助力を求めるなどの措置を執っていない以上、結果発生を防止したと同視し得る行為と認めるに足りない。

5　中止行為と結果不発生の因果関係（要件⑤について）

中止行為と結果不発生に因果関係があることを要するのかについては争いがある。　⇒下記《論点》三

三　効果〈司予

刑が必要的に減免される（43ただし書）。

もっとも、ある犯罪に中止犯の適用が認められても、当該犯罪と併合罪又は科刑上一罪の関係にある別罪については、中止犯の効果は及ばない〈予。

《論　点》

一　中止犯の法的性格

中止犯は、狭義の未遂（障害未遂）と異なり、刑の必要的減免がなされるが、なぜ刑が必要的減免になるのか、中止犯の法的性格が問題となる。

＜中止犯の法的性格＞〈司

学説		根拠	批判
政策説	中止犯を寛大に取り扱う根拠は犯罪の完成を未然に防止しようとする政策的な考慮にある	犯罪結果発生を防止しうるのは、多くの場合犯人のみである以上、結果発生防止のため「後戻りのための黄金の架け橋」が必要である	・刑の減免にとどまるなら、奨励の効果は少ない ・政策目的は中止犯が寛大に取り扱われることを知っている者に対してのみ達成しうるにすぎない ・好ましくない動機で中止した場合に中止犯の恩恵を与えるのは妥当でない
法律説	違法減少説 →自己の意思による中止行為で、違法性が減少する	故意を放棄し、結果発生を防止した以上、結果発生の現実的危険性及び行為の反社会的相当性が減少する	・制限従属性説に立つと、中止した者の共犯者にも刑の減軽又は免除の法的効果を与えるという結果になってしまう ・客観的危険性と無関係の主観的違法要素を認めるべきでない
	責任減少説 →自己の意思による中止行為で、責任が減少する	犯罪実行の意思を撤回した以上、非難が減少する	責任減少事由であれば未遂・既遂を問わず、同じ法律効果を生じるはずであるが、現行法は未遂の場合に限定している
	違法性＋責任減少説	上記２説の根拠	上記２説に対する批判

	学説	根拠	批判
結合説	・違法性減少＋政策説 ・責任減少＋政策説	政策説と法律説のいずれにも欠点がある	政策説・法律説それぞれの難点が掛け合わされるにすぎない

二　任意性 同共

中止犯が成立するには、「自己の意思により」（43 ただし書、任意性）、犯罪を中止することが必要であるが、任意性の判断基準には争いがある。

<中止犯の要件「自己の意思により」に関する各学説・批判の立場>

	限定主観説	主観説	客観説（＊1、＊2）
内容	自己の行為の内容に対する何らかの意味での規範的評価に基づく中止の場合、任意性がある	中止の原因が外部的障害にあるのか、内部的動機にあるのかを基準とする	行為者の表象・それに基づく動機形成が、一般人にとって通常犯罪の完成を妨げる内容かを基準とする
具体的基準	広義の後悔、すなわち悔悟・あわれみ・憐憫・同情・不安・悪かったと考えること等に基づく場合には任意性がある	「たとえ欲したとしてもできない場合」には任意性はなく、「たとえできるとしても欲しなかった場合」には任意性がある（フランクの公式） →中止行為の動機の善し悪しは問わない	通常の平均人ならば犯行は中止しないと考えるにもかかわらず、行為者が中止した場合には任意性がある
批判	倫理性と任意性を混同するものである	客体の価値に対する失望によって中止した場合にも中止犯となるのは不合理	主観的構成要件要素である「自己の意思により」の要件を検討するに当たり、行為者の主観面を考慮しないのは妥当でない

＊1　判例の理解には争いがあり、基本的には客観説に立つとされるが、広義の後悔があったとみられるときは、中止犯を肯定する裁判例もある（福岡高判昭 61.3.6・百選Ⅰ 69 事件）。

＊2　一般的に、責任減少説は主観説に結び付くものと解されるが、責任減少説の中でも、責任判断の基準を一般人に求める立場に立つ場合には、一般人を基準に任意性を判断することになるので、客観説を支持することも可能となる 共。

<中止犯の事例における各学説からの帰結>

具体例	限定主観説	主観説	客観説
広義の後悔による中止の場合 たとえば、被害者がわずかな有り金を差し出しながら涙を流すのを見て憐憫して中止した場合	中止未遂	中止未遂	中止未遂

具体例	限定主観説	主観説	客観説
目的物の無価値による中止の場合 **たとえば、500 万円の宝石を盗もうとしたのに 50 万円の宝石しかなかったため中止した場合**	障害未遂	中止未遂	中止未遂
恐怖・驚愕による中止の場合 **たとえば、不同意性交の際、手に付着した血痕を見て驚き中止した場合**	障害未遂	障害未遂	中止未遂
犯罪の発覚を恐れての中止の場合 **たとえば、警察官が近くにいることに気付いたため、このまま行為を続けていたら逮捕されてしまうと思い中止した場合**	障害未遂	障害未遂	障害未遂

三　中止行為と結果不発生の因果関係

積極的な中止行為が行われたが、①他人の行為によって結果が防止された場合や、②最初から結果が発生しえない場合（たとえば、致死量に達しない毒薬の投与後に解毒剤を与えた場合）のように、中止行為と結果不発生との間に因果関係がない場合にも中止犯の成立が認められるか、中止行為と結果不発生の因果関係の要否が問題となる。

<中止行為と結果不発生の因果関係>

学説		学説上の根拠	批判
必要説 **（大判昭 4.9.17）**		①　中止犯は、自己の意思により犯罪を中止したことを要するから、結果不発生が自己の中止行為によらないときは障害未遂である ②　中止行為と無関係に結果が発生しなかった場合、必要的減免の恩恵を与える必要はない	結果発生の可能性があった場合とそれが最初から不可能であった場合とで不均衡となる
不要説	**違法減少説から**	行為者の中止行為が、危険性を事後的に消滅・減少させている	中止行為によっても結果発生の危険性は残っていて、危険性の消滅・減少を認めることが困難な場合もある
	責任減少説から	結果発生を防止する真摯な努力は行為者に対する非難を減少させる	結果の不発生を中止犯の成立要件とし、かつたとえ中止行為を行っても功を奏さず結果が発生する限り中止犯とならないとしながら、中止行為と結果不発生の間の因果関係を不要とすることは理論的に矛盾である

1－4　予備・陰謀

《概　説》

一　意義

1　予備

特定の犯罪を実現しようとして行われた謀議以外の方法による準備行為をいう。

2　陰謀

２人以上の者が、特定の犯罪を実行することにつき相談し合意に達することをいう。

二　現行法上の予備罪

＜現行法上の予備罪＞

予備罪	国家的法益に関する罪	内乱予備（78）、外患予備（88）、私戦予備（93）
	社会的法益に関する罪	放火予備（113）、通貨偽造等準備（153）、支払用カード電磁的記録不正作出準備（163の4 Ⅲ）
	個人的法益に関する罪	殺人予備（201）、身の代金目的略取等予備（228の3）、強盗予備（237）
陰謀罪	国家的法益に関する罪	内乱陰謀（78）、外患陰謀（88）、私戦陰謀（93）

《論　点》

◆　**予備の中止**〈司〈司H28

予備の中止とは、行為者がある犯罪の予備を行った後、その犯罪の実行に着手することを思いとどまった場合をいう（予備自体を中止するのではない）。このような場合に、中止犯（43ただし書）の規定を準用ないし類推適用できるかが問題となる。

甲説：否定説（最大判昭29.1.20・百選Ⅰ72事件）〈司予

∵　予備罪は未遂とは異なる１つの独立した構成要件であり、予備行為によって直ちに犯罪が完成する以上、その後中止する余地はない

←強盗の予備をしたが実行の着手に出なかった場合には、２年以下の懲役であり（237）、強盗の実行の着手に出た後に中止すれば、刑の免除を受けうる（43ただし書）ため、均衡を失する

＊　なお、放火予備罪（113）、殺人予備罪（201）では情状により刑を免除できるとされている。

乙説：肯定説

∵　予備は未遂の前段階であるから、未遂について中止犯の恩典が認められる以上、なおさら同様の恩典が与えられるべきである

2　共犯

2－1　共犯総説

2－1－1　共犯の意義と種類

第６０条　（共同正犯）

２人以上共同して犯罪を実行した者は、すべて正犯とする。

第６１条　（教唆）

Ⅰ　人を教唆して犯罪を実行させた者には、正犯の刑を科する。
Ⅱ　教唆者を教唆した者についても、前項と同様とする。

第６２条　（幇助）

Ⅰ　正犯を幇助した者は、従犯とする。
Ⅱ　従犯を教唆した者には、従犯の刑を科する。

第６３条　（従犯減軽）

従犯の刑は、正犯の刑を減軽する。

第６４条　（教唆及び幇助の処罰の制限）

拘留又は科料のみに処すべき罪の教唆者及び従犯は、特別の規定がなければ、罰しない。

《概　説》

一　共犯の意義・種類

＜共犯の意義と種類＞

共犯：２人以上の行為者が、共同して犯罪を実現する場合（最広義の共犯）
- 任意的共犯：法律上、単独犯として予定されている犯罪を２人以上の行為者が共同して行う場合（広義の共犯）
  - 共同正犯
  - 教唆犯
  - 幇助犯
- 必要的共犯：刑法各則の規定又はその他の刑罰法規上、2人以上の者の共同の犯行を予定して定められた犯罪

二　必要的共犯

1　意義

必要的共犯とは、刑法各則の規定又はその他の刑罰法規上、２人以上の者の共同の犯行を予定して定められた犯罪をいう〈司。多衆犯と対向犯の２種類に分けられる。

(1)　多衆犯（集合犯・集団犯）

犯罪の成立上、同一の目標に向けられた多衆の共同行為が必要とされる犯罪をいう。その関与者の処罰は、関与の態様、程度に応じて段階付けられている。

ex.　内乱罪（77）、騒乱罪（106）

(2)　対向犯

２人以上の行為者の互いに対向した行為の存在することが要件とされる犯罪をいう。対向犯は、処罰の形式から見た場合、次のように分類できる。

(a)　対向者の双方に同一の法定刑が規定されている場合

ex.　重婚罪（184）

(b)　対向者のそれぞれに異なった法定刑が規定されている場合

ex.　賄賂罪（197、198等）

(c)　対向者の一方だけが処罰される場合

ex.　わいせつ物頒布罪（175）

2　共犯規定の処罰の適用の可否

必要的共犯については総則の共犯規定は適用されず、関与者はそれぞれ正犯として処罰されることになり、この点にこそ必要的共犯という概念の存在意義がある。しかし、必要的共犯に共犯規定は全く適用されないのだろうか。多衆犯と対向犯に分けて検討する。

《論　点》

一　多衆犯における共犯規定の適用の可否

多衆犯の場合、集団内部の者はその関与形態に従って処罰されるので共犯規定を適用する余地はないが、集団外部から関与する行為については共犯規定の適用があるかが問題となる。

＜多衆犯における共犯規定の適用＞

学説	否定説	肯定説
理由	多衆犯は集団的行動への関与を一定の態様と限度でのみ処罰しようとするものである以上、それ以外の態様の関与行為は処罰の外に置かれるべきである	①　刑法は集団を構成する者を類型化して特別の処罰規定を設けているのであるから、集団を構成する者に対しては共犯規定を適用できないが、集団外において集団に協力する者に共犯規定を適用することは何ら差し支えない ②　破壊活動防止法38条は内乱の教唆を独立罪として処罰しているが、被教唆者が内乱の実行に着手した場合、この教唆が不可罰になるとは考えにくい

二　対向犯における共犯規定の適用の可否

対向犯において、一方にしか処罰規定がない場合、他方に共犯規定を適用してこれを処罰することができるか。

ex.　ＹがＸにわいせつ物を売ってくれるように積極的に働きかけ、Ｘからこれを買った場合、Ｙにわいせつ物頒布罪の教唆犯（61 Ⅰ・175）が成立するか 司

＜対向犯において一方にしか処罰規定がない場合＞

学説	立法者意思説	個別的実質説
結論	相手方の関与行為が、可罰的な対向行為に通常随伴するものとして類型的に含まれているときは、共犯規定の適用はないが、その限度を超える場合は、共犯規定が適用される	必要的関与行為の不可罰性を個別的に検討し、その実質的根拠を明らかにしようとする
理由	法律が対向犯の一方のみを犯罪類型と規定しているときは、他方の関与行為については不可罰とするのが立法者の意思である	必要的共犯の一方を処罰しない理由が共犯者に違法性がないか、責任がないかどちらかである場合には、実質的に考える必要がある
批判	不可罰的な必要的関与行為の限界が不明確である	保護法益をどのように捉えるか、期待可能性の存否をどのように判断するかによって結論を異にすることになり、法適用が不安定となる

▼　最判昭43.12.24・百選Ⅰ 99事件 司共予

事案：　Ｘは、自己の法律事件の解決のため、Ｙ（非弁護士）、Ｚ（非弁護士）に示談解決を依頼し、報酬を支払った。Ｙは、某会社の事務管理者として、管理者たる自己の法律事件の解決のため、Ｚに示談解決方を依頼し報酬を支払った。また、Ｙ及びＺは、Ｘの依頼に応じ、共謀して示談交渉に当たり、報酬を受け取った。弁護士法72条は、弁護士でない者が、報酬を得る目的で法律事務を取り扱うことを禁止し、これに違反した者を同法77条によって処罰しているところ、Ｘ・Ｙに対し同法77条違反

の罪の教唆犯が成立するか否かが争われた。
判旨：「ある犯罪が成立するについて当然予想され、むしろそのために欠くことができない関与行為について、これを処罰する規定がない以上、これを、関与を受けた側の可罰的な行為の教唆もしくは幇助として処罰することは、原則として、法の意図しないところと解すべきである」。

2－1－2　間接正犯

《概　説》

一　間接正犯論の意義

1　意義

間接正犯とは、他人を道具として利用することによって犯罪を実現する場合をいう。

ex.　医師が、殺意をもって有毒な薬物の入った注射器を情を知らない看護師に渡して、これを患者に注射することを命じ、結局患者を死亡させた場合

2　理論的根拠

間接正犯の正犯性が、直接正犯と同じく自ら構成要件実現の現実的危険性を有する行為を行ったと評価できる点にあることに着目すると、「客観的には、被利用者の行為をあたかも道具のごとく一方的に利用・支配し、被利用者の行為を通じて一定の構成要件を実現する場合であり、主観的には、被利用者の行為を道具のごとく一方的に利用・支配する意思があるとき」に間接正犯の成立を認めることができる。

そして、「一方的な利用・支配関係」を認定する際の重要な観点として、規範的障害（被利用者が犯罪遂行を思いとどまろうという反対動機を形成する場合、利用者に抵抗し、道具のごとく一方的に利用・支配したとはいえなくなるという意味での障害）の有無が挙げられる。

→規範的障害が認められる場合には、通常、「一方的な利用・支配関係」が認められないので、間接正犯は成立しない

3　自手犯

行為者自身の直接の実行が必要で、間接正犯の形態では犯すことができない犯罪類型をいう。

ex.　道交法の無免許運転罪

二　間接正犯の成立要件

①　故意の他に、他人を道具として利用しながらも特定の犯罪を自己の犯罪として実現する意思を有していること（主観的要件）

②　行為者が、被利用者の行為をあたかも道具のように一方的に利用・支配（一方的な利用・支配関係）し、構成要件を実現する危険性を生じさせること（客観的要件）

三　間接正犯の諸類型

＜間接正犯の諸類型＞

<table>
<tr><td colspan="2" rowspan="2">刑法上行為といえないものを利用</td><td>是非弁別能力を欠く者を利用する場合</td><td>幼児や高度の精神病者の利用（＊1）</td></tr>
<tr><td>意思を抑圧された者の利用</td><td>・手を押さえて文章に記入させた場合（物理的強制）
・Ｙが日頃逆らえば暴行を加えて自己の意のままに従わせていた12歳の養女Ｘに窃盗を命じ、これを行わせた場合（心理的強制）
→Ｙに窃盗罪（235）の間接正犯が成立〈共（＊2）</td></tr>
<tr><td rowspan="6">被利用者が一定の構成要件を欠く場合</td><td rowspan="3">その犯罪の故意を欠く者の利用〈予H29</td><td>被利用者の無過失の行為を利用する場合</td><td>・事情を知らない他人に毒入りウイスキーを届けさせて人を殺す場合
・Ｙが、Ａの管理する工事現場に保管されているＡ所有の機械を、Ａに成り済まして、ＹがＡであると誤信したＸに売却し、ＸにＡ所有の機械を搬出させた場合（最決昭31.7.3）
→Ｙに窃盗罪（235）の間接正犯が成立〈共</td></tr>
<tr><td>被利用者の過失行為を利用する場合〈司</td><td>医師Ｙが情を知らない看護師Ｘの不注意を利用して毒を注射させ、患者を殺す場合
→Ｙには殺人罪（199）の間接正犯が成立（Ｘには業務上過失致死罪（211 Ⅰ）が成立）</td></tr>
<tr><td>軽い犯罪の故意しかない者を利用する場合</td><td>Ｙが屏風の背後にいるＡを殺す目的で、それを知らないＸに屏風を撃つことを命じ、Ａを死亡させた場合　⇒p.124</td></tr>
<tr><td rowspan="3">その犯罪の故意のある者の利用</td><td>目的犯における目的のない者を利用する場合</td><td>Ｙが行使の目的を隠して、Ｘに「教材」として偽札を作らせた場合
→Ｙには通貨偽造罪（148）の間接正犯が成立</td></tr>
<tr><td>身分なき故意ある道具の利用</td><td>公務員Ｙが妻Ｘに賄賂を受け取らせた場合
⇒p.124</td></tr>
<tr><td>故意ある幇助的道具の利用</td><td>Ｙが覚醒剤販売者Ａと直接顔を合わせたくないので第三者Ｘに頼んでＡから覚醒剤を売ってもらう場合
→Ｘは直接正犯であり、Ｙは教唆犯であるとする立場が学説上有力である　⇒p.125</td></tr>
</table>

適法行為者の利用	・Yが A を騙して X に対して攻撃を加えさせ、それに対する正当防衛（36）を利用して X に A を殺させる場合　⇒ p.126 ・Y が妊婦 A に堕胎手術を施した結果、A の生命に危険を生じさせたため、医師 X に胎児の排出を求め、X が行う緊急避難行為（妊婦の生命を救うために胎児の生命を犠牲にする行為）を利用して堕胎させた場合（大判大 10.5.7）共
被害者の行為の利用（＊3、＊4）	・Y は追死する意思がないのにもかかわらず、X に追死するものと誤信させ自殺させた場合司 ・Y が X に暴行を加えて衰弱させた上、X を護岸際まで追い詰め、逃げ場を失った X を護岸上から転落するのやむなきに至らしめ、X を溺死させた場合（最決昭 59.3.27）共

＊1　単なる責任無能力者にすぎない場合、とりわけ刑事未成年者にすぎない者の利用については、一般に一方的な利用関係は認めにくいので、教唆犯（61 Ⅰ）とすべき場合が多い。

なお、X が、当時 12 歳 10 か月の長男 Y に、甲から金品を奪うことを指示・命令した事案において、判例は、Y に是非弁別の能力があり、X の指示命令は Y の意思を抑圧するに足る程度のものではなく、Y が自らの意思で臨機応変に犯行を完遂したことなどの事情をもとに、X の強盗罪の間接正犯の成立を否定した。さらに、同判例は、X が自ら犯行を計画し、Y に犯行方法を教示し、道具を与えるなどしたうえ、金品をすべて領得したことなどをもとに、X について、教唆犯ではなく共同正犯の成立を認めた（最決平 13.10.25・平 13 重判 4 事件）司共。

＊2　日ごろから、暴行を加えて自己の意のままに従わせていた 12 歳の養女に窃盗を行わせた者は、自己の日ごろの言動に畏怖し意思を抑圧されている同女を利用して窃盗を行ったと認められるから、たとえ同女が是非善悪の判断能力を有するものであったとしても、窃盗罪（235）の間接正犯が成立する（最決昭 58.9.21・百選Ⅰ 74 事件）司共。

＊3　被告人が、被害者をして、被告人の命令に応じて、車ごと海中に飛び込む以外の選択肢がない精神状態に陥らせて、車ごと海中へ飛び込ませるという自らを死亡させる現実的危険性の高い行為に及ばせた行為は、殺人罪（199）の実行行為に当たるとして殺人罪の成立を認めた（最決平 16.1.20・百選Ⅰ 73 事件）司共。

＊4　判例（最決令 2.8.24・令 2 重判 1 事件）は、非科学的な力による難病治療を標ぼうしていた甲が、小児 A がインスリンを定期的に摂取しなければ死亡する現実的な危険性がある重度の糖尿病患者であることを認識しながら、甲を信頼する A の母親 B に対し、A へのインスリンの不投与を執ようかつ強度に働き掛けたところ、A を完治させるためには甲の指導に従う以外に方法はないといちずに考えた B が、A へのインスリンの投与という期待された作為に出ることができない精神状態に陥り、甲から言われるがまま A へのインスリン投与を中止したため、A はその後間もなく死亡したという事案において、「甲は、未必的な殺意をもって、B を道具として利用」し、「A の生命維持に必要なインスリンを投与せず、A を死亡させたものと認められ、甲には殺人罪が成立する」とした共。

《論　点》

一　軽い犯罪の故意しかない者の利用

利用者が実現しようとした構成要件について被利用者に故意がなく、それ以外の構成要件の故意がある場合、利用者に間接正犯が成立するか。被利用者には（軽い犯罪の）故意があるため利用者にとっての道具とはいえないとも思えるので問題となる。

ex.　Yが屏風の背後にいるAを殺す目的で、それを知らないXに屏風を撃つことを命じ、Aを死亡させた場合、Yに殺人罪（199）の間接正犯が成立するか

＜軽い犯罪の故意しかない者の利用＞

学説	間接正犯説 通	教唆犯説（有力説）
X及びYの罪責	Xに器物損壊罪（261）（過失があれば過失致死罪（210））、Yに器物損壊罪の教唆犯と殺人罪の間接正犯が成立する	Xに器物損壊罪（261）（過失があれば過失致死罪（210））、Yに器物損壊罪の教唆犯と殺人罪の教唆犯が成立する
理由	教唆犯は正犯の犯罪の故意を生ぜしめなければ成立しないところ、Xには器物損壊の故意しかなく、殺人に関しては、Yに一方的に利用・支配されている	Xは、Aを殺すこととなった器物損壊行為の限度であるとはいえ、自己の行為の違法性を意識する契機が現実に与えられているから、Yの犯罪実現のための道具としてXを利用したとはいえない

二　身分なき故意ある道具の利用 予H27

身分犯において身分のない者の故意行為を身分者が利用した場合、利用者に間接正犯が成立するか。被利用者は事情を十分に知っており、間接正犯となりえないとも思えるので問題となる。

ex.　公務員Yが妻Xに賄賂を受け取らせた場合、Yに収賄罪（197～）の間接正犯が成立するか（Xには「公務員」という身分が欠けている以上、Xの行為は収賄罪の構成要件に該当しない）

＜身分なき故意ある道具の利用＞

<table>
<tr><th colspan="2">学説</th><th>甲説</th><th colspan="2">乙説</th><th>丙説</th></tr>
<tr><td rowspan="3">結論</td><td rowspan="2">Y</td><td rowspan="2">収賄罪の間接正犯</td><td>一方的支配関係の場合</td><td>協力態様の場合</td><td rowspan="2">収賄罪の教唆犯</td></tr>
<tr><td>収賄罪の間接正犯</td><td rowspan="2">収賄罪の共同正犯</td></tr>
<tr><td>X</td><td>収賄罪の幇助犯</td><td>収賄罪の幇助犯</td><td>収賄罪の幇助犯</td></tr>
</table>

学説	甲説	乙説	丙説
根拠	身分犯における法規範は身分者に対してのみ向けられているのであるから、非身分者を利用する行為は規範的障害を欠く者の利用といえる	①　身分者が非身分者を一方的に支配する関係にある場合には間接正犯の成立を認めることが可能である ②　そうでない場合に、利用者に教唆犯の成立を認めるのは正犯なき共犯を認めることになるので、利用者・被利用者ともに共同正犯で処罰すべきである	被利用者は賄賂罪に関する事情を十分に知っている以上、「道具」とはいえない
コメント	甲説においては、65条1項の「共犯」に共同正犯は含まれないとする立場を出発点とする見解が多い	非身分者には実行行為を観念しえない以上、共同正犯の成立は認められない（65条1項の「共犯」に共同正犯は含まれないとする立場から）との批判がある	正犯なき共犯を認めることは妥当ではないとの批判がある

三　故意ある幇助的道具の利用

利用者が実現しようとした構成要件について被利用者に故意があり、その被利用者は構成要件を実現する行為をしているが、自分のためにする意思（正犯意思）はなく、他人のためにする意思しかない場合、利用者に間接正犯が成立するか。被利用者には故意があることから、利用者の犯罪実現について規範的障害があり、利用者の道具とはいえないとも思えるため、問題となる。

ex.　商社の輸入担当者Xが部下Yに対し、禁制品を国内に輸入するよう命じた場合において、Yが専らXのために禁制品を輸入したとき、Xに禁制品輸入罪の間接正犯が成立するか

<故意ある幇助的道具の利用>

学説		甲説（有力説）	乙説（裁判例）
結論	X	禁制品輸入罪の教唆犯	禁制品輸入罪の間接正犯
	Y	禁制品輸入罪の直接正犯	禁制品輸入罪の幇助犯
根拠		被利用者に犯罪の故意があり、規範的障害が認められるから、間接正犯は成立しない	被利用者に共犯者の意思しかなく、規範的障害が弱いから、間接正犯は成立する

▼　横浜地川崎支判昭 51.11.25

Xが A から覚せい剤を受け取り、覚せい剤譲渡罪の故意をもって B に覚せい剤を手渡した事案において、裁判所は、Xには正犯意思がなく、Aの譲渡行為を幇助する意思しかなかったため、故意ある幇助的道具であるとし、覚せい剤譲渡罪の幇助犯になるとした。

四　適法行為者の利用

利用者が被利用者の適法行為を利用した場合、利用者に間接正犯が成立するか。

ex.　YがAを騙してXに対して攻撃を加えさせ、それに対する正当防衛（36）を利用してXにAを殺させる場合、Yに殺人罪（199）の間接正犯が成立するか

<適法行為者の利用>

学説	甲説	乙説	丙説
結論	Y：殺人罪の間接正犯	Yには殺人罪の間接正犯・殺人罪の教唆犯いずれも成立しない	Y：殺人罪の教唆犯
根拠	正当防衛行為をする者は規範に直面しえないのであるから利用者の道具といえる	①　被利用者の正当防衛行為を利用して侵害する行為は、あまりに偶然に左右される側面が強い ②　利用者・被利用者間には意思疎通がないので教唆犯の成立は認められない	間接正犯不要説
共犯の違法の相対性の問題	間接正犯を認めるので共犯の違法の相対性の問題は生じない	教唆犯の成立を否定するので、共犯の違法の相対性の問題は生じない	正犯行為に正当防衛が成立するのに教唆犯の成立を認めるので、違法の相対性の問題が生じる

2－1－3　共犯の本質

《概　説》

一　行為共同説と犯罪共同説

行為共同説と犯罪共同説の対立は、（広義の）共犯は何を共同にするものであるかという共犯の根本問題に関する対立であり、狭義の共犯は常に正犯と同じ罪名で処罰されなければならないかという罪名従属性の問題としていわれることもある。

二　共犯の処罰根拠

1　共犯の処罰根拠とは、共同正犯における共同者、教唆者及び幇助者が処罰される実質的根拠をいう。この共犯の処罰根拠については大きく分けて責任共犯論と因果的共犯論の争いがある。　⇒下記《論点》二

2　この共犯の処罰根拠についての議論の妥当範囲については、教唆・幇助等に限定する見解と、広義の共犯すべてに妥当するとの見解とが対立している。

《論　点》

一　行為共同説と犯罪共同説

故意内容が異なるX・Y間に共同正犯が成立するか、成立するとしてどの範囲で成立するか。共犯は何を共同にするものであるかという共犯の本質についてどのように解するかと関連して問題となる。

ex.1　Xは窃盗を教唆したがYは強盗を犯した場合

ex.2　Xは窃盗の故意、Yは強盗の故意で共同した場合

ex.3　Xは殺人、Yは放火の故意で行動して放火した場合

ex.4　Xは殺人、Yは傷害の故意で行動して被害者を死に至らしめた場合

ex.5　Xは殺意をもって、Yは殺意なく治療が必要な被害者を放置して死に至らしめた場合

＜行為共同説と犯罪共同説＞ 司共

学説	行為共同説		犯罪共同説	
内容	共犯は行為を共同するものである		共犯は犯罪を共同するものである	
	前構成要件的行為共同説	構成要件的行為共同説	部分的犯罪共同説	完全犯罪共同説
	共犯とは自然的行為を共同するものである	構成要件の重要部分を共同する必要がある	異なる犯罪間であっても、その重なり合う限度では共同を認めることができ、その限度で共犯が成立する	共犯は正犯と全く同じ犯罪についてのみ成立する
ex.1	X：窃盗の教唆犯 Y：強盗罪			共同正犯不成立
ex.2	X：窃盗の共同正犯 Y：強盗の共同正犯		X：窃盗の共同正犯 Y：窃盗の共同正犯 強盗の単独正犯	共同正犯不成立
ex.3	X：殺人の共同正犯 Y：放火の共同正犯	共同正犯不成立		
ex.4（＊1）	X：殺人の共同正犯 Y：傷害致死の共同正犯		X：傷害致死の共同正犯 殺人の単独正犯 Y：傷害致死の共同正犯	共同正犯不成立

学説	行為共同説	犯罪共同説	
ex.5 （＊2）	X：殺人の共同正犯 Y：保護責任者遺棄致死の共同正犯	X：保護責任者遺棄致死の共同正犯 殺人の単独正犯 Y：保護責任者遺棄致死の共同正犯	共同正犯不成立

＊1 最決昭54.4.13・百選Ⅰ92事件は、殺意のない者には、「殺人罪の共同正犯と傷害致死罪の共同正犯の構成要件が重なり合う限度で軽い傷害致死罪の共同正犯が成立する」とした。この判例の結論は、部分的犯罪共同説、行為共同説のいずれの立場からも説明可能とされる〈司共〉。

＊2 判例（シャクティパット事件、最決平17.7.4・百選Ⅰ6事件）は、「未必的な殺意をもって、……医療措置を受けさせないまま放置して患者を死亡させた甲には、不作為による殺人罪が成立し、殺意のない患者の親族との間では保護責任者遺棄致死罪の限度で共同正犯となる」としており、重い故意をもっていた甲について軽い保護責任者遺棄致死罪の限度で共同正犯が成立するとしているため、部分的犯罪共同説を採用したものと解されている。

二 共犯の処罰根拠論

YがXに自己の殺害を依頼したが、Xの殺害行為は未遂にとどまった場合（共犯なき正犯）や、YがXを唆してXに自傷行為をさせた場合（正犯なき共犯）、Yを処罰しうるか。共犯の処罰根拠と関連して問題となる。

＜共犯の処罰根拠論＞〈司〉

学説	責任共犯論	因果的共犯論（惹起説）		
		純粋惹起説	修正惹起説	混合惹起説
内容	共犯者が正犯者を責任と刑罰とに誘い込んだことのゆえに罰せられる	共犯が正犯を通じて法益侵害・危険を間接的に惹起した点に処罰根拠がある		
共犯の違法性	共犯の違法性は共犯行為自体の違法性に基づく	共犯の違法性は共犯行為自体の違法性に基づく →人による違法の相対性を肯定	共犯の違法性は正犯行為の違法性に基づく →人による違法の相対性を原則として否定	共犯の違法性は共犯行為自体の違法性と正犯行為の違法性の双方に基づく →人による違法の相対性を部分的に肯定

学説	責任共犯論	因果的共犯論（惹起説）		
		純粋惹起説	修正惹起説	混合惹起説
共犯なき正犯 **ex. ＹがＸに自己の殺害を依頼したが、Ｘの殺害行為は未遂にとどまった場合**	Ｙに同意殺人未遂罪の教唆犯が成立	教唆犯不成立	教唆犯成立 ＊　ただし、教唆者について可罰的違法性を否定する見解もある	教唆犯不成立
正犯なき共犯 **ex. ＡがＢを唆してＢに自傷行為をさせた場合**	Ａに傷害罪の教唆犯は成立しない	教唆犯成立	教唆犯不成立	教唆犯不成立

2－1－4　共犯の従属性

《概　説》

一　共犯の従属性

共犯の従属性には、①実行従属性、②要素従属性、③罪名従属性の３つの問題がある。

二　実行従属性

教唆したにもかかわらず正犯が実行しなかったとき（教唆の未遂）、教唆の未遂として処罰することができるか、すなわち、共犯の処罰には正犯者の実行の着手が必要かという問題である。　⇒下記《論点》一

三　要素従属性

共犯従属性説に立った場合、共犯の概念上の前提となる正犯の行為は、構成要件、違法性、責任、処罰条件のどの段階までみたしていることが必要か、という問題である。　⇒下記《論点》二

四　罪名従属性

共犯は常に正犯と同じ罪名で処罰されなければならないかという問題である。
⇒ p.126

《論　点》

一　実行従属性

ＹがＸに犯罪行為を教唆したが、Ｘが犯罪を実行しなかった場合（教唆の未遂）、Ｙを教唆の未遂として処罰できるか。狭義の共犯が成立するには、正犯者の実行行為が必要かどうかと関連して問題となる。

＜実行従属性＞

	共犯従属性説 通	共犯独立性説
結論	共犯が成立するには、正犯者が一定の行為を行ったことを要する	共犯が成立するには、教唆・幇助行為があれば足り、正犯者が犯罪を実行したか否かを問わない
根拠	① 基本的構成要件の内容である実行行為と、修正された共犯の構成要件に含まれる教唆・幇助行為とは明らかにその定型性を異にし、後者の犯罪性は前者に比して相当低く、前者の行為をまってはじめて可罰性を付与される ② 61条・62条は、ともに正犯の存在を予定している	教唆・幇助行為自体が行為者の反社会的性格を徴表するものである。ゆえに、正犯者が犯罪を実行したか否かは共犯の成立にとって重要でない
教唆の未遂	不可罰 ∵ 教唆犯の成立には被教唆者の実行の着手が必要	可罰的 ∵ 教唆行為がなされれば足りる

二　要素従属性 司共

実行従属性において共犯従属性説を採ると、共犯の成立には正犯の実行行為が必要となる。このとき、共犯が成立し、かつ、可罰性を有するためには、正犯の行為がどの程度に犯罪の要件を具備することを必要とするのか、すなわち、正犯は構成要件、違法性、責任のどの段階までみたしていることが必要かが問題となる。

＜要素従属性①＞

	最小従属性説	制限従属性説 通 共	極端従属性説
内容	正犯が単に構成要件に該当すれば足りる	正犯が構成要件に該当し、かつ、違法性を具備することを要する	正犯が構成要件該当性、違法性及び責任を具備することを要する
理由	正当防衛の急迫性等は、行為者ごとに相対化することも考えられ、さらに主観的違法要素を広く認める見解によれば、違法性判断はより相対化する	① 他人の適法な行為に関与した共犯を処罰する必要はないので、正犯の行為は違法性を具備していなければならない ② 有責性は行為者ごとに判断すべきである	61条1項の「犯罪」という文言からは、正犯行為が構成要件に該当し違法かつ有責であることを要すると解するのが素直である

	最小従属性説	制限従属性説◀通◀共	極端従属性説
批判	違法性を阻却する行為は不可罰である以上、その行為に関与しても共犯として処罰すべきではない	61条1項の「犯罪」を構成要件に該当する違法な行為と解し責任を不要とするのは被告人に不利益な解釈であり罪刑法定主義に反する	14歳未満の者を教唆して犯罪を実行させた場合、すべて間接正犯が成立してしまい妥当でない

<要素従属性②>

学説		最小従属性説	制限従属性説	極端従属性説
正犯の要件	構成要件該当性	○	○	○
	違法性	×	○	○
	責任	×	×	○

（○：正犯がみたすべき要件）

2－2　共同正犯

2－2－1　共同正犯総説

> **第60条　（共同正犯）**
> ２人以上共同して犯罪を実行した者は、すべて正犯とする。

《概　説》

一　共同正犯の意義

1　共同正犯とは、「２人以上共同して犯罪を実行」することをいう（60）。

共同正犯はすべて正犯としての責任を負うとされ、犯罪を実行するための行為の一部を行えば、生じた犯罪結果の全部について責任を負うことになる（一部実行全部責任の原則）。

cf.　同時犯

２人以上の者が、意思の連絡なしに同一の客体に対し同一の犯罪を同時に実現する場合を同時犯といい、各自が自己の行為についてのみ責任を負う

2　一部実行全部責任の根拠

一部実行全部責任の原則の根拠については、各人の行為が結果に対して因果性を及ぼしていたことを理由に、結果への帰責性を認めるとの見解（因果的共犯論）が通説的な立場とされている。因果的共犯論の立場から、共同正犯は相互に物理的・心理的な影響を及ぼし合うことによって結果発生の蓋然性を高めたといえるので、自らが直接惹起していない結果についても帰責されるものと説明される。

二　「犯罪」の意義

本条にいう「犯罪」には、教唆犯・幇助犯も含まれるので、共同して教唆・幇助行為に及んだ者には教唆犯・幇助犯の共同正犯が成立し得る。この点、判例は共謀共同教唆犯（大判明41.5.18）、共謀共同幇助犯（大判昭10.10.24）をそれぞれ認めている〈司〉。

三　実行共同正犯と共謀共同正犯

共同正犯には、実行共同正犯と共謀共同正犯という２つの類型がある。

1　実行共同正犯

実行共同正犯とは、２人以上の共同行為者全員が実行行為を分担して犯罪を実現する場合をいう。

ex.　甲と乙が協力してＡを殺害することにし、甲が被害者を羽交い絞めにしている間に、乙が被害者の心臓を包丁で突き刺して殺害したような場合

2　共謀共同正犯

共謀共同正犯とは、２人以上の者が犯罪を実現するための謀議をし、共謀者の一部の者のみが実行行為を行う場合をいう。

ex.　暴力団組長である甲が組員である乙に命じてＡを殺害させたような場合

共謀共同正犯は実行行為を分担しない者であるので、次に説明する教唆犯・幇助犯との区別が問題となるが、結論としては、まず共謀共同正犯の成否を先に検討し、これが否定される場合に教唆犯・幇助犯の成否を検討すれば足りる。

四　共同正犯と狭義の共犯の区別〈司H20 司H27 司R３〉

複数の者が犯罪に関与した場合においては、各々の行為者に共同正犯が成立するか、狭義の共犯（教唆犯・幇助犯）が成立するにすぎないかを判断する必要がある。

まず、犯罪の原則的な形態であり、犯罪の主体としての責任を負う正犯に当たるかどうかを検討する。その中でも、特に単独正犯としての責任を負う間接正犯が成立するかどうかを先に検討し、間接正犯とならない場合に共同正犯の成否を検討する。そして、正犯が不成立である場合に、狭義の共犯の成否を検討することになる。

共同正犯と狭義の共犯との区別は、次の２つの場面で問題となる。

1　実行行為を行った者の場合

この場合、実行共同正犯が成立するか、幇助犯が成立するにすぎないかが問題となる。まず、重い罪である共同正犯の成否を検討し、これが否定される場合、次に幇助犯の成否を検討する。

なお、実行行為を行った者は、通常、重大な寄与（重要な役割）を果たして

おり、正犯意思があると認められやすい。そのため、（実行）共同正犯が成立するのが一般的であるが、当然に正犯意思が肯定されるわけではなく、次の裁判例のように幇助犯の成立にとどまる場合もある。

▼ 福岡地判昭 59.8.30・百選Ⅰ 78 事件

共同正犯が成立するためには、共同実行の意思が認められることが必要であるが、実行行為の一部を分担したことの一事のみで、常に共同実行の意思があるわけではない。したがって、被害者をけん銃で殺害して覚せい剤を強取するという犯行計画において、甲が覚せい剤を受け取り現場を脱出するという財物の占有侵害行為を担当した場合であっても、甲は主犯格の乙を恐れたため犯行にやむを得ず参加していたこと、犯行の謀議でも黙っていて甲の役割はほとんど問題とされていなかったこと、報酬の約束も分配の事実もなかったことなどからすれば、甲に共同実行の意思（正犯意思）はなく、甲には強盗殺人未遂罪の幇助犯（243、240 後段、62 Ⅰ）が成立するにとどまる旨判示した。

2　実行行為を行わなかった者の場合

この場合、共謀共同正犯が成立するか、狭義の共犯（教唆犯・幇助犯）が成立するにすぎないかが問題となる。上記のとおり、まず共同正犯の成否を検討し、これが否定される場合、次に教唆犯・幇助犯の成否を検討する。

なお、実行行為を行わなかった者の中には、純粋に共謀のみに参加した者（共謀者）だけでなく、強盗において見張りを担当した場合（最判昭 23.3.16・百選Ⅰ〔第６版〕77 事件）のように、実行行為そのものには当たらない行為を分担する者も含まれる。このような場合も、まず共謀共同正犯の成否を検討し、これが否定されたときに狭義の共犯の成否を検討することになる。

▼ 最決昭 57.7.16・百選Ⅰ 77 事件

大麻の密輸入を計画したＡからその実行担当者になって欲しいと頼まれた甲が、大麻を入手したい欲求にかられたものの、執行猶予中の身であることを理由にこれを断ったが、知人を自己の身代わりとして紹介するとともに、密輸入した大麻の一部をもらい受ける約束の下にその資金の一部をＡに提供した。この場合において、甲には共同正犯が成立する。

2－2－2　共謀共同正犯

《概　説》

1　意義・判例

共謀共同正犯とは、２人以上の者が犯罪を実現するための謀議をし、共謀者の一部の者のみが実行行為を行う場合をいう。

判例（練馬事件、最大判昭 33.5.28・百選Ⅰ 75 事件）は、「共同正犯が成立するには、２人以上の者が、特定の犯罪を行うため、共同意思の下に一体となって互に他人の行為を利用し、各自の意思を実行に移すことを内容とする謀議をなし、よって犯罪を実行した事実が認められなければならない。したがって……、共謀に参加した事実が認められる以上、直接実行行為に関与しない者でも、他人の行為をいわば自己の手段として犯罪を行ったという意味において、その間刑責の成立に差異を生ずると解すべき理由はない」として、共謀共同正犯を肯定している〈予。

2　共同正犯の成立要件〈司H24 司H25 予H27

共同正犯の成立要件は、①共謀と、②正犯性（正犯意思・重要な役割）、③共謀に基づく実行行為である。

→②正犯性（正犯意思・重要な役割）を①共謀に含めて検討する見解も有力である

なお、前述のとおり、共同正犯には実行共同正犯と共謀共同正犯があるが、両者は共謀に基づく実行行為を共謀者全員が行ったか、一部の者が担当したかという点が異なるだけであるので、実行共同正犯の成立要件と共謀共同正犯の成立要件を特に区別して考える必要はないと解される。

(1)　共謀

(a)　共謀の意義

共謀とは、2人以上の者が特定の犯罪を行うため、相互に他人の行為を利用・補充し合い、各自の意思を実行に移すことを内容とする合意をいう（練馬事件、最大判昭33.5.28・百選Ⅰ75事件参照）〈共。

(b)　意思の連絡の内容

意思の連絡の内容は、犯罪の詳細（日時・場所・方法など）に至る必要はない（最判昭43.3.21）と解されているが、犯行の本質的部分について共謀者間に了解があることが必要であると解されている。

(c)　意思の連絡の方法〈司H18 司H28

意思の連絡は、犯行に先立ってなされる場合が典型である（事前共謀）が、犯行現場で謀議がなされる場合（現場共謀）もありうる。また、必ずしも全員が同時に意思の連絡をする必要はなく、甲から乙、乙から丙というように、複数の者が順次意思の連絡をする場合（順次共謀）であっても、全員について意思の連絡があったと認められる（練馬事件、最大判昭33.5.28・百選Ⅰ75事件）。

また、意思の連絡は、明示的になされたものだけではなく、黙示的になされたものであってもよいとされる（スワット事件、最決平15.5.1・百選Ⅰ76事件）。なお、この判例は、黙示の意思の連絡があればよいとしたものであり、意思の連絡を欠いても共謀が成立するという趣旨ではない点には注意が必要である。

▼ スワット事件（最決平 15.5.1・百選Ⅰ 76 事件）〈同予

暴力団組長である被告人は、直接指示を下さなくても、通称スワットなる自己のボディーガードらが警護のためにけん銃等を所持していたことを確定的に認識しながら、それを当然のこととして受け入れて認容し、ボディーガードらも、そのことを察していたのであるから、けん銃等の所持につき黙示的に意思の連絡があったといえる。そして、ボディーガードらは終始被告人の身辺にいて行動を共にしていたものであり、彼らを指揮命令する権限を有する被告人の地位と彼らによって警護を受けるという被告人の立場を併せ考えれば、実質的には、正に被告人が本件けん銃等を所持させていたと評しうるのであるので、被告人には、けん銃等の所持について、共謀共同正犯が成立する。

▼ 最判平 21.10.19・平 22 重判 6 事件

暴力団幹部であるAとBらは、JR浜松駅から本件ホテルロビーに至るまでの間、他の暴力団からの襲撃に備えてけん銃等を所持し、被告人の警護に当たっていたものであるところ、被告人もそのようなけん銃による襲撃の危険性を十分に認識し、これに対応するため配下のA、Bらを同行させて警護に当たらせていたものと認められるのであり、このような状況のもとにおいては、他に特段の事情がない限り、被告人においても、A、Bがけん銃を所持していることを認識したうえで、それを当然のこととして受け入れて認容していたものと推認するのが相当であるとして共謀の成立を認めた。

▼ 最決平 22.5.31

公認会計士であり、A社に係る監査責任者の地位にあった被告人は、虚偽記載を認識していたほか、会計処理等について、代表取締役Bらに対して助言や了承を与えてきたため、虚偽記載を是正できる立場にあった。それにもかかわらず、自己の認識を監査意見に反映させることなく、本件財務諸表に有用意見及び適正意見を付す等しており、被告人はBらと共謀して、虚偽記載半期報告書提出罪等の各共同正犯を犯したといえる。

(2) 正犯性

(a) 正犯意思

単に意思の連絡があったというだけでは足りず、各自に自己の犯罪として行う意思、すなわち正犯意思が存在することが必要である。

正犯意思があったかどうかは、①共謀者と実行行為者との関係、②犯行の動機・分け前の約束やその分配の有無、③謀議の経過・態様・積極性などに着目して判断される。

(b) 重要な役割

構成要件の実現にとって実行行為に準ずるような「重要な役割」を果

たし、結果に対して因果性を及ぼしたときは、正犯意思を認めてもよいと考えられている。すなわち、「重要な役割」は正犯意思を基礎づける重要な間接事実と捉えることができる。

→特に共謀にのみ関与した者（共謀者）については、自己の犯罪を実行したといえるだけの重要な役割を果たした場合に正犯意思が認められる

重要な役割を果たしたといえるかは、共謀者の地位（上下関係）、謀議への関与の程度、犯行全体における寄与度（犯罪の実現に不可欠な準備行為をしたか、機械的作業をしたにすぎないか）などから判断される。

(3) 共謀に基づく実行行為

(a) 内容

共謀共同正犯が成立するためには、共謀に基づいて少なくとも共謀者の１人が実行行為を行う必要がある。

(b) 共謀の射程〈司H20 司R５ 予H25 予H30 予R４

共謀に基づく実行行為があるといえるためには、実行行為が当初の共謀に基づくものか、それとも共謀とは無関係に行われたものかを吟味する必要がある（共謀の射程）。共謀の射程は、当初の共謀と実行行為との間に因果性が認められるかという観点から判断する〈共。具体的には、

① 当初の共謀と実行行為の内容との共通性（被害者の同一性、行為態様の類似性、侵害法益の同質性等）

② 当初の共謀による行為と過剰結果を惹起した行為との関連性（機会の同一性、時間的・場所的近接性等）

③ 犯意の単一性・継続性

④ 動機・目的の共通性

という事情を総合的に考慮して判断する。

その結果、共謀の射程が及ぶ（因果性が肯定される）場合には、当該実行行為は共謀に基づくものといえるので、共謀者に共同正犯が成立しうることになる。そして、共謀者の故意と発生した結果との間に不一致があれば、次に共犯の錯誤の問題となる。 ⇒ p.156

他方、共謀の射程が及ばない（因果性が否定される）場合には、当該実行行為は共謀に基づくものとはいえないので、共同正犯の成立要件は充足されず、共謀者に共同正犯は成立しないという結論になる。この場合、錯誤の問題にすらならない。

＊ なお、共謀の射程が及ぶかは、共謀と結果との間の因果性の問題であり、物理的因果性と心理的因果性の両面から客観的に判断される一方、共犯の錯誤は、認識した事実と発生した事実が異なる場合の故意、すなわち主観面の問題であると整理されている。

《論　点》

一　承継的共同正犯 司共 司H18 司H28 司R元

1　先行者が特定の犯罪の実行に着手し、まだ実行行為を全部終了しない間に、後行者が共謀加担の上、残りの実行行為に及んだ場合、後行者は自身が関与する前の先行者の行為によって生じた結果についても責任を負うか。承継的共同正犯の肯否が問題となる。

ex.1　XがA強盗の手段としてAに暴行を加えた後、Yが意思を通じて、反抗を抑圧されているAから財物を共同して奪取した場合（強盗罪の場合）

ex.2　Xが強盗の手段としてAを殺害した後、Yが意思を通じて、財物奪取を共同して行った場合（死亡の結果が生じた場合）

ex.3　XがAにうそを言って現金の交付を要求した後、Yが意思を通じて、錯誤に陥っているAから金銭を受領した場合（詐欺罪の場合）

ex.4　XがAに暴行を加えて傷害を負わせた後、Yが意思を通じて、Aの抵抗が困難になった状態を積極的に利用して暴行を加えた場合（傷害罪の場合）

<承継的共同正犯に関する学説・あてはめ>

<table>
<tr><th>学　説</th><th>全面的肯定説 司</th><th>全面的否定説 司</th><th colspan="2">限定的肯定説</th></tr>
<tr><td>内　容</td><td>後行者は自分の介入以前に先行者が行った行為についても、共同正犯の責任を負う</td><td>後行者は介入後の共同行為についてのみ責任を問われ、介入前の事象については責任を負わない</td><td colspan="2">原則として、後行者は先行者のみが関与した事象について責任を負わない。しかし、例外的に全体としての犯罪につき共同正犯が成立する場合がある</td></tr>
<tr><td rowspan="2">根　拠</td><td rowspan="2">①　先行者によって実現される状況を認識し、その状況を積極的に利用して、先行者と意思を連絡して残りの実行行為を共同して実行した場合、共同正犯が成立する
②　犯罪共同説の数人一罪の考え方</td><td rowspan="2">①　時間的に先行する行為事象に対しては、因果的影響を与えることはできない
②　因果経過を予測できない先行事象について目的的行為支配を認めることはできない</td><td>積極的利用説</td><td>因果性説</td></tr>
<tr><td>後行者が先行者の行為及び結果を自己の犯罪遂行の手段として積極的に利用した場合には、共同して犯罪を実現したといえるため、後行者にも関与前の行為・結果も含めて責任を問いうる（大阪高判昭62.7.10 参照）</td><td>先行者の行為が後行者の関与後も効果をもち続けており、後行者が先行者とともに違法な結果を実現したといえ、後行者の行為と違法な結果との間に因果関係が存在する場合には、結果に因果性を及ぼしているといえるため、関与前の行為についても責任を問いうる</td></tr>
</table>

学　説	全面的肯定説司	全面的否定説司	限定的肯定説	
ex.1	強盗罪の共同正犯	窃盗罪の共同正犯	強盗罪の共同正犯	強盗罪の共同正犯
ex.2	強盗殺人罪の共同正犯	窃盗罪又は占有離脱物横領罪の共同正犯	強盗罪の共同正犯（＊1）	強盗罪の共同正犯（＊1）
ex.3	詐欺罪の共同正犯	不可罰	詐欺罪の共同正犯	詐欺罪の共同正犯
ex.4	傷害罪の共同正犯	暴行罪の共同正犯	傷害罪の共同正犯	暴行罪の共同正犯（＊2）

＊1　強盗殺人罪ではなく強盗罪の共同正犯にとどまる理由として、積極的利用説からは、後行者は被害者の反抗抑圧状態を利用したにすぎず、殺人の結果を利用したわけではないからと説明され、因果性説からは、殺人の結果に因果性を及ぼすことはあり得ないからと説明される。

＊2　強盗・恐喝・詐欺等の罪責が問題となるような事案（ex.1〜3）では、後行者が関与した時点で違法な結果を左右し得るため、後行者はなお先行者が実現しようとしている結果について因果性を及ぼすことができ、後行者に承継的共同正犯の成立を認めることができる一方、傷害罪が問題となる事案（ex.4）では、このような因果関係は認め難く、先行者の暴行・傷害の事実は、共謀加担後に更に暴行を行った動機ないし契機にすぎず、共謀加担前の傷害結果について刑事責任を問う理由とはいえない（最決平24.11.6・百選Ⅰ81事件参照）ことから、共謀加担後の暴行罪の限度で共同正犯が成立するにとどまる司。

▼　最決平 24.11.6・百選Ⅰ 81 事件司共

被告人による共謀加担後の暴行が、共謀加担前に先行行為者が既に生じさせていた傷害を相当程度重篤化させた場合、被告人は、共謀加担前に先行行為者が既に生じさせていた傷害結果については、被告人の共謀及びそれに基づく行為がこれと因果関係を有することはないから、傷害罪の共同正犯としての責任を負うことはなく、共謀加担後の傷害を引き起こすに足りる暴行によって被害者の傷害の発生に寄与したことについてのみ、傷害罪の共同正犯としての責任を負う。被告人において、被害者が先行行為者の暴行を受けて負傷し、逃亡や抵抗が困難になっている状態を利用して更に暴行に及んだ等の事実があったとしても、それは、被告人が共謀加担後に更に暴行を行った動機ないし契機にすぎず、共謀加担前の傷害結果について刑事責任を問い得る理由とはいえない。

▼　最決平 29.12.11・百選Ⅰ 82 事件司

事案：　氏名不詳者がAに対してうそを言って現金の交付を要求したが、Aはうそを見破り、警察官に相談して「だまされたふり作戦」を開始し、現金が入っていない箱を発送した。一方、Xは「だまされたふり作戦」が開始されたことを認識せずに、氏名不詳者と共謀の上、Aから上記空箱を受領した。かかる受領行為にのみ関与したXについて、詐欺未遂罪の共同正犯が成立するかが問題となった。

判旨：　Xは、「本件詐欺につき、共犯者による本件欺罔行為がされた後、だまされたふり作戦が開始されたことを認識せずに、共犯者らと共謀の上、本件詐欺を完遂する上で本件欺罔行為と一体のものとして予定されていた本件受領行為に関与している。そうすると、だまされたふり作戦の開始いかんにかかわらず、Xは、その加功前の本件欺罔行為の点も含めた本件詐欺につき、詐欺未遂罪の共同正犯としての責任を負う」。

評釈：　本決定は、承継的共同正犯の論点（先行者により欺罔行為がされた後に財物の受領行為のみに関与した後行者につき、詐欺未遂罪の共同正犯が成立するか）について、上記のように判示して詐欺未遂罪の共同正犯を肯定した。

学説上は、詐欺罪の結果ないし本質的な法益侵害は、錯誤に陥った被害者から財物の占有を移転させる点にあるところ、欺罔行為後に共謀加担した受け子等の後行者も、財物の占有の移転に対して因果関係を有しているから、詐欺罪の承継的共同正犯は肯定され得ると解する見解もある。

なお、本決定の原審（福岡高判平29.5.31）は、承継的共同正犯の論点に加え、不能犯の論点（被害者側による「だまされたふり作戦」が実行されたことが詐欺未遂罪の共同正犯の成否に影響するか）についても検討しているが、本決定は、「だまされたふり作戦の開始いかんにかかわらず」と判示して、不能犯の論点に言及していない。これは、承継的共同正犯の成立が認められた以上、詐欺未遂罪の共同正犯を肯定するにつき、不能犯の論点を検討する必要はないと考えられたためと解されている。

2　207条との関係〈司〈司H18

下級審判例には、XがAに暴行を加えた後Yが意思を通じて暴行に加わったが、Aに生じた傷害がYの参加以降に生じたか特定できなかったという事案につき、207条が適用され、Yに傷害罪の共同正犯（60・204）が成立するとしたものがある（大阪地判平9.8.20、東京高判平8.8.7参照）。

そして、判例（最決令2.9.30・令2重判4事件）は、「他の者が先行して被害者に暴行を加え、これと同一の機会に、後行者が途中から共謀加担したが、被害者の負った傷害が共謀成立後の暴行により生じたものとまでは認められない場合であっても、その傷害を生じさせた者を知ることができないときは、同条［注：207条］の適用により後行者は当該傷害についての責任を免れない」とした上で、「先行者に対し当該傷害についての責任を問い得ることは、同条の適用を妨げる事情とはならない」としている。　⇒p.360参照

その理由として、同判例は、「更に途中から行為者間に共謀が成立していた

事実が認められるからといって、同条が適用できなくなるとする理由はなく、むしろ同条を適用しないとすれば、不合理であって、共謀関係が認められないときとの均衡も失する」としている。

二　片面的共同正犯

XがAを不同意性交しようとしている際に、YがXの知らない間にAの足を押さえていたため、XがAを性交できた場合、Yに不同意性交等罪の共同正犯（60・177）が成立するか、片面的共同正犯を肯定するかが問題となる。

この点、片面的共同正犯を認めるかどうかは、共同実行の意思の内容として意思の連絡を必要とするかによる。すなわち、意思の連絡を必要とすれば、片面的共同正犯は否定され、意思の連絡を不要とすれば、片面的共同正犯は肯定されることになる。

判例（大判大11.2.25）は、共同正犯については相互の意思連絡が必要であるとして、片面的共同正犯の成立を認めていない〈司共〉。

三　過失犯・結果的加重犯の共同正犯の成否

1　過失犯の共同正犯

故意犯の共同正犯は、一部実行全部責任の原則（60）により、共同者が引き起こした結果についても正犯としての罪責を負う。それでは、故意犯の共同正犯における共同実行の意思がない過失犯においても、共同正犯が認められるのかが問題となる。

(1)　成立要件

判例・通説は、過失犯においても共同正犯が成立するとして、肯定説の立場に立つ。後に紹介する判例（最決平28.7.12・百選Ⅰ79事件）は、過失犯の共同正犯の成立要件が「共同の注意義務に共同して違反したこと」と明らかにした。「共同の注意義務に共同して違反したこと」とは、共同の注意義務に違反する行為を意思の連絡の下に共同して行うことをいう。

「共同の注意義務」とは、自己の行為から結果が発生しないように注意するだけでなく、共同行為者の行為からも結果が発生しないよう注意し、互いに結果を防止すべき義務が各人に課されていることをいう。

この共同の注意義務に違反する行為を意思の連絡の下に共同して行った場合に「共同して違反した」といえる。過失犯の実行行為は、予見可能性を前提とした結果回避義務違反とされているので、その実行行為を共同して行う意思があれば共謀（共同遂行の合意）が認められる〈共〉。

(2)　判例

▼　最決平28.7.12・百選Ⅰ79事件〈共〉

事案：　明石市花火大会会場とその最寄駅をつなぐ歩道橋上で、花火大会開始後、駅から来た見物客等と駅へ向かう見物客等が行き会い、群衆なだれが発生し、194 名の死傷者が発生した。当日の群集規制の警備対応に不備があったとして、甲（市警察署の副署長）と同市警察署地域官Ａとの業務上過失致死傷罪（211 前段）の共同正犯の成否が問題となった。

決旨：「業務上過失致死傷罪の共同正犯が成立するためには、共同の業務上の注意義務に共同して違反したことが必要である」。

「明石警察署の職制及び職務執行状況等に照らせば、Ａ地域官が本件警備計画の策定の第一次的責任者ないし現地警備本部の指揮官という立場にあったのに対し、甲は、副署長ないし署警備本部の警備副本部長として、署長が同警察署の組織全体を指揮監督するのを補佐する立場にあったもので、Ａ地域官及び甲がそれぞれ分担する役割は基本的に異なっていた。本件事故発生の防止のために要求され得る行為も、Ａ地域官については、……配下警察官を指揮するとともに、署長を介し又は自ら直接機動隊の出動を要請して、本件歩道橋内への流入規制等を実施すること、本件警備計画の策定段階では、自ら又は配下警察官を指揮して本件警備計画を適切に策定することであったのに対し、甲については、各時点を通じて、基本的には署長に進言することなどにより、Ａ地域官らに対する指揮監督が適切に行われるよう補佐することであったといえ、本件事故を回避するために両者が負うべき具体的注意義務が共同のものであったということはできない。甲につき、Ａ地域官との業務上過失致死傷罪の共同正犯が成立する余地はない」。

▼ 東京地判平 4.1.23・百選Ⅰ〔第 7 版〕80 事件 同

相互に交代して溶接作業を行っていた共同作業者が、共同して火災の発生を未然に防止すべき業務上の注意義務があったにもかかわらず、これを怠り、建造物を焼損した事案において、相互利用・補充による共同の注意義務を負う共同作業者が現に存在するところであり、しかもその共同作業者間において、その注意義務を怠った共同行為があると認められる場合には、その共同作業者全員に対し過失犯の共同正犯が認められるとしたうえで、業務上失火罪の共同正犯（60・117 の 2）が成立するとした。

2　結果的加重犯の共同正犯 共

たとえば、X・Yが傷害の意思で共同してAに暴行を加えたところ、意外にもAは死亡してしまったが、X・Yいずれの行為によって死亡したのか不明な場合、X・Yに傷害致死罪の共同正犯（60・205）が成立するとして、死の結果について罪責を負わせることができるか。結果的加重犯の重い結果につき過失を要し、かつ過失犯の共同正犯を否定する立場からは、結果的加重犯の共同正犯が成立するかが問題となる。

<結果的加重犯の共同正犯>

- 加重結果発生につき過失は不要であるとする説（判例の立場）
  →故意犯の共同正犯を考えるだけでよいので結果的加重犯の共同正犯も肯定
- 加重結果発生につき過失が必要であるとする説
  - 過失犯の共同正犯肯定説
    →結果的加重犯の共同正犯も肯定
  - 過失犯の共同正犯否定説
    - 結果的加重犯の共同正犯は肯定
      ∵ 基本犯についての意思の連絡が認められる
    - 結果的加重犯の共同正犯も否定
      →結果的加重犯の重い結果についても共同実行の意思は観念しえず、基本犯の限度で共同正犯が成立する

▼ 最判昭 26.3.27・百選Ⅰ〔第７版〕79 事件 司共

強盗共犯者の１人が、強盗現場から離れたところで、警察官に逮捕されそうになった際に、暴行を加えて当該警察官を死亡させた事案に関し、強盗について共謀した共犯者等の１人が強盗の機会においてなした行為については他の共犯者も責任を負うべきであるとして、死亡結果を生じさせた暴行を行っていない共犯者にも強盗致死罪（240 後段）の成立を認めた。

四　共同正犯と質的過剰

1　問題の所在

有責性の有無の判断や、責任が阻却されるかどうかの判断は、関与者ごとに個別的になされる。責任の本質である非難可能性は行為者の意思決定に向けられるものであり、その意思決定は人ごとに異なるからである。

判例（最決平 13.10.25・平 13 重判 4 事件）は、母親である甲が是非弁別能力のある 12 歳の息子Ａに命じて強盗を行わせたという事案において、甲にはＡとの強盗罪の共同正犯が成立するとしている。このように、Ａ自身は刑事未成年（41）であるので、責任が阻却されて不可罰となるが、甲の行為まで責任が阻却されるわけではない。

では、違法性が阻却されるかどうかの判断についても、関与者ごとに個別的になされるのか。関与者ごとに違法性の有無が異なるという違法の相対性が認められるかが問題となる。

2　判例法理

次の判例は、「共同正犯が成立する場合における過剰防衛の成否は、共同正犯者の各人につきそれぞれその要件を満たすかどうかを検討して決するべきであ」るとしている。

▼ フィリピンパブ事件（最決平4.6.5・百選Ⅰ90事件）

事案：　甲は、Aに侮辱されたことに憤激し、Aが店長をしているフィリピンパブに押しかけることを決意した。甲は同行を渋る友人乙に包丁を携帯させてパブに向かい、実際にはAと面識がないのに、乙に対し、「おれは顔が知られているからお前先に行ってくれ。けんかになったらお前を放っておかない」などと言い、さらに、Aを殺害することもやむを得ないとの意思の下に、「やられたらナイフを使え」と指示するなどして説得した。

乙は、内心ではAに対し自分から進んで暴行を加えるまでの意思はなく、Aとは面識がないからいきなり暴力を振るわれることもないだろうと考え、パブ出入口付近で甲の指示を待っていたところ、予想外にも、Aに甲と取り違えられ、いきなり激しい暴行を受けた。乙は頼りにしていた甲の加勢も得られなかったので、自己の生命・身体を防衛する意思でとっさに包丁を取り出し、Aを殺害してもやむを得ないと決意した上で、甲との共謀の下に包丁でAを刺し、Aを殺害した。

決旨：「共同正犯が成立する場合における過剰防衛の成否は、共同正犯者の各人につきそれぞれその要件を満たすかどうかを検討して決するべきであって、共同正犯者の一人について過剰防衛が成立したとしても、その結果当然に他の共同正犯者についても過剰防衛が成立することになるものではない」。

「原判決の認定によると、甲は、Aの攻撃を予期し、その機会を利用して乙をして包丁でAに反撃を加えさせようとしていたもので、積極的な加害の意思で侵害に臨んだものであるから、Aの乙に対する暴行は、積極的な加害の意思がなかった乙にとっては急迫不正の侵害であるとしても、甲にとっては急迫性を欠くものであって……、乙について過剰防衛の成立を認め、甲についてこれを認めなかった原判決は、正当として是認することができる」。

五　共同正犯と量的過剰 司H23

ex.　酩酊したAがX・Yの仲間の女性Bに暴行を加えたため、X・YがAの暴行を制止してBを助けるべく共同してAに暴行を加えた（侵害現在時の正当防衛たる反撃行為）ところ、なおAが応戦する気勢を示しながら移動したので、X・YもAを追って行き、YがAに暴行を加えて傷害を負わせた（侵害終了後の追撃行為）

上記のex.において、YにはAに対する傷害罪の過剰防衛（36Ⅱ、204）が成立するところ、Yの追撃行為について、自ら暴行を加えてはいないがYの暴行を制止しなかったXも、共同正犯として責任を負うかが問題となる。

判例（最判平6.12.6・百選Ⅰ98事件）司は、「本件のように相手方の侵害に対し、複数人が共同して防衛行為としての暴行に及び、相手方からの侵害が終了した後に、なおも一部の者が暴行を続けた場合において、後の暴行を加えていない者について正当防衛の成否を検討するに当たっては、侵害現在時と侵害終了後とに分けて考察するのが相当であり、侵害現在時における防衛行為としての暴行の共同意思から離脱したかどうかではなく、新たに共謀が成立したかどうかを検討すべきであって、共謀の成立が認められるときに初めて、侵害現在時及び侵害終了後の一連の行為を全体として考察し、防衛行為としての相当性を検討すべきである」としている。

→結論として、Yの追撃行為については新たに暴行の共謀が成立したとは認められないのであるから、反撃行為と追撃行為とを一連一体のものとして総合評価する余地はないとして、上記のex.のXを無罪とした

2－3　狭義の共犯

2－3－1　教唆犯

第61条　（教唆）

Ⅰ　人を教唆して犯罪を実行させた者には、正犯の刑を科する。

Ⅱ　教唆者を教唆した者についても、前項と同様とする。

《概　説》

一　意義

教唆犯とは、「人を教唆して犯罪を実行させた者」をいう（61Ⅰ）。

二　要件

① 人を「教唆」すること

② 被教唆者が犯罪を実行したこと

③ 教唆犯の故意

1　人を「教唆」すること（要件①について）

「教唆」とは、他人を唆して特定の犯罪を実行する決意を生じさせることをいう〈同。

(1) 教唆行為

他人に特定の犯罪を実行する決意を生じさせるのに適する行為をいう。

(a) 教唆行為は、黙示的・暗示的な方法による場合でもよい。

(b) 被教唆者に対し特定の犯罪を実行する決意を生じさせる必要がある。

ex. 「人殺しをやれ」など、漠然と犯罪一般を唆すだけでは足りない

＊　ただし、犯罪の日時・場所・方法などを具体的に指示する必要はない。また、具体的に特定して指示したときでも、教唆犯の成立上、被教唆者が必ずしもその指定通りの犯行をしたことを要しない。

(c)　被教唆者は特定した者でなければならないが、教唆行為の当時、実行者まで特定している必要はない。

(d)　教唆行為の当時、教唆に基づく犯罪行為の客体が存在しないときにも、その客体の現出を条件として実行することを教唆することは可能である。

(e)　すでに犯罪の実行を決意している者は教唆行為の相手方とはならない同。
→犯罪の意思を強化するものとして幇助犯（62Ⅰ）が問題となる

(f)　法人税をほ脱していた被告人が、税務調査に基づく逮捕や処罰を免れるため知人のＡに対応を相談し、Ａは被告人に対して内容虚偽の契約書を作成することを強く勧めたため、被告人はこれを受け入れてＡに内容虚偽の契約書を作成させた場合、Ａは被告人の意向にかかわりなく本件犯罪を遂行するまでの意思を形成していたわけではないから、被告人の行為は、人に特定の犯罪を実行する決意を生じさせたものとして、「教唆」に当たるというべきである（最決平18.11.21・百選Ⅰ83事件）。

(2)　教唆犯の故意
故意の内容については争いがある。　⇒下記《論点》一

2　被教唆者が犯罪を実行したこと（要件②について）

(1)　教唆犯の成立には、教唆行為の結果、被教唆者が当該犯罪の実行を決意し、その実行に着手することを要する（共犯従属性説）。　⇒ p.129

＊　教唆行為がなされ被教唆者が実行しても、それと教唆行為との間に因果関係が存在しないときは、教唆犯は成立しない（因果的共犯論）。

(2)　教唆の未遂
教唆行為は行われたが、正犯者が実行の着手に至らなかった場合をいう。
→共犯従属性説からは不可罰
cf.　未遂犯の教唆
→正犯者が実行に着手したが結果発生に至らなかった場合で、未遂犯として処罰される

三　教唆犯の成否に関する問題

1　教唆行為に関連する問題

(1)　共同教唆
２人以上の者が共同して教唆行為を行う意思で他人を教唆し、犯罪を実行させた場合をいう。

(a)　共同者がそれぞれ教唆を実行した場合には、各人につき教唆犯が成立する。

(b)　問題は、たとえばＡとＢが共謀しＢを実行の担当者と決めたが、Ｂはさらに C を教唆して犯罪を実行させた場合である。この点、①ＡとＢとの間に共同教唆（共謀共同教唆）を認める立場（大判明41.5.18、最判昭23.10.23）と、②Ａを間接教唆とする立場とが対立する。

(2)　片面的教唆〈司

(a)　教唆者が教唆の故意で教唆行為を行ったところ、被教唆者はその教唆行為があることを知らずに犯罪の実行を決意した場合をいう。

ex.　激情家の夫が妻の浮気を疑い常々「もし現場を見つけたら殺してやる」といきまいているのを知りつつ、これを利用してその妻を殺害しようと、情を打ち明けずに妻の浮気現場に夫を行かせる場合

(b)　片面的教唆を認めるのが一般である。

∵　教唆行為は特定の犯罪を実行する故意のない者に故意を生じさせることで足り、被教唆者が教唆されているという事実を認識する必要はない

(3)　過失犯に対する教唆

(a)　他人の不注意を惹起して過失犯を実行させることをいう。

ex.　医師が看護師の不注意を誘い、患者に毒物を注射させる場合

(b)　教唆行為の本質が他人をして犯罪の実行を決意させる点にあることから、過失犯に対する共犯は認められず、過失犯を利用する間接正犯と取り扱われるべきと解されている。

(4)　結果的加重犯の教唆犯

教唆者が基本犯への教唆を行ったところ、被教唆者が結果的加重犯を犯した場合をいう。結果的加重犯は、基本犯と結果との間に因果関係があれば足りるので、判例（大判大13.4.29）・通説は、結果的加重犯の教唆犯の成立を認めている〈司。

ex.　甲が乙にAへの暴行を教唆し、乙もその旨決意してAに暴行を加え、Aを死亡させた場合には、たとえ甲が教唆の時点でAが死亡する可能性を予見していなかったとしても、甲には傷害致死罪の教唆犯が成立する

(5)　不作為犯に対する教唆　⇒ p.174

(6)　予備罪に対する教唆　⇒ p.171 参照

2　教唆の故意に関連する問題

(1)　未遂の教唆

教唆者が、被教唆者の実行行為を初めから未遂に終わらせる意思で教唆する場合をいう。

→教唆犯の故意の内容との関連で未遂の教唆の取扱いが問題となる

⇒下記《論点》一

(2)　アジャン・プロヴォカトゥール

(a)　刑法上は、犯人として処罰を受けさせる目的で、初めから未遂に終わらせることを予期して一定の犯罪を教唆する者をいう。

ex.　薬物犯罪の捜査に関連して用いられるおとり捜査の捜査官

(b)　教唆の故意の内容に関する見解の対立に由来し、①未遂犯の教唆とする立場と、②不可罰とする説の対立がある。

(3)　過失による教唆

(a)　不注意によって他人に対し犯罪の実行を決意させることをいう。

(b)　過失による教唆は認めるべきではないとする立場が一般的である。

∵①　過失による教唆には教唆の故意が認められない

②　過失を処罰するためには特別の規定を要する（38Ⅰただし書）

＜教唆と未遂との関係の整理＞

	内　容	教唆者の処理方法
教唆の未遂	教唆したが正犯が着手しなかった場合	共犯の従属性から検討
		共犯の処罰根拠から検討
未遂犯の教唆	教唆された正犯が着手したが未遂に終わった場合	正犯に準じて未遂の刑（61Ⅰ）
未遂の教唆	初めから未遂に終わらせる目的で教唆する場合（結果発生の予見・認容なし）	教唆の故意の内容として、結果発生の表象・認容まで必要かという観点から検討

四　教唆犯の諸類型

1　間接教唆・再間接教唆〈同〉

(1)　間接教唆

間接教唆とは、「教唆者を教唆した」（61Ⅱ）場合をいう。

(2)　処断

教唆犯と同じように正犯に準じて処罰される。

ex.1　乙が甲に対してXに一定の犯罪を実行させることを教唆する場合

ex.2　乙が甲に対してある犯罪を実行するよう教唆したところ、甲は自ら実行せずに、さらにXを教唆してその犯罪を実行させる場合

(3)　再間接教唆

再間接教唆とは、間接教唆者をさらに教唆することをいう。再間接教唆及びそれ以上の間接教唆を連鎖（順次）的教唆という。

→連鎖的教唆を教唆犯として処罰できるかについては明文がないため争いがある　⇒下記《論点》二

2　幇助犯の教唆〈同〉

(1)　意義

「従犯を教唆」（62Ⅱ）するとは、正犯を幇助する意思のない者に対して、幇助の意思を生じさせ、かつ、幇助行為に出させることをいう。

ex.　丁がAに対して、すでにYに対する殺意を抱いているXに金銭を贈

与してその殺意を強めることを助言して酒代を贈らせた場合、丁はXの殺人罪に対するAの幇助を教唆したことになる

(2)　処断

「従犯を教唆した者には、従犯の刑を科する」(62 Ⅱ)。

五　処分

教唆犯には、「正犯の刑を科する」(61 Ⅰ)。

→「拘留又は科料のみに処すべき罪」の教唆犯及び幇助犯は、特別の規定がなければ、罰しない (64)

《論　点》

一　教唆の故意と未遂の教唆

未遂の教唆とは、教唆者が被教唆者の実行行為を初めから未遂に終わらせる意思で教唆する場合をいう。未遂の教唆の場合、教唆の故意には違法な既遂結果を実現させる意思がないことから、教唆の故意が否定されるのではないか。教唆の故意の内容が問題となる。

ex.1　Xが、Yを陥れるつもりで、弾丸の入っていない拳銃をYに渡しA殺害を依頼したところ、Yが殺意をもってAに向かって拳銃の引き金を引いた場合（なお、Yに殺人未遂罪 (203・199) が成立することは前提）

ex.2　Xが、Yを陥れるつもりで、致死量に満たない量の薬物を猛毒と称してYに渡し、その薬物をAに飲ませるよう指示したところ、Yが殺意をもってAにその薬を飲ませたが、Aは下痢をしただけで生命に別状はなかった場合（なお、Yに殺人未遂罪 (203・199) が成立することは前提）

ex.3　ex.2の場合に、Aの健康状態が悪かったため、意外にもAが死亡してしまった場合（Yに殺人既遂罪 (199) が成立することは前提）

＜教唆の故意と未遂の教唆＞

	甲説	乙説
教唆の故意の内容	被教唆者が実行行為に出ることの認識があれば足り結果発生の認識は不要	結果発生の認識まで必要
根拠	①　教唆行為は、修正された構成要件に該当する他人を犯罪の実行に至らせる行為である ②　共犯においては他人に実行行為を行わせる点が重要である	因果的共犯論によれば、正犯と共犯とは犯罪として同じであるから、正犯の場合と同様に、共犯においても結果実現について故意のない行為を故意犯として処罰することはできない
未遂の教唆の可罰性	可罰	不可罰
ex.1	X：殺人未遂の教唆	X：不可罰

	甲説	乙説
ex.2	X：殺人未遂の教唆	X：傷害罪の教唆
ex.3	X：殺人未遂の教唆	X：傷害致死罪の教唆
	主観的には未遂の故意で客観的には既遂の結果が発生したのであるから、抽象的事実の錯誤の問題として、38条2項により、未遂犯の教唆が成立する	結果発生につき過失犯の成否を認めうるにすぎない

二　連鎖的教唆の可罰性

61条2項は、「教唆者を教唆した者」に教唆犯と同様正犯の刑を科すると規定しているが、連鎖的教唆については明示的な処罰規定がないため処罰しうるかが争われている。

＜連鎖的教唆の可罰性＞

学説	肯定説（大判大11.3.1）	否定説
理由	①　61条1項の「実行」には、教唆・幇助という修正された構成要件の「実行」も含まれる。61条2項の「教唆者」とは、教唆者及び間接教唆者ばかりでなく、それ以上の連鎖的教唆者も含む ②　実質的に2人以上の教唆者を介在させることで、教唆の責任を免れうるのは不合理である	①　61条2項にいう「教唆者」とは、同1項の教唆者、すなわち、正犯者を直接教唆した者を意味する ②　正犯者の背後関係を無限に追及することは、法的確実性を害する

2－3－2　幇助犯

第62条　（幇助）

Ⅰ　正犯を幇助した者は、従犯とする。
Ⅱ　従犯を教唆した者には、従犯の刑を科する。

第63条　（従犯減軽）

従犯の刑は、正犯の刑を減軽する。

《概　説》

一　意義

幇助犯とは、「正犯を幇助した者」（62Ⅰ）をいう。

二　要件

①「正犯を幇助」すること
②　被幇助者が犯罪を実行したこと

③　幇助犯の故意

1　「正犯を幇助」すること（要件①について）

(1)　幇助行為

基本的構成要件に該当する実行行為以外の行為によって、正犯者の実行を容易にする行為をいう（最判昭24.10.1参照）〈司共〉。

(a)　幇助の方法は、物理的・有形的方法（ex. 凶器の供与、犯罪の場所の提供）であると、精神的・無形的方法（ex. 激励したり、助言したりする場合）であるとを問わない。

(b)　幇助行為には、作為による場合の他、不作為による場合も含む。

(c)　正犯の実行行為が終了した後にこれを幇助することはありえないから、いわゆる事後従犯は幇助犯ではない。

▼　最決平25.4.15・百選Ⅰ84事件

被告人ＡＢとＣとは先輩後輩の関係にあったところ、某日、ＡＢはＣとともに飲酒し、Ｃが高度に酩酊した様子を認識していたにもかかわらず、ＣからＣの運転車両にＡＢを同乗させて走行させることの了解を求められた折、ＡＢは各々了解を与えた。その走行中、ＡＢは了解を与えた際の態度を変えず、Ｃの運転を制止することなくＣの運転車両に同乗し、Ｃの運転を黙認し続けた後、Ｃは危険運転致死傷罪に該当する交通事故を起こした。この場合、刑法62条1項の従犯とは、他人の犯罪に加功する意思をもって、有形、無形の方法によりこれを幇助し、他人の犯罪を容易ならしむるものであるところ、Ｃと被告人両名との関係、Ｃが被告人両名に本件車両発進につき了解を求めるに至った経緯及び状況、これに対する被告人両名の応答態度等に照らせば、Ｃが本件車両を運転するについては、先輩であり、同乗している被告人両名の意向を確認し、了解を得られたことが重要な契機となっており、被告人両名の了解とこれに続く黙認という行為がＣの運転の意思をより強固なものにすることにより、Ｃの危険運転致死傷罪を容易にしたことは明らかであって、被告人両名に危険運転致死傷幇助罪が成立する。

(2)　幇助犯の故意

故意については、教唆犯の故意と同様に、正犯者の実行行為によって基本的構成要件が実現されることの認識まで必要か否かに関して争いがある。

▼　最決平23.12.19・百選Ⅰ89事件

ファイル共有ソフトであるWinnyを利用した著作権侵害において、同ソフトの提供行為が著作権侵害の幇助行為に当たるためには、単に他人の著作権侵害に利用される一般的可能性を認識、認容していただけでは足りず、一般的可能性を超える具体的な侵害利用状況を認識、認容していることを要する。すなわち、同ソフトの入手者のうち例外的とはいえない範囲の者が同ソフトを著作権侵害に利用する蓋然性が高いことを認識、認容しながら提供行為をした場合に限られる。

2　被幇助者が犯罪を実行したこと（要件②について）

幇助犯が成立するためには、被幇助者、すなわち正犯者が犯罪の実行に着手したことを要する（共犯従属性説）。

＊　幇助行為と実行行為との間には因果関係があることを要するが（因果的共犯論）、そこで要求される因果関係の内容については争いがある。　⇒下記《論点》一

三　幇助犯の成否に関する問題

1　幇助行為に関連する問題

(1)　不作為による幇助　⇒p.173

(2)　共同幇助

２人以上の者が共同して幇助行為を行う意思で他人の犯罪の実行を幇助することをいう。

(a)　共同者がそれぞれ幇助行為をした場合には、当然各人につき幇助犯が成立する。

(b)　２人以上の者が幇助行為を共謀し、その一部の者が幇助行為を行ったときについては、共同教唆の場合と同様の争いがある。　⇒p.145

(3)　片面的幇助

(a)　幇助者が意思の連絡なしに幇助の故意で一方的に正犯の実行行為に加担し幇助行為を行った場合をいう。

ex.　正犯者Aが賭博を開くことを知って、Bがこれを手伝うつもりでAには何も告げずに客を案内する行為〈共〉

(b)　片面的幇助の肯否については争いがある。　⇒下記《論点》二

(4)　承継的幇助

正犯者が実行行為の一部を終了した後に幇助行為を行い、その後の正犯の実行を容易にすることをいう。

→承継的幇助は、承継的共同正犯の場合に準じて取り扱われるべき

▼　横浜地判昭 56.7.17

承継的幇助は、その責任の及ぶ犯罪の範囲においては承継的共同正犯と同じであり、実行行為そのものを行う場合が共同正犯であり、実行行為を容易にするにすぎない場合が幇助犯である。本件では被告人は先行行為者等の指示を受けて財物の交付を受ける行為のみに関与したにすぎないことから、恐喝罪の幇助犯（62 Ⅰ・249 Ⅰ）が成立するのみである。

(5)　不作為犯に対する幇助　⇒p.174

(6)　過失犯に対する幇助

(a)　正犯者が注意義務に違反する行為を行っていることを認識しながら、結果の発生を容易にする行為を行うことをいう。

ex.　自動車の運転者Aが居眠り運転をしている際、助手席に同乗していたBが危険を感じながら放っていたところ、通行人をはねとばして負傷させた場合

(b)　過失行為を外部から容易にすることは、物理的にも心理的にも可能であるとして、過失犯に対する幇助を肯定する立場が有力である。

(7)　予備罪に対する幇助　⇒ p.171 参照

2　幇助の故意に関連する問題

(1)　未遂の幇助

幇助者が正犯者の実行行為が未遂に終わることを予期しつつ行う幇助行為をいう。

→未遂の幇助は、未遂の教唆と同様の取扱いとなる

(2)　過失による幇助

(a)　注意義務に違反して正犯の実行を容易にする行為を行うことをいう。

ex.　人の毒殺を決意している者に不注意で毒物を販売する場合

(b)　過失による幇助については否定する立場が一般的である。

∵①　幇助犯の故意がない

②　過失犯を処罰する場合には特別の規定を要するから、過失による幇助を認めることは罪刑法定主義に反する

3　共同正犯と幇助犯の区別

共同正犯と幇助犯とは類似した性格を帯びているため、その区別が問題となる。　⇒ p.132

四　幇助犯の諸類型

1　間接幇助・再間接幇助

(1)　間接幇助

間接幇助とは、幇助犯を幇助することをいう。

→間接教唆犯の場合（61 Ⅱ）と異なり、間接幇助については明文の規定がないため、これを認めるべきか否かが問題となる　⇒下記《論点》三

(2)　再間接幇助

再間接幇助とは、間接幇助を幇助することをいう。再間接幇助及びそれ以上の幇助を連鎖的（順次）幇助という。

→連鎖的幇助の肯否が、間接幇助の肯否と関連して問題となる　⇒下記《論点》三

2　教唆犯の幇助〈共

(1)　教唆犯の幇助とは、教唆行為を幇助してその遂行を容易にすることをいう。

(2)　教唆犯の幇助については、①教唆行為は実行行為でないとする立場からは否定され、②教唆行為も修正された構成要件に該当する実行行為とする立場からは肯定されうる。

五　処分

「従犯の刑は、正犯の刑を減軽する」(63)。

→正犯の法定刑に減軽（68以下）を加えたものにより処断する

《論　点》

一　幇助の因果性

帮助では、たとえば正犯が住居侵入窃盗を行う際、頼まれて見張りに立ったが結局誰も来ずに済んだ事例のように、帮助が成立すると通常考えられるにもかかわらず、帮助行為と結果との間に条件関係を肯定できないことも多い。

そこで、帮助行為と結果との間にいかなる内容の因果関係が必要なのかが問題となる。

1　学説の対立

＜幇助の因果性＞ 同

学説		内容	理由	批判
因果関係必要説	促進説（裁判例の立場）	①帮助行為によって正犯者の実行行為が物理的・心理的に強化・促進されたといえ、②帮助行為による犯行の促進の効果が、正犯者の実行行為を通じて、構成要件的結果の発生にまで及んでいるといえればよい	①　現行法は「帮助した」と規定して、条件関係の必要を示唆する文言を含んでいない ②　正犯以外に処罰範囲を政策的に拡張する共犯の場合には、正犯の場合の条件関係とは別の帰責概念を採用することは可能である	帮助行為の可罰性の基礎を正犯による法益侵害を促進する点に求め、かつ心理的な促進・容易化も含む点で、ひいては因果関係不要説に帰着するおそれがある
	条件関係説	正犯の場合と同様、帮助行為と既遂結果との間に条件関係が必要である	帮助犯の因果関係も正犯と同一の因果関係論で処理するのが妥当である	正犯行為を心理的に促進する「心理的因果性」の場合に、ほとんど因果関係を肯定できなくなり、帮助犯の成立範囲が過度に限定されてしまう
因果関係不要説		帮助行為と既遂結果との間の因果関係は不要であり、帮助行為と正犯者の実行行為との間に因果関係があればよい	もともと正犯者は犯罪の実現を決意しており、帮助はその正犯の実行を容易にする行為にすぎないから、帮助がなければ既遂結果が発生しなかったという条件関係まで必要だとすると、帮助犯の成立範囲が著しく狭くなってしまう	既遂結果との間に因果関係がないのに、帮助行為をした者に既遂結果の責任を負わせるのは個人責任の原則に反する

2　各学説からの帰結

ex.1　Yは、A宅への侵入窃盗をしようとしていた正犯者Xのために合い鍵を渡したところ、Xは実際に合い鍵を使用して容易にA宅に侵入することができ、窃盗目的を達成した

ex.2　Yは、深夜侵入窃盗を実行するXの見張り役をすることをXに申し出て、実際見張りを務めたが、誰も付近を通過しなかったので、Xに連絡する必要はなかった

ex.3　Yは正犯者Xに気付かれずに、深夜侵入窃盗を実行するXの見張りを務めたが、誰も付近を通過しなかったので、Xに連絡する必要がなかった

<幇助の因果性に関する各学説からの帰結>

学説／事例	因果関係必要説		因果関係不要説
	促進説	条件関係説	
ex.1	○	×	○
ex.2	○	×	○
ex.3	×	×	○

（○：幇助犯成立　×：幇助犯不成立）

3　判例

▼　東京高判平 2.2.21・百選Ⅰ 88 事件〈司〉

正犯からビル地下室において人を拳銃で射殺する計画を告げられ、拳銃音が外部に漏れないよう同室の窓等に目張りをしたが、実際には正犯が被害者を他所で射殺した。この場合に、被告人の目張り行為が幇助たり得るためには、それ自体正犯者を精神的に力づけ、その犯行の意図を維持ないし強化することに役立ったことを必要とする。したがって、正犯によって認識されていなかった被告人の目張り行為と、正犯の強盗殺人行為は、因果関係を有しない。

二　片面的幇助の肯否〈司〉

正犯者Xが賭博を開くことを知って、Yがこれを手伝うつもりでXには何も告げずに客を案内した場合のように、幇助者と被幇助者との間に相互的な意思の連絡がない場合に幇助犯が成立するかが問題となる。

甲説：肯定説（大判大 14.1.22）〈司〉

∵①　正犯の実行行為を容易にさせることは、正犯者が幇助を受けているという意識をもっていなくても客観的に可能である

②　62 条は、幇助者と被幇助者との間に意思の連絡があることを要求していないと解するのが自然である

乙説：否定説

∵　一方的な幇助意思だけでは、共犯者の間に共同目的による共同意思主体が形成されていることにはならないので、共犯処罰の前提を欠く

＊　片面的共同正犯を否定する見解も、片面的幇助については肯定するのが一般である。

▼　東京地判昭63.7.27・百選Ⅰ87事件

被告人の兄らが、テーブルの中にけん銃及びけん銃実包を隠匿してフィリピンから日本国内に密輸入するに際し、その発送手続を行った被告人は、兄らの犯行について片面的、未必的認識があるにすぎないので、兄らとの共謀があったとは認められず、（共謀）共同正犯ではなく幇助犯となる。

三　間接幇助の肯否〈司共

間接教唆は61条2項で教唆とされうるが、正犯を幇助する者をさらに幇助する、いわゆる間接幇助の規定は存在しない。そこで、間接幇助の肯否について見解が対立している。

甲説：否定説

∵①　62条1項が「正犯」を幇助した者としているのは間接幇助を含まない趣旨である

②　幇助行為は、基本的構成要件の内容としての実行行為ではなく、幇助犯は正犯でないから、間接幇助についての規定がない以上、これを罰しないのが刑法の趣旨である

乙説：肯定説

∵①　実行行為者が犯罪を決意しているのを認識し、幇助行為によってその実行を間接的に容易にしている限り、正犯を幇助したと解すべきである

②　幇助行為も構成要件に該当する実行行為であり、これに対する共犯も可能である

▼　最決昭44.7.17・百選Ⅰ86事件〈司

ZがY又はその得意先が陳列するであろうと知りながらわいせつ映画フィルムをYに貸与したところ、Yの得意先であるXがYから右フィルムの貸与を受けて、上映によりこれを公然陳列したときは、Zには、Xの犯行を間接に幇助したものとして、わいせつ物公然陳列罪の幇助犯（62Ⅰ・175）が成立する

2－4　共犯論の諸問題

2－4－1　共犯と錯誤

《概　説》

一　総説

共犯においても、主観的に認識していた事実と現実に発生した事実が異なること（錯誤）がある。この問題を共犯の錯誤といい、通常の単独正犯の場合と同じく、具体的事実の錯誤、抽象的事実の錯誤の問題がある。

基本的には、具体的事実の錯誤及び抽象的事実の錯誤で説明した学説（法定的符合説・数故意犯説）に従って処理することが可能である。もっとも、共同正犯者間の錯誤が抽象的事実の錯誤に当たる場合には、何を「共同」すれば共同正犯が成立するのかが問われる。

また、関与形式間の錯誤という問題もある。これには、「異なる共犯形式間の錯誤」という問題（⇒下記《論点》二）と、「共犯と間接正犯の錯誤」という問題（⇒下記《論点》三）があり、いずれも共犯論に特有の問題である。

なお、共犯行為（教唆行為・幇助行為）と結果との間の因果性が否定される場合には、共犯者はその結果についての罪責を負わないので、錯誤の問題にはならない。

→甲が乙にA方への住居侵入窃盗を教唆したところ、乙はA方への侵入に失敗したので犯行をいったん断念したが、「ただでは帰れない」と決意を新たにし、B方に侵入して強盗を行ったという事案では、甲の教唆行為と乙の強盗との因果関係が否定される以上、もはや甲が乙の強盗について罪責を問われることはなく、錯誤の問題にはならない（ゴットン師事件、最判昭25.7.11・百選Ⅰ91事件参照）

二　同一共犯形式間の錯誤

1　具体的事実の錯誤

(1)　共同正犯

<具体的事実の錯誤・共同正犯> 予R4

態様	客体の錯誤	方法の錯誤
具体例	甲乙がA殺害を共謀し、実行したところ、BをAと誤認して殺害した場合 共	甲乙がA殺害を共謀し、ピストルを発射したところ、Aには当たらず、傍らにいたBに命中して死亡させた場合
法定的符合説	殺人既遂の共同正犯	殺人既遂の共同正犯 ＊　Aに対する殺人未遂の点については、故意の個数の問題にかかわる

態様	客体の錯誤	方法の錯誤
具体的符合説	殺人既遂の共同正犯	Aに対する殺人未遂の共同正犯 ＊　Bに対する過失致死の点については、過失の共同正犯の問題にかかわる

(2)　狭義の共犯

狭義の共犯の錯誤は、主に教唆犯について議論されている（幇助犯の錯誤については基本的に教唆犯と同様に考えてよい）。

＜具体的事実の錯誤・狭義の共犯＞共

態様	正犯者にとって客体の錯誤	正犯者にとって方法の錯誤
具体例	甲が乙に「Aを殺せ」と言って、Aの容貌を説明したところ、乙がそれらしい容貌の者をAと思って殺害したが、実はBであったという場合	甲が乙にXの殺害を教唆し、乙がXを狙って発砲したところ、傍らにいたYに命中し、Yが死亡した場合
法定的符合説	乙：殺人罪 甲：殺人罪の教唆	乙：殺人罪 甲：殺人罪の教唆
具体的符合説	A説～乙：殺人罪 　　　甲：殺人罪の教唆 B説～乙：殺人罪 　　　甲：不可罰	乙：Xに対する殺人未遂罪 　　Yに対する過失致死罪 甲：Xに対する殺人未遂の教唆

2　抽象的事実の錯誤

(1)　共同正犯 司 司H20 司H27 司H29 司R3 司R5

(a)　学説

共同正犯における「共同」の意義については、前に詳しく説明したとおり、犯罪共同説（特定の犯罪を共同して実行するものであると解する見解）と行為共同説（行為を共同するものであると解する見解）の対立があり、両説の差異は、異なる犯罪（罪名）についての共同正犯の成立を認めるかどうかという点にある。　⇒ p.126

そして、今日において犯罪共同説の主流となっているのは、部分的犯罪共同説（異なった故意を有する者が共同して犯罪を実行する場合であっても、両者の構成要件が重なり合うときは、その限度で犯罪を共同して実現したといえるので、その範囲で共同正犯が成立するという見解）である。

(b) 判例の立場

▼ 最決昭 54.4.13・百選Ⅰ 92 事件 同共

事案：　暴力団の組長である甲は、組員乙ら６名との間で、警察官Ａらに対する暴行・傷害を加える旨を共謀した上、Ａのいる派出所前に赴き、Ａに「こっちへこんかい勝負したる」などと罵声を浴びせたところ、これに応答したＡの言動に激昂した乙が、未必の殺意をもってＡの下腹部を小刀で１回突き刺し、Ａを失血死させた。本件では、殺意のなかった甲ら６名に何罪が成立するかが問題となった。

決旨：「殺人罪と傷害致死罪とは、殺意の有無という主観的な面に差異があるだけで、その余の犯罪構成要件要素はいずれも同一であるから、暴行・傷害を共謀した甲ら７名のうちの乙が……Ａに対し未必の故意をもって殺人罪を犯した本件において、殺意のなかった甲ら６名については、殺人罪の共同正犯と傷害致死罪の共同正犯の構成要件が重なり合う限度で軽い傷害致死罪の共同正犯が成立するものと解すべきである。」

評釈：　この判例は、軽い罪の故意しかなかった者に関する判断であり、行為共同説からも部分的犯罪共同説からも説明できるため、判例がいずれの立場に立つのかは明確ではなかった。

その後、判例（シャクティパット事件、最決平 17.7.4・百選Ⅰ６事件）は、「未必的な殺意をもって、……医療措置を受けさせないまま放置して患者を死亡させた甲には、不作為による殺人罪が成立し、殺意のない患者の親族との間では保護責任者遺棄致死罪の限度で共同正犯となる」としており、重い故意をもっていた甲について軽い保護責任者遺棄致死罪の限度で共同正犯が成立するとしているため、部分的犯罪共同説を採用したものと解されている。

(2) 狭義の共犯 同共

ex. 甲が乙にＡに対する傷害を教唆したところ、乙が殺意をもってＡに傷害を負わせたものの死亡には至らなかった

この場合のように、狭義の共犯（教唆・幇助）において、抽象的事実の錯誤があったとき、共犯者にどのような罪が成立するか。

判例（最決昭 54.3.27 等）・通説は、法定的符合説から、原則として、現実に発生した犯罪事実について故意は認められないが、認識していた犯罪事実と現実に発生した犯罪事実の構成要件が重なり合う場合には、その限度で例外的に故意犯の成立を認めるとしている。そして、構成要件の重なり合いは、実質的に判断する（実質説）。具体的には、①行為態様の共通性、及び②保護法益の共通性の双方がともに認められる場合に、構成要件の実質的な重なり合いが認められるものと考える。

→上記 ex. において、客観的には殺人未遂罪の教唆犯の事実が生じている

が、主観的には傷害罪の教唆犯にとどまる。この場合、甲には殺人の故意がなかったため、38条2項により殺人未遂罪の教唆犯は成立しない。そして、法定的符合説の立場からは、それぞれの構成要件が実質的に重なり合う限度で教唆の故意が認められるところ、傷害罪の教唆犯の限度で実質的に重なり合っているといえるから、甲には傷害罪の教唆犯が成立する

《論　点》

一　抽象的事実の錯誤における共同正犯の成否

①謀議の時点で各関与者の間にいかなる犯罪を行うかについての認識に不一致がある場合、②謀議の時点では各関与者の認識に不一致はないが、後に関与者の一部が謀議の内容と異なる犯罪を実行した場合に分けて検討する。なお、判例の立場である部分的犯罪共同説に立つことを前提とする。

1　①謀議の時点で各関与者の間にいかなる犯罪を行うかについての認識に不一致がある場合

ex.　Aに対する殺人の意思をもつ甲と、Aに対する傷害の意思をもつ乙は、ともにAに攻撃を加える謀議をした上で、それぞれAに包丁を突き刺したところ、甲の刺突行為による出血性ショックにより、Aは死亡した

上記のex.において、甲は殺人の意思、乙は傷害の意思で謀議しているので、謀議の時点で各関与者の間に認識の不一致がある。この場合、「共謀」の要件が満たされるのかが問題となるところ、何を「共同」すれば共同正犯が成立するのかが問題となる。

甲乙間に殺人罪（199）の共同実行の合意は認められないが、甲の殺人の意思には、保護法益と行為態様が重なる傷害罪という犯罪を実行する意思も含まれるので、傷害罪（204）の限度で「共謀」の要件を満たす。

次に、甲乙はAに攻撃を加える謀議の下、ともに実行行為を行っているので、「正犯性」「共謀に基づく実行行為」の要件も満たす。したがって、甲乙には傷害致死罪（205）の共同正犯の構成要件該当性が認められる。

→結論として、甲には殺人既遂罪の単独正犯が成立し、乙との間では傷害致死罪の限度で共同正犯となり、乙には傷害致死罪の共同正犯が成立する

2　②謀議の時点では各関与者の認識に不一致はないが、後に関与者の一部が謀議の内容と異なる犯罪を実行した場合

前記の判例（最決昭54.4.13・百選Ⅰ92事件）の事案を念頭に置いて考える。この判例の事案では、謀議の時点で各関与者間に認識の不一致はないので、「共謀」の要件を満たすし、「正犯性」の要件も当然に満たすものと解される。

もっとも、乙が未必の殺意をもって殺人の実行行為に及んでいるので、乙の行為が「共謀に基づく実行行為」の要件を満たすのかが問題となる。これは、

共謀の射程の問題であり、当初の共謀と実行行為との間に因果性が認められるかという観点から判断される。

共謀の射程が乙の実行行為に及ばないと判断した場合、「共謀に基づく実行行為」の要件を満たさないので、甲が乙の実行行為やその結果について責任を負うことはない。

→甲には傷害罪の共同正犯のみが成立し、乙には殺人罪の単独正犯が成立するのであって、錯誤の問題とはならない

他方、共謀の射程が乙の実行行為にも及ぶと判断した場合、「共謀に基づく実行行為」の要件を満たすが、甲にとっては、謀議の時点での認識と異なる事実が現実に発生しているため、錯誤の問題となる。この点、法定的符合説の立場からすると、甲には殺人の故意がない以上、38条2項により殺人罪は成立しないが、実質的な重なり合いが認められる限度で軽い傷害致死罪が成立する。

→最後に、乙との共犯関係を決める必要があるところ、部分的犯罪共同説の立場から、乙には殺人既遂罪の単独正犯が成立し、甲との間では傷害致死罪の限度で共同正犯となり、甲には傷害致死罪の共同正犯が成立する

二　異なる共犯形式間の錯誤

ex.　甲が乙にAの殺人を教唆したところ、乙は既にAの殺害を決意しており、甲の教唆により決意が強化されたような場合

上記の甲の行為は、客観的には教唆には当たらないが、乙の決意が強化されているので幇助（精神的幇助）に当たる。このような異なる共犯形式間の錯誤について、法定的符合説の立場からは、軽い共犯形式の限度で重なり合いを認めることができると解されている。

∵　共犯の各関与形式（共同正犯・教唆・幇助）は、構成要件を実現する形式が異なるだけであり、いずれも他人を通じて法益侵害・危険を惹起する点で共通している

→共犯の各関与形式の「重さ」は、共同正犯＞教唆＞幇助と考えられており、上記の甲には軽い共犯形式である殺人罪の幇助犯が成立する

三　共犯と間接正犯の錯誤 司H21 司H25

ex.　医師甲は、事情を知らない看護師乙を利用して患者Aを毒殺しようと考え、乙に「Aの薬だ」と偽って毒薬を渡し、これをAに投与するよう指示したところ、乙はこれが毒薬であることに気づいたものの、Aを日頃から鬱陶しいと思っていた乙は、これを機にいっそAを殺してしまおうと思い立ち、甲の指示どおり毒薬をAに投与してAを殺害した

上記の乙にAに対する殺人既遂罪が成立することに異論はない。では、主観的には間接正犯の故意しか有していなかったが、客観的には教唆となった甲の罪責はどうなるか。間接正犯の実行の着手時期の論点（⇒ p.105）と関連して問題となる。

＜共犯と間接正犯の錯誤＞〈共

実行の着手時期	利用者基準説		被利用者基準説
	個別化説		
	甲が乙に薬の投与を指示した時点		乙の行為の時点
学説	間接正犯説 →Yには殺人罪の間接正犯が成立	教唆犯説 →Yには殺人罪の間接正犯の未遂が成立しうるが、結論として、Yには殺人罪の教唆犯のみが成立	教唆犯説 →Yには殺人罪の教唆犯が成立
理由	被利用者が途中で情を知るに至っても、それは因果関係に関する軽微な錯誤にすぎず、特に考慮に値しない	①　利用者の間接正犯の意思は、実質上教唆犯の故意を内包する ②　Aの殺害は教唆犯の結果として生じている以上、殺人既遂罪の教唆犯と間接正犯の未遂の法条競合となり、任意的減軽がなく刑が重い殺人既遂罪の教唆犯が成立する	①　客観的には教唆犯の事実しか生じておらず、間接正犯の事実は生じていない ②　間接正犯と教唆犯は、いずれも他人を通じて法益侵害・危険を惹起する点で共通しているので、軽い教唆犯の限度で重なり合いが認められる

なお、ex.とは逆の場合、すなわち教唆犯の故意しかなかった甲が、客観的に間接正犯の事実を生じさせた場合、上記のように間接正犯の実行の着手時期が問題となることはないので、端的に38条2項の適用により、甲に軽い殺人既遂罪の教唆犯が成立するにとどまる。

2－4－2　共犯関係の解消と共犯の中止

《概　説》

一　共犯関係の解消

1　意義

共犯関係にある2人以上の者の一部の者が犯罪の完成に至るまでの間に犯意を放棄し、自己の行為を中止してその後の犯罪行為に関与しないことをいう。

なお、「離脱」とは、離脱者による離脱の試みという事実行為を指す一方、「解消」とは、離脱後の罪責を負わないという法的評価を指す。

2　要件〈司H19 司H28 司R3 予H24

共犯関係の解消が認められる根拠は、離脱によって共犯行為の因果性が遮断される点に求められるのであり、この基準が実行の着手の前後で変わるわけではない。実行の着手前であれば、それほど結果発生の危険性は高まっていないので、積極的な結果防止措置をとるまでもなく因果性の遮断が認められる場合が多いといえる一方、実行の着手後であれば、結果発生の危険性が高まっているので積極的な結果防止措置をとらなければ因果性の遮断が認められない場合が多いというだけである。

したがって、共犯関係の解消が認められるかどうかは、実行の着手の前後を問わず、離脱者の行った行為と離脱後に生じた結果との間の物理的因果性と心理的因果性のいずれもが、離脱の意思の表明・残余者による了承・積極的な結果防止措置などによって遮断・除去されたといえるかどうかという実質的な判断に尽きるものと解されている。

▼ 松江地判昭 51.11.2

一般的には、犯罪の実行を一旦共謀したとしても、その着手前に他の共謀者に離脱の意思を表明し、他の共謀者もこれを了承して残余の者だけで犯罪を実行した場合、他の共謀者の実行した犯罪について責任を問うことはできない。本件では離脱しようとする者が、共謀者団体の頭にして他の共謀者を統制支配する立場にあるので、離脱者が、共謀関係がなかった状態に復元しなければ、共謀関係の解消がなされたとはいえない。

▼ 最決平元.6.26・百選Ⅰ 96 事件〈回〉

事案：　乙の舎弟である甲は、スナックで一緒に飲んでいたAの態度に憤り、車でAを乙宅に連行した。甲は、乙宅において乙とともにAを難詰し、謝ることを強く促したが、Aは頑として反抗的な態度を取り続けたため激昂し、Aに対し約1時間ないし1時間半にわたり、竹刀や木刀でこもごもAの顔面、背部等を多数回殴打するなどの暴行を加えた。その後、甲は、「おれ帰る。」とだけ言って乙宅を去ったが、乙に暴行を加えるのをやめるよう求めるなどの措置をとらなかった。その後、乙はAの言動に再び激昂して、Aの顔を木刀で突くなどの暴行を加え、Aを頸部圧迫等により死亡させた（なお、Aの死亡結果が、甲が帰る前の暴行によって生じたものか、その後の乙による単独暴行によって生じたものかは明らかとならなかった）。

決旨：　「甲が帰った時点では、乙においてなお制裁を加えるおそれが消滅していなかったのに、甲において格別これを防止する措置を講ずることなく、成り行きに任せて現場を去ったに過ぎないのであるから、乙との間の当初の共犯関係が右の時点で解消したということはできず、その後の乙の暴行も右の共謀に基づくものと認めるのが相当である」として、甲の共犯からの解消を認めず、甲に傷害致死罪の共同正犯を成立させた。

▼ **最決平 21.6.30・百選Ⅰ 97 事件** 同共

事案： 甲は、共犯者らと住居侵入・強盗の共謀を遂げた上、犯行現場付近の車内で強盗の実行に及ぶべく待機していた。見張り役の共犯者は、共犯者２名（第１グループ）が住居侵入を遂げた後、強盗の実行に着手する前に周囲に人が集まってきたことから、犯行の発覚をおそれて第１グループに電話し、「もう少し待って」などと言う第１グループに対して「危ないから待てない。先に帰る」と一方的に告げて電話を切り、甲が待機する自動車に乗り込んだ。甲ら（第２グループ）は、話し合った結果一緒に逃げることとし、甲運転の自動車で立ち去った。第１グループは、いったんＡ方から出て、第２グループが立ち去ったことを知ったが、付近に待機中であった他の共犯者（第３グループ）とともにそのまま強盗を実行し、その際に加えた暴行でＡを負傷させた。甲についても住居侵入及び強盗致傷罪の共同正犯が成立するかが問題となる。

決旨： 「甲が離脱したのは強盗行為に着手する前であり、たとえ甲も見張り役の上記電話内容を認識した上で離脱し、残された共犯者らが甲の離脱をその後知るに至ったという事情があったとしても、当初の共犯関係が解消したということはできず、その後の共犯者らの強盗も当初の共謀に基づいて行われたものと認めるのが相当である」として、甲には住居侵入及び強盗致傷罪の共同正犯が成立するとした。

3 効果

共犯関係の解消が認められた場合、離脱者は、その後の残余者による実行行為やこれによって発生した結果について罪責を問われない。

具体的には、実行の着手前に共犯関係が解消された場合、離脱者は、離脱後の残余者による実行行為・結果について罪責を負わない（ただし、離脱者に予備罪が成立する場合を除く）。

他方、実行の着手後、既遂に達する前に共犯関係が解消された場合、離脱者は、未遂犯の限度で罪責を負う。

さらに、共犯関係の解消は、結果的加重犯の場合にも問題となる。たとえば、甲と乙がＡに対する傷害を共謀し、それぞれＡへの攻撃を開始したが、甲に共犯関係の解消が認められた場合、その後に乙がＡへの攻撃を継続してＡを死亡させたとしても、甲はＡの死亡の結果について罪責を問われることはないので、傷害罪の限度で罪責を負うにとどまる（なお、乙には傷害致死罪が成立する）。

二　共犯関係の解消と中止犯の関係〈司〈予H28

共犯関係の解消は、構成要件該当性の問題であるのに対し、共犯の中止犯は、犯罪の成立が確定した後の刑の減免の問題である。すなわち、共犯関係の解消は、共犯者の一部が共犯関係から離脱した後に残余者が結果を実現した場合において、離脱者がどのような罪責を負うのか（既遂か未遂か、結果的加重犯が成立するか）を判断するものである。これに対し、共犯の中止犯は、当該行為者が未遂犯の罪責を負うことを前提とした上で（43本文）、43条ただし書による刑の必要的減免が適用されるか否かを判断するものである（最判昭24.12.17・百選Ⅰ〔第7版〕97事件）。

そのため、まず、①構成要件該当性の問題である共犯関係の解消が認められるかどうかを検討する。その際、共犯者に任意性（43ただし書）があるかどうかは問題とならない。その結果、②共犯者の罪責が未遂犯にとどまった場合には、次に任意性などの中止犯の要件が満たされるかどうかを検討し、これが認められれば中止犯が成立することになる。

したがって、共犯関係の解消が認められても、中止犯が成立するとは限らない。逆に、実行の着手後、共犯者の全員が任意にその犯罪を中止した場合のように、共犯関係の解消が問題にならなくても、中止犯が成立しうる場合もある。

なお、刑の必要的減免という中止犯の効果は、一身専属的なものであるから、共犯者のうち１人が自己の意思により殺人を中止したため、殺人未遂にとどまったときは、自己の意思により殺人を中止した者にのみ、刑の必要的減免の効果が与えられる。

2－4－3　共犯と身分

第６５条　（身分犯の共犯）

Ⅰ　犯人の身分によって構成すべき犯罪行為に加功したときは、身分のない者であっても、共犯とする。

Ⅱ　身分によって特に刑の軽重があるときは、身分のない者には通常の刑を科する。

《概　説》

一　身分概念

1　「身分」の意義

男女の性別、内外国人の別、親族の関係、公務員たるの資格のような関係のみに限らず、すべて一定の犯罪行為に関する犯人の人的関係である特殊の地位又は状態をいう（最判昭27.9.19）。

＊　行為者の一定の身分が犯罪の成立要素となるものを構成的身分、行為者の一定の身分が刑の加重・減軽の要素となるものを加減的身分という（なお、学者によっては、身分が行為の違法性の要素となっている場合を「違法身

分」、身分が行為の責任の要素となっている場合を「責任身分」と呼ぶことがある)。

2　目的犯の目的と「身分」

目的犯の目的が「身分」に当たるかについては争いがあるも、当たるとするのが判例である〈共〉。

ex.1　麻薬輸入罪の「営利の目的」は、65条2項にいう「身分」に当たる(最判昭42.3.7・百選Ⅰ93事件)〈司〉

ex.2　営利の目的を有する甲が、成人乙を買い受けるに際し、かかる目的を有しない丙がこれを幇助した場合、甲には営利目的人身買い受け罪が成立し、丙には人身買い受け罪の幇助犯が成立する〈司〉

二　身分犯

構成要件上、行為者に一定の身分のあることが必要とされる犯罪をいう。

1　真正身分犯(構成的身分犯)

行為者が一定の身分を有することによってはじめて犯罪が成立する身分犯をいう。

2　不真正身分犯(加減的身分犯)

身分がなくても犯罪自体は成立するが、身分があることにより刑が加重又は軽減される身分犯をいう。

<真正身分犯・不真正身分犯に関する判例の整理>

判例が真正身分犯とした例
①　収賄罪(197以下)における「公務員」 ②　偽証罪(169)における「法律により宣誓した証人」 ③　横領罪(252)における他人の物の占有者(非占有者に対する) ④　業務上横領罪(253)における業務上の他人の物の占有者(*) ⑤　背任罪(247)における「他人のためにその事務を処理する者」 ⑥　虚偽公文書作成罪(156)における「公務員」 ⑦　事後強盗罪(238)における窃盗犯人
判例が不真正身分犯とした例
①　常習賭博罪(186Ⅰ)における賭博の常習者 ②　業務上堕胎罪(214)における医師 ③　業務上横領罪(253)における業務上の他人の物の占有者(*) ④　業務上失火罪(117の2)における業務上の失火者 ⑤　保護責任者遺棄罪(218)における保護責任者 ⑥　特別公務員職権濫用罪(194)における特別公務員

*　非占有者との関係では真正身分犯であり、単なる占有者との関係では不真正身分犯である。

《論　点》

一　65条1項と2項の関係 同共 司R元

65条1項は「身分のない者であっても、共犯とする」と規定し、身分のない者も身分のある者のように扱われることを規定する（身分の連帯的・従属的作用）。他方、65条2項は「身分のない者には通常の刑を科する」と規定し、両者について同じ扱いをしないことを規定する（身分の個別的作用）。そこで、具体的場面における犯罪の成否・科刑を検討するに当たり、一見矛盾した内容をもつように見える65条の解釈が問題となる。

＜65条1項と2項の関係＞

学説		甲説（最判昭31.5.24）	乙説	丙説
内容	1項	真正身分犯の「成立」と「科刑」	真正・不真正両身分犯の「成立」	違法身分の「成立」と「科刑」
	2項	不真正身分犯の「成立」と「科刑」	不真正身分犯の「科刑」	責任身分の「成立」と「科刑」
理由		①　2つの身分犯の区別に応じて1項と2項をそれぞれ適用するものであり、適用上明快である ②　1項の「犯人の身分によって構成すべき犯罪行為」、2項の「身分によって特に刑の軽重があるとき」との規定に忠実な解釈である	①　正犯と共犯は常に同じ罪が成立するとすることで、共犯従属性説を徹底することができ、また、1項と2項の矛盾を解消できる ②　1項の「共犯とする」、2項の「通常の刑を科する」との規定に素直な解釈である	①　1項が連帯的取扱いをするのは、共犯者間で連帯するはずの違法身分だからであり、2項が個別的取扱いをするのは共犯者ごとの固有の問題である責任身分に関するものだからである ②　制限従属性説に合致する
批判		①　不真正身分犯も「犯人の身分によって構成すべき犯罪」に他ならない ②　65条の一見矛盾した取扱いの実質的根拠を明らかにしていない	①　犯罪の成立と科刑を分離するのは妥当ではない ②　共犯が正犯の罪名にまで従属する必然性はない	①　65条の文言に反する ②　違法身分と責任身分とを明確に区別することは困難である

ex.1　非公務員Yが公務員Xに収賄を教唆した（「公務員」は「真正身分」「違法身分」）

ex.2　Yが愛人X女を唆して、病気で寝たきりのためX女が世話をしていた父親Aを遺棄した（「保護責任者」は「不真正身分」、「責任身分」又は「違法身分」）

ex.3　Yが愛人であるXを唆して、Xが介護していたXの老母Aの生存に必要な保護をやめさせた（不保護の場合、「保護責任者」は「真正身分」、「責任身分」又は「違法身分」）

<共犯と身分に関する各学説からの帰結> 司共

学説	甲説	乙説	丙説
ex.1	X：収賄罪の正犯 Y：収賄罪の教唆犯（65 Ⅰ）	X：収賄罪の正犯 Y：収賄罪の教唆犯（65 Ⅰ）	X：収賄罪の正犯 Y：収賄罪の教唆犯（65 Ⅰ）
ex.2	X：保護責任者遺棄罪の正犯 Y：単純遺棄罪の教唆犯（65 Ⅱ）	X：保護責任者遺棄罪の正犯 Y：保護責任者遺棄罪の教唆犯が成立（65 Ⅰ）・単純遺棄罪の科刑（65 Ⅱ）	X：保護責任者遺棄罪の正犯 Y：単純遺棄罪の教唆犯（65 Ⅱ）、又は保護責任者遺棄罪の教唆犯（65 Ⅰ）（＊）
ex.3	X：保護責任者遺棄罪の正犯 Y：保護責任者遺棄罪の教唆犯（65 Ⅰ）	X：保護責任者遺棄罪の正犯 Y：保護責任者遺棄罪の教唆犯（65 Ⅰ）	X：保護責任者遺棄罪の正犯 Y：単純遺棄罪の教唆犯（65 Ⅱ）、又は保護責任者遺棄罪の教唆犯（65 Ⅰ）（＊）

＊　結果無価値論によれば、「保護責任者」という身分は遺棄の責任を基礎付けるため責任身分となり、65条2項が適用される。行為無価値論によれば、「保護責任者」という身分は遺棄の違法性を加重するため違法身分となり、65条1項が適用される。

二　65条1項の「共犯」に共同正犯は含まれるか

65条1項にいう「共犯」に、共同正犯も含むか、それとも狭義の共犯（教唆・幇助）しか含まないかが問題となる。

判例（大判昭9.11.20、最決昭40.3.30）は、「共犯」には狭義の共犯のみならず、共同正犯も含まれるとしている。

∵① 非身分者であっても身分者と共同して身分犯の保護法益を侵害することは可能である

② 65条は60条とともに「共犯」の章にあり、65条1項も単に「共犯」としていることから、共同正犯も当然に含まれる

三　不真正身分犯における身分者による非身分者への加功 司

不真正身分犯について、身分者が非身分者の行為に加功した場合、65条2項が適用されるか。

ex.　Xが、愛人Y女を唆して、Xが世話をしていた病気で寝たきりのXの父親Aを遺棄させた場合、Yには単純遺棄罪（217）が成立するが、Xには単純遺棄罪の教唆犯（61 Ⅰ・217）が成立するにとどまるか、それとも保護責任者遺棄罪の教唆犯（61 Ⅰ・218）が成立するか

<不真正身分犯における身分者による非身分者への加功>

学説	65条2項適用肯定説	65条2項適用否定説
帰結	X：保護責任者遺棄罪（218）の教唆犯	X：単純遺棄罪（217）の教唆犯
根拠	① 65条2項は、関与者それぞれの個別的事情に相応した犯罪を適用するための規定と解すべきである ② 身分を有する者にはその身分に応じて加重処罰を認めることが実質的に妥当である	① 共犯従属性の原則によれば、共犯の罪名は正犯のそれに従属するから、正犯者が非身分犯の正犯として処罰されるのであれば、共犯者も非身分犯の共犯として処罰されるべきである ② 65条2項は「身分のない者には通常の刑を科する」としているのであり、「身分のある者には身分犯の刑を科する」と規定していない
批判	正犯に身分犯についての構成要件該当性がないにもかかわらず、共犯には身分犯の成立が認められているのであるから、「正犯なき共犯」を認めることになる	正犯は非身分犯の正犯として処罰される以上、「正犯なき共犯」を認めることにはならない

四　特殊な問題

1　賭博罪の問題〈司共

賭博常習者であるXが、賭博常習者でないYに賭博を教唆した場合、65条2項が適用され、Xには常習賭博罪の教唆犯が成立し、Yには単純賭博罪の正犯が成立する（大連判大3.5.18）。それでは、賭博常習者でないYが、賭博常習者であるXに賭博を教唆した場合、Yに65条が適用されるか。常習賭博罪（186 Ⅰ）の常習性は、65条にいう「身分」に当たるかが問題となる。

甲説：65条適用肯定説（大判大7.6.17）

常習賭博罪の常習性は、65条にいう（不真正）「身分」である

→Yには単純賭博罪の教唆犯（65 Ⅱ）が成立、又は常習賭博罪の教唆犯が成立し（65 Ⅰ）、単純賭博罪の刑で処断（65 Ⅱ）⇒p.165

乙説：65条適用否定説

常習賭博罪の常習性は、65条にいう（不真正）「身分」ではない

→Yには単純賭博罪の教唆犯が成立

∵ 常習犯という身分は行為定型の要素ではなく、行為者定型の要素であって、厳密にいえば常習犯人はあっても、常習犯というものはない

2　横領罪の場合〈司〈司H21 司H24 予H27

業務性を欠き占有もない者が業務上横領罪（253）に加功した場合、非身分者はいかなる取扱いを受けるか、業務上横領罪は、「物の占有者」という身分によって構成される横領罪が「業務者」という身分によって加重されている複合的性格を有しているので、65条がいかに適用されるかが問題となる。

ex.　非占有者Yは、A会社の取締役兼経理部長のXに会社の金を横領するように唆し、Xが横領したという場合

(1)　学説

＜業務上横領罪と65条の関係＞ 同共

<table>
<tr><td colspan="2">Yを業務上横領罪の共犯として処罰する立場</td><td>理由：①　業務上横領罪は非占有者との関係では真正身分犯である
②　物の非占有者は、単独ではおよそ単純横領罪を犯しえないのであるから、こうした者が業務上横領罪に関与した場合、「通常の刑」は存在しない

批判：業務上占有者に単なる占有者が加功した場合には、2項により単純横領罪で処罰されることと比べて不均衡である</td></tr>
<tr><td rowspan="3">Yを単純横領罪の共犯として処罰する立場</td><td>甲説</td><td>結論：65条1項により単純横領罪の共犯が成立する

理由：業務上横領罪は、他人の物の占有者という真正身分と、業務者という不真正身分の組み合わさった複合的身分犯であり、真正身分たる占有者の限度で65条1項が適用される</td></tr>
<tr><td>乙説</td><td>結論：65条1項により業務上横領罪の共犯が成立し、同2項により単純横領罪の刑が科される

理由：業務上横領罪は、他人の物の占有者という真正身分と、業務者という不真正身分の組み合わさった複合的身分犯であり、65条1項は真正身分犯、不真正身分犯の成立に適用され、65条2項は不真正身分犯の科刑に適用される</td></tr>
<tr><td>丙説</td><td>結論：65条1項により単純横領罪の共犯が成立する

理由：業務上横領罪は、他人の物の占有者という違法身分と、業務者という責任身分の組み合わさった複合的身分犯であり、違法身分たる占有者の限度で65条1項が適用される</td></tr>
</table>

(2)　判例

判例（最判昭32.11.19・百選Ⅰ94事件）は、業務性を欠き占有もない者が業務上横領罪に加功した場合について、65条1項により業務上横領罪の共同正犯が成立するが、65条2項により通常の横領罪の刑を科すべきものであるとしている同共。

∵①　65条1項は真正身分犯について身分の連帯的作用を、65条2項は不真正身分犯について身分の個別的作用を規定したものであり、真正身分犯の共犯には65条1項が適用される

②　業務上横領罪は非占有者との関係では真正身分犯にほかならないが、業務者ではない単なる占有者が業務上横領に加功した場合との刑の均衡を考慮する必要がある

2－4－4　予備と共犯

《概　説》

一　意義

1　予備の共同正犯

意思の連絡の下に予備行為を共同して行うことをいう。

2　予備の教唆・幇助

(1)　予備の教唆とは、正犯の既遂、未遂又は予備を教唆した結果、正犯が予備に終わった場合をいう。

(2)　予備の幇助とは、予備罪の行為を幇助した結果、正犯が予備・陰謀に終わった場合をいう。

二　肯否

予備罪の共同正犯、教唆、幇助が認められるか、60条にいう「実行」、61条1項にいう「実行」、62条1項にいう「正犯」に予備が含まれるかが問題となる。

《論　点》

◆　予備と共犯 司H28

1　予備の共同正犯の肯否

XとYが共同して殺人を共謀し毒を準備したが、ともに着手する前に捕まった場合、Xには殺人罪の自己予備罪（201・199）、Yにも殺人罪の自己予備罪が成立する。では、XY2人には殺人罪の自己予備罪の共同正犯が成立するか、予備に実行行為性を認めうるかが問題となる。

＜予備の共同正犯の肯否＞

予備行為の実行行為性	否定説		肯定説（最決昭37.11.8・百選Ⅰ80事件）共
	（完全）否定説	二分説（折衷説）	
理由	①　実際上、予備行為の範囲は極めて広範であって、基本的構成要件の内容としての実行行為のような定型性を有しないから、これについて共同正犯を認めるときは、その観念は相当曖昧なものとなるおそれがある ②　43条の未遂犯の規定の「実行」が、正犯の実行、すなわち基本的犯罪類型の実行だとすると、60条以下の規定の「実行」も同様に解釈するのが素直である	①　殺人予備罪（201・199）のように、単に構成要件の修正形式として予備の処罰が規定されている場合には、予備行為は、無定型・無限定であって、実行行為を観念できず、予備罪の共同正犯は成立しない ②　通貨偽造準備罪（153）のように構成要件が法文に明確に規定されている場合には、実行行為を観念できるから、予備罪の共同正犯も成立しうる	①　予備罪が独立して処罰されている以上、その予備罪には修正された構成要件としての実行行為が想定可能である ②　実質的にも正犯が予備として処罰されうる程度の危険性を発生させた以上、そのような危険性を発生せしめた者も共犯として処罰してよい

予備行為の実行行為性	否定説		肯定説（最決昭 37.11.8・百選Ⅰ 80 事件）〈共
	（完全）否定説	二分説（折衷説）	
XYに共同正犯が成立するか	共同正犯は成立しない（殺人予備罪の単独犯）	共同正犯は成立しない（殺人予備罪の単独犯）	殺人予備罪の共同正犯

※　予備罪に関して狭義の共犯を認めるか否かについて争いあるも、これも共犯従属性説に立つ限り、予備行為に実行行為性を認めるか否かにかかわる問題であり、上の議論がそのまま妥当する。

2　予備の（狭義の）共犯の肯否

予備罪につき狭義の共犯を認めるかについては争いがある。この対立は、予備行為に実行行為性を認めるか否かにかかわる問題であり、予備と共同正犯の議論がそのまま妥当する。

<予備と（狭義の）共犯>

予備行為の実行行為性	甲が専ら乙のために毒を入手するつもりで準備行為を行った場合の甲の罪責	理由
肯定説	殺人予備罪の幇助	①　予備は修正形式とはいえ、それ自体固有の構成要件であり、それを実現する行為は実行行為というべき ②　実質的にも正犯が予備として処罰されうる程度の危険性を発生させた以上、そのような危険性を発生せしめた者も共犯として処罰してよい
否定説	不可罰	①　予備行為は無定型・無限定であり、共犯、特に幇助もまた同様であって、予備の共犯はますます無定型・無限定なものになり、明文の規定がない限り、これを罰することは妥当でない ②　43 条本文の「犯罪の実行」は、予備より後の実行行為を指すから、60 条以下についてもこれと同様にみなければ、刑法上の概念の統一性が妨げられる
二分説（折衷説）	不可罰 ＊　甲が通貨偽造準備罪（153）を幇助した場合には同罪の幇助犯が成立する	①　殺人予備罪（201・199）のように、単に構成要件の修正形式として予備の処罰が規定されている場合には、予備行為は、無定型・無限定であって、実行行為を観念できず、教唆犯・幇助犯は成立しない ②　通貨偽造準備罪（153）のように構成要件が法文に明確に規定されている場合には、予備行為は定型的・限定的であって、実行行為を観念できるから、教唆犯・幇助犯が成立する

3　判例

▼ **最決昭37.11.8・百選Ⅰ80事件** 司共

殺害目的で使用するものであることを知りながら青酸ソーダを交付したが、交付された者に殺人予備罪（201・199）が成立するにとどまった事案に関して、予備行為も実行行為といえるから、予備の実行行為を共同した者は、予備罪の共同正犯になるとし、かつ、他人予備罪をも認める立場から、交付者に殺人予備罪の共同正犯（60・201・199）を成立させた原審の判断を是認した。

2－4－5　不作為犯と共犯

《概　説》

一　不作為による共同正犯

父Xが母Yと意思を通じてYの産んだ乳児Aを餓死させた事案のように、共犯者各自に作為義務がある場合に不作為犯の共同正犯が成立することについては、ほぼ異論がない。

他方、母Yと交際相手Zが意思を通じてYの産んだ乳児Aを餓死させた事案のように、作為義務のある者とそうでない者との間において、不作為犯の共同正犯が成立するかが問題となる。

<不作為による共同正犯>

	肯定説（多数説）	否定説（有力説）
理　由	作為義務がない者であっても、作為義務を有する者と共同して不真正不作為犯の結果を実現することは可能である	不真正不作為犯は作為義務を有する者のみがなしうる犯罪であり、作為義務のない者が不真正不作為犯の実行行為を行うことはありえない

二　不作為による正犯と幇助の区別

1　不作為による正犯と幇助の区別基準 司 司H26 予R3

ex.　甲は、乙がAの首を絞めているのを目撃したが、Aの救護義務を有していた甲も、Aが死亡しても構わないと考え、乙を制止せずにその場から立ち去った。乙は、その間、甲の存在に気付いていなかった

上記のex.における甲乙間にはAの殺害について共謀がないところ、片面的共同正犯を否定する判例・通説の立場を前提とすると、甲に殺人罪の不作為による単独正犯が成立するか、それとも不作為による幇助犯が成立するにとどまるかが問題となり、不作為による正犯と幇助の区別基準をどう解すべきかが問われる。

この点、上記のex.のように他人（正犯）の犯行を阻止しなかった場合には、原則として幇助犯が問題となるにすぎないと解する見解（原則幇助犯説）

が通説とされる。

∵　作為による正犯には結果発生に対して直接的な因果関係が認められる一方、不作為による関与者は結果発生に対して正犯を介した間接的な因果関係をもつにとどまり、単に正犯の実行を容易にしたにすぎない（言い換えれば、結果発生に至る因果経過を支配しているのはあくまでも正犯であり、不作為による関与者は因果経過を支配したとまではいえない）

→なお、上記のex.と異なり、甲乙間にAの殺害について共謀が成立している場合、「不作為による正犯と幇助の区別」は問題とならない

∵　甲乙間に共謀が成立していれば、甲にAに対する殺人罪の共謀共同正犯が成立し、一部実行全部責任の原則（60）から、Aの死亡についての責任を負わせることができる

2　不作為による幇助の成立要件

そこで、次に問題となるのは、不作為による幇助の成立要件である。幇助犯の成立要件は、①「正犯を幇助」すること（幇助行為）、②①に基づく正犯者の実行行為、③幇助犯の故意であり、不作為による幇助犯の場合も同様である。

⑴「正犯を幇助」すること（幇助行為）

作為による幇助犯と同視しうるものでなければならないので、正犯の犯罪を阻止すべき作為義務のある者が、その作為に出ることが可能かつ容易であったにもかかわらず、その義務に違反して作為をしないことが必要である。

ここにいう作為義務とは、結果の発生を直接防止・回避する義務ではなく正犯による実行を阻止する義務である。

⑵　①に基づく正犯者の実行行為

幇助行為と正犯の実行行為・結果との因果関係が必要となるところ、条件関係までは不要であり、幇助行為によって正犯者の実行行為を強化し、既遂結果の実現を促進すること（促進的因果関係）で足りる。

→正犯による実行を阻止しないという不作為によって、正犯の結果実現が容易になったといえれば、この要件を満たす（幇助者が正犯による実行をほぼ確実に阻止できたことまでは不要）

⑶　幇助犯の故意

正犯の犯罪を阻止するという作為義務のある者が、一定の作為によって正犯の犯罪を阻止することが可能であることを認識しながら、一定の作為をせず、正犯による実行を認容していることが必要である（札幌高判平12.3.16・百選Ⅰ85事件）。

▼ 札幌高判平 12.3.16・百選Ⅰ 85 事件

事案：　甲は、内縁関係にある乙が甲の次男Aに対し、顔面や頭部を殴打するなどのせっかんを加えてAを死亡させた際、乙がせっかんを開始したことを認識しつつ、乙の行動には無関心を装っていた。

判旨：　「『犯罪の実行をほぼ確実に阻止し得たにもかかわらず、これを放置した』という要件は、不作為による幇助犯の成立には不必要というべきである。」

「乙とAの側に寄って乙がAに暴行を加えないように監視する行為は、……乙にとっては、Aへの暴行に対する心理的抑制になったものと考えられるから、右作為によって乙の暴行を阻止することは可能であった」。次に、「乙の暴行を言葉で制止する行為……によって乙の暴行を阻止することも相当程度可能であった」。最後に、「乙の暴行を実力により阻止することが著しく困難な状況にあったとはいえない」。

したがって、「甲の行為は、不作為による幇助犯の成立要件に該当し、甲の作為義務の程度が極めて強度であり、比較的容易なものを含む前記一定の作為によって乙のAに対する暴行を阻止することが可能であった」として、甲に傷害致死罪の不作為による幇助犯が成立する旨判示した。

三　不作為犯に対する教唆・幇助

ex.　作為義務のない甲が、乳児Aの親である乙に対してAに授乳しないよう教唆し、乙がAに授乳しないでいたところ、Aが死亡した

この場合のように、作為義務のない者が、作為義務のある者の不作為を教唆・幇助した場合、不作為犯に対する教唆犯・幇助犯が成立する。

∵　作為義務のない者であっても、作為義務を有する者の不作為に因果性を及ぼすことによって、不作為犯の結果を間接的に実現できるので、作為義務のない者でも共犯として処罰することができる

総　論

知識編

第２編　知識編

・第１章・【通則】

第１条　（国内犯）

Ⅰ　この法律は、日本国内において罪を犯したすべての者に適用する。
Ⅱ　日本国外にある日本船舶又は日本航空機内において罪を犯した者についても、前項と同様とする。

《概　説》

一　場所的適用範囲〈同〉

１　意義

刑法がどの場所で犯された犯罪に対して適用されるかということである。

２　現行法

１条から４条の２までは場所的適用範囲に関する規定である。１条の属地主義を基本原則とし、２条以下において他の原則を補充的に採用している。

二　国内犯

１　属地主義（Ⅰ）

日本国内で行われた犯罪（国内犯）について、何人に対しても刑法の適用がある（犯罪地が国内であるためには、実行行為と結果の一部が国内で生ずれば足りる）。

２　旗国主義（Ⅱ）

日本の船舶や航空機の中で犯罪行為が行われたときも、日本の刑法が適用される。属地主義の特別な場合を定めたものである。

三　共犯の犯罪地

共犯については、国内で結果が発生した場合、及び正犯行為が国内で行われた場合には、共犯者全員に刑法が適用される（最決平6.12.9）。また、教唆・幇助を行った場所も、教唆犯・幇助犯の犯罪地となる（正犯者にとっては、教唆・幇助された場所は犯罪地とはならず、自己の犯罪地だけが犯罪地となるから、正犯者が処罰されないのに共犯者のみが処罰される場合があることになる）。

第２条　（すべての者の国外犯）

この法律は、日本国外において次に掲げる罪を犯したすべての者に適用する。
①　削除

② 第７７条から第７９条まで（内乱、予備及び陰謀、内乱等幇助）の罪
③ 第８１条（外患誘致）、第８２条（外患援助）、第８７条（未遂罪）及び第８８条（予備及び陰謀）の罪
④ 第１４８条（通貨偽造及び行使等）の罪及びその未遂罪
⑤ 第１５４条（詔書偽造等）、第１５５条（公文書偽造等）、第１５７条（公正証書原本不実記載等）、第１５８条（偽造公文書行使等）及び公務所又は公務員によって作られるべき電磁的記録に係る第１６１条の２（電磁的記録不正作出及び供用）の罪
⑥ 第１６２条（有価証券偽造等）及び第１６３条（偽造有価証券行使等）の罪
⑦ 第１６３条の２から第１６３条の５まで（支払用カード電磁的記録不正作出等、不正電磁的記録カード所持、支払用カード電磁的記録不正作出準備、未遂罪）の罪
⑧ 第１６４条から第１６６条まで（御璽偽造及び不正使用等、公印偽造及び不正使用等、公記号偽造及び不正使用等）の罪並びに第１６４条第２項、第１６５条第２項及び第１６６条第２項の罪の未遂罪

《概　説》

◆ **保護主義**

自国の重要な利益の保護を目的として、自国又は自国民の法益を侵害する犯罪に対して、犯人の国籍・犯罪地を問わずすべての犯人につき刑法の適用を認めることを保護主義という。本条は、一定の重大犯罪につき、この原則を認める（国外犯の処罰）。

第３条　（国民の国外犯）

この法律は、日本国外において次に掲げる罪を犯した日本国民に適用する。
① 第１０８条（現住建造物等放火）及び第１０９条第１項（非現住建造物等放火）の罪、これらの規定の例により処断すべき罪並びにこれらの罪の未遂罪
② 第１１９条（現住建造物等浸害）の罪
③ 第１５９条から第１６１条まで（私文書偽造等、虚偽診断書等作成、偽造私文書等行使）及び前条第５号に規定する電磁的記録以外の電磁的記録に係る第１６１条の２の罪
④ 第１６７条（私印偽造及び不正使用等）の罪及び同条第２項の罪の未遂罪
⑤ 第１７６条、第１７７条及び第１７９条から第１８１条まで（不同意わいせつ、不同意性交等、監護者わいせつ及び監護者性交等、未遂罪、不同意わいせつ等致死傷）並びに第１８４条（重婚）の罪
⑥ 第１９８条（贈賄）の罪
⑦ 第１９９条（殺人）の罪及びその未遂罪
⑧ 第２０４条（傷害）及び第２０５条（傷害致死）の罪

⑨　第２１４条から第２１６条まで（業務上堕胎及び同致死傷、不同意堕胎、不同意堕胎致死傷）の罪
⑩　第２１８条（保護責任者遺棄等）の罪及び同条の罪に係る第２１９条（遺棄等致死傷）の罪
⑪　第２２０条（逮捕及び監禁）及び第２２１条（逮捕等致死傷）の罪
⑫　第２２４条から第２２８条まで（未成年者略取及び誘拐、営利目的等略取及び誘拐、身の代金目的略取等、所在国外移送目的略取及び誘拐、人身売買、被略取者等所在国外移送、被略取者引渡し等、未遂罪）の罪
⑬　第２３０条（名誉毀損）の罪
⑭　第２３５条から第２３６条まで（窃盗、不動産侵奪、強盗）、第２３８条から第２４０条まで（事後強盗、昏(こん)酔強盗、強盗致死傷）、第２４１条第１項及び第３項（強盗・不同意性交等及び同致死）並びに第２４３条（未遂罪）の罪
⑮　第２４６条から第２５０条まで（詐欺、電子計算機使用詐欺、背任、準詐欺、恐喝、未遂罪）の罪
⑯　第２５３条（業務上横領）の罪
⑰　第２５６条第２項（盗品譲受け等）の罪

《概　説》

◆　属人主義

犯人が自国民である限り、犯罪地の内外を問わず刑法の適用を認める主義をいう。本条は、比較的重い犯罪についてこの原則を認め、日本国民の国外犯につき刑法の適用があるとする。

第３条の２　（国民以外の者の国外犯）

この法律は、日本国外において日本国民に対して次に掲げる罪を犯した日本国民以外の者に適用する。
①　第１７６条、第１７７条及び第１７９条から第１８１条まで（不同意わいせつ、不同意性交等、監護者わいせつ及び監護者性交等、未遂罪、不同意わいせつ等致死傷）の罪
②　第１９９条（殺人）の罪及びその未遂罪
③　第２０４条（傷害）及び第２０５条（傷害致死）の罪
④　第２２０条（逮捕及び監禁）及び第２２１条（逮捕等致死傷）の罪
⑤　第２２４条から第２２８条まで（未成年者略取及び誘拐、営利目的等略取及び誘拐、身の代金目的略取等、所在国外移送目的略取及び誘拐、人身売買、被略取者等所在国外移送、被略取者引渡し等、未遂罪）の罪
⑥　第２３６条（強盗）、第２３８条から第２４０条まで（事後強盗、昏酔強盗、強盗致死傷）並びに第２４１条第１項及び第３項（強盗・不同意性交等及び同致死）の罪並びにこれらの罪（同条第１項の罪を除く。）の未遂罪

《概　説》

・本条は、保護主義に基づき、日本国外において日本国民に対してなされた犯罪を処罰する。これは、国際的に人の移動が日常化し、国外において日本国民が犯罪の被害に遭う機会が増加している状況に鑑み、日本国民保護の観点から規定されたものである。

第４条　（公務員の国外犯）

この法律は、日本国外において次に掲げる罪を犯した日本国の公務員に適用する。

①　第１０１条（看守者等による逃走援助）の罪及びその未遂罪

②　第１５６条（虚偽公文書作成等）の罪

③　第１９３条（公務員職権濫用）、第１９５条第２項（特別公務員暴行陵虐）及び第１９７条から第１９７条の４まで（収賄、受託収賄及び事前収賄、第三者供賄、加重収賄及び事後収賄、あっせん収賄）の罪並びに第１９５条第２項の罪に係る第１９６条（特別公務員職権濫用等致死傷）の罪

《概　説》

・本条は、職権濫用罪、賄賂罪などの公務員犯罪につき、日本の公務員の国外犯を処罰する（公務員の国外犯）。これも属人主義ではあるが、日本の公務を保護するという意味において、保護主義に位置付けることができる。

第４条の２　（条約による国外犯）

第２条から前条までに規定するもののほか、この法律は、日本国外において、第２編の罪であって条約により日本国外において犯したときであっても罰すべきものとされているものを犯したすべての者に適用する。

《概　説》

◆　世界主義

国際社会が共同して対処しなければならない行為について、何人がどの地域で犯したか、また自国の利益の侵害を伴うか否かにかかわらず、自国の刑法を適用する原則をいう。

<場所的適用範囲> 同

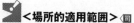

立法主義	刑法の規定	具体例
属地主義	国内犯（1）	暴行、単純横領等
属人主義	国民の国外犯（3）	建造物等放火、業務上横領、殺人等

立法主義	刑法の規定	具体例
保護主義	すべての者の国外犯（2）	内乱、外患、通貨偽造、公文書偽造等
	国民以外の者の国外犯（国民に対してなされたものに限る）（3の2）	不同意性交等、殺人、傷害、強盗等
	公務員の国外犯（4）	虚偽公文書作成、収賄等
世界主義	条約による国外犯（4の2）	ハイジャック行為、国際テロ行為

第５条　（外国判決の効力）

外国において確定裁判を受けた者であっても、同一の行為について更に処罰することを妨げない。ただし、犯人が既に外国において言い渡された刑の全部又は一部の執行を受けたときは、刑の執行を減軽し、又は免除する。

第６条　（刑の変更）

犯罪後の法律によって刑の変更があったときは、その軽いものによる。

[趣旨]時間的適用範囲とは、刑法の効力が開始する時点から失効する時点までの範囲をいう。

刑法は施行の時以後の犯罪に適用され、施行前の犯罪に適用されることはない（遡及処罰の禁止）のが原則である。しかし本条は、刑の変更により法定刑が軽くなったときには、軽い方の法律を適用するとして、遡及処罰禁止原則の例外を定める。これは、遡及処罰禁止原則によって達成されるべき行為者保護の目的を実質的に推し進めたのもので、罪刑法定主義に反するものではない。

＜時間的適用範囲＞

<table>
<tr><th>行為時</th><th colspan="3">裁判時</th><th>帰　結</th></tr>
<tr><td>適　法</td><td colspan="3">違　法</td><td>遡及処罰は禁止される（憲39）</td></tr>
<tr><td rowspan="4">違　法</td><td colspan="3">適　法</td><td>刑の廃止→限時法の問題となる</td></tr>
<tr><td rowspan="3">違　法</td><td rowspan="3">刑の変更</td><td>重→軽</td><td>新法が適用される（6）</td></tr>
<tr><td>軽→重</td><td>新法は適用されない</td></tr>
<tr><td>軽重なし</td><td>争いあり（判例は旧法を適用）</td></tr>
</table>

《概　説》

一　刑の変更

1　「犯罪後」とは、実行行為の終了後をいい、結果発生の時ではなく行為の時が基準となる〈司〉。法律の新旧は公布時期ではなく、施行時期により判別される。

＊ 実行行為が新法と旧法にまたがるとき（ex. 継続犯など）は、新法は「犯罪後」の法律ではないから本条の適用はなく、常に新法が適用される〈共〉。また、判例は科刑上一罪につき、単純一罪と同様に、新法を適用すべきとする〈司〉。

2 判例は、「刑の変更」に含まれるのは主刑の変更のみであり、付加刑である没収の変更は含まれないとしつつも、労役場留置の期間の変更は「刑の変更」に当たるとする。

＊ 犯罪後裁判までの間に、数度にわたる刑の変更があった場合は、そのうちで最も軽いものを適用する。

二 刑の廃止

1 行為後に刑が廃止された場合は免訴となる（刑訴 337 ②）。

2 刑の廃止は刑がゼロに変更されたという意味で刑の変更と連続的であるため、その区別が問題となる。特に、傷害致死罪と尊属傷害致死罪のように、いわゆる法条競合の特別関係に立つ場合に特別法を廃止した場合が問題となるが、「刑の変更」に当たるとするのが判例である。

三 限時法

1 限時法とは、存続期限を明示した時限立法や臨時的に設けられた刑罰法規をいう。期限が近づけば裁判時には期限が切れて処罰されないと予想されるため、事実上遵守されなくなるという問題がある。

2 限時法の理論

限時法の理論とは「旧法の規定は、なお効力を有する」というような経過規定が存在しない場合に、この規定と同様の効果（限時法効果）を解釈により認めようとする理論である。しかし、明文の根拠なしに6条に反して処罰するのは罪刑法定主義に抵触するおそれがあるとして、限時法の理論を否定する立場が多数である。

<限時法の理論>

<table>
<tr><th></th><th>学説</th><th>理由</th><th>批判</th></tr>
<tr><td rowspan="2">肯定説</td><td>**常に処罰できるとする見解**</td><td>法令の実効性を確保するため、有効期間中の行為を処罰する必要がある</td><td rowspan="2">① 明文の根拠なく6条に反して処罰するのは罪刑法定主義に反する
② 個々の法規に追及効の明文規定を置けば足りる
③ （動機説に対して）法律的見解と事実関係を明確に区別することは困難である</td></tr>
<tr><td>**法令廃止の理由が国家の法律的見解の変更に基づくときは追及効を認めず、そうでないときは認める見解（動機説）**</td><td>実質的な当罰性を基準に処罰範囲を確定すべきである</td></tr>
</table>

総論知識編

	学説	理由	批判
否定説	**常に処罰できないとする見解** 通	６条の趣旨は、刑罰法規が廃止された以上、以前の行為を不可罰とすることにある	法規範の変更があれば、すべて処罰しえなくなるとすることは非現実的である

第７条　（定義）

Ⅰ　この法律において「公務員」とは、国又は地方公共団体の職員その他法令により公務に従事する議員、委員その他の職員をいう。

Ⅱ　この法律において「公務所」とは、官公庁その他公務員が職務を行う所をいう。

第７条の２

この法律において「電磁的記録」とは、電子的方式、磁気的方式その他人の知覚によっては認識することができない方式で作られる記録であって、電子計算機による情報処理の用に供されるものをいう。

第８条　（他の法令の罪に対する適用）

この編の規定は、他の法令の罪についても、適用する。ただし、その法令に特別の規定があるときは、この限りでない。

《概　説》

◆　事項的適用範囲

刑法の事項的適用範囲とは、刑法の適用されるべき事項の範囲をいう。

第一編総則の規定が適用されないのは、その法令に特別の規定ある場合である。たとえば、犯罪の主体に関する法人処罰規定、両罰規定などがある。

⇒ p.8、9

・第２章・【刑】

第９条　（刑の種類）司

死刑、懲役、禁錮(こ)、罰金、拘留及び科料を主刑とし、没収を付加刑とする。

第10条 (刑の軽重)

Ⅰ 主刑の軽重は、前条に規定する順序による。ただし、無期の禁錮と有期の懲役とでは禁錮を重い刑とし、有期の禁錮の長期が有期の懲役の長期の2倍を超えるときも、禁錮を重い刑とする。

Ⅱ 同種の刑は、長期の長いもの又は多額の多いものを重い刑とし、長期又は多額が同じであるときは、短期の長いもの又は寡額の多いものを重い刑とする。

Ⅲ 2個以上の死刑又は長期若しくは多額及び短期若しくは寡額が同じである同種の刑は、犯情によってその軽重を定める。

[趣旨] 刑法の適用に当たって、刑の軽重が問題となる場合があるため、本条は刑の軽重の基準を定めている。6条の新旧法の比照、54条の科刑上一罪、118条2項等の「傷害の罪と比較して、重い刑により処断する」場合などに問題となる。

《概　説》

一　異種の刑(Ⅰ)

死刑、懲役、禁錮、罰金、拘留、科料の順序による。同

ただし、懲役と禁錮の間では、無期懲役、無期禁錮、有期懲役、有期禁錮の順になる。また、有期の禁錮の長期が有期の懲役の2倍を超えるときは、禁錮を重い刑とする。

二　同種の刑(Ⅱ)

長期の長いもの・多額の多いものが重い刑である。同じ場合は、短期の長いもの・寡額の多いものが重い刑とされる。

三　2個以上の死刑・長期と短期(多額と寡額)が同じである同種の刑(Ⅲ)

犯情によって定められる。

四　異種類の刑が選択刑又は付加刑として規定されている場合

この場合の他の刑との軽重の比較の方法については規定がないが、重い刑のみを対照すべきである(重点的対照主義)(最判昭23.4.8)。

第11条 (死刑)

Ⅰ 死刑は、刑事施設内において、絞首して執行する。

Ⅱ 死刑の言渡しを受けた者は、その執行に至るまで刑事施設に拘置する。

第12条 (懲役)

Ⅰ 懲役は、無期及び有期とし、有期懲役は、1月以上20年以下とする同。

Ⅱ 懲役は、刑事施設に拘置して所定の作業を行わせる同。

第13条 (禁錮)

Ⅰ 禁錮は、無期及び有期とし、有期禁錮は、1月以上20年以下とする。

Ⅱ 禁錮は、刑事施設に拘置する。

第１４条　(有期の懲役及び禁錮の加減の限度)

Ⅰ　死刑又は無期の懲役若しくは禁錮を減軽して有期の懲役又は禁錮とする場合においては、その長期を３０年とする。

Ⅱ　有期の懲役又は禁錮を加重する場合においては３０年にまで上げることができ、これを減軽する場合においては１月未満に下げることができる〈同〉。

第１５条　(罰金)

罰金は、１万円以上とする。ただし、これを減軽する場合においては、１万円未満に下げることができる。

第１６条　(拘留)

拘留は、１日以上３０日未満とし、刑事施設に拘置する。

第１７条　(科料)

科料は、千円以上１万円未満とする。

第１８条　(労役場留置)

Ⅰ　罰金を完納することができない者は、１日以上２年以下の期間、労役場に留置する。

Ⅱ　科料を完納することができない者は、１日以上３０日以下の期間、労役場に留置する。

Ⅲ　罰金を併科した場合又は罰金と科料とを併科した場合における留置の期間は、３年を超えることができない。科料を併科した場合における留置の期間は、６０日を超えることができない。

Ⅳ　罰金又は科料の言渡しをするときは、その言渡しとともに、罰金又は科料を完納することができない場合における留置の期間を定めて言い渡さなければならない。

Ⅴ　罰金については裁判が確定した後３０日以内、科料については裁判が確定した後１０日以内は、本人の承諾がなければ留置の執行をすることができない。

Ⅵ　罰金又は科料の一部を納付した者についての留置の日数は、その残額を留置１日の割合に相当する金額で除して得た日数（その日数に１日未満の端数を生じるときは、これを１日とする。）とする。

第１９条　（没収）

Ⅰ　次に掲げる物は、没収することができる。

①　犯罪行為を組成した物

②　犯罪行為の用に供し、又は供しようとした物

③　犯罪行為によって生じ、若しくはこれによって得た物又は犯罪行為の報酬として得た物

④　前号に掲げる物の対価として得た物

Ⅱ　没収は、犯人以外の者に属しない物に限り、これをすることができる。ただし、犯人以外の者に属する物であっても、犯罪の後にその者が情を知って取得したものであるときは、これを没収することができる。

第１９条の２　（追徴）

前条第１項第３号又は第４号に掲げる物の全部又は一部を没収することができないときは、その価額を追徴することができる。

第２０条　（没収の制限）

拘留又は科料のみに当たる罪については、特別の規定がなければ、没収を科することができない。ただし、第１９条第１項第１号に掲げる物の没収については、この限りでない。

《概　説》

一　没収

1　意義

犯罪に関連する一定の物につき、所有権を剥奪して国庫に帰属させる処分をいう。

→没収は付加刑（9）であるから、主刑（9）が言い渡される場合にのみ言い渡すことができる〈同

2　没収の対象物〈司

＜没収の対象物＞

条文	対象物		具体例
1号	組成物件：犯罪行為を組成した物 →犯罪行為には教唆・幇助行為も含む		・賄賂供与罪における目的物 ・賭博罪における賭金
2号	供用物件	犯罪行為の用に供した物	・住居侵入窃盗の犯人が住居侵入の手段として用いた合鍵 →住居侵入が起訴されなくても没収可〈司 ・強盗・不同意性交の様子を撮影記録したビデオテープ（東京高判平22.6.3・平23重判1事件） ・不同意性交及び不同意わいせつの犯行の様子を隠し撮りしたデジタルビデオカセット（最決平30.6.26・平30重判4事件）〈司
		犯罪行為の用に供しようとした物	・窃盗犯人が用意したが使用しなかったドライバー ・殺人犯人が犯行に使用するために携行したが使用しなかった短刀
3号	生成物件：犯罪行為によって生じた物		・通貨偽造罪における偽造通貨
	取得物件：犯罪行為によって得た物		・窃盗罪における他人の財物
	報酬物件：犯罪行為後の報酬として得た物		・殺人行為の報酬 ・賭博場とするために貸した部屋の賃料
4号	対価物件：3号に該当する物の対価として得た物 →2号の対価は不可		・盗品等の売却代金〈司 ・窃取した金銭で買った指輪

※　主物を没収するときは、その従物も没収できる（大判明29.10.6）。

3　没収の要件

(1)　対象物が現存すること

没収の対象となりうる物は、原則として上に掲げられた物自体でなければならない（対象物の現存性）。よって、その物が混合、加工などによりその物の同一性を失ったときには没収することはできない。

ex.1　賭博によって得た金銭を貸して得た利子は同一性がない

ex.2　米で作った煎餅は同一性がない

なお、判決により没収の言渡しをするには対象物が判決時に存在することが必要であるが、裁判所又は捜査機関に押収されている必要はない（最決昭29.3.23）〈同〉。

(2)「犯人以外の者に属しない物」であること（19Ⅱ本文）

(a)「犯人」には共犯者も含まれ、未だ訴追を受けていない共犯者であってもよい〈同〉。

(b) 無主物・法禁物は没収しうる。

(c) 犯罪後に犯人以外の者が情を知って取得した物であるときには、これを没収することができる（第三者没収、19Ⅱただし書）。

(3) 拘留・科料のみに当たる罪でないこと（20本文）

ただし、犯罪行為を組成した物の没収についてはこの限りではない（20ただし書）。

なお、20条の適用を受ける罪が20条の適用を受けない罪と科刑上一罪の関係にある場合における没収の可否について、裁判例（名古屋高金沢支判平25.10.3・平27重判4事件）は、「刑法20条の適用については、同法19条により犯罪行為ごとに没収事由の有無が検討された上で、その罪について同法20条が適用されると解するのが条文の文言上も素直な解釈であり、その適用を受ける罪については、同条が適用されない罪と科刑上一罪の関係にある場合にも同条が適用される」としている。

ex. 20条の適用を受ける軽犯罪法違反の罪が20条の適用を受けない建造物侵入罪（130前段）と科刑上一罪の関係にあっても、軽犯罪法違反（のぞき）の供用物件（19Ⅰ②）であるデジタルカメラを没収することは20条に反して許されない

二 追徴〈同〉

1 追徴とは、没収が不可能な場合に、その価額を国庫に納付すべきことを命じる処分をいう。

2 追徴できるのは、犯罪生成物件・犯罪取得物件・犯罪報酬物件及びこれらの対価物の全部又は一部を没収することができないときである（19の2）。

3 追徴の価額の算定基準は、物の授受・取得当時の金額である（最大判昭43.9.25）。

三 任意的没収・追徴と必要的没収・追徴

刑法総則が規定する没収・追徴は任意的なもの（任意的没収・追徴）であるが、収賄罪（197の5）〈同〉や特別法（関税法など）における没収・追徴は必要的なもの（必要的没収・追徴）である。

第21条（未決勾留日数の本刑算入）

未決勾留の日数は、その全部又は一部を本刑に算入することができる。

総論知識編

・第3章・【期間計算】

第22条　(期間の計算)

月又は年によって期間を定めたときは、暦に従って計算する。

第23条　(刑期の計算)

Ⅰ　刑期は、裁判が確定した日から起算する。

Ⅱ　拘禁されていない日数は、裁判が確定した後であっても、刑期に算入しない。

第24条　(受刑等の初日及び釈放)

Ⅰ　受刑の初日は、時間にかかわらず、1日として計算する。時効期間の初日についても、同様とする。

Ⅱ　刑期が終了した場合における釈放は、その終了の日の翌日に行う。

・第4章・【刑の執行猶予】

第25条　(刑の全部の執行猶予)

Ⅰ　次に掲げる者が3年以下の懲役若しくは禁錮又は50万円以下の罰金の言渡しを受けたときは、情状により、裁判が確定した日から1年以上5年以下の期間、その刑の全部の執行を猶予することができる。

①　前に禁錮以上の刑に処せられたことがない者

②　前に禁錮以上の刑に処せられたことがあっても、その執行を終わった日又はその執行の免除を得た日から5年以内に禁錮以上の刑に処せられたことがない者

Ⅱ　前に禁錮以上の刑に処せられたことがあってもその刑の全部の執行を猶予された者が1年以下の懲役又は禁錮の言渡しを受け、情状に特に酌量すべきものがあるときも、前項と同様とする。ただし、次条第1項の規定により保護観察に付せられ、その期間内に更に罪を犯した者については、この限りでない。

第25条の2　(刑の全部の執行猶予中の保護観察)

Ⅰ　前条第1項の場合においては猶予の期間中保護観察に付することができ、同条第2項の場合においては猶予の期間中保護観察に付する。

Ⅱ　前項の規定により付せられた保護観察は、行政官庁の処分によって仮に解除することができる。

Ⅲ　前項の規定により保護観察を仮に解除されたときは、前条第2項ただし書及び第26条の2第2号の規定の適用については、その処分を取り消されるまでの間は、保護観察に付せられなかったものとみなす。

《概　説》

一　刑の執行猶予

刑の執行猶予とは、刑罰の言渡しの際に、情状によってその執行を一定の期間猶予し、その期間を無事経過したとき刑の言渡しはその効力を失うとする制度である。

二　25条関係

1　25条1項の「刑に処せられた」とは、同条2項の規定からして、刑を言い渡した判決が確定した場合を意味する。

2　25条1項の「前に」の解釈については、以下の2つの見解が対立する。

(1)　「前に」とは、「言い渡そうとする判決の前に」とする見解

∵　25条の文理解釈

(2)　「前に」とは、「判決を言い渡すべき犯罪行為の実行の前に」とする見解

∵　刑に処せられた者が再び罪を犯したことに執行猶予を原則として許さないと解すべきである

3　「情状」とは、必ずしも犯罪そのものの情状に限らず、犯罪後の状況を総合して、犯情が軽微であること、刑の執行を猶予することによって自主的に更生することが期待できると判断できる情状を意味する。

＜執行猶予の要件等＞ 司

		初度目の執行猶予（25 Ⅰ）	再度の執行猶予（25 Ⅱ）
要件	対象	・今回の判決言渡し前に禁錮以上の刑に処せられていない者 ・前刑の執行終了・執行免除から今回の判決言渡しまで、禁錮以上の刑に処せられず5年以上の期間が経過した者	・前に禁錮以上の刑につきその刑の全部の執行を猶予された者で現に執行猶予中の者
	今回の宣告刑	3年以下の懲役・禁錮 50万円以下の罰金	1年以下の懲役・禁錮
	その他	情状により	情状に特に酌量すべきものがあり、保護観察期間中罪を犯していないこと
保護観察（25の2）		任意的	必要的
執行猶予の期間		裁判が確定した日から1年以上5年以下	

三　具体例

ex.　甲は、判決により懲役2年、3年間執行猶予（保護観察なし）に処せられ、同判決が確定してから1年後、A罪（法定刑は3年以下の懲役）を犯

して同罪で起訴され、同年中に判決宣告日を迎えた。この場合、裁判所は、甲に対し、1年以下の懲役を宣告する場合にのみ執行猶予の言渡しをすることができるが、必要的に保護観察に付する〈司

第26条（刑の全部の執行猶予の必要的取消し）

次に掲げる場合においては、刑の全部の執行猶予の言渡しを取り消さなければならない。ただし、第3号の場合において、猶予の言渡しを受けた者が第25条第1項第2号に掲げる者であるとき、又は次条第3号に該当するときは、この限りでない。

① 猶予の期間内に更に罪を犯して禁錮以上の刑に処せられ、その刑の全部について執行猶予の言渡しがないとき。

② 猶予の言渡し前に犯した他の罪について禁錮以上の刑に処せられ、その刑の全部について執行猶予の言渡しがないとき。

③ 猶予の言渡し前に他の罪について禁錮以上の刑に処せられたことが発覚したとき。

ex. 甲は、判決により懲役3年、5年間執行猶予（保護観察なし）に処せられ、同判決は確定した。その1年後、甲は、A罪（法定刑は5年以下の懲役）を犯して同罪で起訴され、裁判所は、その半年後、甲に対し、懲役10月の判決の言い渡し、同判決は直ちに確定した。この場合、甲に対する執行猶予の言渡しは取り消さなければならない〈司

第26条の2（刑の全部の執行猶予の裁量的取消し）

次に掲げる場合においては、刑の全部の執行猶予の言渡しを取り消すことができる〈司。

① 猶予の期間内に更に罪を犯し、罰金に処せられたとき。

② 第25条の2第1項の規定により保護観察に付せられた者が遵守すべき事項を遵守せず、その情状が重いとき。

③ 猶予の言渡し前に他の罪について禁錮以上の刑に処せられ、その刑の全部の執行を猶予されたことが発覚したとき。

第26条の3（刑の全部の執行猶予の取消しの場合における他の刑の執行猶予の取消し）

前2条の規定により禁錮以上の刑の全部の執行猶予の言渡しを取り消したときは、執行猶予中の他の禁錮以上の刑についても、その猶予の言渡しを取り消さなければならない。

第27条（刑の全部の執行猶予の猶予期間経過の効果）

刑の全部の執行猶予の言渡しを取り消されることなくその猶予の期間を経過したときは、刑の言渡しは、効力を失う。

《概　説》

・「刑の言渡しは、効力を失う」とは、単に刑の執行が免除されるにとどまらず、刑の言渡しの効果が将来に向かって消滅することをいう。したがって、法令によ

る資格制限もこれによって消滅する。

ex.　甲は、判決により懲役2年、4年間執行猶予（保護観察付き）に処せられ、同判決は確定し、その後執行猶予が取り消されることはなかった。同判決の確定から5年後、甲は、A罪（法定刑は5年以下の懲役）を犯して同罪で起訴された。この場合、裁判所が甲に対して言い渡すことができる刑の範囲は、5年以下の懲役となる

第２７条の２　（刑の一部の執行猶予）

Ⅰ　次に掲げる者が３年以下の懲役又は禁錮の言渡しを受けた場合において、犯情の軽重及び犯人の境遇その他の情状を考慮して、再び犯罪をすることを防ぐために必要であり、かつ、相当であると認められるときは、１年以上５年以下の期間、その刑の一部の執行を猶予することができる。

①　前に禁錮以上の刑に処せられたことがない者

②　前に禁錮以上の刑に処せられたことがあっても、その刑の全部の執行を猶予された者

③　前に禁錮以上の刑に処せられたことがあっても、その執行を終わった日又はその執行の免除を得た日から５年以内に禁錮以上の刑に処せられたことがない者

Ⅱ　前項の規定によりその一部の執行を猶予された刑については、そのうち執行が猶予されなかった部分の期間を執行し、当該部分の期間の執行を終わった日又はその執行を受けることがなくなった日から、その猶予の期間を起算する。

Ⅲ　前項の規定にかかわらず、その刑のうち執行が猶予されなかった部分の期間の執行を終わり、又はその執行を受けることがなくなった時において他に執行すべき懲役又は禁錮があるときは、第１項の規定による猶予の期間は、その執行すべき懲役若しくは禁錮の執行を終わった日又はその執行を受けることがなくなった日から起算する。

第２７条の３　（刑の一部の執行猶予中の保護観察）

Ⅰ　前条第１項の場合においては、猶予の期間中保護観察に付することができる。

Ⅱ　前項の規定により付せられた保護観察は、行政官庁の処分によって仮に解除することができる。

Ⅲ　前項の規定により保護観察を仮に解除されたときは、第２７条の５第２号の規定の適用については、その処分を取り消されるまでの間は、保護観察に付せられなかったものとみなす。

第２７条の４　（刑の一部の執行猶予の必要的取消し）

次に掲げる場合においては、刑の一部の執行猶予の言渡しを取り消さなければならない。ただし、第３号の場合において、猶予の言渡しを受けた者が第２７条の２第１項第３号に掲げる者であるときは、この限りでない。

①　猶予の言渡し後に更に罪を犯し、禁錮以上の刑に処せられたとき。

②　猶予の言渡し前に犯した他の罪について禁錮以上の刑に処せられたとき。

総論知識編

③　猶予の言渡し前に他の罪について禁錮以上の刑に処せられ、その刑の全部について執行猶予の言渡しがないことが発覚したとき。

第２７条の５　（刑の一部の執行猶予の裁量的取消し）

次に掲げる場合においては、刑の一部の執行猶予の言渡しを取り消すことができる。

①　猶予の言渡し後に更に罪を犯し、罰金に処せられたとき。

②　第２７条の３第１項の規定により保護観察に付せられた者が遵守すべき事項を遵守しなかったとき。

第２７条の６　（刑の一部の執行猶予の取消しの場合における他の刑の執行猶予の取消し）

前２条の規定により刑の一部の執行猶予の言渡しを取り消したときは、執行猶予中の他の禁錮以上の刑についても、その猶予の言渡しを取り消さなければならない。

第２７条の７　（刑の一部の執行猶予の猶予期間経過の効果）

刑の一部の執行猶予の言渡しを取り消されることなくその猶予の期間を経過したときは、その懲役又は禁錮を執行が猶予されなかった部分の期間を刑期とする懲役又は禁錮に減軽する。この場合においては、当該部分の期間の執行を終わった日又はその執行を受けることがなくなった日において、刑の執行を受け終わったものとする。

《概　説》

◆　一部執行猶予

1　意義

一部執行猶予とは、言い渡された刑の一部の期間のみ受刑し、残りの期間は刑の執行が猶予されるという制度である。たとえば、「懲役２年、うち６か月を２年間執行猶予」との判決が確定した場合、受刑者は、１年６か月間のみ受刑した後、２年間再び罪を犯さなければ、残りの６か月間の懲役刑の執行を受け終わったものとされる。一部執行猶予の制度は、犯罪者を刑事施設内で実際に処遇した後、社会内で処遇することにより、犯罪者の再犯を防止することを目的としている。

2　要件

刑の一部執行猶予が認められるためには、以下の要件（27の２Ｉ）をみたす必要がある。刑の執行猶予の期間は、全部執行猶予の場合（25Ｉ柱書）と同様、１年以上５年以下の期間である（27の２Ｉ柱書）。

①　前に禁錮以上の刑に処せられたことがない者（前に禁錮以上の刑に処せられたことがあっても、その刑の全部の執行を猶予された者、又はその執行を終わった日若しくはその執行の免除を得た日から５年以内に禁錮以上の刑に処せられたことがない者）

②　３年以下の懲役又は禁錮の言渡しを受ける場合であること

③　犯情の軽重及び犯人の境遇その他の情状を考慮して、再び犯罪をすること

を防ぐために必要であり、かつ、相当であると認められること

3　一部執行猶予期間の起算日

刑の一部の執行を猶予された刑については、そのうち執行が猶予されなかった部分の期間を執行し、当該部分の期間の執行を終わった日又はその執行を受けることがなくなった日から、その猶予の期間を起算する（27の2Ⅱ）。

なお、猶予の期間中、保護観察に付することができる（27の3Ⅰ）。

・第5章・【仮釈放】

第28条　（仮釈放）〈司

懲役又は禁錮に処せられた者に改悛（しゅん）の状があるときは、有期刑についてはその刑期の３分の１を、無期刑については１０年を経過した後、行政官庁の処分によって仮に釈放することができる。

第29条　（仮釈放の取消し等）

Ⅰ　次に掲げる場合においては、仮釈放の処分を取り消すことができる。

①　仮釈放中に更に罪を犯し、罰金以上の刑に処せられたとき。

②　仮釈放前に犯した他の罪について罰金以上の刑に処せられたとき。

③　仮釈放前に他の罪について罰金以上の刑に処せられた者に対し、その刑の執行をすべきとき。

④　仮釈放中に遵守すべき事項を遵守しなかったとき。

Ⅱ　刑の一部の執行猶予の言渡しを受け、その刑について仮釈放の処分を受けた場合において、当該仮釈放中に当該執行猶予の言渡しを取り消されたときは、その処分は、効力を失う。

Ⅲ　仮釈放の処分を取り消したとき、又は前項の規定により仮釈放の処分が効力を失ったときは、釈放中の日数は、刑期に算入しない。

第30条　（仮出場）

Ⅰ　拘留に処せられた者は、情状により、いつでも、行政官庁の処分によって仮に出場を許すことができる。

Ⅱ　罰金又は科料を完納することができないため留置された者も、前項と同様とする。

[趣旨]無用の拘禁を避け、受刑者に将来への希望を与えて改善を促し、社会復帰を図る。

《注　釈》

◆　仮釈放

1　仮釈放とは、矯正施設に収容されている者を、収容期間の満了前に仮に釈放して社会復帰の機会を与える措置の総称を指す。

仮釈放は、釈放の際に条件を付けて、それに違反があった場合には、仮釈放

の処分を取り消し、再び施設に収容するという心理的強制によって、改善・社会復帰を図る制度である。

2　有期刑についてはその刑期の3分の1を経過した後、仮に釈放することができる〈同〉。

・第6章・【刑の時効及び刑の消滅】

第31条　（刑の時効）

刑（死刑を除く。）の言渡しを受けた者は、時効によりその執行の免除を得る。

第32条　（時効の期間）

時効は、刑の言渡しが確定した後、次の期間その執行を受けないことによって完成する。

①　無期の懲役又は禁錮については３０年
②　１０年以上の有期の懲役又は禁錮については２０年
③　３年以上１０年未満の懲役又は禁錮については１０年
④　３年未満の懲役又は禁錮については５年
⑤　罰金については３年
⑥　拘留、科料及び没収については１年

第33条　（時効の停止）

Ⅰ　時効は、法令により執行を猶予し、又は停止した期間内は、進行しない。

Ⅱ　懲役、禁錮、罰金、拘留及び科料の時効は、刑の言渡しを受けた者が国外にいる場合には、その国外にいる期間は、進行しない。

第34条　（時効の中断）

Ⅰ　懲役、禁錮及び拘留の時効は、刑の言渡しを受けた者をその執行のために拘束することによって中断する。

Ⅱ　罰金、科料及び没収の時効は、執行行為をすることによって中断する。

《概　説》

・刑事上の時効には、公訴時効（刑訴250以下）と刑の時効がある。確定判決前の時効が公訴時効であり、確定判決後の時効が刑の時効である。

第３４条の２　（刑の消滅）

Ⅰ　禁錮以上の刑の執行を終わり又はその執行の免除を得た者が罰金以上の刑に処せられないで１０年を経過したときは、刑の言渡しは、効力を失う。罰金以下の刑の執行を終わり又はその執行の免除を得た者が罰金以上の刑に処せられないで５年を経過したときも、同様とする。

Ⅱ　刑の免除の言渡しを受けた者が、その言渡しが確定した後、罰金以上の刑に処せられないで２年を経過したときは、刑の免除の言渡しは、効力を失う。

《概　説》

・刑の消滅とは、一定期間の経過により前科の抹消を行い、資格制限等を緩和する制度である。

・第７章・【犯罪の不成立及び刑の減免】

第３５条　（正当行為）

法令又は正当な業務による行為は、罰しない。

第３６条　（正当防衛）

Ⅰ　急迫不正の侵害に対して、自己又は他人の権利を防衛するため、やむを得ずにした行為は、罰しない。

Ⅱ　防衛の程度を超えた行為は、情状により、その刑を減軽し、又は免除することができる。

第３７条　（緊急避難）

Ⅰ　自己又は他人の生命、身体、自由又は財産に対する現在の危難を避けるため、やむを得ずにした行為は、これによって生じた害が避けようとした害の程度を超えなかった場合に限り、罰しない。ただし、その程度を超えた行為は、情状により、その刑を減軽し、又は免除することができる。

Ⅱ　前項の規定は、業務上特別の義務がある者には、適用しない。

第３８条　（故意）

Ⅰ　罪を犯す意思がない行為は、罰しない。ただし、法律に特別の規定がある場合は、この限りでない。

Ⅱ　重い罪に当たるべき行為をしたのに、行為の時にその重い罪に当たることとなる事実を知らなかった者は、その重い罪によって処断することはできない。

Ⅲ　法律を知らなかったとしても、そのことによって、罪を犯す意思がなかったとすることはできない。ただし、情状により、その刑を減軽することができる。

第３９条　（心神喪失及び心神耗弱）〈共〉

Ⅰ　心神喪失者の行為は、罰しない。

Ⅱ　心神耗弱者の行為は、その刑を減軽する。

第４０条　【瘖唖者】　削除

第４１条　（責任年齢）〈共〉

１４歳に満たない者の行為は、罰しない。

第４２条　（自首等）

Ⅰ　罪を犯した者が捜査機関に発覚する前に自首したときは、その刑を減軽することができる。

Ⅱ　告訴がなければ公訴を提起することができない罪について、告訴をすることができる者に対して自己の犯罪事実を告げ、その措置にゆだねたときも、前項と同様とする。

[趣旨]自首・首服を刑の任意的な減軽事由としたものである。自首が任意的刑の減軽事由とされている趣旨は、犯罪捜査及び処罰を容易にするという政策的意図と、改悛による非難の減少に基づくと解されている。

《概　説》

一　自首（Ⅰ）〈司〉

１　意義

罪を犯した者が捜査機関に発覚する前に、自発的に自己の犯罪事実を申告し、その処分を求める意思表示をいう。

２　要件

①「罪を犯した者」が

②「捜査機関に発覚する前に」

→「発覚する前」には、犯罪事実が全く発覚していない場合の他、犯罪事実は発覚しているが犯人が誰かが発覚していない場合を含むが、単に所在不明である場合は含まない（最判昭24.5.14）

③「自首」すること

→「自首」は、犯人が自発的に自己の犯罪事実を捜査機関に申告することを要するが、申告の方法は他人を介するものでもよい（最判昭23.2.18）

→犯罪事実の重要な部分について虚偽の申告をした場合（嘱託を受けた事実がないのに、嘱託を受けて被害者を殺害したと事実を偽って申告した場合など）には、「自己の犯罪事実を申告したものということはできない」（最決令2.12.7・令３重判３事件）ので、「自首」は成立しないが、犯罪事実の重要な部分以外の事実について虚偽の申告をした場合には、「自首」が成立する（最決平13.2.9・平13重判5事件）

3　効果

刑が任意的に減軽される。

自首による刑の減軽の効果は、他の共犯者には及ばない（大判昭4.8.26参照）〈共。

∵　一身的な事由による刑の減免の効果は共犯に及ばない

4　具体例

ex.1「甲は、空腹を感じたが所持金がなかったことから、飲食店Aにおいて無銭飲食をした。そして、同店店主乙から飲食代金の支払を請求されるや、乙に対し、『金はない。』と言いながら所携のナイフを乙に突き付けて脅迫し、乙がひるんだすきにその場から逃走した。しかし、この先も生活費が手に入る見込みがなかった甲は、いっそのこと刑務所で服役して飢えをしのごうと考え直し、付近の警察署に出頭するため、上記ナイフを手に持ったまま同署の前まで歩いていった。捜査機関は、この時点で未だ甲による上記無銭飲食の事実を認識していなかったが、同署の警察官Xは、ナイフを手に持った甲の姿を見て不審者と認め、甲に対する職務質問を開始した。甲は、その職務質問に対し、警察官Xに無銭飲食の事実を告げ、ナイフも提出した。」という事例において、判例の立場に従うと、自首が成立するためには、必ずしも犯人が反省悔悟に出たものであることを要しないから、甲のようにいわゆる刑務所志願を目的とする場合にも自首は成立する〈司

ex.2　ex.1の事例において、判例の立場に従うと、警察官が犯罪の嫌疑をもたないのに犯人が自己の犯罪事実を自発的に告知する場合は自首になり得るので、甲のように警察官から職務質問を受け、その質問に答えて犯罪事実を申告した場合にも、自首は成立しうる〈司

ex.3　ex.1の事例において、判例の立場に従うと、仮に、乙の通報により捜査機関に犯罪事実が発覚し、犯人のおよその年齢・人相・服装・体格が判明していた場合でも、犯人が甲であることが発覚していなければ、自首は成立する〈司

ex.4　ex.1の事例において、判例の立場に従うと、仮に、捜査機関に犯罪事実及び甲が犯人であることが発覚しており、甲の所在だけが不明であった場合には、自首は成立しない〈司

ex.5　ex.1の事例において、判例の立場に従うと、甲が、ナイフを突き付けたのは無銭飲食をした後逃走するためであり、そのような行為が強盗に当たるとは思わなかったと申告している場合でも、自首は成立する〈司

総論知識編

二　首服（Ⅱ）

首服とは、親告罪の犯人が告訴権者に対して、捜査機関に発覚する前に、自ら進んで親告罪の犯人であることを申告し、その告訴に委ねることをいう。

・第8章・【未遂罪】

第43条　（未遂減免）

犯罪の実行に着手してこれを遂げなかった者は、その刑を減軽することができる。ただし、自己の意思により犯罪を中止したときは、その刑を減軽し、又は免除する。

第44条　（未遂罪）

未遂を罰する場合は、各本条で定める。

・第9章・【併合罪】

《概　説》

◆　罪数論総説

1　意義

罪数論とは、1人の行為者が数個の罪を犯した場合の処理に関する問題をいう。

具体的には、①当該行為が1個の罪（一罪）か複数の罪（数罪）か、②数個の罪の場合の刑の処断の仕方が問題となる。　⇒ p.204、207

＜罪数論の整理＞

分類		成立	処断	意義
単純一罪		一罪成立	一罪処断	構成要件該当事実が1回惹起された場合
法条競合		一罪成立	一罪処断	条文上数個の構成要件に該当するようにみえるが、1個の構成要件にしか該当しないとされる場合
包括一罪		一罪成立	一罪処断	数個の法益侵害結果が発生しているものの、法益侵害ないし行為の一体性の観点により、1つの構成要件によって包括的に評価されて一罪となる場合
科刑上一罪	観念的競合	数罪成立	一罪処断	「1個の行為が2個以上の罪名に触れ」（54Ⅰ前段）た場合
	牽連犯	数罪成立	一罪処断	「犯罪の手段若しくは結果である行為が他の罪名に触れ」（54Ⅰ後段）た場合

分類	成立	処断	意義
併合罪	数罪成立	数罪処断	確定裁判を経ていない2個以上の数罪（45）
単純数罪	数罪成立	数罪処断	科刑上一罪でも、併合罪でもない数罪

2　犯罪が一罪か数罪かの基準

判例は、構成要件標準説を採用している。

→罪数決定の基準を、構成要件に該当する回数により判断する

∵　犯罪は構成要件該当性を基準に成立するから、犯罪が何個成立したかは、構成要件該当性を基準とする他ないから

3　単純一罪・法条競合

＜本来的一罪の分類＞

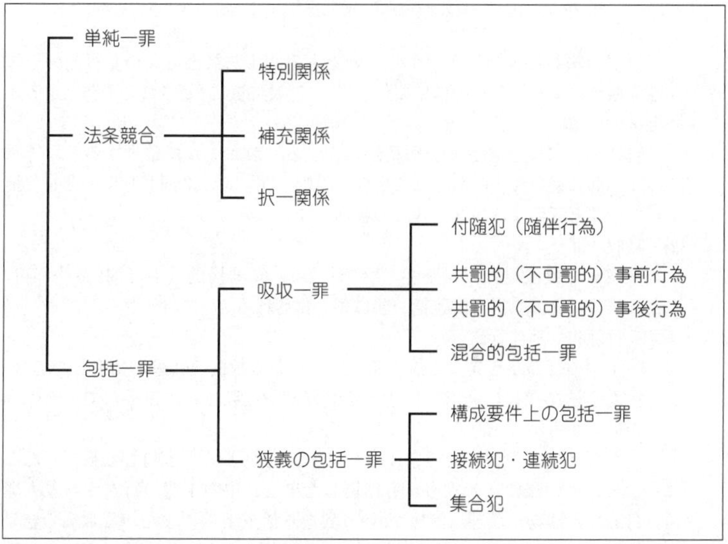

(1)　単純一罪

構成要件該当事実が1回惹起された場合をいう。

(2)　法条競合

条文上数個の構成要件に該当するようにみえるが、実は構成要件相互の関係で1個の構成要件にしか該当しない場合をいう。

<法条競合>

	意義	具体例
特別関係	競合する罰条が一般法と特別法の関係に立つ場合	① 殺人罪と同意殺人罪 ② 単純横領罪と業務上横領罪
補充関係	競合する罰条が基本法と補充法の関係にある場合 →基本法が適用されない場合のみ補充法が適用される	① 傷害罪と暴行罪 ② 建造物等以外の放火罪と現住建造物放火罪
択一関係	競合する罰条が排他的関係にある場合 →競合する罰条のうち、どれか1個の罰条が適用されれば、他は適用されない	① 横領罪と背任罪 ② 未成年者誘拐罪と営利目的誘拐罪

4 包括一罪〈司

(1) 意義

数個の法益侵害結果が発生しているものの、法益侵害ないし行為の一体性の観点により、1つの構成要件によって包括的に評価されて一罪となる場合をいう〈共。

包括一罪にはさまざまな類型が存在する。おおまかに整理すると、①重い罪の刑に軽い罪が吸収される場合（吸収一罪）と、②同じ数個の罪を包括して一罪と評価する場合（狭義の包括一罪）に分けられる。

(2) 吸収一罪

吸収一罪は、更に①付随犯（随伴行為）、②共罰的（不可罰的）事前行為・事後行為、③混合的包括一罪に細分化される。

(a) 付随犯（随伴行為）

1個の行為から異なる構成要件にまたがる数個の結果が発生した場合、主たる法益侵害に通常随伴する法益侵害が吸収され、包括して一罪のみが成立する場合である。

たとえば、甲がAを殺害するため、Aを包丁で突き刺して殺害したところ、その際にAの衣服をも損傷した場合、甲の1個の行為から殺人罪（199）と器物損壊罪（261）という異なる構成要件にまたがる数個の結果が発生しているが、器物損壊罪は殺人罪という主たる法益侵害に通常随伴する法益侵害といえるため、殺人罪に吸収されて殺人罪の包括一罪が成立する。

ex. 甲がAの顔面を手拳で殴打して傷害を負わせた際、Aが掛けていたメガネのレンズをも破損した場合、甲には傷害罪（204）と器物損壊罪（261）の観念的競合ではなく、傷害罪の包括一罪が成立する（東京地判平7.1.31）

付随犯（随伴行為）については、主たる法益侵害の刑が重く圧倒的に重要であり、しばしば軽い罪も随伴するような場合、軽い罪を独立に処罰する必要がないという価値判断がある。

(b) 共罰的（不可罰的）事前行為・事後行為

共罰的事前行為・共罰的事後行為は、かつては「不可罰的事前行為」・「不可罰的事後行為」と呼ばれていた。しかし、重い罪に吸収される軽い罪は「不可罰」なのではなく、あくまでも犯罪としては成立している（そのため、軽い罪にのみ関与した者には共犯が成立する）。ただ、軽い罪が重い罪とともに処罰されるので、重い罪から独立して処罰されないという意味にすぎない。そのため、現在では「共罰的事前行為」・「共罰的事後行為」と呼ばれている。

いずれの場合も、複数成立する犯罪のうち重い罪の刑を科せば、実質的に法益侵害を評価し尽くすことができるため、あえて軽い罪の刑を科す必要がない場合である。

ア 共罰的事前行為

同一の法益侵害に向けられた複数の行為のうち、手段・原因である軽い罪が目的・結果である重い罪に吸収され、包括して一罪のみが成立する場合である。

ex.1 甲がAを殺害するために拳銃を入手し、その拳銃を発砲してAを射殺した場合、甲には殺人予備罪（201）と殺人罪（199）が成立するが、殺人予備は殺人を行うための手段にすぎないので、殺人予備罪は殺人罪に吸収され、殺人罪の包括一罪が成立する

ex.2 甲がAを殺害するために拳銃を発砲し、1・2回目に発砲した弾は外れたものの、3回目に発砲した弾が命中してAの殺害に至った場合、甲には殺人未遂罪（203、199）と殺人罪（199）が成立するが、殺人未遂罪は殺人罪に吸収され、殺人罪の包括一罪が成立する

イ 共罰的事後行為

同一の法益侵害に向けられた複数の行為のうち、目的・結果である軽い罪が手段・原因である重い罪に吸収され、包括して一罪のみが成立する場合である。

ex. 甲はAの所有するスマートフォンを盗んだが、ロックがかかっていたために使用できず、腹を立ててそのスマートフォンを破壊した場合、甲には窃盗罪（235）と器物損壊罪（261）が成立するが、軽い器物損壊罪は重い窃盗罪に吸収され、窃盗罪の包括一罪が成立する〈共

もっとも、事後行為に新たな法益侵害が伴う場合には、もはや共罰

的事後行為とはいえず、事前行為に成立する罪の刑に吸収されることはない。

ex. 甲が盗んだ預金通帳を用いて、銀行の窓口で現金を引き出した場合には、新たな法益侵害を伴うことから、現金を引き出した行為は共罰的事後行為とはいえず、窃盗罪と詐欺罪の併合罪となる（最判昭25.2.24参照）共

(c) 混合的包括一罪

異なる罪名の数個の行為の間に「密接な関係」が存在する場合には、包括して一罪が成立する。これを混合的包括一罪という。

ex.1 他人の住居に侵入してAの財布を懐に入れた（窃盗既遂）後、Aに発見されたため、更にAに暴行・脅迫を加えて高級腕時計を強取した甲には、強盗罪の包括一罪が成立する（高松高判昭28.7.27参照）

ex.2 甲は、Aを騙してB銀行の甲名義預金口座に2000万円を振り込ませた後、この預金に関するB銀行名義の文書1通を偽造し、乙に交付した。この場合の甲には、詐欺罪・有印私文書偽造及び同行使罪が成立し、これらの包括一罪が成立する（東京高判平7.3.14参照）

(3) 狭義の包括一罪

狭義の包括一罪は、さらに①構成要件上の包括一罪、②接続犯・連続犯、③集合犯に細分化される。

(a) 構成要件上の包括一罪

1個の構成要件の中に、同一の法益侵害に向けられた数個の行為態様が規定されている場合には、包括して一罪のみが成立する（構成要件上の包括一罪）。

判例によれば、同一の犯人を蔵匿し、隠避させたときは、包括して1個の犯人蔵匿・隠匿罪（103）が成立する（大判明43.4.25）。また、同一の被害者を逮捕し、引き続き監禁したときは、包括して1個の逮捕・監禁罪（220）が成立する（最大判昭28.6.17）。

ex.1 盗品を保管した者が、盗品を運搬して、その処分をあっせんした場合には、包括して1個の盗品等関与罪（256 Ⅱ）が成立する

ex.2 1個の恐喝行為で同一人から財物及び財産上の利益を得た場合には、包括して1個の恐喝罪が成立する（大判明45.4.15）同

(b) 接続犯・連続犯

ア 接続犯

同一の法益侵害に向けられた数個の行為が、1個の意思決定に基づき、時間的・場所的に密接して反復された場合には、包括して一罪のみが成立する。これを接続犯という。

ex.1　甲が、Aの自宅に30分の間に3回侵入し、テレビ2台とパソコン1台を盗み出した場合、窃盗罪（235）の包括一罪が成立する

ex.2　ある晩、同一の倉庫から数回にわたって、米俵を窃取した場合（最判昭24.7.23・百選Ⅰ 100事件）

注意すべきであるのは、たとえ1個の意思決定に基づき、接続して行われた同種の行為であっても、具体的な被害者ないし被害法益が異なる場合には、包括一罪とはならないということである。

→上記の具体例においても、甲が盗み出したパソコン1台がAのものではなくBのものであれば、Bに対する窃盗罪が別途成立するのであり、Aに対する窃盗罪の包括一罪とはならない

また、たとえ接続して行われた同種の行為であり、具体的な被害者ないし被害法益が同じ場合でも、1個の意思決定に基づく行為でなければ、やはり包括一罪とはならない。

ex.　甲が業務上の過失によりAに重傷を負わせた後、Aを殺害する故意でAを殺害した場合、殺人罪（199）の包括一罪ではなく、業務上過失致傷罪（211）と殺人罪の併合罪となる（最決昭53.3.22・百選Ⅰ 14事件）

イ　連続犯

接続犯ほど時間的・場所的な密接性はないものの、同一の構成要件に当たる数個の行為を時間的・場所的に連続して行った場合にも、包括して一罪のみが成立する。これを連続犯という。

ex.1　約2か月の間、不特定多数の通行人に対して、街頭募金詐欺を行った場合（最決平22.3.17・百選Ⅰ 102事件）〈共予

ex.2　約4か月の間又は約1か月の間に、同一人に対し、ある程度限定された場所で、共通の動機から繰り返し犯意を生じ、同態様の暴行を反復累行し、傷害を負わせた場合（最決平26.3.17・百選Ⅰ 101事件）

(c)　集合犯

構成要件上、数個の同種の行為が反復されることを予定している犯罪の場合には、包括して一罪のみが成立する。集合犯には、常習性を有する行為者が一定の行為を反復することが予定されている常習犯、生業として一定の行為を反復することが予定されている職業犯、営利の目的をもって一定の行為を反復することが予定されている営業犯がある。

ex.1　常習賭博者である甲が賭博行為を3回行った場合、甲には常習賭博罪（186Ⅰ）の包括一罪が成立する（常習犯、最判昭26.4.10参照）

ex.2　甲が自己の経営する店において、1週間のうちに、数人に対して同じ題名・内容のわいせつ図画に該当するＤＶＤを販売した場合、

甲にはわいせつ物頒布罪（175 Ⅰ前段）の包括一罪が成立する（職業犯）〈司

ex.3 医師の資格のない甲が営利の目的をもって多数の者に医療行為を行った場合、甲には医師法17条違反の罪の包括一罪が成立する（営業犯）

第45条 （併合罪）

確定裁判を経ていない２個以上の罪を併合罪とする。ある罪について禁錮以上の刑に処する確定裁判があったときは、その罪とその裁判が確定する前に犯した罪とに限り、併合罪とする。

《概　説》

一　意義〈司

併合罪とは、確定裁判を経ていない２個以上の数罪をいう。

二　趣旨

１人の行為者が数罪を犯した場合、本来、各罪を別々に処分しても差し支えないはずであるが、それらが同時に審判されうる状況にあったときは、刑の適用上、それらの罪を一括して取り扱うことがより合理的である（同時的併合罪）。

また、実際には、同時に審判しなかった数罪についても、事後の判断において同時審判の可能性があったとみられる場合には、同時に審判された場合との均衡上、それらをある程度まとめて取り扱うことが適当である（事後的併合罪）。

▼ 最決昭62.2.23・百選Ⅰ〔第７版〕100事件

日時を異にして行われた常習累犯窃盗と軽犯罪法上の侵入具携帯の両罪は、侵入具携帯が常習性の発現と認められる窃盗を目的とするものであったとしても、包括一罪ではなく、併合罪の関係にある。

第46条 （併科の制限）

Ⅰ　併合罪のうちの１個の罪について死刑に処するときは、他の刑を科さない。ただし、没収は、この限りでない。

Ⅱ　併合罪のうちの１個の罪について無期の懲役又は禁錮に処するときも、他の刑を科さない。ただし、罰金、科料及び没収は、この限りでない。

第47条 （有期の懲役及び禁錮の加重）〈司

併合罪のうちの２個以上の罪について有期の懲役又は禁錮に処するときは、その最も重い罪について定めた刑の長期にその２分の１を加えたものを長期とする。ただし、それぞれの罪について定めた刑の長期の合計を超えることはできない。

第４８条　（罰金の併科等）

Ⅰ　罰金と他の刑とは、併科する。ただし、第４６条第１項<併合罪のうちの１個の罪について死刑に処するとき>の場合は、この限りでない。

Ⅱ　併合罪のうちの２個以上の罪について罰金に処するときは、それぞれの罪について定めた罰金の多額の合計以下で処断する。

第４９条　（没収の付加）

Ⅰ　併合罪のうちの重い罪について没収を科さない場合であっても、他の罪について没収の事由があるときは、これを付加することができる。

Ⅱ　２個以上の没収は、併科する。

第５０条　（余罪の処理）

併合罪のうちに既に確定裁判を経た罪とまだ確定裁判を経ていない罪とがあるときは、確定裁判を経ていない罪について更に処断する。

第５１条　（併合罪に係る２個以上の刑の執行）

Ⅰ　併合罪について２個以上の裁判があったときは、その刑を併せて執行する。ただし、死刑を執行すべきときは、没収を除き、他の刑を執行せず、無期の懲役又は禁錮を執行すべきときは、罰金、科料及び没収を除き、他の刑を執行しない。

Ⅱ　前項の場合における有期の懲役又は禁錮の執行は、その最も重い罪について定めた刑の長期にその２分の１を加えたものを超えることができない。

第５２条　（一部に大赦があった場合の措置）

併合罪について処断された者がその一部の罪につき大赦を受けたときは、他の罪について改めて刑を定める。

第５３条　（拘留及び科料の併科）

Ⅰ　拘留又は科料と他の刑とは、併科する。ただし、第４６条<併科の制限>の場合は、この限りでない。

Ⅱ　２個以上の拘留又は科料は、併科する。

《概　説》

・46条から53条は、併合罪の処分につき定める。

＜同時的併合罪の処理＞

	原則	例外
吸収主義 **：併合罪に当たる各罪のうち最も重い刑の法定刑によって処断する原則**	併合罪中の一罪が死刑 →他の刑を科さない（46Ⅰ本文）	没収（46Ⅰただし書）
	併合罪中の一罪が無期の懲役・禁錮 →他の刑を科さない（46Ⅱ本文）	罰金・科料・没収（46Ⅱただし書）
加重主義 **：その最も重い罪の法定刑に一定の加重を施して処断する原則**	併合罪中2個以上の有期の懲役・禁錮に処すべき罪がある →最も重い罪につき定めた刑の1.5倍が長期（47本文）	・刑の長期の合算を超えない（47ただし書） ・加重された長期は30年を超えない（14）
	2個以上の罰金 →合算額以下で処断（48Ⅱ）	――
併科主義 **：各罪に刑を定めて科し、それぞれの刑を併せて執行する原則**	罰金と他の刑とは併科（48Ⅰ本文）	併合罪中、その一罪について死刑に処するときは併科しない（48Ⅰただし書、46Ⅰ）
	拘留・科料と他の刑とは併科（53Ⅰ本文）	併合罪中その1個の罪につき死刑・無期懲役・禁錮に処すべきときは、他の刑を科さない（53Ⅰただし書、46ⅠⅡ）
	重い罪について没収を科さない場合でも、他の罪に没収があるときは付加できる（49Ⅰ）	――
	2個以上の没収は併科（49Ⅱ）	――

＜事後的併合罪の処理（併合罪と余罪）＞

原則	修正
確定裁判を経ていない余罪につき、さらに処断（50） **→各裁判で言い渡された刑は、併せて執行される（51Ⅰ本文）**	死刑を執行 →没収以外の刑を執行しない（51Ⅰただし書）
	無期懲役・禁錮を執行 →罰金・科料・没収以外の刑を執行しない（51Ⅰただし書）
	有期懲役・禁錮の執行 →最も重い罪の刑の長期の1.5倍を超えることができない（51Ⅱ）

ex.1　甲は、併合罪関係にあるA罪（法定刑は5年以下の懲役）とB罪（法定刑は20万円以下の罰金）を犯して両罪で起訴された。この場合、処断刑は5年以下の懲役及び20万円以下の罰金となる

ex.2　甲は、併合罪関係にあるA罪（法定刑は10年以下の懲役）とB罪（法定刑は3年間以下の懲役）を犯して両罪で起訴された。この場合、処断刑は13年以下の懲役となる

▼ **最決平24.12.17・平25重判5事件**

被告人は、強盗殺人（前件）を犯した13日後に強盗殺人（本件）を犯した者であるところ、そのうち前件のみ起訴され、無期懲役の判決が確定した後、刑の執行中に本件について強盗殺人罪で起訴された。このような事案において、前件等の確定裁判の余罪である本件の量刑判断に当たっては、前件等を実質的に再度処罰する趣旨で考慮することは許されないものの、なお犯行に至る重要な経緯等として考慮することは当然に許される。

第54条（1個の行為が2個以上の罪名に触れる場合等の処理）

Ⅰ　1個の行為が2個以上の罪名に触れ、又は犯罪の手段若しくは結果である行為が他の罪名に触れるときは、その最も重い刑により処断する〈同〉。

Ⅱ　第49条第2項＜2個以上の没収の併科＞の規定は、前項の場合にも、適用する。

《概　説》

一　科刑上一罪

1　意義

1人に数罪が成立するが、刑罰の適用上一罪として扱う場合をいう。

2　種類

(1)　観念的競合

「1個の行為が2個以上の罪名に触れ」（Ⅰ前段）た場合をいう〈予〉。

(2)　牽連犯

「犯罪の手段若しくは結果である行為が他の罪名に触れるとき」（Ⅰ後段）をいう。

3　処断〈司〉

「その最も重い刑により処断」する。すなわち、最も重い刑を定めた犯罪以外の犯罪については評価されない。

この点、最も重い罪の刑は懲役刑のみであるが、その他の罪に罰金刑の任意的併科の定めがある場合、最も重い罪の懲役刑にその他の罪の罰金刑を併科することができる（最決平19.12.3）。

▼ **最判令2.10.1・令2重判3事件**

事案：　Xは、盗撮の目的でパチンコ店の女子トイレ内に小型カメラを設置する目的で侵入した上、同カメラで女性の用便中の姿態を撮影したとして、公共の場所において、人を著しく羞恥させ、かつ、人に不安を覚えさせるような卑わいな行為をした。Xには、建造物侵入罪（130前段、3年以下の懲役又は10万円以下の罰金）と迷惑行為防止条例違反（盗撮）の罪（6月以下の懲役又は50万円以下の罰金）が成立し、これらは科刑上一罪（牽連犯）の関係に立つ。

本件では、数個の罪のいずれについても懲役刑と罰金刑とが規定されており、（懲役刑について比較した場合の）重い罪の罰金刑の多額よりも、軽い罪の罰金刑の多額の方が重い場合には、いずれの罪の罰金刑の多額によるべきかが争点となった。

判旨：　「数罪が科刑上一罪の関係にある場合において、各罪の主刑のうち重い刑種の刑のみを取出して軽重を比較対照した際の重い罪及び軽い罪のいずれにも選択刑として罰金刑の定めがあり、軽い罪の罰金刑の多額の方が重い罪の罰金刑の多額よりも多いときは、刑法54条1項の規定の趣旨等に鑑み、罰金刑の多額は軽い罪のそれによるべきものと解するのが相当である。」

二　観念的競合〈同

1　「1個の行為」

判例（最大判昭49.5.29・百選Ⅰ104事件）は、「1個の行為」とは、法的評価をはなれ構成要件的観点を捨象した自然的観察の下で、行為者の動態が社会的見解上1個のものと評価を受ける場合をいうとする〈予。これに対し、多くの学説は構成要件的観点からの規範的評価を取り込まざるを得ないとする。

2　「2個以上の罪名に触れ」る

「2個以上の罪名に触れ」るとは、法的評価において数個の構成要件に該当し、数罪が認められることをいう。

(1)　異種類の観念的競合

1個の行為が異なる構成要件に該当する場合をいう。

ex.　1個の行為が、器物損壊罪（261）と傷害罪（204）を実現する場合

(2)　同種類の観念的競合

同一の構成要件に数回該当する場合をいう。

ex.　1発の発砲行為によって2人を殺害し、2つの殺人罪（199）を実現した場合〈同

総論知識編

<観念的競合の判例上の肯定例>〈同

異種類の観念的競合	職務執行中の公務員に暴行を加えて負傷させた（95 Ⅰと 204）〈同共	大判昭 8.6.17
	騒乱行為をするにつき他人の住居に侵入（106 と 130 前段）	最判昭 35.12.8
	放火して死体を損壊（放火罪と 190）	大判大 12.8.21
	殺意をもって女子を不同意性交し、死亡させた（181 と 199）〈同	最判昭 31.10.25 参照
	盗品等と知りながら、賄賂として収受（収賄罪と 256 Ⅰ）〈予	最判昭 23.3.16
	虚偽の風説を流布して他人の信用と名誉を毀損（233 と 230 Ⅰ）	大判大 5.6.1
	無免許運転罪と酒酔い運転罪〈共	最大判昭 49.5.29
	救護義務違反罪と報告義務違反罪	最大判昭 51.9.22・百選Ⅰ 105 事件
	酒気帯び運転罪と運転免許不携帯罪	最判平 4.10.15
同種類の観念的競合	1 個の行為で、数名の公務員の職務執行を同時に妨害（95 Ⅰ）	最大判昭 26.5.16
	1 個の行為で、数名の共犯者を蔵匿・隠避（103）	最判昭 35.3.17
	2 人の印章・署名を使用して 1 個の私文書を偽造（159 Ⅰ）	大判明 42.3.11
	2 個の偽造私文書を一括して行使（161 Ⅰ）	大判明 43.3.11
	1 個の書面で数名を虚偽告訴（172）	大判明 42.10.14
	同時に数名の公務員に贈賄（198）	大判大 5.6.21
	1 個の業務上過失行為によって数名を死亡させた（211）〈同	大判大 2.11.24
	1 個の商報記事によって数人の信用を毀損（233）	大判明 45.7.23
	所有者・占有者の異なる隣接した畑の桑葉を一括して窃取（235）	大判大 4.1.27
	1 個の恐喝行為によって数人から金品を喝取（249 Ⅰ）〈同	大判明 43.9.27

<観念的競合の判例上の否定例>

酒酔い運転中に歩行者をひいて死亡させた（酒酔い運転と過失運転致死→併合罪）	最大判昭49.5.29・百選Ⅰ104事件参照
無免許運転中に歩行者をひいて傷害を負わせた（無免許運転と過失運転致傷→併合罪）	最決昭 33.3.17 参照

運転技術が未熟でかつ酒酔い運転中に同乗者を死亡させた（酒酔い運転と過失運転致死→併合罪）	最決昭50.5.27参照
制限速度超過状態で、継続して自動車を運転した道路上の２地点における速度違反行為（２つの最高速度違反→併合罪）	最決平 5.10.29

三　牽連犯 司

牽連犯となるには、犯人が主観的にその一方を他方の手段又は結果の関係において実行したというだけでは足りず、その数罪間にその罪質上通例手段結果の関係が存在することが必要である（最大判昭 24.12.21）予。

＜牽連犯に関する判例の整理＞

肯定例
① 住居侵入罪と窃盗罪・強盗罪（大判明 45.5.23）司
② 住居侵入罪と不同意性交罪（大判昭 7.5.12 参照）
③ 住居侵入罪と殺人罪（大判明 43.6.17）司
④ 住居侵入罪と放火罪（大判昭 7.5.25）
⑤ 私文書偽造罪と同行使罪（大連判明 42.2.23）共
⑥ 私文書偽造罪・同行使罪と詐欺罪（大判明 42.1.22）共
⑦ 公文書偽造罪と同行使罪（大判明 42.7.27）
⑧ 偽造文書行使罪と詐欺罪（最決昭 42.8.28）司共
⑨ 公正証書原本不実記載罪と同行使罪（最決昭 42.8.28）司
⑩ 身代金取得目的略取罪と身代金要求罪（最決昭 58.9.27）司共
⑪ 業務妨害罪と恐喝罪（大判大 2.11.5）

否定例
① 窃盗罪と詐欺罪（最判昭 25.2.24、最決平 14.2.8）司
② 放火罪と保険金の詐欺罪（大判昭 5.12.12）共
③ 監禁罪と不同意性交致傷罪（最判昭 24.7.12 参照）
④ 監禁罪と傷害罪（最決昭 43.9.17）
⑤ 監禁罪と恐喝罪（最判平 17.4.14・百選Ⅰ 103 事件）司共予
⑥ 監禁罪と身代金取得目的略取罪・身代金要求罪（併合罪）（最決昭 58.9.27）司
⑦ 監禁罪と殺人罪（最判昭 63.1.29）予
⑧ 強盗殺人罪と犯跡を隠蔽するための放火罪（大判明 42.10.8）
⑨ 殺人罪と死体遺棄罪（大判明 44.7.6）司共
⑩ 殺人罪と死体損壊罪（大判昭 9.2.2）
⑪ 強盗殺人罪と死体遺棄罪（大判昭 13.6.17）共
⑫ 窃盗教唆罪と盗品有償譲受罪（大判明 42.3.16）司
⑬ 窃盗教唆罪と盗品等保管罪（最判昭 28.3.6 参照）共

《論　点》

一　かすがい現象 司共

1　かすがい現象とは、本来併合罪となるべき数罪がそれぞれある罪と観念的競合又は牽連犯の関係に立つことによって、数罪全体が科刑上一罪として取り扱われることをいう。

ex.1　騒乱罪（106）において行為者が住居侵入、恐喝、殺人を行った場合
→騒乱罪がかすがいとなり、これと観念的競合となる住居侵入罪、恐喝罪、殺人罪とが結び付けられて、全体が科刑上一罪となる

ex.2　行為者が住居に侵入して強盗殺人を犯したのち、放火した場合
→住居侵入罪（130前段）がかすがいとなり、これと牽連犯となる強盗殺人罪、放火罪とが結び付けられて、全体が科刑上一罪となる

2　しかし、このようなかすがい作用を認めると、かすがいとなる罪の刑が結び付けられる罪の併合罪の刑よりも軽い場合にかえって刑が軽くなり不均衡であるという問題があるため、解釈による「かすがいはずし」が試みられている。

ex.　行為者が住居に侵入し（A罪：住居侵入罪）、順次3人を殺害した場合（B罪：殺人罪、C罪：殺人罪、D罪：殺人罪）

<かすがい現象>

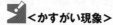

	学説	批判
かすがい現象	A罪・B罪・C罪・D罪の全体が科刑上一罪となり、「最も重い刑」（54Ⅰ後段）により処断される	屋外で3人殺害すれば併合罪として5年以上30年以下で処断されるのに、さらに住居侵入を犯すと5年以上20年以下で処断され、かえって刑が軽くなる
かすがいはずし	罪数判断はかすがい作用により科刑上一罪とするが、処断刑は、A罪の刑と、B罪・C罪・D罪の併合罪の刑のうち重いものによる	科刑上一罪であるとしながら、併合罪加重の余地を認めるのは疑問
かすがいはずし	A罪とB罪のみが科刑上一罪となり、これとC罪・D罪とが併合罪となる	A罪とC罪、A罪とD罪の牽連関係を無視している
かすがいはずし	A罪とB罪、A罪とC罪、A罪とD罪のそれぞれが牽連犯となり、3つの牽連犯が併合罪となる	A罪を三重に評価している
かすがいはずし	B罪・C罪・D罪が併合罪となり、これとA罪とが科刑上一罪となる	併合罪加重の後に科刑上一罪の処理を行うという方法を現行刑法は認めていない

※　判例（最決昭29.5.27・百選Ⅰ106事件）はかすがい現象を肯定しており、学説上も、現行法の解釈論としてはかすがい現象を認める他ないとしたうえで、量刑において事実上の併合関係を考慮することで具体的妥当性を追求すべきとするのが通説である 司共。

二　共犯と罪数

共同正犯の罪数について、共同正犯は各自がその全部を実行したものとされる（60）ので、全ての犯行を1人でした場合の罪数と同様に扱うことになる。数人

が共同して数個の法益侵害を発生させた場合には、数個の共同正犯が成立し、併合罪となる（最決昭53.2.16）共。

狭義の共犯（教唆・幇助）の罪数については、正犯により実行された犯罪の個数に従うが、教唆・幇助行為が1個の行為でなされた場合には、数個の教唆・幇助罪は観念的競合となる（最決昭57.2.17・百選Ⅰ107事件）同共。たとえば、甲が乙にナイフを貸し、乙がそのナイフを用いて、AとBを殺害した場合、甲には2個の殺人罪の幇助犯が成立するが、観念的競合として科刑上一罪となる。

第55条　【連続犯】　削除

・第10章・【累犯】

第56条　（再犯）

Ⅰ　懲役に処せられた者がその執行を終わった日又はその執行の免除を得た日から5年以内に更に罪を犯した場合において、その者を有期懲役に処するときは、再犯とする。

Ⅱ　懲役に当たる罪と同質の罪により死刑に処せられた者がその執行の免除を得た日又は減刑により懲役に減軽されてその執行を終わった日若しくはその執行の免除を得た日から5年以内に更に罪を犯した場合において、その者を有期懲役に処するときも、前項と同様とする。

Ⅲ　併合罪について処断された者が、その併合罪のうちに懲役に処すべき罪があったのに、その罪が最も重い罪でなかったため懲役に処せられなかったものであるときは、再犯に関する規定の適用については、懲役に処せられたものとみなす。

第57条　（再犯加重）

再犯の刑は、その罪について定めた懲役の長期の2倍以下とする。

第58条　【確定後の再犯の発見】　削除

第59条　（3犯以上の累犯）

3犯以上の者についても、再犯の例による。

《概　説》

一　意義

累犯は、広義では、確定裁判を経た犯罪（前犯）に対して、その後に犯された犯罪（後犯）を意味するが、狭義では、広義の累犯のうち一定の要件をみたすことによって刑を加重されるものをいう。刑法における累犯は、狭義の累犯である。

また、累犯のうち、前犯と後犯とが罪質を同じくする場合を特別累犯といい、罪質を異にする場合を一般累犯と呼ぶ。刑法が定める累犯は、一般累犯である。

二　再犯加重の要件

① 前に「懲役に処せられた者」(56 Ⅰ) 又はこれに準ずべき者であること (56 Ⅱ)

② 前犯の刑の「執行を終わった日」・「執行の免除を得た日」から「5年以内」に後犯が行われたこと (56 Ⅰ Ⅱ)

③ 後犯についても「有期懲役に処する」場合であること (56 Ⅰ Ⅱ)

三　3犯以上の累犯 (59)

「3犯」とは、初犯の刑の執行を終わり5年以内に3度目に行われた後犯とするのが判例だが (初犯と再犯、再犯と3犯、初犯と3犯の間に56条の要件が必要)、再犯の後に犯された56条の要件をみたす後犯とする見解 (初犯と再犯、再犯と3犯の間に56条の要件が必要) もある。

四　効果 (57、59) 同

再犯の刑は、その罪について定めた懲役の長期の2倍以下とする (57)。ただし、30年を超えることはできない (14 Ⅱ)。加重されるのは長期だけで、短期に変更はない。

総論知識編

・第11章・【共犯】

第60条　(共同正犯)

2人以上共同して犯罪を実行した者は、すべて正犯とする。

第61条　(教唆)

Ⅰ　人を教唆して犯罪を実行させた者には、正犯の刑を科する。

Ⅱ　教唆者を教唆した者についても、前項と同様とする。

第62条　(幇助(ほう))

Ⅰ　正犯を幇(ほう)助した者は、従犯とする。

Ⅱ　従犯を教唆した者には、従犯の刑を科する。

第63条　(従犯減軽)

従犯の刑は、正犯の刑を減軽する。

第64条　(教唆及び幇助の処罰の制限)

拘留又は科料のみに処すべき罪の教唆者及び従犯は、特別の規定がなければ、罰しない。

第65条　(身分犯の共犯)

Ⅰ　犯人の身分によって構成すべき犯罪行為に加功したときは、身分のない者であっても、共犯とする。

Ⅱ　身分によって特に刑の軽重があるときは、身分のない者には通常の刑を科する。

・第12章・【酌量減軽】

第６６条 （酌量減軽）

犯罪の情状に酌量すべきものがあるときは、その刑を減軽することができる。

第６７条 （法律上の加減と酌量減軽）

法律上刑を加重し、又は減軽する場合であっても、酌量減軽をすることができる。

《概　説》

・酌量減軽とは、「犯罪の情状に酌量すべきものがあるとき」(66) に、酌量してその刑を任意的に減軽することを指す。

・「犯罪の情状」(66) とは、犯罪の軽微というような犯罪の客観的事情、及び、犯罪の動機、平素の行為、犯罪後の後悔といった犯人の主観的事情の一切を含む。

・第13章・【加重減軽の方法】

第６８条 （法律上の減軽の方法）

法律上刑を減軽すべき１個又は２個以上の事由があるときは、次の例による。

① 死刑を減軽するときは、無期の懲役若しくは禁錮又は１０年以上の懲役若しくは禁錮とする。

② 無期の懲役又は禁錮を減軽するときは、７年以上の有期の懲役又は禁錮とする。

③ 有期の懲役又は禁錮を減軽するときは、その長期及び短期の２分の１を減ずる。

④ 罰金を減軽するときは、その多額及び寡額の２分の１を減ずる。

⑤ 拘留を減軽するときは、その長期の２分の１を減ずる。

⑥ 科料を減軽するときは、その多額の２分の１を減ずる。

第６９条 （法律上の減軽と刑の選択）

法律上刑を減軽すべき場合において、各本条に２個以上の刑名があるときは、まず適用する刑を定めて、その刑を減軽する。

第７０条 （端数の切捨て）

懲役、禁錮又は拘留を減軽することにより１日に満たない端数が生じたときは、これを切り捨てる。

第７１条 （酌量減軽の方法）

酌量減軽をするときも、第６８条及び前条の例による。

第７２条　(加重減軽の順序)

同時に刑を加重し、又は減軽するときは、次の順序による。

① 再犯加重

② 法律上の減軽

③ 併合罪の加重

④ 酌量減軽

《概　説》

一　刑の加重・減軽事由

＜刑の加重・減軽事由＞

刑の加重・減軽事由	法律上	加重事由		併合罪加重（45、47）、累犯加重（56 Ⅱ）
		減軽事由	必要的	中止犯（43 ただし書）、従犯（63）、心神耗弱（39 Ⅱ）等
			任意的	自首・首服（42）、未遂犯（43 本文）、過剰防衛（36 Ⅱ）、過剰避難（37 Ⅰただし書）等
	裁判上	加重事由		なし
		減軽事由		酌量減軽（66）

二　法律上の減免事由

＜法律上の減免事由＞

	任意的	必要的
減軽	・法律の錯誤（38 Ⅲただし書） ・自首・首服（42） ・障害未遂（43 本文） ・酌量減軽（66）	・心神耗弱（39 Ⅱ）回 ・従犯（63） ・身代金解放（228 の 2）
減免	・過剰防衛（36 Ⅱ） ・過剰避難（37 Ⅰただし書） ・偽証自白（170） ・虚偽告訴等自白（173）	・中止犯（43 ただし書） ・身代金予備自首（228 の 3 ただし書）
免除	・犯人蔵匿・証拠隠滅の親族間の特例（105） ・放火予備（113 ただし書） ・殺人予備（201 ただし書）	・内乱予備・陰謀・幇助の自首（80） ・私戦予備陰謀自首（93 ただし書） ・親族相盗例（244 Ⅰ） ・盗品等の罪に関する親族間の特例（257 Ⅰ）

三　加重・減軽の方法回

1　法律上刑を減軽すべき１個又は２個以上の事由がある場合（68）

＜法律上の減軽の方法＞

死刑	→ 無期又は10年以上の懲役若しくは禁錮	
無期の懲役又は禁錮	→ 7年以上の有期懲役又は禁錮	
有期懲役又は禁錮	→ 長期及び短期の2分の1の懲役又は禁錮	
罰金	→ 多額及び寡額の2分の1	
拘留	→ 長期の2分の1	あまりに軽いので下限の減軽は不要
科料	→ その多額の2分の1	

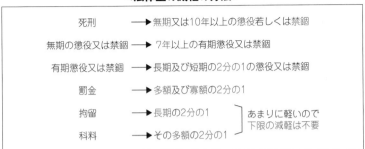

2　酌量減軽する場合（71）
酌量減軽する場合も、68条、70条の例による。

3　同時に刑を加重・減軽する場合の加減の順序（72）
①再犯加重→②法律上の減軽→③併合罪加重→④酌量減軽

四　具体例

ex.1　殺人と傷害の併合罪を犯した者について、殺人につき有期懲役刑、傷害につき懲役刑をそれぞれ選択した場合、処断刑は5年以上30年以下の懲役となる〈司

ex.2　窃盗の正犯を幇助した者について、懲役刑を選択した場合、処断刑は15日以上5年以下の懲役となる〈司

ex.3　強盗致傷を犯した者について、有期懲役を選択して酌量減軽した場合、処断刑は3年以上10年以下となる〈司

＜法令適用の順序＞ 司

1　構成要件の指摘

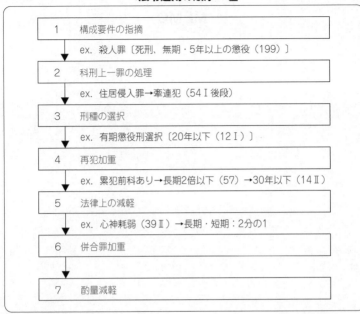

↓ ex. 殺人罪〔死刑、無期・5年以上の懲役（199）〕

2　科刑上一罪の処理

↓ ex. 住居侵入罪→牽連犯（54Ⅰ後段）

3　刑種の選択

↓ ex. 有期懲役刑選択〔20年以下（12Ⅰ）〕

4　再犯加重

↓ ex. 累犯前科あり→長期2倍以下（57）→30年以下（14Ⅱ）

5　法律上の減軽

↓ ex. 心神耗弱（39Ⅱ）→長期・短期：2分の1

6　併合罪加重

↓

7　酌量減軽

— MEMO —

各　論

・第１章・【削除（皇室に対する罪）】

第７３条から第７６条まで　削除

・第２章・【内乱に関する罪】

《保護法益》

憲法の定める統治の基本秩序である。

【内乱罪、内乱予備罪・同陰謀罪、内乱等幇助罪】

第７７条　（内乱）

Ⅰ　国の統治機構を破壊し、又はその領土において国権を排除して権力を行使し、その他憲法の定める統治の基本秩序を壊乱することを目的として暴動をした者は、内乱の罪とし、次の区別に従って処断する。

①　首謀者は、死刑又は無期禁錮に処する。

②　謀議に参与し、又は群衆を指揮した者は無期又は３年以上の禁錮に処し、その他諸般の職務に従事した者は１年以上１０年以下の禁錮に処する。

③　付和随行し、その他単に暴動に参加した者は、３年以下の禁錮に処する。

Ⅱ　前項の罪の未遂は、罰する。ただし、同項第３号に規定する者については、この限りでない。

第７８条　（予備及び陰謀）

内乱の予備又は陰謀をした者は、１年以上１０年以下の禁錮に処する。

第７９条　（内乱等幇助）

兵器、資金若しくは食糧を供給し、又はその他の行為により、前２条の罪を幇助した者は、７年以下の禁錮に処する。

第８０条　（自首による刑の免除）

前２条の罪を犯した者であっても、暴動に至る前に自首したときは、その刑を免除する。

・第３章・【外患に関する罪】

《保護法益》

国家の対外的存立である。

【外患誘致罪、外患援助罪、外患誘致又は外患援助の予備・陰謀罪】

第８１条　（外患誘致）

外国と通謀して日本国に対し武力を行使させた者は、死刑に処する。

第８２条　（外患援助）

日本国に対して外国から武力の行使があったときに、これに加担して、その軍務に服し、その他これに軍事上の利益を与えた者は、死刑又は無期若しくは２年以上の懲役に処する。

第８３条から第８６条まで　【利敵行為】　削除

第８７条　（未遂罪）

第８１条＜外患誘致＞及び第８２条＜外患援助＞の罪の未遂は、罰する。

第８８条　（予備及び陰謀）

第８１条＜外患誘致＞又は第８２条＜外患援助＞の罪の予備又は陰謀をした者は、１年以上１０年以下の懲役に処する。

第８９条　【戦時同盟国に対する行為】　削除

・第４章・【国交に関する罪】

《保護法益》

国際法上の義務に基づく外国の法益である。日本の外交作用とする見解もある。

【外国国章損壊等罪、私戦予備罪・同陰謀罪、中立命令違反罪】

第９０条及び第９１条　【外国元首・使節に対する暴行・脅迫・侮辱】　削除

第９２条　（外国国章損壊等）

Ⅰ　外国に対して侮辱を加える目的で、その国の国旗その他の国章を損壊し、除去し、又は汚損した者は、２年以下の懲役又は２０万円以下の罰金に処する。

Ⅱ　前項の罪は、外国政府の請求がなければ公訴を提起することができない。

第９３条　（私戦予備及び陰謀）

外国に対して私的に戦闘行為をする目的で、その予備又は陰謀をした者は、３月以上５年以下の禁錮に処する。ただし、自首した者は、その刑を免除する。

第９４条　（中立命令違反）

外国が交戦している際に、局外中立に関する命令に違反した者は、３年以下の禁錮又は５０万円以下の罰金に処する。

・第５章・【公務の執行を妨害する罪】

《保護法益》

公務の円滑な執行である。

【公務執行妨害罪、職務強要罪】

第９５条 （公務執行妨害及び職務強要）

Ⅰ 公務員が職務を執行するに当たり、これに対して暴行又は脅迫を加えた者は、３年以下の懲役若しくは禁錮又は５０万円以下の罰金に処する。

Ⅱ 公務員に、ある処分をさせ、若しくはさせないため、又はその職を辞させるために、暴行又は脅迫を加えた者も、前項と同様とする。

〔公務執行妨害罪、１項〕

《注 釈》

一 「公務員」

「公務員」とは、「国又は地方公共団体の職員その他法令により公務に従事する議員、委員その他の職員」（７Ⅰ）をいう。

外国の公務員は「公務員」（95Ⅰ）に含まれない（最判昭27.12.25）。

日本国内に外国の大使館がある場合、その大使館の職員は外国の公務員であるから、当該職員に対する暴行・脅迫は、公務執行妨害罪を構成しない〈同共〉。

二 「職務を執行するに当たり」

1 「職務」

判例（最判昭53.6.29、最決昭59.5.8）は、「職務」について、「ひろく公務員が取り扱う各種各様の事務のすべてが含まれる」としている。

∵ 公務の円滑な執行という本罪の保護法益に照らすと、非権力的公務も公務である以上、公務執行妨害罪の対象から除外する理由はないし、むしろ公務は公共の福祉を目的とするので民間の業務より厚く保護されるべきである

たとえば、甲が東京都の運営するバスの車内において、バスの運転手Ａに対し、応対が粗雑であったと文句をつけてＡを殴打し、バスの運行を中止させた（暴行による非権力的公務妨害）という事案では、甲に公務執行妨害罪（95Ⅰ）と威力業務妨害罪（234）が成立する（厳密には、法条競合により公務執行妨害罪のみ成立する）。

∵ Ａのバスを運転するという公務は、本罪にいう「職務」であると同時に業務妨害にいう「業務」でもある

(1) 職務の適法性の要件〈司〉

条文上は職務の適法性は要件として明示されていない。しかし、違法な公務員の行為を保護するとすれば、公務員そのものの身分ないし地位を保護

する結果となり、本罪の趣旨に反することなどから、解釈上、本条で保護されるべき「職務」は適法なものであることが必要とされている（最大判昭42.5.24・百選Ⅱ 112 事件）。

① 当該公務員の一般的・抽象的職務権限に属すること
→公務員は、通常、自己の行いうる職務の範囲を限定されているから、この抽象的な権限を逸脱して行為がなされた場合は、その行為は公務の執行とはいえない
ex. 巡査が租税を徴収する行為は、抽象的職務権限に属しない

② 具体的職務権限に属すること
→抽象的職務権限があっても、現実に職務を執行する権限すなわち具体的職務権限に基づいていなければ、公務の執行とはいえない
ex. 現行犯人として逮捕すべき事実が存在しないのに逮捕するのは、具体的職務権限に属しない

③ 職務行為の有効要件である法律上の重要な手続・方式の履践
→具体的職務権限があっても、法律上重要な手続・方式を踏んでいない限り、その行為は公務の執行とはいえない
→軽微な手続・方式の違背にすぎないときは、なお職務行為として保護される〈通
ex.1 収税官吏が検査章の呈示を求められたにもかかわらずこれを呈示しなかった場合、その職務執行は違法となるが、相手方が呈示を求めていない場合には、たまたま検査章を携帯してなかったとしても直ちに違法とはいえない（最判昭27.3.28）〈同
ex.2 受刑者が看守に暴行を加えかねない態度を示した場合に、看守が、刑務所長の命令をまたずに皮手錠を使用しても、それが突発的な場合のやむを得ない措置であり、かつ、事後の決裁を受けたときは、適法な職務の執行である（最決昭37.7.12）

⑵ 職務の適法性の判断基準 ⇒下記《論点》一

2 職務を「執行するに当たり」

職務を執行するに際して、の意味である。現実に執行中のものに限らず、まさにその執行に着手しようとしている場合も含む。また、職務の執行を中止し又は終了した時点も、職務の執行に当たりうる〈同。

ex.1 （旧国鉄時代において）駅の助役が、点呼終了後、助役室の執務につくため移動中の状態は含まれない（最判昭45.12.22）
ex.2 （旧電電公社時代において）電報局局長の職務は局務全般に関わるもので一体性・継続性を有するものであるから、職務を一時中断して被告人に応対すべく立ち上がりかけたときも含む（最判昭53.6.29）
ex.3 議事が紛糾したため、県議会特別委員会の委員長が休憩を宣言したあと

退席しようとしているときでも、委員会の秩序を保持し、紛議に対処するための職務を執行していたといえる（最決平元.3.10・百選Ⅱ 114 事件）共

三 「暴行」・「脅迫」

「暴行」・「脅迫」は、広義のものをいう。 ⇒ p.362、383

「暴行」・「脅迫」は、公務員による職務の執行を妨害するに足りる程度のものであることを要し、かつ、それで十分である。

→直接的に公務員の身体に対して加えられる必要はなく、間接的に公務員の身体に対して物理的な影響を与えるものであれば「暴行」に当たる（間接暴行）司予

∵ 本罪は公務の円滑な遂行を保護法益とする

ex.1 覚醒剤取締法違反の現行犯逮捕の現場で、司法巡査に証拠物として差し押さえられた覚醒剤注射液入りアンプルを、足で踏み付けて破壊する行為（最決昭 34.8.27）

ex.2 収税官吏が差し押さえて自動車に積み込んだ密造酒入りのかめをナタで破砕して内容物を流出させた行為（最判昭 33.10.14）

また、公務員に向けられた暴行でなくても、公務員の指揮の下、その手足となって職務の執行に密接不可分の関係にある補助者に対して加えられる暴行も間接暴行に当たり、本条の「暴行」に含まれる（最判昭 41.3.24・百選Ⅱ 115 事件）司。

もっとも、間接暴行といえども、公務員の身体に対して物理的な影響を与えるものでなければならないから、本罪の「暴行」というためには、少なくとも公務員の面前で当該行為が行われた場合でなければならないと解されている（仙台高判昭 30.1.18 参照）司。

四 結果

本罪の成立には、暴行・脅迫を加える行為をもって足り、暴行・脅迫の結果、公務員の職務執行が現実に害されることを要しない（抽象的危険犯）司。

→1回の命中しなかった投石行為（最判昭 33.9.30・百選Ⅱ〔第7版〕115 事件）共や、パンフレットを丸めて職員の顔面に2～3回突き付け、1回は職員の顎に接触させた行為（最判平元.3.9）司のように、職務執行が現実に妨害されなかった場合でも本罪は成立する

《論　点》

一 職務の適法性の判断基準

職務の適法性の判断基準については、裁判所が法令の解釈により客観的に適法性を判断すべきであるとする見解（客観説）が通説である。

∵ 客観的にみて適法な職務でなければ、これに対する暴行・脅迫を処罰する理由がない

職務の適法性はどの時点を基準に判断すべきかという点については、事後的・純客観的な立場から裁判時を基準に判断するのではなく、職務行為が行われた時

点を基準に判断すべきであると解されている（行為時標準説）。

∵ 行為時において要件が具備された適法な職務といえれば、その職務執行を保護するべきである

▼ **最決昭41.4.14・百選Ⅱ113事件**

職務行為の適否は事後的に純客観的な立場から判断されるべきでなく、行為当時の状況に基づいて客観的、合理的に判断されるべきとした原審の判断を相当とした。

二 適法性の錯誤

私服警察職員AがXを逮捕しようとした際に（客観的には完全に適法）、Xは、次のex.1、ex.2の事情の下、Aに暴行を加えた。Xに公務執行妨害罪は成立するか。客観的には完全に適法な職務行為につき、被告人の側でこれを違法なものと誤信して妨害した場合、公務執行妨害罪が成立するのかが問題となる。

ex.1 Aが逮捕状を示したのに、Xがこれを見ていなかったため、刑事訴訟法上の手続を踏まない違法な逮捕と誤認した場合

ex.2 Xは逮捕状を認識したが、身に覚えがない以上違法な逮捕と考えた場合

<職務の適法性の錯誤に関する学説の整理>

学説	甲説 （事実の錯誤説）	乙説 （法律の錯誤説）	丙説 （二分説）
内容	職務行為の適法性は構成要件要素であり、錯誤があれば常に故意が阻却される	故意の成立には適法性の認識は不要であるが、その認識を欠いたことにより違法性の意識の可能性を欠いた場合は故意ないし責任を欠く	適法性を基礎付ける事実の誤認は事実の錯誤として故意を阻却するが、法令等の解釈・評価の誤りは法律の錯誤として故意を阻却しない
理由	職務の適法性は構成要件要素であり、その認識が欠ける以上故意犯は成立しえない	職務の適法性は、職務行為に対する刑法的要保護性（違法性）の問題であるから、刑法独自の法的評価の問題に属するので、故意における認識対象には含まれず、適法性の錯誤は法律の錯誤として故意を阻却しない	① 構成要件的故意の対象は構成要件該当「事実」そのものであるから、構成要件的故意の対象となるのは、適法性を基礎付ける「事実」だけであり、その誤認が事実の錯誤となる ② 職務行為の「適法性」自体は、直接刑法的評価に関する要素であって構成要件的故意の対象ではなく、その誤認は違法性の錯誤となる

各論

学説	甲説（事実の錯誤説）	乙説（法律の錯誤説）	丙説（二分説）
批判	軽率に「相手方の行為は違法だ」と信じて抵抗した場合でもすべて不可罰となってしまいその結果はあまりに不合理である	職務行為の適法性を認識していなければ反対動機の形成は不可能であるので、「職務の適法性」は構成要件要素と解すべきである	規範的要素の事実的側面と評価的側面とを区別することは困難である
ex.1	不成立	成立	不成立
ex.2	不成立	成立	成立

三　公務と業務の区別　⇒ p.401

《その他》

・本罪の罪数は公務の数を基準に決定するのが通説である。

・行為が暴行にとどまるときは、その行為は公務執行妨害罪に吸収され別に暴行罪を構成しない。これに対して、殺人罪、傷害罪、強盗罪などを構成するときには、それらの犯罪が成立し、公務執行妨害罪との観念的競合となる司予。

各論

〔職務強要罪、２項〕

【封印等破棄罪】

> **第９６条（封印等破棄）**
> 公務員が施した封印若しくは差押えの表示を損壊し、又はその他の方法によりその封印若しくは差押えの表示に係る命令若しくは処分を無効にした者は、３年以下の懲役若しくは２５０万円以下の罰金に処し、又はこれを併科する。

《注　釈》

一　「封印」・「差押えの表示」、「命令」・「処分」

1(1)「封印」とは、物に対する任意の処分を禁止するために、開くことを禁止する意思を表示して、その外装に施された封緘等の物的設備をいう。印章が押捺されている必要はない。

ex.1　警察官が販売を禁止するために清酒の樽などに施した紙片（大判大5.7.31）

ex.2　執行官が穀類差押のため、積み上げた俵に縄張りをして、その縄に差押物件や執行官の官氏名等を記した紙片（大判大6.2.6）

(2)「差押えの表示」とは、差押えによって取得した占有を明らかにするために、特に施された表示であって、封印以外のものをいう。「差押え」とは、公務員が、その職務上保全すべき物を自己の占有に移す強制処分をいう。

ex.　民事執行法による差押え、仮差押え、執行官保管の仮処分、国税徴収法による差押え、刑事訴訟法に基づく証拠となるべき物の差押え

2 封印・差押えの表示は、適法又は有効なものであることを要する（最決昭42.12.19）。

→職権濫用による違法な封印・差押え、法律上の有効要件を欠く封印・差押えは本罪の客体とはならない

3 「命令」とは、裁判所による命令をいい、「処分」とは、執行官その他の公務員による差押えの処分などをいう。

▼ **最決昭62.9.30・百選Ⅱ〔第7版〕116事件**

執行官により立てられ、その後何者かにより包装紙で覆われその上からビニールひもが掛けられていて、そのままでは記載内容を知ることのできない仮処分の公示札でも、容易にこれらを除去して記載内容を明らかにすることができる状態にあったときは、差押えの表示としての効用を滅却されるまでには至っていないから、有効な差押えの表示としての本条の客体に当たる。

二 「損壊」・「その他の方法によりその封印若しくは差押えの表示に係る命令若しくは処分を無効に」すること

1 「損壊」とは、物理的に毀損破壊して、事実上の効用を滅殺・滅却することをいう。

2 「その他の方法によりその封印若しくは差押えの表示に係る命令若しくは処分を無効に」するとは、物理的に損壊せずに、その事実上の効力を滅殺・滅却することをいう。法律上の効力を失わせるという意味ではない。

ex.1 封印を施された密造酒在中の桶から密造酒を漏出させる行為

ex.2 仮処分によって執行官が土地を占有し、立入禁止の表示札を立てたのを無視して耕作する行為

三 故意

行為の際に有効な封印又は差押えの表示が存在することの認識である。本罪の場合も、適法性の錯誤について、公務執行妨害罪（95 Ⅰ）と同様に議論がある。⇒ p.225

【強制執行妨害目的財産損壊等罪】

第９６条の２ （強制執行妨害目的財産損壊等）

強制執行を妨害する目的で、次の各号のいずれかに該当する行為をした者は、３年以下の懲役若しくは２５０万円以下の罰金に処し、又はこれを併科する。情を知って、第３号に規定する譲渡又は権利の設定の相手方となった者も、同様とする。

① 強制執行を受け、若しくは受けるべき財産を隠匿し、損壊し、若しくはその譲渡を仮装し、又は債務の負担を仮装する行為

② 強制執行を受け、又は受けるべき財産について、その現状を改変して、価格を減損し、又は強制執行の費用を増大させる行為

> ③　金銭執行を受けるべき財産について、無償その他の不利益な条件で、譲渡をし、又は権利の設定をする行為

《保護法益》

第一次的には債権者の保護、第二次的には強制執行という国家作用の保護である（最判昭35.6.24・百選Ⅱ〔第7版〕117事件）。

《注　釈》

一　強制執行を妨害する目的

1　「強制執行」

本罪を債権者保護を中心に考える立場からは、民事執行法による強制執行又は同法を準用する強制執行に限られる。また、本罪の「強制執行」には、民事執行法1条所定の「担保権の実行としての競売」が含まれる（最決平21.7.14・平21重判7事件）。

2　目的

いかに強制執行免脱の目的があっても、現実に強制執行を受けるおそれのない客観的な状況の下では本罪は成立しない（最判昭35.6.24・百選Ⅱ〔第7版〕117事件）。

二　行為

1　財産の譲渡を仮装、又は債務の負担を仮装すること（1号）

2　財産の現状を改変して、その価値を減損、又は強制執行費用を増大させること（2号）

無用な増築をして、その区分所有権を登記・仮登記をする行為や当該不動産の中に大量の廃棄物を搬入する行為などがこれに当たる。

3　金銭執行を受けるべき財産につき、無償等の譲渡又は権利設定すること（3号）

金銭債権の強制執行において法律行為により引き当てとなる財産を減少させる行為がこれに当たる。法律行為であること、又は真実譲渡等であることを理由に、1号に当たらないものを捕捉して処罰するものである。

本号は、真実の譲渡・権利設定であり、必ず相手方がいるため、その相手方を処罰するために、本条柱書後段が設けられた。

【強制執行行為妨害等罪】

> **第９６条の３　（強制執行行為妨害等）**
>
> Ⅰ　偽計又は威力を用いて、立入り、占有者の確認その他の強制執行の行為を妨害した者は、３年以下の懲役若しくは２５０万円以下の罰金に処し、又はこれを併科する。
>
> Ⅱ　強制執行の申立てをさせず又はその申立てを取り下げさせる目的で、申立権者又はその代理人に対して暴行又は脅迫を加えた者も、前項と同様とする。

《注　釈》

本条は、平成23年改正により新設された。対人的加害行為によって強制執行の行為を妨害する行為を処罰することを予定した規定である。

【強制執行関係売却妨害罪】

> **第９６条の４　（強制執行関係売却妨害）**
>
> 偽計又は威力を用いて、強制執行において行われ、又は行われるべき売却の公正を害すべき行為をした者は、３年以下の懲役若しくは２５０万円以下の罰金に処し、又はこれを併科する。

《注　釈》

本条は、平成23年改正により新設された。同改正前の96条の3のうち、強制執行における売却手続についての公正を阻害する行為を処罰することを予定した規定である。

同改正前の96条の3に関する判例として、以下のものがある。

一　行為

「公の競売又は入札の公正を害すべき行為」をすること

→談合行為は含まれないが、談合に応じるよう脅迫する行為は含まれる（最決昭58.5.9）

二　結果

本罪は公の競売又は入札の公正を害すべき行為が行われれば直ちに既遂に達し（抽象的危険犯）、行為の結果入札の公正が害されたという結果の発生は必要としない。

各論

▼　最決平18.12.13・平19重判1事件

現況調査（民執57）に訪れた執行官に対して虚偽の事実を申し向け、内容虚偽の契約書類を提出した行為は「公の競売又は入札の公正を害すべき行為」に当たるが、その時点をもって刑訴法253条1項にいう「犯罪行為が終った時」と解すべきものではなく、虚偽の事実の陳述等に基づく競売手続が進行する限り、「犯罪行為が終った時」には至らない。

▼　最決平10.7.14・百選Ⅱ116事件

弁護士である被告人が、裁判所に対して、競売開始決定（民執45）のあった土地建物につき、賃貸借契約があるかのように装って、取調べを求める上申書及び競売開始決定前に短期賃貸借契約（旧民395）の締結があった旨の内容虚偽の賃貸借契約書の写しを提出する行為は、偽計による競売入札妨害罪に当たる。

【加重封印等破棄等罪】

> **第９６条の５　(加重封印等破棄等)**
>
> 報酬を得、又は得させる目的で、人の債務に関して、第９６条から前条まで<封印等破棄、強制執行妨害目的財産損壊等、強制執行行為妨害等、強制執行関係売却妨害>の罪を犯した者は、５年以下の懲役若しくは５００万円以下の罰金に処し、又はこれを併科する。

《注　釈》

本条は、平成23年改正により新設された。96条から96条の4までの罪が「報酬を得、又は得させる目的」で行われた場合において、加重処罰する規定である。

【公契約関係競売等妨害罪、談合罪】

> **第９６条の６　(公契約関係競売等妨害)**
>
> Ⅰ　偽計又は威力を用いて、公の競売又は入札で契約を締結するためのものの公正を害すべき行為をした者は、３年以下の懲役若しくは２５０万円以下の罰金に処し、又はこれを併科する。
>
> Ⅱ　公正な価格を害し又は不正な利益を得る目的で、談合した者も、前項と同様とする。

各論

〔公契約関係競売等妨害罪、１項〕

本条は、平成23年改正により、新設された。同改正前の96条の3のうち、強制執行に関するものを除いた公共の工事の入札等について規定したものである。

⇒ p.228

《注　釈》

「公の競売又は入札の公正を害すべき行為」をすること

→談合行為は含まれないが、談合に応じるよう脅迫する行為は含まれる（最決昭58.5.9）

〔談合罪、２項〕

《注　釈》

一　「公正な価格」

「公正な価格」とは、入札を離れて客観的に測定されるべき価格をいうのではなく、その競売又は入札において公正な自由競争が行われたならば、すなわち、談合がなかったならば形成されたであろう価格をいう（最決昭28.12.10）。

二　「談合」

1　「談合」とは、競落人ないし入札者が相互に通謀し、特定の者を契約者とするために、他の者は一定価格以上（以下）の値をつけない（入札しない）協定をいう。

2　２人以上の者の行為を必要とするから、本罪は必要的共犯である。

3　競買人・入札者の全員が談合に加わる必要はなく、事実上、有効に自由競争の実を失わせるような協定をなしうる限り、一部の競売人・入札者によって行われた場合も、本罪の「談合」といえる（最判昭32.12.13）。

三　結果

談合によって直ちに既遂に達し、談合者が現実に行動したことを要しない（抽象的危険犯）。

・第６章・【逃走の罪】

《概　説》

<逃走の罪の条文構造>

<table>
<tr><th colspan="2">犯罪</th><th>主体</th><th>客体</th><th>行為</th><th>既遂時期</th><th>主観的要件</th><th>未遂</th></tr>
<tr><td rowspan="2">被拘禁者自身の逃走行為</td><td>単純逃走罪（97）</td><td rowspan="2">法令により拘禁された者</td><td rowspan="2"></td><td>逃走</td><td rowspan="2">拘禁から離脱した時点</td><td rowspan="3">故意</td><td rowspan="5">あり（102）</td></tr>
<tr><td>加重逃走罪（98）</td><td>①　拘禁場・拘束のための器具の損壊
②　暴行・脅迫
③　２人以上通謀して、逃走</td></tr>
<tr><td rowspan="3">他者が被拘禁者を逃走させる行為</td><td>被拘禁者奪取罪（99）</td><td rowspan="2">制限なし</td><td rowspan="3">法令により拘禁された者</td><td>奪取</td><td>自己又は第三者の実力的支配下に置いた時点</td></tr>
<tr><td>逃走援助罪（100）</td><td>器具を提供しその他逃走を容易にすべき行為（*）</td><td>逃走を容易にすべき行為又は暴行・脅迫を行った時点</td><td>故意及び法令により拘禁された者を逃走させる目的</td></tr>
<tr><td>看守者逃走援助罪（101）</td><td>法令により拘禁された者を看守し又は護送する者</td><td>逃走させること</td><td>拘禁から離脱させた時点</td><td>故意</td></tr>
</table>

*　暴行又は脅迫による場合には加重される（100 Ⅱ）。

《保護法益》

国の拘禁作用である。①被拘禁者自身が拘禁作用を侵害する場合と、②それ以外の者がこれを侵害する場合とに分けられる。

【単純逃走罪】

> **第９７条　（逃走）**
> 法令により拘禁された者が逃走したときは、３年以下の懲役に処する。

《注　釈》

一　「法令により拘禁された者」〈司共

「法令により拘禁された者」には、①確定判決又は勾留状の執行により刑事施設等に収容された被疑者・被告人又は刑確定者のほか、②勾留状、勾引状等の執行を受けたが、刑事施設等に収容される前の被疑者・被告人又は刑確定者、③逮捕されたが、刑事施設等に留置される前の被疑者及び留置中の被疑者、④勾引状の執行を受けた証人等も含まれる。

→③の「逮捕」は、通常逮捕のみならず、現行犯逮捕や緊急逮捕（逮捕状の発付の前後を問わない）も含まれる

一方、保釈された被告人は、「法令により拘禁された者」には含まれない。

二　「逃走」

「逃走」とは、拘禁から離脱すること、すなわち看守者の実力支配を脱することを意味する。

三　既遂時期

拘禁を離脱した時に既遂に達する（状態犯）〈共。拘禁を離脱したとは、看守者による実力的支配を脱したことをいう。

→監獄の外壁を乗り越えるなどして刑事施設等の外に出れば通常は既遂となるが、追跡が継続している間は拘禁を離脱したとはいえず未遂（102）にとどまる〈司。もっとも、一時的であっても完全に離脱すれば既遂となる〈司

【加重逃走罪】

> **第９８条　（加重逃走）**
> 前条に規定する者が拘禁場若しくは拘束のための器具を損壊し、暴行若しくは脅迫をし、又は２人以上通謀して、逃走したときは、３月以上５年以下の懲役に処する。

《注　釈》

一　行為

1　「暴行」・「脅迫」は、逃走の手段として看守者等に対してなされることを要する〈司。

2　「損壊」とは物理的損壊を意味し、合鍵により開錠することはこれに含まれない〈司。

各論

3 「通謀して」といえるためには、2人以上の「法令により拘禁された者」(97) がともに逃走することを内容とした意思の連絡が必要である〈同。

→1人だけ逃走させる意図で通謀した場合は、逃走した者に単純逃走罪 (97) が成立し、通謀者には逃走援助罪 (100 I) が成立する

→刑務所に面会に来た者と通謀して逃走しても、加重逃走罪は成立しない〈同

二　実行の着手・既遂時期

＜加重逃走罪の実行の着手・既遂時期＞

行為	着手時期	既遂時期
拘禁場・拘束のための器具を損壊する場合	損壊行為を開始した時点〈同	拘禁を離脱した時点
暴行・脅迫	暴行・脅迫行為が開始された時点	
通謀	通謀者がともに逃走行為を開始した時点	拘禁状態を離脱した時点で、通謀者（逃走者）ごとに既遂〈同

【被拘禁者奪取罪】

> **第９９条　(被拘禁者奪取)**
> 法令により拘禁された者を奪取した者は、３月以上５年以下の懲役に処する。

《注　釈》

◆ 「奪取」すること

被拘禁者を看守者の実力的支配から離脱させ、自己又は第三者の実力的支配下に移すことをいう。奪取の手段を問わないので、暴行・脅迫・欺罔行為などによる場合も含む。また、本人の同意の有無も問わない〈同。

【逃走援助罪】

> **第１００条　(逃走援助)**
> Ⅰ　法令により拘禁された者を逃走させる目的で、器具を提供し、その他逃走を容易にすべき行為をした者は、３年以下の懲役に処する。
> Ⅱ　前項の目的で、暴行又は脅迫をした者は、３月以上５年以下の懲役に処する。

《注　釈》

一　既遂時期

器具を提供し、その他逃走を容易にすべき行為（Ⅰ)、暴行・脅迫行為（Ⅱ）の終了によって本罪は既遂となり、被拘禁者が逃走したかどうかを問わない〈同。

二　被拘禁者奪取罪の未遂と本罪

被拘禁者を奪取する目的で暴行・脅迫を行ったが奪取が未遂に終わった場合に

つき、被拘禁者奪取罪の未遂とするか逃走援助罪とするか争いあるも、通説は被拘禁者奪取罪の未遂とすべきであるとしている。

【看守者等による逃走援助罪】

第１０１条　（看守者等による逃走援助）
法令により拘禁された者を看守し又は護送する者がその拘禁された者を逃走させたときは、１年以上１０年以下の懲役に処する。

◆ 「逃走させた」

被拘禁者の逃走を惹起し又はこれを容易ならしめる一切の行為をいう。逃走しようとしている事実を認識しながら放置する不作為も含む。

第１０２条　（未遂罪）
この章の罪の未遂は、罰する。

・第７章・【犯人蔵匿及び証拠隠滅の罪】

各論

《保護法益》

国の刑事司法作用の円滑な運用である。

【犯人蔵匿等罪】

第１０３条　（犯人蔵匿等）
罰金以上の刑に当たる罪を犯した者又は拘禁中に逃走した者を蔵匿し、又は隠避させた者は、３年以下の懲役又は３０万円以下の罰金に処する。

《注　釈》

一 「罰金以上の刑に当たる罪を犯した者」共

1 「罰金以上の刑に当たる罪」とは、法定刑が罰金以上の刑を含む罪をいい、拘留・科料が罰金以上の刑と併せて規定されている罪を含む。

故意として、被蔵匿者が「罰金以上の刑に当たる罪を犯した者」であることの認識が必要である。もっとも、具体的な法定刑まで認識している必要はなく（最決昭29.9.30）、罰金以上の刑が定められている犯罪であれば、そのような軽微とはいえない罪を犯した者であるとの認識があれば足りる共。

2 「罪を犯した者」 ⇒下記《論点》二

二 「蔵匿」・「隠避」司

1 「蔵匿」とは、場所を提供して匿うことをいう。

2 「隠避」とは、蔵匿以外の方法で、捜査機関による発見逮捕を免れさせるすべての行為をいう共予H29。

このように、犯人隠避は非常に広い概念であるため、処罰に値するだけの行為でなければならないとされている。

ex.1　逃走資金を提供すること、身代わり犯人を立てること　⇒下記《論点》三

ex.2　逃避者に、留守宅の様子や家族の安否の他、警察の捜査状況を教える行為は、逃避の便宜を与えたものであって、犯人「隠避」に当たる（大判昭5.9.18）司

ex.3　甲の逮捕・勾留に先立ち、甲を犯人として身柄拘束を継続することに疑念を生じさせる内容の口裏合わせを甲との間で行った者が、参考人として、警察官に対して口裏合わせに基づき虚偽の供述をした行為は、「罪を犯した者」をして現にされている身柄拘束を免れさせるような性質の行為であり、犯人「隠避」に当たる（最決平29.3.27・百選Ⅱ123事件）

cf.　逃走者の所在を警察官に尋ねられた際、知っていたにもかかわらずその質問に答えなかった行為は、単なる不作為であり、原則として可罰性が低いから、特別の例外規定（爆発物取締罰則8）がない限り、犯人「隠避」には当たらない司

三　結果

本罪の成立には、現実に刑事司法の機能を妨げたという結果の発生を要せず、その可能性があれば足り、いわゆる危険犯（抽象的危険犯）であるとするのが判例である。ただし、「隠避」については、被蔵匿者が官憲の発見・逮捕を一応免れる状態に達したことを要する。

《論　点》

一　犯人による犯人蔵匿・隠避の教唆の可罰性司

自ら蔵匿・隠避の主体となりえない犯人が、自己の蔵匿・隠避を他人に教唆した場合、犯人蔵匿等教唆罪（61Ⅰ・103）が成立するか。

＊　証拠隠滅罪の場合にも、自己の事件の証拠を隠滅しても不可罰の犯人が第三者に証拠を隠滅させた場合の処断という形で、ほぼ同様の問題が存在する。
　⇒ p.242

また、刑事被告人が自己の刑事事件について他人を教唆して虚偽の陳述をさせた場合の処理も類似の問題といえる。　⇒ p.312

<犯人による犯人蔵匿・隠避の教唆の可罰性>〈同

学説		理　由
肯定説	期待可能性の存在を根拠とする説	他人に犯人蔵匿・証拠隠滅の罪を犯させてまでその目的を遂げるのは、自ら犯す場合とは情状が違い、もはや定型的に期待可能性がないとはいえない
	防禦権の逸脱を根拠とする説（大判昭8.10.18）〈共	犯人自身の単なる隠避行為が罪とならないのは、これらの行為は刑事訴訟法における被告人の防禦の自由の範囲内に属するからであり、他人を教唆してまでその目的を遂げようとすることは防禦の濫用であり、もはや法の放任する防禦の範囲を逸脱する
否定説	自己蔵匿・隠避の場合との均衡等を根拠とする説	①　他人を介する教唆の方がより間接的である以上、正犯として行っても処罰されない行為を共犯として行った場合は不処罰となる ②　自己が他人を教唆して犯人蔵匿罪を犯させるのは、自らを蔵匿させるについて他人を利用するに他ならないから、犯人自らが犯人蔵匿を行った場合と同一の根拠で、この場合の共犯を不可罰とするのが妥当である
	必要的共犯論の考え方を根拠とする説	犯人蔵匿罪は、蔵匿し隠避させる者と蔵匿・隠避される犯人の両者を関与形態として予定しており、しかも同罪が成立するには後者から前者への働きかけをするのが通常の事態と考えられるのにもかかわらず、刑法は前者についてのみ処罰規定を置いている。とすると、他方の関与者は不処罰にするのが法の趣旨である。

※　共犯者による犯人蔵匿・隠避行為の可罰性

「XはYと共同して行った犯行に関し、官憲による逮捕・勾留を免れるため、Yの逃走を容易にした」という場合、Xに犯人蔵匿等罪は成立するか。

→下級審判例（旭川地判昭57.9.29・百選Ⅱ121事件）は、共犯者の蔵匿・隠避は、行為者自身の刑事事件に対する証拠隠滅の側面を併有していたとしても、共犯者に対する審判及び刑の執行を直接阻害する行為は防禦として放任される範囲を逸脱しており期待可能性を一般に失わせるとはいえず、処罰の対象となる、とした

ex.　甲は、殺人事件の被疑者として警察に追われていたため、知人乙にその事情を打ち明けて同人所有の別荘に住まわせてくれるように依頼し、これを承諾した乙から同別荘の鍵を受け取って同別荘に身を隠した。この場合、上記肯定説によると甲には犯人蔵匿教唆罪が成立する〈同

二　「罪を犯した者」

Xは、恐喝被告事件によって審理進行中のAを匿ったが、Aは後に無罪であるとの判決（刑訴336）を受けた。Xに犯人蔵匿罪は成立するか。「罪を犯した者」が真犯人を指すのであればXに犯人蔵匿罪は成立しないので問題となる。

<犯人蔵匿等罪の「罪を犯した者」の意義>

学説	甲説	乙説（最判昭24.8.9・百選Ⅱ117事件）（＊）〈共
「罪を犯した者」の意義	実際に罰金以上の刑に当たる罪を犯した者（真犯人）	真犯人だけでなく犯罪の嫌疑を受けて捜査又は訴追されている者も含まれる
理由	形式的には「罪を犯した者」という文言に被疑者・被告人を含むものとは考えられない	嫌疑を受けている者を含めなくては保護法益である刑事司法作用の保護が図れない
批判	①　嫌疑がかけられ追われていることは認識しているものの、真犯人ではないと信じて行為した者は、この説によると故意が欠け不可罰となってしまい妥当でない ②　実際の適用上大きな困難が伴う	真犯人でない者を蔵匿することは、その違法性が極めて微弱であるとともに期待可能性が乏しい点で責任も軽いという点を見過ごしている
犯人蔵匿罪の成否	Xに犯人蔵匿罪は成立しない	Xに犯人蔵匿罪が成立する

＊　本条は司法に関する国権の作用を妨害する者を処罰しようとするのであるから、「罪を犯した者」は犯罪の嫌疑によって捜査中の者を含むと解しなければ立法目的を達しえない（最判昭24.8.9・百選Ⅱ117事件）。
　また、同様の理由から、「罪を犯した者」には、犯人として逮捕勾留されている者も含まれる（最決平元.5.1・百選Ⅱ122事件）〈共ため、その者が保釈中であっても「罪を犯した者」に当たる〈司共。

＊　被蔵匿者が後に不起訴処分となったとしても、匿った時点で訴追・処罰の可能性があった以上、本罪が成立する（東京高判昭37.4.18）〈共。

＊　公訴時効の完成、刑の廃止、恩赦、親告罪における告訴権の消滅等により訴追、処罰の可能性がなくなった者については、これらの者を蔵匿又は隠避しても刑事司法作用を害する危険がないから、犯人蔵匿罪の客体に当たらない。
　単に隠避の時点で告訴がなされていなかっただけであれば、その後に告訴がなされる可能性があるので、犯人隠避罪の客体に当たる〈司。

ex.　Aは殺人事件の被疑者として逮捕状が発付されているBが犯人ではないと信じ、Bに隠れ家を提供して同人を匿ったが、その後発見逮捕されたBが真犯人であることが明らかとなり、同人に対する有罪判決が確定した。この場合、甲説によれば事実の錯誤としてAに犯人蔵匿罪は成立しないが、乙説によればAに犯人蔵匿罪が成立する〈司

▼ **札幌高判平17.8.18・百選Ⅱ124事件**

捜査機関に誰が犯人かわかっていない段階で、捜査機関に対して自ら犯人である旨虚偽の事実を申告することは、犯人の発見を妨げる行為として捜査という刑事司法作用を妨害し、同条にいう「隠避」に当たることは明らかであって、犯人が死者であっても変わりがない。103条にいう「罪を犯した者」には死者も含むべきである。

三　身代わり出頭

身代わり犯人を立てる行為は捜査機関による発見逮捕を免れしめる典型的な行為であり、「隠避」に当たる（最決昭35.7.18）共。では、犯人Xが既に身柄拘束されている場合も、Yが「自分が犯人である」と申し立てる行為は「隠避」に当たるか。

<身代わり出頭> 司共

学説	甲説	乙説（最決平元.5.1・百選Ⅱ122事件）
103条の趣旨	官憲による身柄確保に向けられた刑事司法作用の保護	捜査・審判・刑の執行等広義における刑事司法作用を妨害する者を処罰する
103条の客体	基本的には、すでに逮捕・勾留されている者は本罪の客体からこれを除外すべき	犯人として逮捕・勾留されている者も含まれる
Yの罪責	Xが本罪の客体に含まれない以上、身代わり出頭による隠避罪の成立は認められない。ただし、官憲がXの逮捕・勾留を解くに至った場合には隠避罪が成立する	犯人として逮捕・勾留されている者をして現になされている身柄拘束を免れさせるような性質の行為も「隠避」に当たる。それゆえ、身代わり犯人として出頭し、自己が犯人である旨の虚偽の陳述をした場合、隠避罪が成立する

ex.　Xは傷害事件で勾留されているAの起訴を免れさせるため、Yに対し、Aの身代わり犯人となるように唆し、これによりYは警察に出頭して上記傷害事件の犯人は自分である旨虚偽の事実を申告した。この場合、判例の立場（上記乙説）によるとXには犯人隠避教唆罪が成立する

【証拠隠滅等罪】

第１０４条　（証拠隠滅等）

他人の刑事事件に関する証拠を隠滅し、偽造し、若しくは変造し、又は偽造若しくは変造の証拠を使用した者は、３年以下の懲役又は３０万円以下の罰金に処する。

各論

《注 釈》

一 「他人の刑事事件に関する証拠」 司共 予H23 予H29

1 「他人の」と定められている以上、自己の刑事事件に関する証拠は含まれない。また、「他人の」証拠が、自己の刑事事件に関する証拠でもある場合について、判例（大判昭7.12.10）は、自己のためにする意思かどうかを問わず、他人の刑事事件に関する証拠であれば、それを隠滅等すると本罪が成立するとしている。

→学説上では、専ら他人のためにする意思で隠滅等がなされた場合に限り、本罪の成立を認める見解が有力に主張されている。

∵ 犯人自身が自己の刑事事件に関する証拠を隠滅等しても不可罰であるのは、適法行為の期待可能性が欠如するからであり、その証拠が他人の刑事事件に関する証拠でもある場合であっても、自己の利益のために隠滅等する場合には、やはり期待可能性が欠如するといえる

ただし、犯人が第三者に自己の証拠隠滅を働きかけた場合に犯人に証拠隠滅教唆罪が成立するかについては争いがある。 ⇒下記《論点》三

2 「証拠」とは、捜査・裁判機関による刑事事件の処理に影響する一切の資料をいう 司。証拠物、証拠書類などの物証はもちろんのこと、被害者、証人、参考人などの人的証拠（人証）でもよいとされる（最決昭36.8.17・百選Ⅱ118事件） 共。

ex. 甲は、被告人乙の刑事裁判を有利に運ぶため、同人に不利益な事実を知っている証人予定者の丙を人里離れた山中の別荘に監禁した。この場合、甲には証拠隠滅罪が成立する

3 「刑事事件に関する」という限定から、民事事件に関するものは含まれない。なお、刑事司法作用を保護するためには、将来刑事事件になり得るものに関する証拠も保護する必要があるので、捜査開始前の刑事事件（大判大2.2.7）や、捜査中の刑事事件（最決昭36.8.17・百選Ⅱ118事件）もこれに含まれる 通 司共。

ex. 甲は親友乙が丙を殺害した事実を知り、乙の罪を免れさせようと考え、捜査機関が同事実の存在を知る前に、自殺する旨の記載のある丙名義の遺書を作成して丙の遺族に送付した。この場合、甲には証拠偽造罪が成立する

二 「隠滅」・「偽造」・「変造」、偽造・変造した証拠の「使用」

1 「隠滅」とは、証拠の顕出を妨げ、又はその証拠としての価値を滅失・減少させる一切の行為をいう（大判明43.3.25）。たとえば、証人・参考人となるべき者を逃避させて隠匿する行為は「隠滅」に当たる（大判明44.3.21、最決昭36.8.17・百選Ⅱ118事件） 司。

2 「偽造」とは、存在しない証拠を新たに作成することをいう。

ex.　甲は、自己が被告人となっている横領事件で有利な判決を得る目的から、事件と無関係の乙に対し、被害を弁償していないのに、弁償金を受領した旨の被害者名義の領収書を作るように依頼し、これを作成させた。この場合、判例の立場に従うと、甲には証拠偽造教唆罪が成立する〈司

3　「変造」とは、真実の証拠に加工して、その証拠としての効果に変更を加えることをいう。

4　「使用」とは、偽造・変造した証拠を真正のものとして提出することをいう。

《論　点》

一　参考人の虚偽供述と証拠偽造罪

宣誓した証人が虚偽の証言をした場合には、偽証罪（169）で処罰される。他方、宣誓をしていない者が虚偽の供述をした場合、偽証罪は成立せず、かかる行為を直接に処罰する規定もない。

そこで、①参考人が虚偽の供述をした場合、②参考人が内容虚偽の供述書を作成した場合、③参考人による内容虚偽の供述を記載した供述録取書が作成された場合について、それぞれ証拠偽造罪が成立するかが問題となる。

①　参考人が虚偽の供述をした場合

判例（最決昭28.10.19）は、①の場合には証拠偽造罪は成立しないとしている〈司。

∵①　偽証罪（169）は宣誓した証人による虚偽の陳述を処罰の対象としているところ、これは、かかる陳述以外の虚偽の供述を不問に付す趣旨である

②　104条の「証拠」には人証も含むが、その「偽造」とは「証拠」自体の偽造を意味し、虚偽の供述は「証拠」自体の偽造には当たらない

②　参考人が内容虚偽の供述書を作成した場合

上申書や被害届など、捜査機関や裁判所に提出するため、事件の目撃者や被害者などが目撃した内容等を自ら書面に記したものを、供述書という。

参考人が自ら内容虚偽の事実を記載した供述書を作成した場合には、証拠偽造罪が成立する。虚偽の事実を記載する行為は、存在しない証拠を新たに作成するものにほかならないので、「偽造」に当たると解される。

③　参考人による内容虚偽の供述を記載した供述録取書が作成された場合

参考人が捜査官に対して内容虚偽の事実を供述し、その供述内容を記載した供述録取書（供述調書）が捜査官によって作成された場合などである。

③の場合について、判例（最決平28.3.31・百選Ⅱ119事件）は、証拠偽造罪の成立を否定している〈共。

∵　単に参考人が虚偽の供述をしたにすぎない場合には「偽造」とならない以上、その虚偽の供述を内容とする供述調書が作成された場合で

あっても、同様に証拠偽造罪は成立しないと解すべきである

ただし、この判例は一般論として証拠偽造罪の成立を否定しているものの、下記のとおり、当該事案においては証拠偽造罪の成立を認めている点に注意が必要である。

▼ 最決平28.3.31・百選Ⅱ119事件

事案： 甲が共犯者AとともにB警部補・C巡査部長から参考人として取調べを受けた際、A・B・Cと共謀し、Dの覚醒剤所持に関する虚偽の供述調書を作成した。

判旨：「本件において作成された書面は、参考人AのC巡査部長に対する供述調書という形式をとっているものの、その実質は、甲、A、B警部補及びC巡査部長の4名が、Dの覚せい剤所持という架空の事実に関する令状請求のための証拠を作り出す意図で、各人が相談しながら虚偽の供述内容を創作、具体化させて書面にしたものである」。

「このように見ると、本件行為は、単に参考人として捜査官に対して虚偽の供述をし、それが供述調書に録取されたという事案とは異なり、作成名義人であるC巡査部長を含む被告人ら4名が共同して虚偽の内容が記載された証拠を新たに作り出したものといえ、刑法104条の証拠を偽造した罪に当たる」。

評釈： 消極的・受動的ではなく、積極的に虚偽の文書を作成するような場合（取調官が積極的に虚偽の内容を記載して供述調書を作成するような場合）には、証拠偽造罪が成立するとしたものである。

二 共犯事件と「他人の刑事事件」

XはYと共同して犯罪を犯したが、その後、右共犯事件の証拠を隠滅した。かかるXに証拠隠滅罪が成立するか、共犯事件が「他人」の刑事事件に当たるかが問題となる。

＜共犯事件と「他人の刑事事件」＞

学説	甲説	乙説	丙説
「他人」の意義	共犯者に関するものでも常に「他人」の刑事事件に当たる	共犯者に関するものは常に「他人」の刑事事件に当たらない	専ら共犯者のためにする意思で隠滅した場合のみ「他人」の刑事事件に当たる
理由	104条の罪については、自己以外の者の刑事事件に関して所定の行為をした場合に証拠隠滅罪が成立し、共犯たる事実は犯罪の成立を阻却する事由とならないことは条文上明らかである	自己の犯罪についての証拠の隠滅等は、期待可能性の観点から不可罰とされているが、自己の犯罪の証拠が同時に共犯者もしくは他人の事件の証拠となる場合でも、期待可能性に変わりがあるわけではないから、同様に不可罰と解すべきである	① 甲説・乙説への批判 ② 自己の犯罪についての証拠隠滅等は、期待可能性の観点から不可罰とされている。この観点から考えると、共犯者の事件に関する証拠が自己の刑事事件と共通した利害関係にある場合には自己の刑事事件に関する証拠と解すべきだが、共犯者の刑事事件の証拠であっても自己の刑事事件と関連のない、あるいは相反する利害関係のある証拠は、他人の刑事事件の証拠として本罪の客体となると解すべきである
批判	一般に共犯の場合には証拠が共通することが多く、共犯者が存在した場合には凶器を隠すような行為も処罰されるのでは被告人に酷である	共犯事件においても、一部の者にのみかかわることも考えられるので、共犯者に関する物の隠滅行為であればすべて不可罰であるとするのは行き過ぎである	行為者の主観面だけで区別することは妥当ではない
Xの罪責	証拠隠滅罪が成立する	証拠隠滅罪は成立しない	専らYのためにする意思で隠滅した場合のみ証拠隠滅罪が成立する

※　従来、条文の文言が「刑事被告事件」として規定されていたため「刑事被告事件」の意義について争いがあったが、条文上「被告」という文言が削られたため、捜査段階にある被疑事件、さらには将来被疑事件になる可能性のあるものも含むことが明確になった。

三　犯人による証拠隠滅の教唆の可罰性〈同〉

犯人自身が自己の犯した事件に関し証拠隠滅を行う場合は不可罰である〈共〉。これに対し、犯人が第三者に証拠隠滅を働きかけた場合に犯人に証拠隠滅教唆罪が成立するかについては争いがある。　⇒ p.235、312

<犯人による証拠隠滅の教唆の可罰性>

学説		理由
肯定説	期待可能性の存在を根拠とする説	他人に証拠隠滅の罪を犯させてまでその目的を遂げるのは、自ら犯す場合とは情状が違い、もはや定型的に期待可能性がないとはいえない
	防禦権の逸脱を根拠とする説（最決昭40.9.16）〈同	① 他人を利用してまで証拠を隠す行為は、もはや法の放任する被疑者・被告人の防禦の範囲を逸脱する ② 犯人自身の証拠隠滅行為も真実発見という意味での刑事司法作用を侵害しており、それを処罰しないのは黙秘権等の被疑者・被告人の権利や、刑事司法作用の合理的運用の見地から、被疑者・被告人の一定の範囲の行為を政策的に不可罰にするにすぎない。それゆえ、政策的に保護すべき範囲を超えた行為に出た場合には処罰すべきである
否定説		① 自ら証拠隠滅するのと他人に依頼するのとで司法作用の侵害性に類型的に決定的な差があるとは思われない ② 本人が証拠隠滅を行うより、他人を介する教唆の方がより間接的で、犯情は軽微と考えることができる ③ 自己が他人を教唆して証拠隠滅罪を犯させるのは、自己の証拠隠滅行為について他人を利用するにほかならない

第１０５条　（親族による犯罪に関する特例）〈予H23

前２条＜犯人蔵匿等、証拠隠滅等＞の罪については、犯人又は逃走した者の親族がこれらの者の利益のために犯したときは、その刑を免除することができる。

[趣旨] 親族が、身内の犯罪者を匿ったり身内の犯罪の証拠を隠す行為は、期待可能性が少なく責任が軽くなるとして、任意的な刑の免除が認められる〈共。なお、刑の「免除」の場合も、刑を言い渡さないというにすぎず、有罪であることは判決文で示されるため、犯罪自体は成立している〈同。

《論　点》

◆ 共犯関係

1　親族と第三者との関係

(1)　親族が第三者を教唆した場合

犯人Xの親族Yが、他人Zに証拠を隠滅させた場合、Yの罪責はどのように処理されるか、Zは104条の正犯であり、Yが104条の教唆犯となることは問題ないが、Yに105条が適用されるかが問題となる。

この点、判例（大判昭8.10.18）は、「庇護の濫用」であるとして105条の適用を否定している〈同。

各論

＜証拠隠滅につき親族が第三者を教唆した場合＞〈同〉

学説	105条適用肯定説	105条適用否定説 （大判昭8.10.18）〈同〉
理由	①　親族が正犯として行った場合に期待可能性が減少するのであれば、共犯として行った場合も同様であり、105条を適用すべき ②　親族自身が犯人蔵匿罪を行った場合には免除が可能であるのに、犯罪性の軽い共犯の場合に免除の余地がないとするのは不均衡	本条は、親族自身の行為についてのみ刑の免除を認める趣旨であり第三者を巻き込んだ以上もはや期待可能性の減少は認められない
犯人による証拠隠滅教唆の可罰性との関係	可罰性否定説と結び付きやすい ∵　犯人自身が行っても、他人の手を利用しても法益侵害の程度は同じ（より間接的）であるとして可罰性を否定する見解からは、親族は自ら証拠隠滅行為を行えば免除が可能であるのに、可罰性の低い第三者を教唆した場合には免除の余地がないのは不合理であるとして105条の適用を認めやすい	可罰性肯定説と結び付きやすい ∵　他人を犯罪に巻き込むことまで期待可能性が欠けるとはいえないことを理由に可罰性を肯定する見解からは、刑の免除を受ける親族といえども他人を犯罪に巻き込めば、もはや、105条の適用はないということになりやすい

(2)　第三者が親族を教唆した場合

他人Zが、逃走者・犯人Xの親族Yを教唆して、犯人蔵匿罪（103）・証拠隠滅罪（104）を犯させた場合、どのように取り扱うべきか。

→教唆者Zに刑の免除は認められない

∵　親族には105条が適用されるが、刑の免除は有罪判決の一種であり、しかも「親族」は一身専属的な身分であって、共犯者には影響しない

2　犯人と親族の関係

(1)　親族が犯人を教唆した場合

逃走者・犯人Xの親族Yが、犯人Xを教唆して、犯人蔵匿罪・証拠隠滅罪を犯させた場合、親族Yをどのように取り扱うべきか。

→教唆者である親族Yも不可罰

∵　正犯であるXに構成要件該当性が認められない

＊　ただし、共犯独立性説ないし純粋惹起説を採用した場合は教唆犯の成立を認めることが可能である。この場合は、親族が第三者を教唆した場合と同様、105条の適用が可能となる。

(2)　犯人が親族を教唆した場合

犯人Xが親族Yに証拠を隠滅させた場合、実行行為を行うYには104条が成立し、105条で刑の免除が可能となるが、Xにも105条は適用されうるであろうか。

<証拠隠滅につき犯人が親族を教唆した場合>

学説	Xに教唆犯の成立を否定する説	Xに教唆犯の成立を肯定したうえで105条の適用を認めようとする説
理由	①　犯人が他人を教唆した場合に不可罰とすべきである以上、この場合も同じ理由で不可罰とすべきなのは当然 ②　犯人自身に正犯として期待可能性が認められない以上、犯人が親族を教唆した場合には、第三者を教唆した場合にもまして期待可能性を認めることは困難であり、教唆犯としての罪責は否定されることになる	犯人自身が第三者を教唆して自己を蔵匿させた場合、教唆犯の成立が認められるという説からは、犯人が親族を教唆した場合であっても教唆犯の成立自体は認められる ただ、共犯の正犯への従属性を重視し、親族（Y）が刑を免除されうるのに準じて（105条を準用して）、犯人（X）に刑の免除の効果が及ぶことを是認する

【証人等威迫罪】

第１０５条の２　（証人等威迫）

自己若しくは他人の刑事事件の捜査若しくは審判に必要な知識を有すると認められる者又はその親族に対し、当該事件に関して、正当な理由がないのに面会を強請し、又は強談威迫の行為をした者は、２年以下の懲役又は３０万円以下の罰金に処する。

[趣旨] 本罪の法益は、国家の刑事司法作用の安全だけではなく、刑事事件の証人、参考人又はその親族等の私生活の平穏も含まれる。いわゆる「お礼参り」の防止である。

《注　釈》

一「自己若しくは他人の刑事事件の捜査若しくは審判に必要な知識を有すると認められる者」 共

1 「捜査若しくは審判に必要な知識」とは、犯罪の成否に関する知識の他、量刑事情に関するものや犯人又は証拠の発見に役立つ知識、さらには鑑定に必要な知識をいう。

2 「有すると認められる者」とは、現にその知識を有する者に限られず、状況から見て知識を有する者であればよい。

二　行為

1　本罪は、抽象的危険犯であるから、これらの行為がなされれば既遂となり、現実に国家の司法作用や証人等の私生活の平穏が害されることを要しない。

2 「面会を強請し」: 面会する意思がない相手方の意に反して面会を強要すること

3 「強談」: 言語をもって自己の要求に応じるよう迫ること

4 「威迫」: 言語・動作をもって気勢を示し、不安・困惑の念を生じさせること。不安、困惑の念を生じさせる文言を記載した文書を送付して相手にその内容を了知させる方法による場合が含まれ、直接相手と相対する場合に限られるものではない（最決平19.11.13・平20重判12事件） 共

各論

5　面会の強請又は強談威迫の行為が、一度証人として証言した後になされた場合であっても、判決確定前においては、本罪が成立する（大阪高判昭35.2.18）〈司〉。

6　面会の強請後に強談・威迫を行った場合は、包括して証人威迫罪一罪が成立する。

三　故意

本罪の故意は、自己若しくは他人の刑事事件（起訴前の事件を含む）の捜査若しくは審判に必要な知識を有する者又はその親族であることを認識し、かつ、これらの者に対し、当該事件に関して、正当な理由がないのに面会を強請し、又は強談威迫の行為をなすことの認識があれば足り、必ずしも公判の結果に何らかの影響を及ぼそうとの積極的な目的意識を必要としない（東京高判昭35.11.29）〈司〉。

・第8章・【騒乱の罪】

《保護法益》

公共の平穏である。

【騒乱罪】

> **第106条　（騒乱）**
> 多衆で集合して暴行又は脅迫をした者は、騒乱の罪とし、次の区別に従って処断する。
> ①　首謀者は、1年以上10年以下の懲役又は禁錮に処する。
> ②　他人を指揮し、又は他人に率先して勢いを助けた者は、6月以上7年以下の懲役又は禁錮に処する。
> ③　付和随行した者は、10万円以下の罰金に処する。

《注　釈》

一　「暴行」・「脅迫」の意義

1　「暴行」・「脅迫」は、一地方の平穏を害するに足りる程度のものであることを要し、かつ、それで足りる。　⇒ p.362、383

cf. 「一地方」の平穏を現実に害することは要せず、「一地方」の平穏を害するに足りる程度の暴行・脅迫がなされれば足りる（抽象的危険犯）

→「一地方」に該当するか否かについては、単に暴行・脅迫が行われた地域の広狭や居住者の多寡のみでなく、右地域が社会生活において占める重要性や同所を利用する一般市民の動き、同所を職域として勤務する者の活動状況、さらには、当該騒動の様相が、その周辺地域の人心にまで不安を与えるに足りる程度のものであったか等の観点から決定すべきである（最決昭59.12.21）

2　共同意思

(1)　本罪の「暴行」・「脅迫」は、多衆の共同意思によることを必要とする。

(2)　共同意思は、①多衆の合同力をたのんで自ら暴行・脅迫を行う意思、②多衆に暴行・脅迫を行わせる意思、及び、③多衆の合同力に加わる意思の3つを内容とする（最判昭35.12.8）。

二　行為態様と処罰

1　首謀者（①）

騒乱行為の主導者となって、騒乱を首唱、画策し、多衆にその合同力により暴行・脅迫をさせる者をいう（大判昭5.4.24）。現場で自ら暴行・脅迫を行うこと、現場で暴行・脅迫を指揮・統率することは要しない。

2　指揮者・率先助勢者（②）

(1)　指揮者とは、騒乱に際して集団の全員又は一部の者に対して指図する者をいい、暴行・脅迫の現場で指揮することは必ずしも要しない。

(2)　率先助勢者とは、群衆から抜きん出て騒乱の勢力を増大させる行為をする者をいう。自ら暴行・脅迫をすることは要しない。

3　付和随行者（③）

多数の者が暴行・脅迫を行うため形成しつつある集団、又は、すでに形成された集団に、共同意思をもって付和雷同的に参加した者をいう。自ら暴行・脅迫をすることは要しない。

《その他》

・暴行・脅迫が同時に殺人罪（199）、住居侵入罪（130前段）、建造物損壊罪（260）、恐喝罪（249）、公務執行妨害罪（95 Ⅰ）などに該当する場合、本罪とは観念的競合（54 Ⅰ前段）となる。

<内乱罪と騒乱罪の比較>

	内乱罪	騒乱罪
保護法益	国家の存立	公共の平穏
主体	少なくとも一地方の平穏が害される程度の組織化された多数者（多衆犯）	集合した多衆（多衆犯）
処罰	首謀者（不可欠）	首謀者（不可欠ではない）
	謀議参与者 群衆指揮者	指揮者 率先助勢者
	その他諸般の職務従事者	
	付和随行者 その他単なる暴動参加者	付和随行者

	内乱罪	騒乱罪
行為	暴動	暴行・脅迫
暴行・脅迫の程度	一地方の平穏を害する程度	一地方の平穏を害するに足りる程度
主観的要件	内乱の故意 77条所定の目的（目的犯）	多衆の共同意思 （争いあり）
未遂	処罰（77 Ⅱ） ただし、暴動参加者は除く	不処罰
予備・陰謀	処罰（78）	不処罰
幇助	処罰（79）	不処罰
自首	予備・陰謀・幇助につき、暴動に至る前に自首 →刑の必要的免除（80）	規定なし
刑罰	死刑・禁錮のみ	懲役・禁錮・罰金
適用範囲	外国人の国外犯も処罰（2②）	国内犯のみ
他罪との関係	殺人、傷害、放火などは吸収	観念的競合

【多衆不解散罪】

第１０７条　（多衆不解散）

暴行又は脅迫をするため多衆が集合した場合において、権限のある公務員から解散の命令を３回以上受けたにもかかわらず、なお解散しなかったときは、首謀者は３年以下の懲役又は禁錮に処し、その他の者は１０万円以下の罰金に処する。

《注　釈》

◆　処罰

首謀者とその他の者が区別され、法定刑に差が設けられている。

・第９章・【放火及び失火の罪】

《概　説》

◆　放火及び失火の罪の諸規定

放火及び失火の罪は、火力の不正な使用によって建造物その他の物件を焼損する犯罪である。当該罪は、①放火罪（故意犯）として、現住建造物等放火罪(108)、非現住建造物等放火罪（109)、建造物等以外放火罪（110)、②延焼罪(結果的加重犯、111)、③失火罪（過失犯）として、失火罪（116)、業務上失火罪・重失火罪（117の2）、④その他の罪として、消火妨害罪（114）、激発物破裂罪（117）、ガス漏出等罪及び同致死傷罪（118）に分類することができる。

＜放火及び失火の罪の諸規定＞ 予

<table>
<tr><th colspan="3"></th><th colspan="2">客体</th><th>行為</th><th>結果</th><th>危険の内容</th><th>未遂罪・予備罪の有無</th></tr>
<tr><td rowspan="5">放火罪</td><td colspan="2">現住建造物等放火罪（108）</td><td colspan="2">現住建造物等（現住又は現在の建造物、汽車、電車、艦船、鉱坑）</td><td>放火</td><td>焼損</td><td>抽象的危険犯</td><td>有（112、113）</td></tr>
<tr><td rowspan="2">非現住建造物等放火罪（109）</td><td>Ⅰ</td><td colspan="2">他人所有の非現住建造物等（非現住かつ非現在の建造物、艦船、鉱坑）</td><td rowspan="2">放火</td><td rowspan="2">焼損</td><td>抽象的危険犯</td><td>有（112、113）</td></tr>
<tr><td>Ⅱ</td><td colspan="2">自己所有の非現住建造物等</td><td>具体的危険犯</td><td>無</td></tr>
<tr><td rowspan="2">建造物等以外放火罪（110）</td><td>Ⅰ</td><td colspan="2">他人所有の建造物等以外の物（現住建造物等及び非現住建造物等以外の物）</td><td rowspan="2">放火</td><td rowspan="2">焼損</td><td rowspan="2">具体的危険犯</td><td rowspan="2">無</td></tr>
<tr><td>Ⅱ</td><td colspan="2">自己所有の建造物等以外の物</td></tr>
<tr><td colspan="2" rowspan="3">延焼罪（111）</td><td></td><td>放火の客体</td><td>延焼の客体</td><td rowspan="2">109条2項又は110条2項の罪を犯したこと</td><td rowspan="3">延焼</td><td rowspan="3">109条2項又は110条2項の罪を犯す点で具体的危険犯</td><td rowspan="3">無</td></tr>
<tr><td>Ⅰ</td><td>自己所有の非現住建造物等又は建造物等以外の物</td><td>現住建造物等又は他人所有の非現住建造物等</td></tr>
<tr><td>Ⅱ</td><td>自己所有の建造物等以外の物</td><td>他人所有の建造物等以外の物</td><td>110条2項の罪を犯したこと</td></tr>
<tr><td rowspan="4">失火罪</td><td rowspan="2">失火罪（116）</td><td>Ⅰ</td><td colspan="2">現住建造物等又は他人所有の非現住建造物等</td><td rowspan="2">失火</td><td rowspan="2">焼損</td><td>抽象的危険犯</td><td rowspan="2">無</td></tr>
<tr><td>Ⅱ</td><td colspan="2">自己所有の非現住建造物等又は建造物等以外の物</td><td>具体的危険犯</td></tr>
<tr><td colspan="2" rowspan="2">業務上失火罪・重失火罪（117の2）</td><td colspan="2">現住建造物等又は他人所有の非現住建造物等</td><td rowspan="2">①業務上過失・重過失
②失火</td><td rowspan="2">焼損</td><td>抽象的危険犯</td><td rowspan="2">無</td></tr>
<tr><td colspan="2">自己所有の非現住建造物等又は建造物等以外の物</td><td>具体的危険犯</td></tr>
</table>

《保護法益》

一　第一次的保護法益：不特定又は多数人の生命・身体・財産（**公共危険罪**）

二　第二次的保護法益：個人の財産権

∵　109条及び110条が、客体が自己所有か否かで異なる取扱いをしている

三　**人の生命、身体に対する罪としての性格**

∵　現住建造物か非現住建造物かによって法定刑に差異が生じる

【現住建造物等放火罪】

> **第１０８条　（現住建造物等放火）**
>
> 放火して、現に人が住居に使用し又は現に人がいる建造物、汽車、電車、艦船又は鉱坑を焼損した者は、死刑又は無期若しくは５年以上の懲役に処する。

《注　釈》

一　**「現に人が住居に使用し又は現に人がいる建造物、汽車、電車、艦船又は鉱坑」**〈予H28

1　「現に人が住居に使用」

(1)　「人」：犯人以外の者〈司共

cf.　犯人が１人で住居の用に使用する家屋を焼損した場合、現住建造物放火罪ではなく自己所有の非現住建造物放火罪（109 Ⅱ）が成立する

(2)　現に「住居に使用」：起臥寝食する場所として日常利用されていること〈共

→昼夜間断なく人がその場所にいることは不要である〈司

→競売手続の妨害目的で従業員らを交代で泊り込ませていた家屋につき、放火前に右従業員らを旅行に連れ出していて、放火当時人は現在していなかったとしても、従業員らが旅行から帰れば再び右家屋での宿泊が継続されるものと認識していた場合には、使用形態の変更はなかったものと認められ、本条の現住建造物に当たる（最決平9.10.21・百選Ⅱ 84事件）〈司共

2　「現に人がいる」：放火の際、犯人以外の者が現実に居合わせること

→居住者全員を殺したうえでその家屋に放火すれば、非現住建造物放火罪（109）が成立しうる〈司共

3　「建造物、汽車、電車、艦船又は鉱坑」

(1)　「建造物」とは、家屋その他これに類する建築物であって、屋蓋を有し障壁又は柱材によって支持され、土地に定着し、少なくともその内部に人が出入りしうるものをいう〈司予。

cf.　取り外しの自由な雨戸、板戸、畳、建具、ふすまなどは建造物の一部とはいえない〈司共

→毀損しなければ家屋から取り外すことができない状態にあれば、雨戸等であっても、「建造物」の一部に当たる〈共

(2)　航空機は含まれない。

二 「放火」

1 「放火」：客体の燃焼を惹起させる行為を行うこと

媒介物を介して目的物に点火する場合には、媒介物への点火も含む〈司共〉。

2 作為・不作為を問わない。

→不作為による放火は、自己の故意によらずに発生した火力を消し止めるべき法律上の義務を有する者が、容易に消し止めうる状況にあったのに、ことさら消火の手段を怠った場合に認められる

3 実行の着手時期〈司 ⇒p.103

「放火」する行為、すなわち目的物に点火する行為、又は媒介物に点火する行為を開始した時点で、実行の着手が認められる。もっとも、これらの行為をする前段階であっても、焼損結果が発生する現実的危険性のある行為については、その行為を行った時点で実行の着手が認められる場合がある。

ex.1 木造家屋を焼損させようと考え、引火性の高いガソリンを撒布した場合、点火行為の前でも実行の着手が認められる（広島地判昭49.4.3・横浜地判昭58.7.20）

ex.2 自然に発火し導火材料を経て目的物を燃やす装置を設置した時点でも、実行の着手が認められる（大判昭3.2.17）〈共

三 「焼損」すること

放火罪が既遂に達するためには客体を焼損することが必要である。 ⇒下記《論点》二

四 故意

本罪は故意犯であり、放火して本罪の客体を焼損することの認識・認容が必要となる。

ex. 甲がある建造物に放火した際、たまたまその建造物に人が現在していても、そのことを行為者が認識していなければ、本罪の故意は否定される

→甲には非現住建造物等放火罪が成立するにとどまる

現住建造物等放火罪（108）の故意で、非現住建造物等放火罪（109）や建造物等以外放火罪（110）の客体に放火した場合、現住建造物等が焼損する危険性が認められれば、現住建造物等放火罪の未遂罪（112、108）が成立する（大判大12.11.12、大判大15.9.28等参照）。

五 罪数・他罪との関係

1 罪数

本罪は公共危険犯であることから、複数の行為が存在したり、現住建造物等のほか109条・110条所定の客体を焼損した場合であっても、生じた公共の危険が1個と評価できれば、最も重い本罪のみが成立する〈司共予〉。焼損した建造物が複数に及んでも同じである（大判大2.3.7）。

各論

2　他罪との関係

建物内の住人を殺害する目的で放火し、その建物が焼失してその住人が死亡した場合、現住建造物等放火罪と殺人罪（199）の観念的競合（54 I 前段）となる（東京地判平2.5.15参照）司共予。

住居に侵入して本罪が行われた場合、侵入行為と放火行為は手段と目的の関係にあるため、住居侵入罪（130）と本罪の牽連犯（54 I 後段）となる。

現住建造物等の内部の人を殺害した後に同建造物に放火した場合、殺害行為と放火行為は別個の法益を侵害する行為であるため、殺人罪（199）と本罪の併合罪（45前段）となる。また、火災保険金詐欺の目的で現住建造物等に放火し、後に火災保険金の支払を請求して保険金を詐取した場合、本罪と詐欺罪（246）の併合罪となる（大判昭5.12.12）。

《論　点》

一　建造物の一体性 司 予H28

それ自体として独立した複数の建造物が渡り廊下などで接合している場合に、これらの建造物を1個の建造物と評価できるかどうかが問題となる（複合建造物の一体性）。

ex.　Xは、A神宮の祭具庫に火を放ち、これを炎上させた。なお、右祭具庫は複数の木造建物と木造の渡り廊下で結ばれており、その中の建物の一部である宿直室には、複数の宿直員が寝泊まりしていた

1　判例法理

判例（平安神宮事件、最決平元.7.14・百選II 83事件）は、上記のex.と同様の事案において、平安神宮社殿が、複数の建造物と、これらを接続する長い回廊・歩廊から成り、回廊・歩廊伝いに四辺形に配置された各建物を一周しうるという一体の構造になっていた点、平安神宮社殿の建造物はすべて木造であり、回廊等に大量の木材が使用されていたため、祭具庫に放火された場合には、守衛詰所等に延焼する可能性を否定できなかった点を考慮して、「一部に放火されることにより全体に危険が及ぶと考えられる一体の構造」であると評価している（物理的一体性）。

また、昼間は拝殿で礼拝や神事が行われていた点、夜間には守衛等の計4名が宿直に当たり守衛詰所等で執務をするほか、社殿の建物等を巡回することになっており、守衛は守衛詰所で就寝することになっていた点を考慮して、「全体が一体として日夜人の起居に利用されていたもの」であると評価している（機能的一体性）。

そして、結論として、「右社殿は、物理的に見ても、機能的に見ても、その全体が一個の現住建造物であったと認めるのが相当である」と判示し、建造物の一体性を認めた共。

上記の判例法理を参考にすると、複合建造物の一体性は、①物理的一体性と

各論

②機能的一体性を総合考慮して判断することとなる。

2　物理的一体性について

物理的一体性は、構造上の一体性及び延焼可能性からなる。

まず、それ自体として独立した複数の建造物を1個の建造物と評価するためには、物理的観点から、それが外観上・構造上一体のものとなっていなければならない（構造上の一体性）。

→構造上の一体性は、マンションなどの外観上1個の建造物や、複数の建造物が渡り廊下などによって接合されている場合に認められる

もっとも、構造上の一体性が認められる場合であっても、耐火構造等により現住在部分への延焼可能性が認められない場合には、物理的一体性が否定される。

∵　108条が死刑も含む極めて重い法定刑を定めている趣旨は、不特定又は多数人の生命・身体・財産に対する危険（公共の危険）のみならず、類型的にみて建造物内部の個人の生命・身体に対する危険を有する行為をより重く処罰する点にあるところ、現住建造物への延焼可能性がない場合には、建造物内部の個人の生命・身体に対する危険が生じない

→延焼可能性は物理的一体性の判断に不可欠の要素であり、物理的一体性は、構造上の一体性と延焼可能性の双方が認められて初めて肯定される

3　機能的一体性について

機能的一体性とは、具体的には、使用上の一体性を意味する。たとえば、宿直員や守衛等による巡回は、機能的一体性を認める事情の1つとなる。

現住在部分と非現住在部分が一体として使用されることにより、現住在部分にいる人が非現住在部分を訪れる可能性が常にあるといえる場合には、当該非現住在部分への放火は建造物内部の個人の生命・身体に対する危険を有する行為といえる。そのため、物理的一体性が弱い場合であっても、機能的一体性を有すると認められる場合には、複合建造物の一体性が認められると解されている。

4　物理的一体性と機能的一体性の関係について

機能的一体性は、あくまで物理的一体性が認められる場合において、建造物内部の個人の生命・身体に対する実質的な危険があるかどうかを判断する際に、補充的・補助的な要素として考慮されるにとどまるものと解されている（多数説）。

∵　物理的一体性を欠く建造物であっても、機能的一体性が認められることのみを根拠に建造物の一体性を認めてしまうと、処罰範囲が不当に広くなる

二 「焼損」〈予H28

1 焼損の意義〈司

放火罪が既遂に達するためには客体を「焼損」することが必要であるが、「焼損」の意義をめぐっては争いがある。

＜「焼損」の意義＞〈司共

学説	独立燃焼説（大判大7.3.15等）〈共	効用喪失説
内容	火が放火の媒介物を離れ目的物に燃え移り、独立に燃焼を継続する状態に達した時点	火力によって目的物の重要な部分を失いその本来の効用を喪失した時点
理由	① 放火罪は公共危険罪であり、我が国の家屋の構造・過密住宅地区における延焼の危険性等からすると、独立燃焼の段階で公共の危険は発生している ② 他の説では未遂罪のない失火罪（116）等の成立範囲があまりに狭くなる	① 目的物の財産的価値を重視すべきである ② 出水罪（119）の実行行為である「浸害」が一般に水力による客体の効用の滅失・減損を指すこととの対比
批判	① 既遂時期が早すぎて、未遂犯特に中止未遂を認める余地が狭すぎる ② 「焼損」という日本語は、目的物の一定程度以上の部分が燃焼すると解するのが自然	① 自己所有物（109Ⅱ、110Ⅱ）に放火しても処罰される以上、財産犯的側面を重視すべきでない ② 難燃性の建造物に放火して有毒ガスが発生し、生命・身体に危険が生じても、建造物自体が燃焼しない限り既遂犯が成立しないため、処罰範囲が狭すぎる ③ 建造物が少なくとも半焼に至らない限り既遂に達しない可能性があり、既遂時期が遅きに失する

※ 上記の２説のほかにも、燃え上がり説（物の主要部分が建造物全体に燃え移る危険のある程度に炎をあげ、燃焼を始めた時点を「焼損」とする）、一部損壊説（火力によって目的物が毀棄罪の損壊の程度に達した時点を「焼損」とする）などが主張されている。

▼ **最判昭25.5.25・百選Ⅱ81事件**

事案： Xは、Aの家屋に放火し、その床板１尺四方及び押入床板・上段各約３尺四方を燃焼させた。

判旨： Xの放った火が「家屋の部分に燃え移り独立して燃焼する程度に達したことは明らか」であるとして、独立燃焼説に立ち、Xには現住建造物放火罪の既遂が成立するとした。

▼ **最決平元.7.7・百選Ⅱ82事件** 司共

事案： Yは、鉄骨鉄筋コンクリート造の12階建マンション内に設置されたエレベーターのかごに燃え移るかもしれないと認識しながら、シンナーの染み込んだ新聞紙等に火をつけてエレベーター内に投げつけ、エレベーターのかごの側壁に燃え移らせ、その化粧鋼板表面の化粧シートの一部を焼失させた。

決旨： 現住建造物等放火罪が成立するとの原審の判断は正当であるとした。

2 不燃性建造物

近年、いわゆる不燃性・耐火性の建造物が普及するに至り、これらの目的物を放火の客体とする場合には、その物の効用喪失の時点はもとより、独立燃焼の時点よりも前に公共の危険が現実に発生する事例が考えられるようになってきた。すなわち、これらの建造物の場合は、素材自体は独立燃焼することなく、また建物の重要部分の効用が失われることなく、有毒なガスや煙を発生させ、建造物内の人々が生命・身体への危険にさらされる事態が生じてきたのである。そこで、このような場合を建造物の「焼損」と解することができるかが問題となる。

<不燃性建造物と「焼損」>

学説	新効用喪失説	毀棄説（一部損壊説）を修正する見解	従来の説を維持する見解（東京地判昭59.6.22）
内容	放火により、建造物本体が独立に燃焼することがなかったとしても、媒介物の火力によって建造物が効用を失うに至った場合には既遂を認める	火力による目的物の損壊により、燃焼するのと同様の公共の危険を生じさせる可能性があるときは焼損とする	あくまで放火客体の燃焼を必要とする
理由	放火罪が公共危険罪とされるのは、火力により建造物を損壊し、公共の危険を生じさせるということによるものであるから、「焼損」とは必ずしも目的物自体の燃焼を意味するものではない	放火罪の保護法益の観点に照らし、火力による目的物の損壊により、有毒ガスの発生などの燃焼するのと同様の公共の危険を生じさせる可能性があるときは焼損と解すべきである	いかに有毒ガスが生じても、放火客体の燃焼から発生したものでなければ、放火罪の予定する危険ではありえない

各論

【非現住建造物等放火罪】

> **第１０９条　（非現住建造物等放火）**
>
> Ⅰ　放火して、現に人が住居に使用せず、かつ、現に人がいない建造物、艦船又は鉱坑を焼損した者は、２年以上の有期懲役に処する。
>
> Ⅱ　前項の物が自己の所有に係るときは、６月以上７年以下の懲役に処する。ただし、公共の危険を生じなかったときは、罰しない。

〔他人所有の非現住建造物放火、１項〕

《注　釈》

一　「現に人が住居に使用せず、かつ、現に人がいない建造物、艦船又は鉱坑」

1　「人」：犯人以外の者

ex.1　犯人が単独で居住し又は現住する建造物〈司共

ex.2　甲は、乙が一人で住居に使用する乙所有の家屋の中で同人を殺害した後、誰もいない同家屋に放火してこれを焼損した。この場合、判例の立場に従うと、甲には非現住建造物等放火罪が成立する〈司予

2　自己所有であっても、一定の場合には他人の物と同様に取り扱われる〈司共。⇒ p.261

二　「放火して」「焼損」したこと　⇒ p.251

三　故意

非現住建造物を現住建造物と誤信して放火し焼損した場合、38条２項の趣旨に鑑み、軽い非現住建造物放火罪が成立する〈司。

〔自己所有の非現住建造物放火、２項〕

《注　釈》

一　自己所有の非現住建造物等

他人所有であっても所有者の承諾があれば、自己所有と同様に扱われる。

<被害者の承諾が放火罪に及ぼす影響>

放火の客体	承諾の主体	処罰
現住建造物等放火罪（108）	居住者	他人所有の非現住建造物等放火罪（109 Ⅰ）
	所有者	現住建造物等放火罪（108）
	居住者と所有者	自己所有の非現住建造物等放火罪（109 Ⅱ）〈共
他人所有の非現住建造物等放火罪（109 Ⅰ）	所有者	自己所有の非現住建造物等放火罪（109 Ⅱ）

放火の客体	承諾の主体	処罰
他人所有の建造物等以外放火罪（110 Ⅰ）	所有者	自己所有の建造物等以外放火罪（110 Ⅱ）

二 「公共の危険」を生じさせたこと〈共〉

1 「公共の危険」が発生するとは、一般人をして他の建造物等に延焼するであろうと思わせる程度の状態が発生することをいう。

2 焼損とともに公共の危険が発生して既遂となる（具体的危険犯）〈司〉。

《論 点》

◆ **公共の危険の認識の要否**〈司〉

Xが、公共の危険が発生することはないと思いつつ自己所有の建造物を焼損し、もって公共の危険を発生せしめた場合、Xに自己所有非現住建造物放火罪（109 Ⅱ）が成立するか。109条2項の罪が成立するには、故意の内容として公共の危険発生の認識が必要であるのかが問題となる。

＜109条2項における公共の危険の認識の要否＞

学説	認識不要説	認識必要説
結論	Xには、公共の危険発生の認識がなくても、109条2項の罪が成立する	Xには、公共の危険発生の認識がないので、109条2項の罪は成立しない
理由	① 公共の危険の発生は客観的処罰条件にすぎないから、行為者にその認識は必要ない ② 公共の危険発生の認識が必要であるとすると、認識の内容は延焼する可能性の認識と同じことになるから、延焼の客体についての放火の未必の故意と同じになる	① 公共の危険の発生は構成要件要素であるから、行為者にその認識が必要である ② 109条2項や110条の行為を公共危険罪たらしめる契機は、当該行為によって公共の危険を生ぜしめた点にあるから、故意の内容としてその認識が必要なのは責任主義の原則から当然である

【建造物等以外放火罪】

第１１０条 （建造物等以外放火）

Ⅰ 放火して、前２条<現住建造物等放火、非現住建造物等放火>に規定する物以外の物を焼損し、よって公共の危険を生じさせた者は、１年以上１０年以下の懲役に処する。

Ⅱ 前項の物が自己の所有に係るときは、１年以下の懲役又は１０万円以下の罰金に処する。

《注　釈》

◆　**前２条（108、109）に規定する物以外の物**

1　他人所有（Ⅰ）

自己所有であっても、一定の場合には他人の物と同様に取り扱われる。

⇒ p.261

2　自己所有（Ⅱ）

無主物も自己所有物に準じると解されている。

∵　放火罪の財産犯的性格

《論　点》

一　公共の危険の意義〈司

109条２項・110条の「公共の危険」の意義については、以下のように、限定説と非限定説が対立している。

限定説は、「公共の危険」を、108条及び109条１項に規定する建造物等に対する延焼の危険と解する見解である（大判明44.4.24）。

∵①　放火罪の処罰根拠は、建造物等への延焼によって火災が燃え広がることにより、不特定又は多数人の生命・身体・財産に被害が及ぶ点にある

②　延焼罪（111）は、109条２項・110条２項の結果的加重犯として、108条・109条１項の客体への延焼を処罰しているが、これは、基本犯たる109条２項・110条２項の行為に周囲の建造物等に対する延焼の危険があるからにほかならない

他方、非限定説は、「公共の危険」を、「不特定又は多数の人の生命、身体又は前記建造物等以外の財産に対する危険」と解する見解である（最決平15.4.14・百選Ⅱ85事件）〈司共〈司H25 予R3。

∵①　放火罪の処罰根拠は、不特定又は多数人の生命・身体・財産に対する危険にあり、そのような危険は、建造物等への延焼を介さず、直接発生する場合もある

②　結果的加重犯の中には、基本犯に加重結果を発生させる危険性がないものも存在する（例えば、建造物等損壊致死傷罪（260後段）の基本犯たる建造物等損壊罪（260前段）は、建物の外観・美観を汚損するような致死傷結果がおよそ生じない行為についても成立する）ので、延焼罪の存在は限定説の根拠とはならない

判例（最決平15.4.14・百選Ⅱ85事件）は、「110条１項にいう『公共の危険』は、必ずしも同法108条及び109条１項に規定する建造物等に対する延焼の危険のみに限られるものではなく、不特定又は多数の人の生命、身体又は前記建造物等以外の財産に対する危険も含まれる」としており、一般に非限定説を採用したものと考えられている。そして、この理解は109条２項の「公共の危険」についても妥当する。

二　公共の危険の認識の要否 司予 司H25 予R3

Xは、公共の危険が発生することはないと思いつつ、自己所有の自動車を焼損し、もって公共の危険を発生せしめた。この場合、Xに建造物等以外放火罪（Ⅱ）は成立するか。110条の罪が成立するためには、故意の内容として公共の危険発生の認識が必要であるのかが問題となる。

＜110条における公共の危険の認識の要否＞ 予

学説	認識不要説（最判昭60.3.28・百選Ⅱ86事件）	認識必要説
結論	Xには、公共の危険発生の認識がなくても、110条2項の罪が成立	Xには、公共の危険発生の認識がないので、110条2項の罪は成立しない
理由	110条1項にいう「よって公共の危険を生じさせた」は、結果的加重犯の規定であり、重い結果たる公共の危険発生の認識は不要である	109条2項や110条の行為を公共危険罪たらしめる契機は、当該行為によって公共の危険を生ぜしめた点にあるから、故意の内容としてその認識が必要なのは責任主義の原則として当然である
批判	①「よって」という文字が用いられているからといって、直ちに結果的責任を示す趣旨とはいいがたい。むしろ、結果的責任は近代刑法における責任主義と相容れないものとして解釈論上、極力排斥すべきである ②　単に自己物を焼損しただけでは犯罪は成立しないので基本犯が存在しないことになるから、110条2項の罪を結果的加重犯と解することはできない。また、放火罪は公共危険犯であるから、110条1項の罪を単なる器物損壊罪（261）を基本犯とする結果的加重犯とみることには無理がある	公共の危険発生の認識が必要であるとすると、認識の内容は延焼する可能性の認識と同じことになるから、延焼の客体についての放火の未必の故意と同じになる 再反論：公共の危険の発生の認容と延焼の認容とは質の違った心理状態であるから、両者は必ずしも一致するものではなく、公共の危険の発生を認容したが、延焼を認容しなかったという心理状態もありうる

【延焼罪】

第111条　（延焼）

Ⅰ　第109条第2項＜自己所有の非現住建造物等放火＞又は前条第2項＜自己所有の建造物等以外放火＞の罪を犯し、よって第108条＜現住建造物等放火＞又は第109条第1項＜他人所有の非現住建造物等放火＞に規定する物に延焼させたときは、3月以上10年以下の懲役に処する。

Ⅱ　前条第2項＜自己所有の建造物等以外放火＞の罪を犯し、よって同条第1項＜他人所有の建造物等以外放火＞に規定する物に延焼させたときは、3年以下の懲役に処する。

《注　釈》

一　客体

＜延焼罪の客体＞〈司共

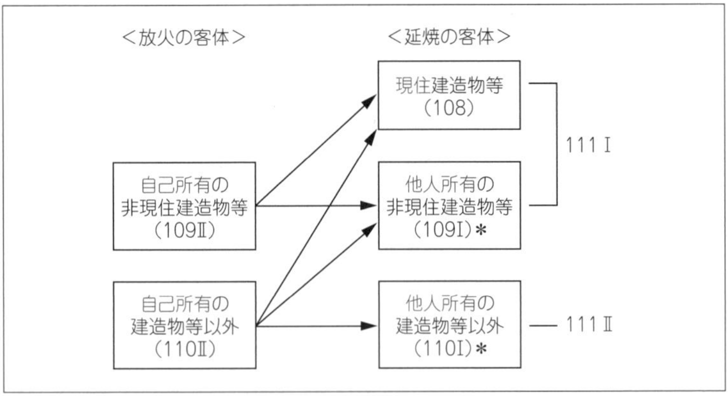

＊　延焼罪の客体である109条1項、110条1項所定の物件には、115条により他人所有物として扱われる自己所有物も含まれるとするのが多数説である。

二　「延焼」

犯人の予期しなかった客体に焼損の結果を生じさせることをいう。

本罪は、自己所有物件に対する放火罪の結果的加重犯であるから〈共、延焼の結果について表象・認容がないことを必要とする〈司。

第１１２条　（未遂罪）

第１０８条＜現住建造物等放火＞及び第１０９条第１項＜他人所有の非現住建造物等放火＞の罪の未遂は、罰する〈司共。

第１１３条　（予備）

第１０８条＜現住建造物等放火＞又は第１０９条第１項＜他人所有の非現住建造物等放火＞の罪を犯す目的で、その予備をした者は、２年以下の懲役に処する〈司共予。ただし、情状により、その刑を免除することができる。

【消火妨害罪】

第１１４条　（消火妨害）

火災の際に、消火用の物を隠匿し、若しくは損壊し、又はその他の方法により、消火を妨害した者は、１年以上１０年以下の懲役に処する。

《注　釈》

一　「火災」

「火災」は、その発生原因を問わないが、本罪が公共危険犯であると解される以上、公共の危険を生じ得る程度の燃焼状態に達していることが必要である〈共〉。

二　「消火を妨害」

1　隠匿及び損壊は例示にすぎず、妨害の方法・手段に制限はない。

2　不作為による場合、居住者、警備員、消防職員等法律上の作為義務があることが必要である。

第１１５条　（差押え等に係る自己の物に関する特例）

第１０９条第１項<他人所有の非現住建造物等放火>及び第１１０条第１項<他人所有の建造物等以外放火>に規定する物が自己の所有に係るものであっても、差押えを受け、物権を負担し、賃貸し、配偶者居住権が設定され、又は保険に付したものである場合において、これを焼損したときは、他人の物を焼損した者の例による。

[趣旨] 差押えを受け、物権を負担し、賃貸し、配偶者居住権が設定され、又は保険に付したものは、犯人自身の所有物でも犯人以外の受益主体が存在し、その者の財産的法益を保護する必要があるため、他人の物と同様に扱うことにした〈同共〉。

【失火罪】

第１１６条　（失火）

Ⅰ　失火により、第１０８条<現住建造物等放火>に規定する物又は他人の所有に係る第１０９条<非現住建造物等放火>に規定する物を焼損した者は、５０万円以下の罰金に処する。

Ⅱ　失火により、第１０９条<非現住建造物等放火>に規定する物であって自己の所有に係るもの又は第１１０条<建造物等以外放火>に規定する物を焼損し、よって公共の危険を生じさせた者も、前項と同様とする。

《注　釈》

◆「失火により」

「失火」とは、過失により出火させることである（過失犯）。

失火により、現住建造物等（108）又は他人所有非現住建造物等（109 Ⅰ）を焼損した場合には、116条１項の失火罪（抽象的危険犯）が成立する。また、失火により、自己所有非現住建造物等（109 Ⅱ）又は建造物等以外の物（110）を焼損し、よって公共の危険を生じさせた場合には、116条２項の失火罪（具体的危険犯）が成立する。

各論

【激発物破裂罪】

第１１７条　（激発物破裂）

Ⅰ　火薬、ボイラーその他の激発すべき物を破裂させて、第１０８条＜現住建造物等放火＞に規定する物又は他人の所有に係る第１０９条＜非現住建造物等放火＞に規定する物を損壊した者は、放火の例による。第１０９条＜非現住建造物等放火＞に規定する物であって自己の所有に係るもの又は第１１０条＜建造物等以外放火＞に規定する物を損壊し、よって公共の危険を生じさせた者も、同様とする。

Ⅱ　前項の行為が過失によるときは、失火の例による。

《注　釈》

◆「激発すべき物」（Ⅰ）

火薬等は「激発すべき物」の例示であり、プロパンガス、高圧ガスボンベ等を含む。

【業務上失火罪・重失火罪】

第１１７条の２　（業務上失火等）

第１１６条＜失火＞又は前条第１項の行為が業務上必要な注意を怠ったことによるとき、又は重大な過失によるときは、３年以下の禁錮又は１５０万円以下の罰金に処する。

《注　釈》

一　業務上失火罪

「業務」とは、特に職務として火気の安全に配慮すべき社会生活上の地位に基づく事務をいう（不真正身分犯）。ex.　調理師

cf.　家庭の主婦は、業務者に当たらない

二　重失火罪

「重大な過失」とは、注意義務違反の程度が著しい場合をいう。

ex.　盛夏晴天の日に、ガソリン給油場内のガソリン缶から50～60センチメートル離れたところでライターを着火した者には、「重大な過失」が認められる（最決昭23.6.28）

【ガス漏出等罪・同致死傷罪】

第１１８条　（ガス漏出等及び同致死傷）

Ⅰ　ガス、電気又は蒸気を漏出させ、流出させ、又は遮断し、よって人の生命、身体又は財産に危険を生じさせた者は、３年以下の懲役又は１０万円以下の罰金に処する。

Ⅱ　ガス、電気又は蒸気を漏出させ、流出させ、又は遮断し、よって人を死傷させた者は、傷害の罪と比較して、重い刑により処断する。

・第10章・【出水及び水利に関する罪】

《保護法益》

公衆の安全である（公共危険犯）。

【現住建造物等浸害罪、非現住建造物等浸害罪、水防妨害罪、過失建造物等浸害罪】

第１１９条　（現住建造物等浸害）

出水させて、現に人が住居に使用し又は現に人がいる建造物、汽車、電車又は鉱坑を浸害した者は、死刑又は無期若しくは３年以上の懲役に処する。

第１２０条　（非現住建造物等浸害）

Ⅰ　出水させて、前条に規定する物以外の物を浸害し、よって公共の危険を生じさせた者は、１年以上１０年以下の懲役に処する。

Ⅱ　浸害した物が自己の所有に係るときは、その物が差押えを受け、物権を負担し、賃貸し、配偶者居住権が設定され、又は保険に付したものである場合に限り、前項の例による。

第１２１条　（水防妨害）

水害の際に、水防用の物を隠匿し、若しくは損壊し、又はその他の方法により、水防を妨害した者は、１年以上１０年以下の懲役に処する。

第１２２条　（過失建造物等浸害）

過失により出水させて、第１１９条＜現住建造物等浸害＞に規定する物を浸害した者又は第１２０条＜非現住建造物等浸害＞に規定する物を浸害し、よって公共の危険を生じさせた者は、２０万円以下の罰金に処する。

《保護法益》

水利権である。

【水利妨害罪・出水危険罪】

第１２３条　（水利妨害及び出水危険）

堤防を決壊させ、水門を破壊し、その他水利の妨害となるべき行為又は出水させるべき行為をした者は、２年以下の懲役若しくは禁錮又は２０万円以下の罰金に処する。

・第11章・【往来を妨害する罪】

《保護法益》

交通機関の安全である（公共危険罪）。

【往来妨害罪・同致死傷罪】

> **第１２４条　（往来妨害及び同致死傷）**
> Ⅰ　陸路、水路又は橋を損壊し、又は閉塞(そく)して往来の妨害を生じさせた者は、２年以下の懲役又は２０万円以下の罰金に処する。
> Ⅱ　前項の罪を犯し、よって人を死傷させた者は、傷害の罪と比較して、重い刑により処断する。

〔往来妨害罪、１項〕

《注　釈》

一　客体

1　「陸路」：公衆の通行の用に供すべき陸上の通路（＝道路）

＊　鉄道は往来危険罪（125）の客体なので、本罪の客体からは除かれる〈通〉。

2　「水路」：船舶の航行に用いられる河川、運河等

＊　海路・湖沼の水路も損壊・閉塞しうるものは本罪の水路となる（多数説）。

3　「橋」：河川、湖沼の橋及び陸橋

二　行為

1　「損壊」：通路の全部又は一部を物理的に毀損すること

2　「閉塞」：障害物を置いて通路を遮断すること

ex.　障害物が通路を部分的に遮断するにすぎない場合でも、その通路の効用を阻害して往来の危険を生じさせたときは、陸路の「閉塞」に当たる（最決昭59.4.12）

三　結果

現実に往来が不可能にされたことを要しない（具体的危険犯）。

〔往来妨害致死傷罪、２項〕

《注　釈》

一　**「よって人を死傷させた」こと（結果的加重犯）**

結果的加重犯であるから、人の死傷の結果について予見のないことを要し、予見があるときは殺人罪又は傷害罪が成立し、往来妨害罪と観念的競合となる〈同〉。

二　**「傷害の罪と比較して、重い刑により処断する」**

傷害の場合は124条と204条とを比較し、致死の場合は124条と205条とを比較し、それぞれ上限・下限ともに重い刑により処断する趣旨である。

【往来危険罪】

> **第１２５条　（往来危険）**
> Ⅰ　鉄道若しくはその標識を損壊し、又はその他の方法により、汽車又は電車の往来の危険を生じさせた者は、２年以上の有期懲役に処する。
> Ⅱ　灯台若しくは浮標を損壊し、又はその他の方法により、艦船の往来の危険を生じさせた者も、前項と同様とする。

各論

《注　釈》

一　客体

1項においては、「鉄道若しくはその標識」及びそれ以外のものである。

2項においては、「灯台若しくは浮標」及びそれ以外のものである。

二　行為

1　「損壊」：物理的に損壊すること

2　「その他の方法」：損壊以外の往来の危険を生じさせる一切の行為

ex.　無人電車を暴走させる行為（東京高判昭26.3.30）

三　結果

1　汽車・電車又は艦船の往来の危険を生ぜしめねば本罪は完成しない。

ex.　電車に投石して、客席の窓ガラスを割っても本罪は成立しない

cf.　航空機の往来に危険を生じさせた場合は含まれない

2　災害が現実に発生したことは不要である（具体的危険犯）。

▼　最決平15.6.2・百選Ⅱ87事件

往来の危険とは、汽車又は電車の脱線、転覆、衝突、破壊など、これらの交通機関の往来に危険な結果を生ずるおそれがある状態をいい、単に交通の妨害を生じさせただけでは足りないが、上記脱線等の実害の発生が必然的ないし蓋然的であることまで必要とするものではなく、上記実害の発生する可能性があれば足りる。

各論

【汽車転覆等罪・同致死罪】

第126条　（汽車転覆等及び同致死）

Ⅰ　現に人がいる汽車又は電車を転覆させ、又は破壊した者は、無期又は３年以上の懲役に処する。

Ⅱ　現に人がいる艦船を転覆させ、沈没させ、又は破壊した者も、前項と同様とする。

Ⅲ　前２項の罪を犯し、よって人を死亡させた者は、死刑又は無期懲役に処する。

〔汽車転覆等罪、１項・２項〕

《注　釈》

一　客体

1　「人」：犯人以外の者

2　「現に」の意義については争いがあるが、判例は、犯罪の実行開始時に人が現在することを要するとする。

二　行為

1　「転覆」とは、汽車・電車の転倒、横転、転落、又は艦船を横転させることをいう。

2　「破壊」とは、汽車・電車、又は艦船の実質を害して、その交通機関又は航

行機関としての用法の全部又は一部を不能にする程度に損壊することをいう。

ex.　厳冬の北洋で海岸に乗り上げさせて座礁させたうえ、バルブを開放して海水を船内に入れて航行能力を失わせたときは「破壊」に当たる（最決昭55.12.9）

3　「沈没」とは、艦船の船体を水没させることをいう。

〔汽車転覆等致死罪、3項〕

《注　釈》

一　汽車転覆等罪の結果的加重犯

1　人の現在する汽車等の転覆・破壊の結果として人を死亡させたことが必要であり、汽車転覆等罪が未遂に終わった場合には、死亡の結果が生じても、本罪の適用はない。

2　汽車転覆等罪を犯し、その結果人を傷害させた場合には、汽車転覆等罪と傷害罪（204）又は過失傷害罪（209Ⅰ）との観念的競合（54Ⅰ前段）になる（多数説）。

二　「人」の意義

判例（三鷹事件、最大判昭30.6.22）は、車船内に限らず、周囲にいる人も含むとする。

三　殺意ある場合

乗車客を殺害する目的で電車を転覆させ、実際に死亡させた場合には、何罪が成立するか、126条3項は死の結果に故意ある場合を含むか否かが問題となる。

<汽車転覆等致死罪において殺人の故意がある場合>

学説	殺人の故意ある場合を含むとする説	殺人の故意ある場合を含まないとする説	
内容	126条3項一罪が成立 ＊　殺人が未遂に終わったときは、刑の権衡上126条1項と殺人未遂罪の観念的競合（54Ⅰ前段）とする	殺人罪（199）と126条3項の観念的競合とする	殺人罪と126条1項の観念的競合とする
法定刑	無期～死刑	無期～死刑	5年～死刑
理由	①　本罪の法定刑は、殺人罪のそれよりも重いことを考慮すべき ②　電車を意図的に転覆する場合には、通常、人の死についても（未必の）故意があるといえ、同条項は死の結果について故意ある場合を予定していると解される	殺人の故意がない場合、転覆致死罪が成立するがその法定刑は無期又は死刑であるから刑の均衡を考慮すべきである	「よって」という文言からは、本罪を純粋な結果的加重犯とみるべきである

学説	殺人の故意ある場合を含むとする説	殺人の故意ある場合を含まないとする説	
批判	殺人の未遂と既遂とによって法律の適用を異にするのは一貫性を欠く	死亡という結果を二重評価することになる	殺人の故意がない場合は下限が無期懲役であるのに対し、殺人の故意がある場合は5年以上の刑となり、刑の不均衡が生ずる

【往来危険による汽車転覆等罪】

第１２７条　（往来危険による汽車転覆等）

第１２５条＜往来危険＞の罪を犯し、よって汽車若しくは電車を転覆させ、若しくは破壊し、又は艦船を転覆させ、沈没させ、若しくは破壊した者も、前条の例による。

［趣旨］本罪は往来危険罪（125）の結果的加重犯である。すなわち、本罪は、往来危険罪がそれ自体汽車等の転覆・破壊の危険を含むことから、実際に汽車等の転覆・破壊の結果が生じた以上は、故意犯としての汽車転覆等罪と同様に処罰する趣旨の規定である。

《論　点》

◆ **往来危険罪（125）を犯し、その結果無人の電車が転覆し、さらに電車外の人が死亡した場合の処理**

判例（三鷹事件、最大判昭30.6.22）は、結論として、往来危険による汽車転覆等罪（127）が成立し、汽車転覆等致死罪について規定する126条３項が適用されるとしている。

∵① 「前条の例による」の「前条」には、文理上当然に126条３項も含まれる

② 126条は汽車等について「現に人がいる」ことを要件としているが、127条はその旨規定していないので、汽車等に「現に人がいる」ことは不要である

③ 126条３項の「人」は汽車等に現在した人に限られず、汽車外の人も含む

第１２８条　（未遂罪）

第１２４条第１項＜往来妨害＞、第１２５条＜往来危険＞並びに第１２６条第１項及び第２項＜汽車転覆等＞の罪の未遂は、罰する。

【過失往来危険罪】

> **第１２９条　（過失往来危険）**
> Ⅰ　過失により、汽車、電車若しくは艦船の往来の危険を生じさせ、又は汽車若しくは電車を転覆させ、若しくは破壊し、若しくは艦船を転覆させ、沈没させ、若しくは破壊した者は、３０万円以下の罰金に処する。
> Ⅱ　その業務に従事する者が前項の罪を犯したときは、３年以下の禁錮又は５０万円以下の罰金に処する。

［趣旨］１項前段は往来危険罪（125）の過失犯、１項後段は汽車転覆等罪（126 Ⅰ Ⅱ）の過失犯である。２項は、それらの業務上の過失犯である。

・第12章・【住居を侵す罪】

《保護法益》　⇒下記《論点》一

【住居侵入罪・不退去罪】

> **第１３０条　（住居侵入等）**
> 正当な理由がないのに、人の住居若しくは人の看守する邸宅、建造物若しくは艦船に侵入し、又は要求を受けたにもかかわらずこれらの場所から退去しなかった者は、３年以下の懲役又は１０万円以下の罰金に処する。
>
> **第１３１条　【皇居等侵入】　削除**
>
> **第１３２条　（未遂罪）**
> 第１３０条＜住居侵入等＞の罪の未遂は、罰する。

〔住居侵入罪、130条前段〕

《注　釈》

一　「人の住居若しくは人の看守する邸宅、建造物若しくは艦船」

１　「人の住居」

人の起臥寝食に使用される場所をいう通。

⑴　住居は、現に日常生活の用に使用されている限り、居住者が常に現在していることを必要としない。

⑵　１つの建物の中の区画された部屋も、それぞれ独立に住居たりうる同。

ex.　他人の家に許可を得て入った後に、隣の部屋に平穏ないし住居権を害する態様で入れば、住居侵入罪が成立しうる

⑶　住居は部屋であることを要しない。

ex.　アパートの階段通路及び屋上、住居等の屋根の上なども住居の一部である

(4) 家屋・建造物などの所有関係は問わない。

ex.1 借家人が日常生活の用に供している借家は、借家人の「住居」である

ex.2 一時滞在の場所としてのホテル・旅館の部屋や船室も、ある程度継続的に利用されれば「住居」に当たる

(5) 不適法な占有も、事実上維持されている限り、その平穏は保護されるべきであるから、住居は必ずしも適法に占有されたものであることは要しない予。

ex. 賃貸借契約が消滅した後に、家主が立ち退きを求めて賃借人の意思に反してその住居に立ち入れば、住居侵入罪を構成しうる司

(6) 当該住居の共同生活者は犯罪の主体にはならないが、家出中の子供が、親の家に強盗目的で無断で侵入した場合には、「人の住居」に当たる司。

2 「人の看守する邸宅、建造物若しくは艦船」司予

(1) 「人の看守する」:他人が事実上管理支配していること(他人が侵入することを防止する物的設備又は人的配置があること)司予

ex. 管理人・監視員がいる、あるいは鍵をかけてある等司

(2) 「邸宅」:住居用に作られたが、現在起臥寝食に使用されていないもの

ex. 空き家司、オフシーズンの別荘

→最判平20.4.11・平20重判8事件は、立川自衛隊宿舎の共用部分について居住用建物である宿舎の各号棟の建物の一部であり、宿舎管理者の管理にかかわるものであるから、居住用建物の一部として刑法130条にいう「人の看守する邸宅」に当たるとした司

(3) 「建造物」:住居用以外の建物一般 ⇒ p.496

ex. 官公署の庁舎、駅舎(最判昭59.12.18)、学校

▼ 最決平21.7.13・平21重判4事件司共

本件塀は、本件庁舎建物とその敷地を他から明確に画するとともに、外部からの干渉を排除する作用を果たしており、正に本件庁舎建物の利用のために供されている工作物であって、130条にいう「建造物」の一部を構成するものとして、建造物侵入罪の客体に当たると解するのが相当であり、外部から見ることのできない敷地に駐車された捜査車両を確認する目的で本件塀の上部へ上がった行為について、建造物侵入罪が成立する。

3 建物に付随する囲繞地も、「住居」・「邸宅」・「建造物」に含まれる司共予。

囲繞地とは、垣根、塀、門のような建物の周囲を囲む土地の境界を画する設備が施され、建物の付属地として建物利用に供されることが明示されている土地をいう(最判昭51.3.4)。

各論

二　「正当な理由」なく「侵入」すること

1　「侵入」の意義　⇒下記《論点》二

2　住居権者の承諾　⇒下記《論点》三

《論　点》

一　保護法益

立法者は、本条の規定の位置などから見て、本罪を社会的法益に対する罪と考えていたと推測されるが、今日では、住居侵入罪は個人的法益に対する罪と理解されている。もっとも、その保護法益の内容については争いがある。

<住居侵入罪における保護法益>

学説	平穏説	新住居権説 （最判昭58.4.8・百選Ⅱ16事件）
内容	事実上の住居の平穏	自己の住居への他人の立入りを認めるか否かの自由
批判	①「平穏」の内容は抽象的であるため、社会の平穏に結び付きやすい ②「平穏」の内容が不明確である ③　侵入目的を重視し、平穏侵害の有無が行為者の主観に依存することを認めるならば、なおさら不明確となる	①　住居権の内容は必ずしも明らかでなく、誰が住居権者かの問題も解決困難である ②　公共の建造物の場合に管理権者の意思を過度に強調すると、平穏説よりも、不当に処罰範囲を拡大することになる

二　「侵入」の意義 司H26

住居侵入罪の実行行為は、「正当な理由」がないのに人の住居等へ「侵入」することであるが、「侵入」の意義については、保護法益についての見解の対立を反映して争いがある。

<「侵入」の意義> 共

保護法益	平穏説	新住居権説
「侵入」の意義	住居等の事実上の平穏を侵害する態様での立入り（平穏侵害説）	住居権者の意思に反する立入り（意思侵害説）
帰結	居住者等の意思に反しても、平穏な立入りならば、「侵入」に当たらない	住居権者の意思に反しない立入りは、平穏を害する態様であっても、「侵入」に当たらない

▼　**最判昭58.4.8・百選Ⅱ16事件** 共予

事案：　Xらが、春闘におけるビラ貼りの目的で郵便局に立ち入った。

判旨：　「刑法130条前段にいう『侵入シ』とは、他人の看守する建造物等に管理権者の意思に反して立ち入ることをいうと解すべきであるから、管理権者が予め立入り拒否の意思を積極的に明示していない場合であっても該建造物の性質、使用目的、管理状況、管理権者の態度、立入りの目的などからみて、現に行われた立入り行為を管理権者が容認していないと合理的に判断されるときは、他に犯罪の成立を阻却すべき事情が認められない以上、同条の罪の成立を免れない」。

三　住居権者の承諾

住居への立入り行為に対する住居権者の承諾は、住居侵入罪の成否を決定するに当たって、どのような意味をもつか。

<住居侵入罪における住居権者の承諾>

	具体例	平穏説	新住居権説	
			積極説	消極説
一部の居住者の承諾	夫の不在中、妻の不倫相手が不倫目的で妻の承諾を得て、住居に立ち入る場合（＊1）	妻の承諾を得て不倫相手が平穏な態様で立ち入ることは「侵入」には当たらない（＊2）	住居権は居住者全てが平等に享有するものであり、一方の同意による住居権の行使が他方の住居権を侵害するときには、同意は無効となり、「侵入」に当たる	妻も独立の住居権を有している以上、夫の推定的同意が得られるかどうかにかかわりなく、有効な同意を与えうるので、「侵入」には当たらない
錯誤に基づく承諾 同共	強盗の目的を秘して、居住者の同意を得て、住居に立ち入る場合	現実化していない違法目的が平穏侵害性の判断に影響しないとすれば、未だ住居の平穏を侵害したとはいえず、「侵入」には当たらない	立入りについて居住者の同意があっても、それが錯誤に基づくものであって、真意に基づく同意がないときは、錯誤による同意は無効であり、「侵入」に当たる（最判昭24.7.22）（＊3）	
推定的・包括的承諾	万引き目的でデパートに立ち入る場合	未だ建造物の平穏を侵害したとはいえず、「侵入」には当たらない	客体の性質に応じて社会通念上一般に許される範囲の立入行為である限り、看守者によって包括的同意が与えられているものと解しうることから、「侵入」には当たらない	

＊1　判例（大判大7.12.6）は、これと同様の事案において、不倫相手の立入りは「侵入」に当たるとした。

＊2　夫の承諾ないし推定的承諾がないため平穏な態様といえないとして、「侵入」に当たるとする見解もある。

＊3　法益関係的錯誤説に立つと、住居侵入罪の保護法益は立入りの許諾権であるから、誰の立入りを認めるかについての錯誤がない以上、有効な許諾があったものとして住居侵入罪の成立は否定されることとなる。

▼　**仙台高判平6.3.31**

一般に、管理権者の意思に反する立入り行為は、たとえそれが平穏、公然に行われたとしても、建造物利用の平穏を害するとして、国体開会式を妨害する目的で、開会式場に入場券を所持し一般観客を装って入場した場合でも建造物侵入罪は成立する。

▼　**最決平19.7.2・百選Ⅱ18事件**〈司共

銀行のATM（現金自動預払機）を利用する客のカードの暗証番号等を盗撮する目的で、ATMが設置された銀行支店出張所に営業中に立ち入った被告人の行為については、その立入りの外観が一般のATM利用客のそれと特に異なるものでなくても、そのような立入りが同所の管理権者の意思に反することは明らかであり、建造物侵入罪が成立するというべきである。

▼　**最判平21.11.30・百選Ⅱ17事件**

チラシ・パンフレット等の投かんが禁止されている分譲マンションの共有部分に、ビラ等の投かん目的で立ち入ることは、「法益侵害の程度が極めて軽微なものであったということはできず、他に犯罪の成立を阻却すべき事情は認められない」として、住居侵入罪（130前段）の成立を認めた。

〔不退去罪、130条後段〕

《注　釈》

一　真正不作為犯

不退去罪は、住居権者の承諾を得て適法に、又は過失により住居等に侵入した者が、退去要求を受けたにもかかわらず、上記の場所から退去しないという不作為を処罰する犯罪である（真正不作為犯）。また、本罪は継続犯である。

→住居侵入罪を継続犯と捉えると、住居侵入罪が成立した後、要求を受けても退去しなかった場合、住居侵入罪が成立する以上、本罪は成立しない（最決昭31.8.22）〈司共

二　「要求を受けたにもかかわらず」「退去しなかった」

退去要求があった後、退去に必要な時間が経過した時点で既遂となるので、本罪の未遂が成立する余地はないと解されている（通説）。

退去要求をすることができる者は、居住者・建造物などの看守者、及びそれらの者から授権された者である（大判昭5.12.13）。退去要求の方法は、言語や動作で相手が明確に覚知しうるものであることを要する。

・第13章・【秘密を侵す罪】

《保護法益》

個人の秘密である。

【信書開封罪】

> **第１３３条　（信書開封）**
>
> 正当な理由がないのに、封をしてある信書を開けた者は、１年以下の懲役又は２０万円以下の罰金に処する。

《注　釈》

一　「封をしてある信書を開けた」

1　「封」とは、受信者以外の者にその内容を外部から認識できないように施した、信書と一体をなす外包装置をいう。

2　「信書」とは、特定人から特定人に対して宛てた、意思の伝達を媒介すべき文書をいう（大判明40.9.6）。

3　「開けた」とは、封緘を破棄して信書の内容を知りうる状態を作り出すことをいう（抽象的危険犯）。信書の内容を読んだり、実際に了知したりする必要はない〈共〉。

二　「正当な理由がないのに」

「正当な理由」は、信書の開封が法令上認められている場合（刑訴111）や、親権者が監護権（民820）の範囲内で子への手紙を開封する場合などに認められる。これらの場合や、権利者が開封に承諾している場合には、本罪は不成立となる。

【秘密漏示罪】

> **第１３４条　（秘密漏示）**
>
> Ⅰ　医師、薬剤師、医薬品販売業者、助産師、弁護士、弁護人、公証人又はこれらの職にあった者〈共〉が、正当な理由がないのに、その業務上取り扱ったことについて知り得た人の秘密を漏らしたときは、６月以下の懲役又は１０万円以下の罰金に処する。
>
> Ⅱ　宗教、祈禱若しくは祭祀の職にある者又はこれらの職にあった者が、正当な理由がないのに、その業務上取り扱ったことについて知り得た人の秘密を漏らしたときも、前項と同様とする。

《注　釈》

一　主体

秘密漏示罪の主体は、条文に列挙された者に限られる（限定列挙）。また、本罪は真正身分犯である〈共〉。

各論

二　客体

1　「秘密」

「秘密」とは、少数者にしか知られていない事実で、他人に知られることが本人の不利益となるものである。

2　「人の」秘密

「人」は、現存することを要する。法人や法人格のない団体を含めてもよいが、国又は地方公共団体は含まれない〈通〉。

裁判手続等において後に公開される可能性のある事項であっても、「人の秘密」として保護の対象になり得る〈共〉。

3　「業務上取り扱ったことについて知り得た」

(1)　秘密は、それぞれの身分者が業務を遂行する過程で知ったものでなければならない〈共〉。

ex.　理髪店などで偶然に見聞した事柄は、「秘密」ではない

(2)　業務上知った人の秘密である限り、本人から告げられたか否かを問わず、推理・調査等によって知り得た場合を含む。

(3)　医師が医学的判断を内容とする鑑定を命じられた場合、その鑑定の実施は「医師……の業務」といえるから、医師が当該鑑定を行う過程で知り得た人の秘密を正当な理由なく漏らす行為には、秘密漏示罪が成立する。この場合、「人の秘密」には、鑑定対象者本人の秘密の他、同鑑定を行う過程で知り得た鑑定対象者本人以外の者の秘密も含まれる（最決平24.2.13・平24重判6事件）〈共〉。

各論

三　行為

「漏らした」とは、秘密を知らない人に告知する行為をいう。名誉毀損罪(230)・侮辱罪（231）のように「公然」性は要件とされていないので、誰か1人に告知する行為であっても本罪が成立する〈共〉。

本罪は抽象的危険犯であるので、相手方が現に秘密を知ったことは不要である。また、告知が相手方に到達すれば既遂となる。

四　違法性阻却事由

秘密を漏らす行為は「正当な理由がないのに」行われた場合に違法となる。違法性が阻却される場合として、①法令上告知義務を負う場合、②本人の同意がある場合、③医師・弁護士などが業務上知り得た秘密について第三者の利益を守るために他人の秘密を漏洩する場合などがある。

第１３５条（親告罪）

この章の罪は、告訴がなければ公訴を提起することができない〈共〉。

[趣旨]本罪は、訴追されることによって発信者又は受信者の秘密が公になり、被害者にとってかえって不利益となることに配慮して規定された。

・第14章・【あへん煙に関する罪】

《保護法益》

公衆の健康である。実際には、薬物犯罪は、刑法典以外の特別刑法（麻薬取締法、あへん法、大麻取締法、覚醒剤取締法）で処理されている。

【あへん煙輸入等罪、あへん煙吸食器具輸入等罪、税関職員あへん煙輸入等罪、あへん煙吸食・場所提供罪、あへん煙等所持罪】

第１３６条　（あへん煙輸入等）

あへん煙を輸入し、製造し、販売し、又は販売の目的で所持した者は、６月以上７年以下の懲役に処する。

第１３７条　（あへん煙吸食器具輸入等）

あへん煙を吸食する器具を輸入し、製造し、販売し、又は販売の目的で所持した者は、３月以上５年以下の懲役に処する。

第１３８条　（税関職員によるあへん煙輸入等）

税関職員が、あへん煙又はあへん煙を吸食するための器具を輸入し、又はこれらの輸入を許したときは、１年以上１０年以下の懲役に処する。

第１３９条　（あへん煙吸食及び場所提供）

Ⅰ　あへん煙を吸食した者は、３年以下の懲役に処する。

Ⅱ　あへん煙の吸食のため建物又は室を提供して利益を図った者は、６月以上７年以下の懲役に処する。

第１４０条　（あへん煙等所持）

あへん煙又はあへん煙を吸食するための器具を所持した者は、1年以下の懲役に処する。

第１４１条　（未遂罪）

この章の罪の未遂は、罰する。

各論

・第15章・【飲料水に関する罪】

《保護法益》

公衆の健康である。

【浄水汚染罪、水道汚染罪、浄水毒物等混入罪、浄水汚染等致死傷罪、水道毒物等混入罪・同致死罪、水道損壊罪・同閉塞罪】

第１４２条　（浄水汚染）

人の飲料に供する浄水を汚染し、よって使用することができないようにした者は、６月以下の懲役又は１０万円以下の罰金に処する。

第１４３条　（水道汚染）

水道により公衆に供給する飲料の浄水又はその水源を汚染し、よって使用することができないようにした者は、６月以上７年以下の懲役に処する。

第１４４条　（浄水毒物等混入）

人の飲料に供する浄水に毒物その他人の健康を害すべき物を混入した者は、３年以下の懲役に処する。

第１４５条　（浄水汚染等致死傷）

前３条の罪を犯し、よって人を死傷させた者は、傷害の罪と比較して、重い刑により処断する。

第１４６条　（水道毒物等混入及び同致死）

水道により公衆に供給する飲料の浄水又はその水源に毒物その他人の健康を害すべき物を混入した者は、２年以上の有期懲役に処する。よって人を死亡させた者は、死刑又は無期若しくは５年以上の懲役に処する。

第１４７条　（水道損壊及び閉塞）

公衆の飲料に供する浄水の水道を損壊し、又は閉塞した者は、１年以上１０年以下の懲役に処する。

・第16章・【通貨偽造の罪】

《保護法益》

通貨に対する公共の信用である。

【通貨偽造罪・同行使等罪】

> **第１４８条 （通貨偽造及び行使等）**
>
> Ⅰ 行使の目的で、通用する貨幣、紙幣又は銀行券を偽造し、又は変造した者は、無期又は３年以上の懲役に処する。
>
> Ⅱ 偽造又は変造の貨幣、紙幣又は銀行券を行使し、又は行使の目的で人に交付し、若しくは輸入した者も、前項と同様とする。

〔通貨偽造罪、１項〕

《注 釈》

一 「行使の目的」

「行使の目的」とは、偽造・変造の通貨を真貨として流通に置く目的をいう。

二 「偽造」・「変造」

1 「偽造」とは、発行権を有しない者が一般人をして真貨と誤信させるような外観のものを作り出すことをいう〈共〉。

2 「変造」とは、真正の通貨を加工して名価の異なる通貨に改めることをいう。

〔偽造通貨行使等罪、２項〕

《注 釈》

一 客体

「偽造又は変造の貨幣、紙幣又は銀行券」は、行使の目的で偽造・変造された物である必要はない〈共〉。

二 行為〈同〉

1 「行使」すること

「行使」とは、偽貨を真貨として流通に置くことを意味する（相手は情を知らない者に限る）。

ex. 自動販売機での使用は含むが信用能力を示すための見せ金は除かれる〈共〉

2 「交付」すること

「交付」とは、偽貨であると告げて手渡すこと、又は偽貨であると知っている相手に手渡すことをいう。

三 既遂

行使の目的をもって通貨を偽造・変造すれば、既遂となる。一方、通貨を偽造するに足りる器械・原料を準備して通貨の偽造に着手したが、技術が未熟で目的を達成できなかった場合や模造の程度にとどまる場合には未遂罪となる〈同〉。

各論

《論　点》

◆ 詐欺罪との関係〈回〉

偽貨によって商品を購入した場合のように、偽貨を行使して財物を詐取し、又は財産上の利益を取得した場合、判例（大判明43.6.30）は、詐欺罪は偽造通貨行使罪に吸収され、偽造通貨行使罪のみが成立するとしている。

∵① 偽貨を行使するときは一般に詐欺的行為が随伴するのであるから、偽造通貨行使罪の構成要件は詐欺罪を予定している

② 詐欺罪の成立を認めると、詐欺的行為を含む偽造通貨収得後知情行使罪（152）の法定刑が特に軽くされている趣旨を没却する

なお、自動販売機で偽造通貨を使用する場合のように、窃盗が成立すると考えられる場合でも、同様に偽造通貨行使罪に吸収され、偽造通貨行使罪のみが成立する〈回〉。

【外国通貨偽造罪・同行使等罪、偽造通貨等収得罪】

第１４９条　（外国通貨偽造及び行使等）

Ⅰ　行使の目的で、日本国内に流通している外国の貨幣、紙幣又は銀行券を偽造し、又は変造した者は、２年以上の有期懲役に処する。

Ⅱ　偽造又は変造の外国の貨幣、紙幣又は銀行券を行使し、又は行使の目的で人に交付し、若しくは輸入した者も、前項と同様とする。

第１５０条　（偽造通貨等収得）

行使の目的で、偽造又は変造の貨幣、紙幣又は銀行券を収得した者は、３年以下の懲役に処する。

第１５１条　（未遂罪）

前３条の罪の未遂は、罰する。

各論

《注　釈》

・偽造通貨等収得罪の「収得」とは、方法・原因のいかん、有償・無償を問わず、自己の所持に移す一切の行為をいい、偽貨であることを認識して収得することを要する〈回〉。

【収得後知情行使等罪】

第１５２条　（収得後知情行使等）

貨幣、紙幣又は銀行券を収得した後に、それが偽造又は変造のものであることを知って、これを行使し、又は行使の目的で人に交付した者は、その額面価格の３倍以下の罰金又は科料に処する。ただし、２０００円以下にすることはできない。

[趣旨] 152条で刑が軽くされている根拠は、偽貨であることを知らずに受け取った者がその損害を他に転嫁するために、その偽貨を行使又は交付することは、非難し

がたく、適法行為の期待可能性が低い（責任減少）といえる点にある。

《注　釈》

◆ 客体

偽造・変造された「貨幣、紙幣又は銀行券」であり、有価証券は含まれない〈共〉。

【通貨偽造等準備罪】

> **第153条　（通貨偽造等準備）**
>
> 貨幣、紙幣又は銀行券の偽造又は変造の用に供する目的で、器械又は原料を準備した者は、３月以上５年以下の懲役に処する。

《注　釈》

一　意義

本罪の意義は、通貨偽造罪（148 Ⅰ）・外国通貨偽造罪（149 Ⅰ）の予備行為のうち、特定の形態（器械又は原料の準備）のみを独立罪として処罰する点にある（大判大 5.12.21）。

二　「偽造又は変造の用に供する目的」

「偽造又は変造の用に供する目的」で準備する必要があるが、通貨偽造罪・変造罪において行使の目的が必要とされる以上、本罪においても行使の目的が必要である（大判昭 4.10.15 参照）。

三　「器械又は原料」

1　「器械」とは、偽造・変造の用に供しうる一切の器械類をいい〈共〉、偽造・変造に直接必要なものに限られない。

2　「原料」とは、たとえば、地金、用紙、印刷用インクなどである。

四　「準備した」

「準備」とは、器械・原料などを用意し、偽造・変造を容易にすることをいう。自己予備のみならず、他人のために準備する他人予備の場合も含む（大判昭 7.11.24）。

判例（大判昭 4.2.19）は、器械・原料の購入代金を提供するなどの行為について、本罪の幇助犯が成立するとしている。

・第17章・【文書偽造の罪】

《保護法益》

文書に対する公共の信用である。

《概　説》

一　形式主義・実質主義

1　文書に対する公共の信用を保護する方策として2つの立法主義が考えられる。

(1)　形式主義

作成名義の真正に対する公共の信用を保護する。

(2)　実質主義

文書内容の真正に対する公共の信用を保護する。

＜文書偽造の罪における形式主義・実質主義＞

事例	現存する債権に基づき、債権者が無断で債務者名義の借用書を作成する	貸金債権は存在しないにもかかわらず、債務者が虚偽の借用書を作成する
形式主義	処罰の対象となる	処罰の対象とならない
実質主義	処罰の対象とならない	処罰の対象となる

2　現行法

刑法は形式主義を第一次的に採用し実質主義は補充的に採用しているにすぎない。

∵　有形偽造と無形偽造とを区別し、公文書については両者を処罰するが、私文書については無形偽造は処罰しないのが原則となっている

二　文書偽造罪の行為

＜「偽造」の意義＞

広義の偽造：刑法第2編第17章「文書偽造の罪」の「偽造」

- 有形偽造：作成権限のない者が他人名義の文書を作成すること
  ＝名義人と作成者の人格の同一性を偽ること
  （154Ⅰ、155ⅠⅢ、159ⅠⅢ）

  変造：作成権限のない者が真正に成立した文書の非本質的部分に変更を加えること（有形変造、154Ⅱ、155ⅡⅢ、159ⅡⅢ）
- 無形偽造：作成権限を有する者が内容虚偽の文書を作成すること
  （虚偽作成、156、157、160）

  変造：作成権限を有する者が真正に成立した文書の内容を改ざんすること
  （無形変造、156）
- 行使：偽造文書を真正な文書（内容虚偽の文書を内容真実の文書）として使用すること（158、161）

【詔書偽造等罪】

第１５４条　（詔書偽造等）

Ⅰ　行使の目的で、御璽、国璽若しくは御名を使用して詔書その他の文書を偽造し、又は偽造した御璽、国璽若しくは御名を使用して詔書その他の文書を偽造した者は、無期又は３年以上の懲役に処する。

Ⅱ　御璽若しくは国璽を押し又は御名を署した詔書その他の文書を変造した者も、前項と同様とする。

【公文書偽造等罪】

第１５５条　（公文書偽造等）

Ⅰ　行使の目的で、公務所若しくは公務員の印章若しくは署名を使用して公務所若しくは公務員の作成すべき文書若しくは図画を偽造し、又は偽造した公務所若しくは公務員の印章若しくは署名を使用して公務所若しくは公務員の作成すべき文書若しくは図画を偽造した者は、１年以上１０年以下の懲役に処する。

Ⅱ　公務所又は公務員が押印し又は署名した文書又は図画を変造した者も、前項と同様とする。

Ⅲ　前２項に規定するもののほか、公務所若しくは公務員の作成すべき文書若しくは図画を偽造し、又は公務所若しくは公務員が作成した文書若しくは図画を変造した者は、３年以下の懲役又は２０万円以下の罰金に処する。

〔有印公文書偽造罪、１項〕

《注　釈》

一 「公務所若しくは公務員の印章若しくは署名を使用して」

公務所・公務員の印章又は署名（偽造されたものも含む）の記載が存在する公文書を「有印公文書」という〈共〉。

cf. 無印文書とは、印章も署名もない文書をいう

公務所・公務員の「印章」とは、公務所・公務員を表象するものであり、公印・私印・職印・認印のいずれでもよい（大判昭9.2.24）。

公務所・公務員の「署名」は、自署である必要はなく、記名（印刷やゴム印等による名称の表示など）でもよい（大判大4.10.20）。

二 「公務所若しくは公務員の作成すべき文書若しくは図画」

1 「文書」とは、文字又は文字に代わるべき符合を用い、一定期間永続すべき状態において、ある物体の上に意思又は観念を表示したものをいう（大判明43.9.30）。

ex.1 黒板に白墨で書いたものは「文書」に当たりうるが、砂浜に書かれたものは「文書」ではない

ex.2 単に思想を表現したにすぎない小説・詩歌・書画等の芸術作品は「文書」ではない

2 「図画」とは、地図や絵、写真といった象形的表現方法を用いて人の意思・観念を表示したものをいう。

3 公務員によって作成された文書であっても、その職務権限に基づいて、その職務に関し作成されたものでない場合には、公文書とはいえない（大判大10.9.24、最決昭33.9.16）。もっとも、本来作成権限がない公務所・公務員を名義人とした公文書を権限なく作成した場合（最判昭28.2.20）〈共〉や、そもそも表示された公務所・公務員が実在しない場合（大判昭19.2.22）であっても、一般人に当該公務所・公務員の職務権限内で作成されたもの（真正な公文書）と誤信させる形式・外観が備わっていれば、本罪が成立しうる。

三 偽造

1 「偽造」とは、名義人でない者が名義を冒用して文書を作成すること（名義人と作成者の人格の同一性を偽ること）をいう〈司〉。

⑴ 名義人とは、文書の記載内容から理解されるその意思内容の主体をいう。

⑵ 作成者とは、現実に文書の内容を表示した者をいう。

法律上の文書においては、作成者につき事実説と観念説の対立がある。

事実説：作成者を、実際に文書作成を行った者とする説

観念説：作成者を、文書内容を表示させた意思の主体とする説（最決昭56.4.16）

ex. 甲は、運転免許証を持っていなかったが、身分証明書として利用しようと考え、某県公安委員会が発行した乙の運転免許証の写真を甲の写真に変えた。判例の立場に従うと、他人の運転免許証の写真を自己のものに変えることは、文書の本質的部分に変更を加えるものであるから、運転免許証の他の部分に変更を加えていなくても、甲には有印公文書偽造罪が成立する〈司共

2 名義人に他の文書と誤信させ署名・捺印させた場合も「偽造」となる（間接正犯）。

cf. 相手方を欺いて文書の記載内容を真実であると誤信させた上、その文書に署名・押印させて交付させた場合、詐欺罪（246）が成立することはあっても（大判昭2.3.26参照）、相手方が当該文書の内容を認識している以上、私文書偽造罪は成立しない〈共

3 名義人に実在性は必要なく、一般人が当該名義人が実在すると誤信するおそれのある場合は、死亡者・架空人等の名義を冒用することも、「偽造」に当たりうる〈共。

ex. 甲は氏名を隠してA会社に就職しようと考え、同社に提出する目的で、履歴書用紙に、架空の氏名として「乙」などと記載し、その氏名の横に「乙」と刻した印鑑を押した上、甲自身の顔写真をはり付けた履歴書を作成した。判例の立場に従うと、甲がA会社に就職して勤務する意思を有していた場合でも、履歴書の名義人と作成者との人格の同一性に齟齬があるので、甲には有印私文書偽造罪が成立する〈司

各論

▼ 大阪地判平8.7.8・百選Ⅱ90事件

「偽造」といえるためには、当該文書が一般人をして真正に作成された文書であると誤認させるに足りる程度の形式・外観を備えていることが必要であるが、その判断に当たっては、当該文書の客観的形状のみならず、当該文書の種類・性質や社会における機能、そこから想定される文書の行使の形態等をも併せて考慮しなければならない。この点、イメージスキャナー等の電子機器を通して、間接的に相手方に提示・使用される状況等を念頭に置けば、別人の氏名等を記載した紙片を置きメンディングテープで全体が覆われた運転免許証も、一般人をして真正に作成された文書であると誤認させる程度であると認められる。

▼ **東京地判平22.9.6・平23重判6事件**

被告人が、有効期限の徒過した駐車禁止除外指定車標章を利用して、有効期限等の年月日部分に紙片を差し込み、これを収納したビニールケースと密着させ東京都公安委員会作成名義の駐車禁止除外指定車標章1通を作成した行為について、当該紙片は真正な記載と酷似しており標章と密着してこれと一体化することにより、あたかも正規の外観を呈するものであったこと、同標章は警察官等がフロントガラス越しに確認するというものであることからすれば、本件標章は一般人をして東京都公安委員会が作成した真正な公文書と信じさせるに足る程度の外観を備えたものといえる。

四 「行使の目的」

行使の目的とは、他人をして偽造文書を真正・真実な文書と誤信させようとする目的をいう。法益侵害結果を主観的要素の形で取り込むものであり、主観的違法要素である。文書の本来の用法に従ってその文書を使用する目的がなくても、何人かによって真正・真実な文書として誤信される危険があることを意識している以上、行使の目的がある。

たとえば、A県立高校教諭である甲が、同校を中途退学した乙から「父親に見せて安心させたい。それ以外には使わないからA県立高校の卒業証書を作ってくれ。」と頼まれ、乙の父親に呈示させる目的で、A県立高校校長丙名義の卒業証書を丙に無断で作成した場合であっても、甲には公文書偽造罪が成立する（最決昭42.3.30参照）〈司共〉。

各論

《論　点》

◆ コピー・ファクシミリの文書性

1　コピー

コピーを、原文書としてではなくコピーとして用いる目的で偽造する場合、①コピーが偽造の客体となる「文書」に当たるのか、②「文書」に当たるとした場合、名義人は誰なのか、について見解が対立する。

(1)　コピーの文書性

従来、偽造罪の客体となる文書は原本でなければならないとされてきた。それは社会の信用が専ら原本に置かれていたからである。ところが、科学技術の発達により、原本をそのままそっくり複写するコピーが出現した。これが社会一般で利用されるに至って、コピー自体に原本類似の機能と信用が形成され、それ自体の真正を刑法的に保護する必要性が生じてきている。そこで、コピーの文書性が問題となる。

<コピーの文書性>

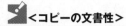

学説	肯定説(最判昭 51.4.30・百選Ⅱ88 事件) 共	否定説
理由	① 公文書偽造罪は、公文書に対する公共的信用を保護法益とするものであるから、その客体となる文書は原本に限る必要はなく、原本と同一の内容を有し証明文書としてこれと同様の社会的機能と信用性を有する限り、写しも含まれる ② 手書きの写しは、写し作成者の意識が介在しうるので信用性を欠き、写し作成者の意識内容の表現としかみられないが、コピーは機械的に正確な複写版であって同一内容の原本の存在だけでなく原本の内容についてまで信用させる特質をもつ	① 写しは、原本の存在と内容を証明するものであり、そこに表現されるべき意識内容も「一定の内容の原本が存在すること」であるがこれは記載されていない。そして、写しの証明力がいかに量的に高められても写しである限り質的転換をとげ、原本と同視されるには至らない ② コピーも合成的方法による作為を介入させることは容易だから信用性には限界があり、むしろコピーを安易に信用する風潮に歯止めをかけるべきである

＊ 裁判例（東京地判昭 55.7.24）は、「公文書偽造罪に関する最高裁判例の示す『文書』の意義に関する判断は、私文書偽造罪における『文書』の意義に関してもひとしく妥当し、これと別異の概念を定立すべき要を認めない」とした上で、私文書の写しも有印私文書偽造罪の客体となる旨判示している予。

(2) 名義人は誰か

仮にコピーが原本に準ずるものとして文書性が認められるとしても、公文書に改変を加えたコピーが、155条の公文書、すなわち「公務所若しくは公務員の作成すべき文書」といえるか。このことは、裏を返せば、文書の名義人は誰であるかという問題である。

<文書コピーにおける名義人は誰か>

学説	公文書説（最判昭 51.4.30・百選Ⅱ88 事件）	私文書説
理由	原本の一部を利用して、あたかもある名義人が作成した原本のコピーであるかのような虚偽の文書を作り悪用することは名義人が許容するものではないから公文書の偽造となる	原本と同一内容の写しをとることは私人の自由として許されている
作成者	コピーの作成者	コピーの作成者
名義人	原本名義人である公務所・公務員	コピーの作成者

(3)　有印公文書か無印公文書か

<文書コピーは有印公文書か無印公文書か>

学説	有印説（最判昭51.4.30・百選Ⅱ88事件）	無印説
理由	原本の意識内容を直接的に伝播保有するというコピーの特質に着目してその文書性が認められたのであるから、コピー上に印章・署名が複写されている以上、原本名義人の印章・署名のある公文書と扱うのが妥当である	コピーもやはり写しには違いないのであり、コピーされている印影はまさに写しであって、コピー自体に認証印が押印されているのと同じ信用性があるとはいえない

2　ファクシミリ〈予

「文書」といえるための要件として、①機械的方法により、あたかも真正な原本を原形通り正確に複写したかのような形式・外観を有するものであること、②文書の性質上、原本と同様の社会的機能と信用性を有するものであること、というコピーに関する最高裁判例を踏襲したうえで、ファクシミリによる文書の写しが公文書偽造罪の客体としての文書としての要件をみたした公文書に当たるとした裁判例がある。

∵①　ファクシミリも、真正な原本を原形通り正確に複写した形式・外観を有する写しを作成する機能を有するものである

②　ファクシミリによる文書の写しは、一般には、同一内容の原本が存在することを信用させ、原本作成者の意識内容が表示されているものと受け取られることから、証明用文書としての社会的機能と信用性がある

〔有印公文書変造罪、２項〕

《注　釈》

◆「変造」

1 「変造」とは、作成権限のない者が真正に成立した文書の非本質的部分に変更を加えることをいう。

2 「変造」は、非本質的部分に不法な変更を加え、新たな証明力を有する文書を作り出すことに限られ、本質的な部分を改変し同一性を失った場合は「偽造」となる〈司共。

(1)　変造の例

ex.1　郵便貯金通帳の貯金受け入れ年月日の改ざん

ex.2　登記済証に記載されている抵当権欄の登記順位の番号の変更

(2)　偽造の例（同一性を失った場合）

ex.1　免許証等の写真の貼り替え〈司

ex.2　完全に失効した文書を加工して新たな文書を作り出す行為

〔無印公文書偽造・変造罪、3項〕

《その他》

・偽造公文書を用いて相手方を欺罔した場合、本罪と詐欺罪（246）の牽連犯（54 I後段）となる。

【虚偽公文書作成等罪】

> **第156条（虚偽公文書作成等）**
>
> 公務員が、その職務に関し、行使の目的で、虚偽の文書若しくは図画を作成し、又は文書若しくは図画を変造したときは、印章又は署名の有無により区別して、前2条の例による。

《注 釈》

一「公務員」

1 職務上、当該文書を作成する権限を有している必要がある（作成権限ある公務員を身分とする真正身分犯）〈共〉。

2 形式上の決裁権者でない補助的公務員であっても、実質的に作成権者と評価しうる場合には、上司の決裁を経ず（あるいは形式的な決裁を経て）、内容虚偽の文書を作成すれば本条の問題になる（最判昭51.5.6・百選Ⅱ91事件）。

> **▼ 最判昭51.5.6・百選Ⅱ91事件**
>
> 「公文書偽造罪における偽造とは、公文書の作成名義人以外の者が、権限なしに、その名義を用いて公文書を作成することを意味する。そして、右の作成権限は、作成名義人の決裁を待たずに自らの判断で公文書を作成することが一般的に許されている代決者ばかりでなく、一定の手続を経由するなどの特定の条件のもとにおいて公文書を作成することが許されている補助者も、その内容の正確性を確保することなど、その者への授権を基礎づける一定の基本的な条件に従う限度において、これを有しているものということができる。」

二「虚偽の文書……を作成」

捜査機関又は裁判所書記官が人の供述を録取する場合には、供述自体の内容を正確に録取することが重要であり、内容が虚偽であってもそのまま記載されなければならないので、虚偽の内容を記載した場合でも虚偽公文書作成罪は当然に成立しない。

ex. 司法警察員甲が乙に対する事情聴取を行ったところ、乙は客観的事実と異なる供述をした。甲は、同供述が客観的事実と異なることが分かったものの、乙の供述をそのまま録取した供述調書を作成し、これに自ら作成者として署名押印した。この場合、甲に虚偽公文書作成罪は成立しない〈司〉

各論

《論　点》

◆ **虚偽公文書作成罪の間接正犯** 司

公文書の作成権限を有する公務員以外の者が、その作成権限を有する公務員を欺罔して、内容虚偽の公文書を作成させた場合（間接無形偽造）において、公正証書原本不実記載等罪（157）の要件を満たす場合には、同罪のみが成立する。

では、同罪の要件を満たさない場合において、作成権限を有する公務員を欺罔して内容虚偽の公文書を作成させた公務員以外の者（私人、又は作成権限を有しない公務員）には、虚偽公文書作成罪の間接正犯が成立するか。

1　主体が私人である場合

判例（最判昭27.12.25）は、私人である甲が内容虚偽の証明願を提出し、村長名義の虚偽の証明書を作成させた行為について、虚偽公文書作成罪の間接正犯の成立を否定している。

∵　刑法は、間接無形偽造について、特に157条を規定し、その157条の法定刑が156条の法定刑よりも著しく軽いことから、157条の場合のほかこれを処罰しない趣旨である

2　主体が作成権限を有しない公務員である場合

判例（最判昭32.10.4・百選Ⅱ92事件）は、作成権限を有する公務員を補佐して公文書の起案を担当する公務員が、行使の目的で内容虚偽の公文書を作成し、情を知らない上司を利用してこれを完成させたという事案において、当該公務員に虚偽公文書作成罪の間接正犯が成立するとした。

▼ **最判昭32.10.4・百選Ⅱ92事件**

作成権限者たる公務員の職務を補佐して公文書の起案を担当する職員が、内容虚偽の文書を起案し、情を知らない上司をして署名もしくは記名・捺印せしめ、もって内容虚偽の公文書を作らせた場合には、虚偽公文書作成罪の間接正犯が成立する。

このように、判例の立場では、主体が「私人」の場合には虚偽公文書作成罪の間接正犯を否定する一方、「作成権限を有しない公務員」の場合では本罪の間接正犯の成立を認めるとの結論になる。学説では、判例の結論を支持するものが多数とされる。

まず、虚偽公文書作成罪は、作成権限を有する「公務員」を主体とする身分犯である以上、主体が「私人」である場合には、本罪の共犯（65参照）としてはともかく、単独犯として同罪の間接正犯を犯すことはできない。

一方、主体が「作成権限を有しない公務員」である場合には、156条の「公務員」という法文上の障害は存在しないし、実質的にも、作成権限を有しない公務員であっても作成権限を有する公務員を利用して虚偽公文書を作成することが可能である。

各論

ただし、156条にいう「その職務に関し」という要件を満たす必要があるので、作成権限を有する公務員を補佐して公文書の起案を担当する公務員が主体の場合には、虚偽公文書作成罪の間接正犯の成立を認めることも可能と解されるが、単なる「公務員」が主体の場合（たとえば、派出所に勤務する一巡査など）には、私人の場合と同様、本罪の間接正犯の成立を認めることはできないものと解される。

【公正証書原本不実記載等罪】

> **第１５７条　（公正証書原本不実記載等）**
>
> Ⅰ　公務員に対し虚偽の申立てをして、登記簿、戸籍簿その他の権利若しくは義務に関する公正証書の原本に不実の記載をさせ、又は権利若しくは義務に関する公正証書の原本として用いられる電磁的記録に不実の記録をさせた者は、５年以下の懲役又は５０万円以下の罰金に処する。
>
> Ⅱ　公務員に対し虚偽の申立てをして、免状、鑑札又は旅券に不実の記載をさせた者は、１年以下の懲役又は２０万円以下の罰金に処する。
>
> Ⅲ　前２項の罪の未遂は、罰する。

[趣旨]本罪は、特に重要な証明力を有する公文書であって、私人の申告に基づいて作成される公文書につき、記載内容の真正を担保する必要上、虚偽公文書作成罪(156)の間接正犯のうち、特定の場合を独立罪として処罰した。

〔公正証書原本不実記載罪、１項〕

《注　釈》

一　「公務員に対し虚偽の申立てをして」

「公務員」（７Ⅰ）は、156条の「公務員」と基本的には同じ意味であり、補助公務員を含む点も同様であるが、虚偽の申立ての対象となっている点で違いがある。

「虚偽の申立て」とは、真実に反する申立てをすることをいう。

ex.　不動産の真の所有者（登記は他人名義となっている）が、登記名義を有する者の承諾なしに、同人から売渡しを受けた事実がないにもかかわらず、売渡しを受けた旨の登記申請を行い、登記簿原本にその旨を記載させた場合（最決昭35.1.11）

→申立事項の内容に虚偽がある場合だけでなく、申立資格に虚偽がある場合も含まれる（大判明44.5.8参照）

なお、申立人が作成権限を有する公務員と共謀の上で虚偽の申立てを行い、公正証書の原本に不実記載がなされた場合、当該公務員には虚偽公文書作成罪が成立し、当該申立人には公正証書原本不実記載罪ではなく虚偽公文書作成罪の共同正犯が成立する（大判明44.4.27）〈共〉。

他方、共謀はないが、公務員が虚偽の申立てであることを偶然知るに至った場

各論

合において、公務員に申立ての実質的審査権があれば、当該公務員に虚偽公文書作成罪（156）が成立し（大判昭7.4.21）、当該申立人には公正証書原本不実記載等罪の未遂が成立する。これに対して、公務員に申立ての形式的審査権しかない場合、申立ての内容が虚偽であっても当該公務員はそのまま記載・記録せざるを得ないので、当該公務員の行為は犯罪とならず、当該申立人に公正証書原本不実記載等罪が成立すると解される。

二 「登記簿、戸籍簿その他の権利若しくは義務に関する公正証書の原本」

公務員がその職務上作成する文書であって、権利・義務に関する事実を証明する効力を有するものをいう（最判昭36.6.20）。

「原本」（記載内容である思想の主体自身によって作成された確定的な文書）である必要があるため、謄本（原本の内容全部の写しであり、原本の存在・内容を証明するもの）、抄本（原本の一部の写しであり、原本の内容の一部を証明するもの）、写し（謄本・抄本やコピーを含む、模写ないし複写した文書一般）はこれに含まれない。

「権利若しくは義務」については、財産上のものに限られず、身分上のものも含まれる。

例示されている登記簿や戸籍簿のほか、公証人が作成する公正証書、土地台帳、住民票、外国人登録原票などがこれに当たる。

三 「不実の記載」「不実の記録」

「不実の記載」「不実の記録」とは、客観的真実に反する事柄を記載・記録することをいう。

ex. いわゆる見せ金による新株の仮装払込みに基づいて新株発行による変更登記を申請し、商業登記簿の原本に増資の記載をさせる行為（最決平3.2.28・会社法百選〔第4版〕101事件）

なお、中間省略登記は、単なる対抗要件の省略であって、内容は真実と一致している以上、「不実の記載」には当たらないと解されている。

四 「権利若しくは義務に関する公正証書の原本として用いられる電磁的記録」

「電磁的記録」（7の2）とは、電子的方式、磁気的方式その他人の知覚によっては認識することができない方式で作られる記録であって、電子計算機による情報処理の用に供されるものをいう。

ex. 自動車登録ファイル、住民基本台帳ファイル、不動産登記簿ファイル

〔免状等不実記載罪、2項〕

《注 釈》

◆ **「免状」「鑑札」「旅券」**

「免状」とは、特定の人に対して一定の行為を行う権利を付与する公務所又は公務員の作成する証明書をいう（大判明41.9.24）。たとえば、運転免許証・医師

免許証、狩猟免状などが「免状」に当たる。

「鑑札」とは、公務所の許可又は登録があったことを証明する証票であり、その交付を受けた者がこれを備え付け、又は携帯することを要するものをいう。たとえば、犬の鑑札、質屋・古物商の許可証などが「鑑札」に当たる。

「旅券」とは、外国に渡航する人に対して発給される文書であり、国籍等を証明し、旅行に必要な保護などを関係官に要請する旨を記載したものをいう。いわゆるパスポートである。

《その他》

◆ **他罪との関係**

公正証書原本不実記載罪（157 Ⅰ）及び同行使罪（158）と詐欺罪（246）とは、罪質上通例、手段・結果の関係にあるものと認められるから、牽連犯となる（最決昭 42.8.28）。

免状等不実記載罪（157 Ⅱ）は、虚偽の申立ての結果、内容虚偽の記載のある免状等の交付を受けるという行為をも包含して処罰する規定であるため、虚偽の申立てにより、不実の記載がなされた免状等の交付を受けた場合、別途、詐欺罪は成立しない（最判昭 27.12.25）〈司〉。

【偽造公文書行使等罪】

> **第１５８条 （偽造公文書行使等）**
>
> Ⅰ 第１５４条から前条まで＜詔書偽造等、公文書偽造等、虚偽公文書作成等、公正証書原本不実記載等＞の文書若しくは図画を行使し、又は前条第１項の電磁的記録を公正証書の原本としての用に供した者は、その文書若しくは図画を偽造し、若しくは変造し、虚偽の文書若しくは図画を作成し、又は不実の記載若しくは記録をさせた者と同一の刑に処する。
>
> Ⅱ 前項の罪の未遂は、罰する。

《注　釈》

一　客体

客体は、公文書・公図画及び 157 条 1 項所定の電磁的記録である。行使者本人により偽造・変造等されたものかを問わず（大判明 43.10.18）、また、行使又は供用の目的をもって作成されたものでなくてもよい（大判明 45.4.9）〈司共〉。

cf. 偽造通貨交付罪（148 Ⅱ）や偽造有価証券交付罪（163 Ⅰ）とは異なり、偽造公文書を客体とする交付罪は刑法上存在しない〈共〉

二　「用に供する」

「用に供する」（供用）とは、不実の記録がなされた電磁的記録を公正証書の原本と同様の機能を有するものとして使用可能な状態に置くことをいう。

《論　点》

◆ **「行使」の意義**〈司〉

1 「行使」とは、偽造・変造又は虚偽作成にかかわる文書を、真正文書又は内容の真実な文書として他人に認識させ、又は認識しうる状態に置くことをいう。

では、自動車を運転するに際し偽造運転免許証を携帯するだけで、偽造公文書行使罪の「行使」に当たるか。

甲説：偽造運転免許証の携帯は「行使」に当たるとする説

∵ 運転免許証は警察官から呈示を求められたらこれに従わなければならないから、携帯すること自体がそれを呈示しているといえる

←携帯は呈示の準備段階にすぎず、この段階で他人の閲覧しうる状態が作出されたと考えることは困難である

乙説：偽造運転免許証の携帯のみでは「行使」に当たらないとする説（最大判昭44.6.18・百選Ⅱ99事件）〈司共〉

∵ 自動車を運転するに際し偽造運転免許証を携帯しているにとどまる場合には、未だこれを他人の閲覧に供しその内容を認識しうる状態に置いたものとはいえない

ex. 甲は、自ら不正に作成した偽造有印公文書である自動車運転免許証を携帯して自動車を運転中、制限速度違反を警察官Xに現認され、自動車運転免許証の提示を求められたので、どのみち免許証の偽造が発覚するであろうとあきらめ、偽造したものである旨申告して前記偽造に係る自動車免許証をXに提示した。この場合、甲に偽造有印公文書行使未遂罪は成立しない〈司〉

2 「行使」というためには、偽造・変造又は虚偽作成にかかる文書自体が、真正文書又は内容の真実な文書の外観を有するものであることが必要であるから、その文書の内容、形式を口頭で他人に告知するだけでは足りず、当該文書自体を他人に示す必要がある（大判明43.8.9）〈司〉。

なお、有効期間が3か月あまり経過している偽造運転免許証を提示した場合であっても、警察官をして、真正に作成されたものであって行為者が運転免許証を受けたものであると誤信させるに足りる外観を具備していたことが明らかである場合には、その偽造運転免許証の提示は偽造公文書の「行使」に当たる（最決昭52.4.25）〈司〉。

【私文書偽造等罪】

第１５９条　（私文書偽造等）

Ⅰ　行使の目的で、他人の印章若しくは署名を使用して権利、義務若しくは事実証明に関する文書若しくは図画を偽造し、又は偽造した他人の印章若しくは署名を使用して権利、義務若しくは事実証明に関する文書若しくは図画を偽造した者は、３月以上５年以下の懲役に処する。

Ⅱ　他人が押印し又は署名した権利、義務又は事実証明に関する文書又は図画を変造した者も、前項と同様とする。

Ⅲ　前２項に規定するもののほか、権利、義務又は事実証明に関する文書又は図画を偽造し、又は変造した者は、１年以下の懲役又は１０万円以下の罰金に処する。

〔有印私文書偽造罪、１項〕

《注　釈》

一 「権利、義務若しくは事実証明に関する文書若しくは図画」

「権利、義務……に関する文書若しくは図画」とは、権利又は義務の発生・存続・変更・消滅の法律効果を生じさせることを目的とする意思表示を内容とする文書をいう。

「事実証明に関する文書若しくは図画」　⇒下記《論点》一

二 「他人の印章若しくは署名を使用して」又は「偽造した他人の印章若しくは署名を使用して」 司共

「印章」とは、人の同一性を表示するために使用される象形（文字・符号）をいう。

「署名」とは、その主体たる者が自己の表章する文字によって氏名その他の呼称を表記したものをいう。自書である必要はなく、記名（印刷やゴム印等による名称の表示など）でもよい（大判大2.9.5）司。

三 「偽造」 司

文書の名義人と作成者との「人格の同一性」を偽ることをいう（最判昭59.2.17・百選Ⅱ 94事件参照）。

また、私文書偽造罪は、作成権限を有する者を欺くことによって、間接正犯の形態で犯すことができる司。たとえば、甲が、文字の判読が十分にできない乙に対し、別の文書と誤信させて借用証書に署名・捺印させた場合のように、署名者として表示される者を欺いて、文書の内容を認識させることなく署名・捺印させた場合、偽造文書を作成したといえるため、私文書偽造罪が成立する（大判明44.9.14）。

〔有印私文書変造罪、２項〕

《注　釈》

・有印私文書変造罪の「変造」（有形変造）とは、作成権限のない者が、真正に成

各論

立した文書の非本質的部分に変更を加えることをいう。作成権限を有する者が行う変造は無形変造であり、有印私文書変造罪は成立しない。

ex.　郵便貯金通帳の貯金受入年月日又は払戻年月日を改ざんする場合（大判昭11.11.9）〈予

〔無印私文書偽造・変造罪、３項〕

《注　釈》

・他人の印章及び署名を欠く文書・図画を偽造・変造した場合には、無印私文書偽造罪・変造罪（159 Ⅲ）が成立する。また、解釈上、行使の目的が要求されている。

《論　点》

一　「事実証明に関する文書」の意義

「事実証明に関する文書」の典型として、推薦状・履歴書等があるが、いかなるものをその対象とするかについては、その意義とともに争いがある。

ex.　Xが偽名を用いて自動車登録事項等証明書の交付を受けようと企て、自動車登録事項等証明書の交付請求書に偽名による署名・押印をした上で、これを陸運局支局係員に提出して行使した場合、Xに有印私文書偽造罪・同行使罪が成立するか（右交付請求書が「事実証明に関する文書」に当たるかが問題となる）

＜「事実証明に関する文書」の意義＞

学説	甲説 （大判大 9.12.24、最決昭 33.9.16）	乙説
内容	「事実証明に関する文書」 ：実生活に交渉を有する事項を証明するに足りる文書	「事実証明に関する文書」 ：法律上何らかの意味を有する社会生活上の利害関係のある事実の証明に関する文書、あるいは、より限定して法律上の問題となりうべき事実の証明に役立つ文書
理由	本条の文理からすると、基本的には私文書一般を保護の対象としているとみるべきである	反対説のように解するとその範囲が無限定となり、本条１項が、「権利、義務若しくは事実証明に関する文書」に限定した趣旨が没却される
帰結	交付請求書は、誰がいつ自動車登録事項等証明書の交付請求をしたかという事実を証明しうるものであるから、「事実証明に関する文書」に該当する →Xには、有印私文書偽造罪・同行使罪が成立する	交付請求書は、何人もその目的・意図とは関係なく作成しうるものであり、専ら請求日時を証明するものにすぎないから、「事実証明に関する文書」に該当しない →Xには、有印私文書偽造罪・同行使罪は成立しない

▼ **最決平6.11.29・百選Ⅱ89事件**司共

事案：　私大の入試に関し、いわゆる替え玉受験を行うために解答用紙の氏名欄に、実際には受験していない者の氏名を記入して答案を作成し、試験監督者に提出して行使した。

決旨：「本件入学選抜試験の答案は、試験問題に対し、志願者が正解と判断した内容を所定の用紙の解答欄に記載する文書であり、それ自体で志願者の学力が明らかになるものではないが、それが採点されて、その結果が志願者の学力を示す資料となり、これを基に合否の判定が行われ、合格の判定を受けた志願者が入学を許可されるのであるから、志願者の学力の証明に関するものであって、『社会生活に交渉を有する事項』を証明する文書に当たると解するのが相当である」と判示して、有印私文書偽造・行使罪を認めた。

二　代理名義の冒用 司共 司H24

Xは、Aの代理人でもないのに「A代理人X」名義の文書を行使の目的をもって作成した。Xに文書偽造罪は成立するか。偽造とは名義を冒用して文書を作成することをいうから、「A代理人X」名義文書の名義人が誰であるのかが問題となる。

<代理名義の冒用> 予R元

学説	甲説	乙説 (最決昭45.9.4・百選Ⅱ93事件)	丙説
作成者	X		
名義人	「X」(代理人)	「A」(本人)	「A代理人X」
理由	「A代理人」というのは資格を示す肩書で文書の内容の一部をなすものであり、Xは自分の意思をその文書に表明している者であるから、その作成名義はXである	代理名義の文書は、本人に法律効果が帰属する形式の文書であるから、文書に対する公共の信用を保護する文書偽造罪との関係では本人が名義人となる	代理名義の文書においては、代理人の氏名の表示と代理資格の表示とが一体となって1つの作成名義をなしている

学説	甲説	乙説 (最決昭45.9.4・百選Ⅱ93事件)	丙説
批判	①　私文書の場合は代理名義冒用の大部分が不可罰として放置されることになり、不合理である ②　そこで、無形偽造説の論者は、159条3項は代理資格の冒用による無形偽造を含む趣旨であると解釈するが、なぜ本条に代理資格の冒用による無形偽造だけが含まれるかの根拠は不明であり、条文解釈としてかなり苦しい	文書の名義に関しては、文書に実際に表示された作成名義が大切で、代理・代表名義の文書の場合、実際に意思を表示したXを名義人とみざるを得ず、本人Aを名義人とみるのは無理がある	ことさらそのような技巧を凝らすまでもなく単に本人を名義人と解すれば足りる
結論	無形偽造 →不可罰（可罰説もある）	有形偽造 →私文書偽造罪成立	有形偽造 →私文書偽造罪成立

各論

＊　代理人の権限濫用

代理名義の冒用の場合は、代理権を欠く者が代理名義を冒用した場合であるが、では、一応代理権限を有する者が、その権限を悪用・濫用した場合はどうなるか。

判例は、権限内の行為であれば地位や資格の濫用があっても、無形偽造であり、無権限又は権限逸脱の場合に初めて偽造罪で処罰しうるとして事案解決していると解されている。

そこで、権限内の濫用行為にすぎないか、それとも無権限ないし権限逸脱かという判断をできるだけ明確化することが要請される。

<私文書偽造と代理人の権限濫用>

権限濫用とされた例（大連判大11.10.20）	銀行の支配人のように他人の代表者又は代理人として代表・代理名義又は直接本人の商号を用いて文書を作成する権限がある場合、その地位を濫用して、自己又は第三者の利益を図る目的で文書を作成しても、右文書の私法上の効果に影響はないから、文書偽造罪は成立しない〈予
権限逸脱とされた例（大判大6.11.5）	本人の承諾を得ていない土地に承諾範囲を超えた金額の債務のため抵当権を設定する旨を記載した借用証書を作成する行為は、私文書偽造罪を構成する

三　人格の同一性の判断〈予R2

「偽造」とは、作成権限のない者が他人の名義を冒用して文書を作成することであるが、名義が他人のものであったかどうかは、氏名の同一性ではなく、文書の名義人と作成者との「人格の同一性」という視点で捉えられる〈共。

1　通称名の使用〈予

ex.1　服役中に逃走したXは義弟と同一の氏名を使用して生活していたが、無免許運転罪の疑いで検挙された際に義弟A名義を使用した事案

→私文書偽造罪が成立する（最判昭56.12.22）

∵　A名義はある限られた範囲内でXを指称するものとして通用していたにすぎない

ex.2　日本に密入国したYが、20年以上にわたってB名義を勝手に使用し通称として定着した後に、当該通称名を使用して再入国許可申請書を作成した事案

→私文書偽造・行使罪が成立する（最判昭59.2.17・百選Ⅱ94事件）

∵　申請書に記載された「B」から認識される人格は適法に日本在留を許されたBであって、Yとは別の人格である

2　資格の冒用〈司共

ex.1　弁護士でないXが、Xを真実の弁護士Xと誤信したAから調査依頼を受け、Aから弁護士報酬を得ようとして、自己と同姓同名の真実の弁護士X名義の「弁護士報酬請求について」と題する文書を作成した事案

ex.2　被告人は国際運転免許証（「道路交通に関するジュネーブ条約」に基づき、締約国又は権限ある当局等でなければ発給することができない）に酷似した文書を作成し、発給者として国際旅行連盟という団体が表示されていたが、国際旅行連盟なる団体が国際運転免許証の発行権限を与えられた事実はなかった事案

→私文書偽造罪が成立する（最決平15.10.6・百選Ⅱ96事件）〈司

∵　本件文書の記載内容、性質などに照らすと、ジュネーブ条約に基づく国際運転免許証の発給権限を有する団体により作成されているということが本件文書の社会的信用性を基礎付けるものといえるから、本件文書の名義人は、『ジュネーブ条約に基づく国際運転免許証の発給権限を有する団体である国際旅行連盟』であると解すべき

→本件作成行為は文書の名義人と作成者との間の人格の同一性を偽るものである

＜私文書偽造と資格の冒用＞

	作成者	名義人	理由	結論
甲説 **（最決平5.10.5・百選Ⅱ95事件）** 司	X	弁護士X	資格を詐称した場合でも、①当該文書の記載内容、②当該文書を受け取った者との関係を考慮して、名義人が誰かを決するべき →①　実際に真実の弁護士Xが存在しており、その文書の記載内容は弁護士報酬の請求に関するものとして弁護士が業務として作成する書面の内容を有している ②　文書を受け取ったAはXを真実の弁護士と誤信して調査依頼した者である	人格の同一性に齟齬あり →私文書偽造罪が成立する
乙説		X	「弁護人X」という文書の作成は、文書の内容としての単なる資格・肩書の冒用にすぎない	人格の同一性に齟齬なし →私文書偽造罪は成立しない

※　甲説でも、一般のホテルの宿泊名簿に資格・肩書を偽った記名をしてもホテルにとって人格の同一性について齟齬が生じるおそれはないから、文書偽造罪は成立しない（結論は、具体的事情により異なる）。

3　偽名の記載

ex.　就職しようと考えたXが、自らの顔写真を貼り付けた履歴書の作成に当たり、虚偽の生年月日、住所、経歴等を記載したうえ、偽名Aを用いた事案

→私文書偽造罪が成立する（最決平11.12.20・百選Ⅱ〔第7版〕95事件）

司共

∵　履歴書の性質・機能に照らし、「A」の意思・観念が表示されているとみるべきであるから、名義人は「A」と解すべきであり、責任を引き受ける意思を有する顔写真の人物、すなわち「AことX」が名義人と解すべきではない

四　名義人の承諾

名義人の承諾を得ていた場合は作成名義の冒用とはいえないことから偽造罪は成立しないのが原則である。そこで、交通事件原票の供述書においても、名義人の承諾さえあれば他人名義で作成しうるのかが問題となる。

ex.　道路交通法に違反して検挙されたXが、交通事件原票の供述書末尾に他人Yの事前の承諾の下に「Y」と署名した行為につき有印私文書偽造罪が成立するか

各論

＜私文書偽造における名義人の承諾＞ 司H29

学説		理由	批判
消極説		① 名義人の承諾がある以上、名義人が文書の作成者となり、名義人と作成者は一致する ② 形式主義の下では、文書作成の不真正性が重要なのであり、作成行為の不適法性・文書の無効性は重要でない	人格の同一性が厳格に要求される文書においては、同意があっても、文書偽造罪の保護法益である文書に対する公共的信用が害される
積極説	違法目的の承諾の効果を否定する立場	名義人の承諾は適法な目的でなされることを要する	なぜ違法目的の承諾の効果が否定されるのかの論拠が明確でない
	自署性を要求する立場	文書の性質上、その名義人自身による作成だけが予定されている文書については、事前に名義人の同意があっても、その名義人は表示された意思・観念の主体となりえない 司共	消極説の理由

※ 判例（最決昭56.4.8・百選Ⅱ97事件）は、交通切符中の供述書の性質上、名義人以外の者が作成することは法令上許されないということを根拠として私文書偽造罪の成立を認めた（積極説）司共。

【虚偽診断書等作成罪】

> **第160条 （虚偽診断書等作成）** 予H29
>
> 医師が公務所に提出すべき診断書、検案書又は死亡証書に虚偽の記載をしたときは、３年以下の禁錮又は３０万円以下の罰金に処する。

《注　釈》

一 「医師」 司共

私人としての医師であることが必要である（真正身分犯）。

cf. 公務員である医師（国立病院の医師等）の行為の場合は、虚偽公文書作成罪が成立する（最判昭23.10.23）

二 「公務所に提出すべき診断書、検案書又は死亡証書」 司共

1 「診断書」とは、医師が診察の結果得た判断を表示し、人の健康上の状態を証明するために作成する文書をいう。

2 「検案書」とは、死後初めて死体に接した医師が死亡の事実を医学的に確認した結果を記載した文書をいう。

3 「死亡証書」とは、生前から診断に当たっていた医師が患者の死亡時に作成する診断書をいう。

三　「虚偽の記載」

「虚偽の記載」とは、客観的事実に反する一切の記載をいう（死因や病状など）。解釈上、行使の目的（公務所に提出する目的）が要求されている。

また、本罪は、診断書等に虚偽の記載をした時点で成立する。虚偽の記載をした診断書等が公務所に提出されたかどうかは、本罪の成立に関係しない。

【偽造私文書等行使罪】

第１６１条　（偽造私文書等行使） 予H29

Ⅰ　前２条＜私文書偽造等、虚偽診断書等作成＞の文書又は図画を行使した者は、その文書若しくは図画を偽造し、若しくは変造し、又は虚偽の記載をした者と同一の刑に処する。

Ⅱ　前項の罪の未遂は、罰する。

《注　釈》

◆ 「行使」すること　⇒ p.292

ex.　甲は、事務所として使用しているマンションの家主に対し、滞納している家賃を確実に返済できることを証明してその信用をえるための手立てとして、甲がC社に対して多額の債権を有していることを示すべく、自ら不正に作成した偽造有印私文書であり、貸主甲、借主C社とする両社名義の金銭消費貸借契約書を真正な文書として司法書士Dに示し、同契約書に基づく公正証書の作成の代理嘱託を同人に依頼した。この場合、甲に偽造有印私文書行使罪が成立する（最決平15.12.18）司

ただし、虚偽診断書等の「行使」については、公務所への提出に限られる。

なお、私文書偽造罪等と同行使罪は、牽連犯となる（大判昭7.7.20）。

【電磁的記録不正作出罪・同供用罪】

第１６１条の２　（電磁的記録不正作出及び供用）

Ⅰ　人の事務処理を誤らせる目的で、その事務処理の用に供する権利、義務又は事実証明に関する電磁的記録を不正に作った者は、５年以下の懲役又は５０万円以下の罰金に処する。

Ⅱ　前項の罪が公務所又は公務員により作られるべき電磁的記録に係るときは、１０年以下の懲役又は１００万円以下の罰金に処する。

Ⅲ　不正に作られた権利、義務又は事実証明に関する電磁的記録を、第１項の目的で、人の事務処理の用に供した者は、その電磁的記録を不正に作った者と同一の刑に処する。

Ⅳ　前項の罪の未遂は、罰する。

[趣旨] 本罪は、情報化社会の進展に伴い、文書偽造の罪ではまかなえない有害行為を処罰し、もって電磁的記録に対する公共の信用を保護する。本罪の規定によ

各論

り、文書概念に電磁的記録が含まれないことが明確になった。

〔私電磁的記録不正作出罪、1項〕

《注 釈》

一 **「権利、義務又は事実証明に関する電磁的記録」**

私文書偽造罪（159 Ⅰ）のものと同じ意義である。 ⇒ p.293

「電磁的記録」とは、電子的方式、磁気的方式その他、人の知覚によっては認識することができない方式で作られる記録であって、電子計算機による情報処理の用に供されるもの（7の2）をいう。このうち、本罪の客体としての電磁的記録は、他人の事務処理の用に供するものに限定される。

ex.1 権利・義務に関する電磁的記録：銀行の預金元帳ファイル、乗車券

ex.2 事実証明に関する電磁的記録：馬券の裏面の磁気ストライプ部分

二 **「不正に作った」（不正作出）**

不正作出とは、電磁的記録作出権者、すなわちコンピュータ・システムを設置し、それによって一定の事務処理を行い、又は行おうとしている者の意思に反して、権限なく又は権限を濫用して電磁的記録を作ることをいう 同。

ex.1 勝馬投票券の磁気ストライプ部分に的中券のデータを印磁して改ざんすること

ex.2 キャッシュカードの磁気ストライプ部分の預金情報を改ざんすること

ex.3 会社の経理担当者として、同社のパソコン記憶装置内の会計帳簿ファイルにデータを入力する権限を有している者が、自己の横領行為を隠蔽するため、同ファイルに虚偽のデータを入力して記憶させること 同

三 **「人の事務処理を誤らせる目的」**

財産上、身分上その他の人の生活関係に影響を及ぼし得ると認められる事柄の処理を誤らせる目的をいう。本罪の成立には、故意に加えてこの目的が必要である。

〔公電磁的記録不正作出罪、2項〕

《注 釈》

◆ **「公務所又は公務員により作られるべき電磁的記録」**

公電磁的記録（Ⅱ）とは、公務所又は公務員の職務の遂行として作出されることとされている電磁的記録をいい、私電磁的記録よりも信用性が高いことから、刑が加重されている。

ex. 自動車登録ファイルや住民票ファイル

〔不正作出電磁的記録供用罪、3項〕

《注 釈》

◆ **「人の事務処理の用に供した」（供用）**

供用とは、不正に作出された電磁的記録を他人が事務処理に用いる電子計算機において使用しうる状態に置くことをいう。

各論

供用罪（Ⅲ）については、未遂犯（Ⅳ）も処罰される。磁気ストライプ部分のある預金通帳等については、自動現金支払機に差し込もうとすれば、実行の着手が認められるので、差し込んで読み取り可能になる前に検挙されれば、未遂犯となる。

・第18章・【有価証券偽造の罪】

《保護法益》

有価証券に対する一般的・社会的信用である。不正な有価証券により不利益を被る者の財産的利益を中心に考える見解もある。

【有価証券偽造罪・同虚偽記入罪】

> **第１６２条　（有価証券偽造等）**
> Ⅰ　行使の目的で、公債証書、官庁の証券、会社の株券その他の有価証券を偽造し、又は変造した者は、３月以上１０年以下の懲役に処する。
> Ⅱ　行使の目的で、有価証券に虚偽の記入をした者も、前項と同様とする。

〔有価証券偽造罪、１項〕

《注　釈》

一　客体

1 「公債証書、官庁の証券、会社の株券その他の有価証券」

「有価証券」とは、財産上の権利が証券に表示されており、その表示された権利の行使又は処分につき証券の占有を必要とするものをいう〈同〉。

→商法と異なり、流通性は不要である（大判明44.3.31）

2 「その他の有価証券」の例

ex.　手形、小切手、貨物引換証、鉄道乗車券、商品券、宝くじ〈同〉

cf.　郵便貯金通帳、無記名定期預金証書などは「有価証券」に当たらない

二　行為

1 「偽造」

「偽造」とは、権限を有しない者が、他人の名義を冒用して有価証券を作成することをいう。

(1) 作成権限を逸脱して他人名義の有価証券を作成した場合も「偽造」となる。

ex.1　銀行の取締役が銀行業務の執行と無関係に手形の裏書をして銀行印を押捺する行為（大連判大11.10.20）

ex.2　組合長名義の約束手形の作成権限はすべて専務理事に属するものとされ、単なる起案者・補助役として手形作成に関与していたにすぎない漁協組合の参事が、組合長又は専務理事の決済・承認を受けることなく手形を作成することは、たとえ商法上の支配人としての地位にあ

ったとしても、有価証券偽造罪に当たる（最決昭43.6.25・百選Ⅱ98事件）

(2) 架空人名義の有価証券でも、一般人が真正に成立した有価証券と誤信しうる場合は、「偽造」となる（最判昭30.5.25）。

2 「変造」

「変造」とは、権限を有しない者が、真正に成立した他人名義の有価証券に不正に変更を加えることをいう。

ex. 手形の振出日付又は受取日付の改ざん、小切手の金額欄の金額数字の改ざん（大判大3.5.7）〈司

＊ 有価証券の本質的部分に変更を加えれば、新たに有価証券を作成したことになるから、「変造」ではなく「偽造」となる〈共。

ex.1 通用期間を経過し効力を失った鉄道乗車券の終期に改ざんを加え、なお有効であるかのように装ったときは、有価証券偽造罪が成立する（大判大12.2.5）

ex.2 宝くじの番号を当選番号に改ざんしたときは、有価証券偽造罪が成立する

三 行使の目的

真正な有価証券として使用する目的をいう。

→通貨偽造の場合（⇒p.277）と異なり、使用する目的があれば足り、必ずしも転々流通させる目的は必要ない

ex. 取引先に対し自己の信用を誇示するためだけに有価証券を偽造した場合も、「行使の目的」があるといえる

〔有価証券虚偽記入罪、２項〕

《注　釈》

◆ 「虚偽の記入」

「虚偽の記入」とは、有価証券に真実に反する記載をすることをいう。

→判例（最決昭32.1.17）は、作成権限のある者が内容虚偽の有価証券を発行する行為（無形偽造）のみならず、有価証券がいったん成立した後の付随的証券行為（裏書・引受け・保証等）につき、作成権限のない者が他人名義を冒用する場合（有形偽造）も「虚偽の記入」に含まれるとしている

【偽造有価証券行使等罪】

第１６３条　（偽造有価証券行使等）

Ⅰ　偽造若しくは変造の有価証券又は虚偽の記入がある有価証券を行使し、又は行使の目的で人に交付し、若しくは輸入した者は、３月以上１０年以下の懲役に処する。

Ⅱ　前項の罪の未遂は、罰する。

《注　釈》

一　行為

1　「行使」の意義〈司共

(1)「行使」とは、内容の真実な有価証券として使用することをいう。通貨の場合（⇒ p.277）と異なり流通に置く必要はなく、有価証券を他人の認識しうる状態に置くことによって既遂に達し、現実に他人が認識したことを要しない。

ex.1　甲は、Aとのタレント契約交渉に際し、甲経営の会社資産や経営状況を疑っていたAを安心させてその信用を確保するため、別のタレントの支度金だと言って、自ら不正に作成した偽造小切手を真正なものとしてAに見せた。この場合、甲には偽造有価証券行使罪が成立する〈司

ex.2　甲は、約束手形を偽造してこれを割引に出して利益を得ようと考え、自ら不正に作成したE社の振出しに係る約束手形1通を割引依頼のためにFに呈示したが、Fは、既に上記約束手形が偽造であることを甲の友人Gから聞いて知っていたため、割引依頼を断った。この場合、甲には偽造有価証券行使の未遂罪が成立する〈司

(2)　偽造手形の善意取得者が、後日偽造であることを知ったうえ、弁済の請求をするため真実の署名をなした手形債務者に対しこれを呈示する行為は、当然の権利行使であって、行使罪を構成しない（大判大3.11.28）。

2　「交付」の意義

「交付」とは、情を知らない他人に偽造・変造・虚偽記入の有価証券であることの情を告げて、又は情を知っている他人にこれを与えることをいう。

二　詐欺罪との関係

偽造有価証券を行使して相手から金品を騙し取った場合、両者は牽連犯となる（大判大3.10.19）〈共。

・第18章の2・【支払用カード電磁的記録に関する罪】

《保護法益》

支払用カードを用いて行う支払システムに対する公衆の信用である。

【支払用カード電磁的記録不正作出等罪、不正電磁的記録カード所持罪、支払用カード電磁的記録不正作出準備罪】

第163条の2　（支払用カード電磁的記録不正作出等）〈共

Ⅰ　人の財産上の事務処理を誤らせる目的で、その事務処理の用に供する電磁的記録であって、クレジットカードその他の代金又は料金の支払用のカードを構成するものを不正に作った者は、10年以下の懲役又は100万円以下の罰金に処する。預

各論

貯金の引出用のカードを構成する電磁的記録を不正に作った者も、同様とする。
Ⅱ　不正に作られた前項の電磁的記録を、同項の目的で、人の財産上の事務処理の用に供した者も、同項と同様とする。
Ⅲ　不正に作られた第１項の電磁的記録をその構成部分とするカードを、同項の目的で、譲り渡し、貸し渡し、又は輸入した者も、同項と同様とする。

第１６３条の３　（不正電磁的記録カード所持） 〈同共

前条第１項の目的で、同条第３項のカードを所持した者は、５年以下の懲役又は５０万円以下の罰金に処する。

第１６３条の４　（支払用カード電磁的記録不正作出準備）

Ⅰ　第１６３条の２第１項＜支払用カード電磁的記録不正作出＞の犯罪行為の用に供する目的で、同項の電磁的記録の情報を取得した者は、３年以下の懲役又は５０万円以下の罰金に処する。情を知って、その情報を提供した者も、同様とする。
Ⅱ　不正に取得された第１６３条の２第１項＜支払用カード電磁的記録不正作出＞の電磁的記録の情報を、前項の目的で保管した者も、同項と同様とする。
Ⅲ　第１項の目的で、器械又は原料を準備した者も、同項と同様とする。

第１６３条の５　（未遂罪）

第１６３条の２＜支払用カード電磁的記録不正作出等＞及び前条第１項の罪の未遂は、罰する。

[趣旨] クレジットカードその他の代金又は料金の支払用のカードの普及に鑑み、その社会的信頼を確保するために平成13年改正により新設されたものである。

《注　釈》

一　支払用カード電磁的記録不正作出罪（163の２Ⅰ） 〈共

1　支払用カードを構成する電磁的記録

⑴「支払用のカード」(163の２Ⅰ前段）とは、商品の購入、役務の提供等の対価を現金で支払うことに代えて、支払システムに用いるカードをいう。

ex.　クレジットカード（現金後払い）、デビットカード（預貯金の即時振り替え）

⑵「預貯金の引出用のカード」(163の２Ⅰ後段）とは、郵便局、銀行等の金融機関が発行する預金又は貯金に関わるキャッシュカードをいう。

⑶「電磁的記録」とは、支払システムにおける事務処理に用いるための情報が、所定のカードに電磁的方式で記録されているものをいう。

2　不正作出

⑴　意義

「不正に作」るとは、権限なくして、支払用カードとして情報処理が可能な状態を作り出すことをいう。

ex.　ひそかに取得したカード情報をカード板に印磁すること

(2)　外観

真正なカードの外観を備えていることは不要である〈共〉。

二　不正電磁的記録カード供用罪（163の2 Ⅱ）

「用に供する」とは、不正に作出された支払用カード電磁的記録を、他人の事務処理のために用いることをいう。

ex.　キャッシュカードをＣＤ機に対して使用すること、クレジットカードをＣＡＴ（信用照会端末）に通させること

三　不正電磁的記録カード譲り渡し・貸し渡し・輸入罪（163の2 Ⅲ）

1　「譲り渡し」とは、相手方に処分権を与える趣旨で物を引き渡すことをいう。

2　「貸し渡し」とは、相手方に貸与する趣旨で物を引き渡すことをいう。

ex.　不正に作成した自己名義の偽造クレジットカードを真正なクレジットカードとして他人に貸し渡した場合、不正電磁的記録カード貸渡し罪が成立する〈同〉

3　「輸入」とは、不正電磁的記録カードを国外から国内に輸入することをいう。

四　不正電磁的記録カード所持罪（163の3）

「所持」とは、不正電磁的記録カードを事実上支配している状態に置くことをいう。

五　支払用カード電磁的記録不正作出準備罪（163の4）

1　「情報」（163の4 Ⅰ）とは、支払用カードによって行われる支払決済システムによる情報処理の対象となる一連の情報をいう。

2　「取得」（163の4 Ⅰ前段）とは、支払用・引出用カードを構成する電磁的記録情報を自己の支配下に移すことをいう。

ex.1　カードの磁気ストライプ部分の電磁的記録をコピーしてカード情報を盗み取ること

ex.2　一定の媒体に記録された同様の情報を記録媒体ごとに受け取ること

3　「提供」（163の4 Ⅰ後段）とは、カードを構成する電磁的記録の情報を相手方が利用できる状態に置くことをいう。

4　「保管」（163の4 Ⅱ）とは、情報を自己の管理・支配下に置くことをいう。

ex.　パソコンのハードディスクに保存すること、情報の入っているスキーマやＭＯ、ＣＤ、ＤＶＤ等の記録媒体を所持すること

5　「器械又は原料を準備した」（163の4 Ⅲ）

(1)　「器械」（163の4 Ⅲ）とは、支払用・引出用カードを構成する電磁的記録の不正作出に役立つ一切のものをいう。

ex.　不正作出のためのパソコン・カードライター

(2)　「準備」（163の4 Ⅲ）とは、器械又は原料を用意して、不正支払用カードの作出を容易にすることをいう。

《その他》

・163条の4は、実質的には情報窃盗を罰するものである。
・構成要件的行為としての「譲り渡し」、「貸し渡し」(163の2Ⅲ)とは、不正電磁的記録カードを人に引き渡す行為であって、処分権を与える場合が「譲り渡し」であり、これを伴わないのが「貸し渡し」である〈同〉。
・罪数関係
① 163条の4の罪である支払用カード電磁的記録不正作出準備罪に含まれる情報の不正取得、保管及び提供の各罪は、それぞれ牽連犯(54Ⅰ後段)となる。
② 不正作出準備罪から不正作出に至った場合は、準備罪は共罰的事前行為として不正作出罪に吸収されて、不正作出罪のみが成立することになる。
③ 不正作出罪、所持罪、供用罪は、それぞれ牽連犯(54Ⅰ後段)となる。

・第19章・【印章偽造の罪】

《保護法益》

印章・署名の真正に対する公共の信用である。

【御璽偽造罪・同不正使用等罪、公印偽造罪・同不正使用等罪、公記号偽造罪・同不正使用等罪、私印偽造罪・同不正使用等罪】

第164条 (御璽偽造及び不正使用等)

Ⅰ 行使の目的で、御璽、国璽又は御名を偽造した者は、2年以上の有期懲役に処する。
Ⅱ 御璽、国璽若しくは御名を不正に使用し、又は偽造した御璽、国璽若しくは御名を使用した者も、前項と同様とする。

第165条 (公印偽造及び不正使用等)

Ⅰ 行使の目的で、公務所又は公務員の印章又は署名を偽造した者は、3月以上5年以下の懲役に処する。
Ⅱ 公務所若しくは公務員の印章若しくは署名を不正に使用し、又は偽造した公務所若しくは公務員の印章若しくは署名を使用した者も、前項と同様とする。

第166条 (公記号偽造及び不正使用等)

Ⅰ 行使の目的で、公務所の記号を偽造した者は、3年以下の懲役に処する。
Ⅱ 公務所の記号を不正に使用し、又は偽造した公務所の記号を使用した者も、前項と同様とする。

第167条 (私印偽造及び不正使用等)

Ⅰ 行使の目的で、他人の印章又は署名を偽造した者は、3年以下の懲役に処する。
Ⅱ 他人の印章若しくは署名を不正に使用し、又は偽造した印章若しくは署名を使用した者も、前項と同様とする。

第１６８条　（未遂罪）

第１６４条第２項＜御璽不正使用等＞、第１６５条第２項＜公印不正使用等＞、第１６６条第２項＜公記号不正使用等＞及び前条第２項の罪の未遂は、罰する。

《注　釈》

一　「印章」

人の同一性を証明するために使用される象形（文字・符号）をいう。

二　「署名」

その主体たる者が自己の表章する文字によって氏名その他の呼称を表記したものをいう。商号、略号、屋号、雅号などの記載でもよい。

《その他》

・印章・署名の偽造が文書や有価証券の作成行為に用いられる場合、文書偽造罪や有価証券偽造罪が成立すれば、印章・署名の不正使用はそれらに吸収される。本罪は文書や有価証券の偽造行為が未遂に終わった場合、印章・署名が文書と独立に用いられる場合に問題となる。

・第19章の2・【不正指令電磁的記録に関する罪】

《保護法益》

コンピュータ・プログラムに対する公共の信用である。抽象的危険犯である。

【不正指令電磁的記録作成等罪】

第１６８条の２　（不正指令電磁的記録作成等）

Ⅰ　正当な理由がないのに、人の電子計算機における実行の用に供する目的で、次に掲げる電磁的記録その他の記録を作成し、又は提供した者は、３年以下の懲役又は５０万円以下の罰金に処する。

①　人が電子計算機を使用するに際してその意図に沿うべき動作をさせず、又はその意図に反する動作をさせるべき不正な指令を与える電磁的記録

②　前号に掲げるもののほか、同号の不正な指令を記述した電磁的記録その他の記録

Ⅱ　正当な理由がないのに、前項第１号に掲げる電磁的記録を人の電子計算機における実行の用に供した者も、同項と同様とする。

Ⅲ　前項の罪の未遂は、罰する。

《注　釈》

一　「作成」（Ⅰ）

不正指令電磁的記録等を新たに記録媒体上に存在するに至しめることをいう。たとえば、ウイルス・プログラムのソースコードを完成する行為などである。

二 「提供」（Ⅰ）

不正指令電磁的記録等であることを知った上で自己の支配下に移そうとする者に対し、これを支配下に移して事実上利用し得る状態に置くことである。たとえば、不正指令電磁的記録等が保存されているＣＤ－Ｒをそれと知りつつ取得しようとする知人に交付する行為などが「提供」に当たる。

三 「供用」（Ⅱ）

不正指令電磁的記録等を、情を知らない第三者のコンピュータで実行され得る状態に置くことをいう。なお、不正指令電磁的記録供用罪（Ⅱ）については、未遂犯（Ⅲ）も処罰される。

【不正指令電磁的記録取得罪・保管罪】

第１６８条の３　（不正指令電磁的記録取得等）

正当な理由がないのに、前条第１項の目的で、同項各号に掲げる電磁的記録その他の記録を取得し、又は保管した者は、２年以下の懲役又は３０万円以下の罰金に処する。

《注　釈》

一 「取得」

不正指令電磁的記録等であることを認識した上で自己の支配下に移す一切の行為をいう。

二 「保管」

不正指令電磁的記録等を自己の実力支配下に置いておくことをいう。

各論

・第20章・【偽証の罪】

《保護法益》

国の審判作用（裁判、懲戒処分）の適正な運用である。

【偽証罪】

第１６９条　（偽証）

法律により宣誓した証人が虚偽の陳述をしたときは、３月以上１０年以下の懲役に処する。

第１７０条　（自白による刑の減免） 〈共

前条の罪を犯した者が、その証言をした事件について、その裁判が確定する前又は懲戒処分が行われる前に自白したときは、その刑を減軽し、又は免除することができる。

《注　釈》

一 「法律により宣誓した証人」

1　証言拒否権を有する者も、宣誓のうえ拒否権を行使せず偽証すれば、本罪に該当する〈予。

2　宣誓した証人による証言は、証拠としての信憑性が高く、虚偽の陳述によって、それに基づいた誤った審判がなされる危険性が高いことから、本罪はこのような場合に限って処罰することとしている。そのため、「宣誓」は、法律の定める手続によりなされた適法・有効なものでなければならず、「宣誓の趣旨を理解することができない者」（宣誓無能力者、刑訴155 Ⅰ）に誤って証人として宣誓させた上、その者が虚偽の陳述をした場合、偽証罪は成立しない（最大判昭27.11.5）予。

二　「虚偽の陳述」の意義　⇒下記《論点》一

三　罪数・他罪との関係

1　本罪は、1回の尋問手続における陳述全体を終了した時に既遂に達する通。国の審判作用が現実に害される必要はない（抽象的危険犯）司予。

→虚偽の陳述を行っても、1回の尋問手続における陳述が終了するまでにこれを是正したときは、本罪を構成しない通

cf.　1回の証人尋問手続の間に数個の「虚偽の陳述」が行われても、単純一罪である

2　財物騙取の目的で訴訟を提起した者がその目的を遂げるために偽証した場合は、偽証罪と詐欺罪（246）との牽連犯（54 Ⅰ後段）となる（大判大2.1.24）。

3　民事訴訟により虚偽の債権を主張して裁判所を欺罔し財物を騙取しようとした者が、他人を教唆して偽証せしめた場合は、偽証教唆罪（61 Ⅰ・169）と詐欺未遂罪（250・246）との牽連犯（54 Ⅰ後段）である（大判大12.11.26）。

《論　点》

一　「虚偽の陳述」の意義

偽証行為の中核は「虚偽の陳述」であるが、この「虚偽」の意義については争いがある。

<「虚偽の陳述」の意義> 司共予

学説	「虚偽」の意義	理由	批判
主観説 **(大判大3.4.29・百選Ⅱ120事件)**	証人の記憶に反すること →故意は、陳述内容が自己の体験した事実に反していることの認識	① 証人の記憶は確実な信憑性を有するとは限らず、証人が自ら実際に体験したことだけを信頼できるものとして扱うよりないから、体験しない事実を陳述すること自体が国の審判作用を誤らせるものと解すべき ② 偽証罪は、行為者の心理的過程又は状態の表出と認められる行為が罪とされる表現犯である	① 証人の「内心と異なった発言をした」という義務違反そのものを処罰するのは妥当でない ② 偽証罪を表現犯と解し、主観的違法要素を認めることになる
客観説	客観的に真実に反すること →故意は、陳述内容が客観的事実に反していることの認識	証人がその記憶に反する陳述をしても、その内容が客観的真実に合致していれば、国の審判作用を害する危険はない	① 証人が、自己の記憶に反する事実を真実と信じて陳述したときは、真実でなかった場合でも故意が阻却され不可罰とならざるを得ず不都合である ② 証人は客観的真実を陳述する義務を負うことになるが、人的証拠としての意義を失い鑑定人と同じになる ③ 偽証罪を具体的危険犯に近づけて理解することになる

<「虚偽の陳述」が問題となる具体的事例>

		客観的に真実	客観的に虚偽
真実だと思う	記憶に合致	①	⑤
	記憶に反する	②	⑥
真実でないと思う	記憶に合致	③	⑦
	記憶に反する	④	⑧

<「虚偽の陳述」が問題となる事例における各学説からの帰結> 予

	①	②	③	④	⑤	⑥	⑦	⑧
主観説	×	○	×	○	×	○	×	○
客観説	×	×	×	×	× 故意阻却	× 故意阻却	○	○

（○：偽証罪が成立する）

二　被告人による偽証教唆の可罰性 司予

被告人が自己の刑事被告事件について虚偽の陳述をしても偽証罪とはならないが、他人を教唆して自己の被告事件について偽証させた場合、偽証教唆罪（61Ⅰ・169）が成立するか。

＊　本論点に関しては、自己蔵匿・隠避行為の教唆、証拠隠滅の教唆の問題との整合性に留意して考える必要がある。　⇒ p.235、242

<被告人による偽証教唆の可罰性>

	甲説	乙説	丙説
内容	犯人蔵匿・証拠隠滅と同様に教唆犯が成立する	犯人蔵匿・証拠隠滅と同様に教唆犯は成立しない	犯人蔵匿・証拠隠滅の場合には教唆犯は成立しないが、偽証罪の場合には教唆犯が成立する

<table>
<tr><th></th><th colspan="2">甲説</th><th>乙説</th><th>丙説</th></tr>
<tr><th rowspan="2">理由</th><td>甲1説</td><td>甲2説</td><td rowspan="2">① 自ら正犯として偽証しても処罰されないのであるから、共犯として他人に自己の刑事被告事件について偽証させてもその罪責を問うべきでないことは、証拠隠滅（偽造）罪との均衡上当然である
② 被告人の偽証教唆は自己の刑事被告事件に関する証拠隠滅（偽造）行為としてもともと不可罰である</td><td rowspan="2">① 被告人が偽証罪の主体となりえないのは、刑事訴訟法上の制度的制約にすぎず、制度上証人適格を認めれば主体となりうるから、他人を偽証させる行為も当然許されない
② 証拠隠滅罪が証拠方法提出の段階もしくはそれ以前の不法な行為であって、それだけ審判の適正を誤らせる危険性は間接的で、犯罪性も比較的低いのに対して、偽証罪は直接証拠調べの段階における不法な行為であって審判の適正を誤らせる危険性はより直接的で、その犯罪性の程度は高い</td></tr>
<tr><td>犯人蔵匿・証拠隠滅の場合と同様、他人を犯罪に陥れることまで期待可能性が欠けるとはいえない</td><td>① 被告人の教唆によって偽証した者が刑罰に処せられ教唆した本人が刑罰を免れるのは妥当でなく、他人を教唆して偽証させることは防禦権の範囲を超えている
② 積極的に裁判官の審判を誤らせる行為である偽証は、より可罰的であるべきである</td></tr>
<tr><th rowspan="2">批判</th><td colspan="2">① 被告人による偽証教唆は自己の刑事事件に関する証拠隠滅行為（不可罰）にほかならない</td><td rowspan="2">① 教唆行為を実行行為と同視することになる
② 「証拠」には証言は含まれず、証人に偽証させることを証拠隠滅（偽造）行為の一態様と解することには論理の飛躍がある</td><td rowspan="2">偽証も、証拠隠滅と同様の自己庇護罪であるから、犯人蔵匿・証拠隠滅と区別して取り扱うべきでない</td></tr>
<tr><td>② 共犯も正犯同様に法益侵害に対して因果性を及ぼす点に処罰根拠があるとする因果的共犯論からは説明が困難である
③ 他人を犯罪に引き込んだ点に共犯の処罰根拠を求める責任共犯論を採用するに等しい</td><td></td></tr>
</table>

ex.　甲は、自己が被告人となっている公職選挙法違反事件の証人となったEに対し宣誓の上で虚偽の陳述をするように依頼し、依頼どおりに虚偽の陳

各論

述をさせた。この場合、判例の立場に従うと、甲には偽証教唆罪が成立する〈司

cf. 偽証罪には、105条のような刑の任意的免除の規定がないため、刑の免除をすることはできない〈司

【虚偽鑑定等罪】

> **第１７１条　（虚偽鑑定等）**
> 法律により宣誓した鑑定人、通訳人又は翻訳人が虚偽の鑑定、通訳又は翻訳をしたときは、前２条の例による。

《注　釈》

◆ 「虚偽」

「虚偽」の意義について、判例（大判明42.12.16）は、自己の所信に反する虚偽の陳述がたまたま客観的真実に合致していても、虚偽鑑定罪の成立を妨げないとして、主観説の立場に立っている。

《その他》

・自白による特例（170）が適用される。

・第21章・【虚偽告訴の罪】

《保護法益》

判例（大判大元.12.20）・通説は、第一次的には国家の適正な刑事司法作用及び懲戒作用、第二次的には個人の私生活の平穏であると解している。

→告訴等について他人の同意がある場合であっても、虚偽告訴等罪が成立する〈司共

∵ 実際に罪を犯していない者に対して刑事処分が行われることは誤った刑事司法作用の発動にほかならない以上、たとえ他人の同意がある場合であっても、本罪の保護法益が害されたといえる

【虚偽告訴等罪】

> **第１７２条　（虚偽告訴等）**
> 人に刑事又は懲戒の処分を受けさせる目的で、虚偽の告訴、告発その他の申告をした者は、３月以上１０年以下の懲役に処する。
>
> **第１７３条　（自白による刑の減免）**
> 前条の罪を犯した者が、その申告をした事件について、その裁判が確定する前又は懲戒処分が行われる前に自白したときは、その刑を減軽し、又は免除することができる。

《注　釈》

一　行為

1　「虚偽」

客観的事実に反することをいう（最決昭33.7.31）司。

2　「申告」

(1)　申告の内容としての事実は、刑事又は懲戒処分の原因となりうる程度の具体的な内容をもったものでなければならない。

(2)　申告の程度は、捜査機関・懲戒権者らに、特定の犯罪事実又は職務規律違反の行為があることを認知させ、これに対して捜査又は懲戒権の発動を促す程度のものであることを要する。

cf.　責任無能力者を対象とする場合でも、国家の審判作用を誤らせるおそれがあるから、申告された事実が法律上処分を受ける適格を有しなくても、本罪の成立を妨げない（大判大6.6.28）

(3)　申告の方式は問わない。告訴・告発の形式によらなくてもよく、口頭による申告も含まれる。

二　故意・目的

1　故意

申告すべき事実が虚偽であることの認識は、未必的認識で足りる（最判昭28.1.23）。

2　「人に刑事又は懲戒の処分を受けさせる目的」

「人に」とは、行為者以外の他人をいい、実在する人（法人を含む）であることを要する。他人が刑事処分等を受けることがあるであろうという認識があれば足り、その処分を希望する意思までは不要である（大判大6.2.8）。

→自己申告の場合（自己が犯人の身代わりとなって処分を受ける目的で虚偽の申告をする場合）、虚偽告訴罪は成立しないが、犯人隠避罪（103）が成立しうる

→虚無人（実在しない人）に対する申告も、その虚無人に対する誤った刑事・懲戒処分ということはあり得ないので、虚偽告訴罪は成立しない

三　既遂時期

本罪は、虚偽の申告が相当官署に到着することによって既遂となる。

1　文書が相当官署に到達し、捜査官などが閲覧しうる状態に置かれれば足り、現実に閲覧されたことや、検察官等が捜査に着手したとか起訴したことは必要でない（大判大3.11.3）。

2　文書を郵便に付して申告する場合、発送しただけでは既遂にならず、到着したことを要する（大判昭13.6.17）。

・第22章・【わいせつ、不同意性交等及び重婚の罪】

【公然わいせつ罪】

第１７４条　（公然わいせつ）

公然とわいせつな行為をした者は、６月以下の懲役若しくは３０万円以下の罰金又は拘留若しくは科料に処する。

《保護法益》

社会の健全な性的風俗である。

《注　釈》

一　「公然と」

不特定又は多数人の認識し得る状態をいう（最決昭 32.5.22）。実際に認識される必要はないので、たとえば、甲が人通りの多い路上で自己の陰部を露出させたが、偶然にも通行人は誰もこれに気づかなかったという場合であっても、人通りの多い路上という不特定又は多数人の認識し得る状態で陰部の露出行為がなされている以上、甲に公然わいせつ罪が成立する〈司共〉。特定かつ少数の者にわいせつな行為をした場合であっても、それが不特定又は多数人を勧誘した結果であれば、「公然」といえる（最決昭 31.3.6）。

二　「わいせつな行為」

行為者又はその他の者の性欲を興奮・刺激又は満足させる動作であって、普通人の正常な性的羞恥心を害し、善良な性的道義観念に反するものをいう。

三　不作為による幇助と公然わいせつ罪

劇場の責任者の立場にあった甲が出演者乙の公然わいせつ行為を目撃した場合、甲は乙の公演の公開を防止するため有効な措置をとるべき条理上当然の義務を負うので、甲が単に微温的な警告を発するに止め、公演を止めることなく乙の公然わいせつ行為の継続を容易にさせた場合、甲には公然わいせつ罪の幇助犯が成立する（最判昭 29.3.2）〈共〉。

四　他罪との関係

不同意わいせつ行為を公然と行った場合は、公然わいせつ罪と不同意わいせつ罪（176）の観念的競合（54 Ⅰ前段）となる（大判明 43.11.17 参照）〈司共〉。

各論

【わいせつ物頒布等罪】

第１７５条　(わいせつ物頒布等)

Ⅰ　わいせつな文書、図画、電磁的記録に係る記録媒体その他の物を頒布し、又は公然と陳列した者は、２年以下の懲役若しくは２５０万円以下の罰金若しくは科料に処し、又は懲役及び罰金を併科する。電気通信の送信によりわいせつな電磁的記録その他の記録を頒布した者も、同様とする。

Ⅱ　有償で頒布する目的で、前項の物を所持し、又は同項の電磁的記録を保管した者も、同項と同様とする。

《保護法益》

社会の健全な性的風俗である。

近年問題となっているサイバーポルノへの対応のために、平成23年に改正が行われた。

《注　釈》

一　客体

1　「わいせつ」とは、①徒らに性欲を興奮又は刺激せしめ、かつ、②普通人の正常な性的羞恥心を害し、③善良な性的道義観念に反するものをいう（最判昭26.5.10、最大判昭32.3.13・百選Ⅰ47事件）。この定義を維持しつつも、実務におけるわいせつ概念は、我が国の社会通念を反映して変化している。

<芸術作品などのわいせつ性の判断基準>

「全体的考察方法」	<最大判昭44.10.15（悪徳の栄え事件）> 文章の個々の章句の部分は全体としての文書の一部として意味をもつものであるから、その章句の部分のわいせつ性の有無は文書全体との関連において判断されなければならないとされ、性行為についての露骨な表現が一部に存在する作品であっても、その芸術性・文学性のゆえに性的刺激が緩和ないし昇華され、わいせつに当たらないことがありうる
「全体的考察方法」の精密化	<最判昭55.11.28・百選Ⅱ100事件（四畳半襖の下張事件）> 「性に関する露骨で詳細な描写叙述の程度とその手法、右描写叙述の文書全体に占める比重、文書に表現された思想等と右描写叙述との関連性、文書の構成や展開、さらには芸術性・思想性等による性的刺激の緩和の程度」の観点から、文書を「全体としてみて、主として、読者の好色的興味にうったえるものと認められるか否か」などの諸点から判断すべきである
作者の意図等の文書外の事情との関係	<最判昭48.4.12> 文書のわいせつ性の有無は「その文書自体について客観的に判断すべきものであり、現実の購読層の状況あるいは著者や出版者としての著述、出版意図など当該文書外に存する事実関係」は、文書のわいせつ性の判断の基準外に置かれるべきである〈共

2　「文書」とは、文字により一定の意思内容を表示したものをいう。

3　「図画」とは、象形的方法により表示されたもの一般を指す。

→現像・再生の作業を要する物も「図画」たりうる

4　「電磁的記録に係る記録媒体」は、「物」の例示であり、下記最決平13.7.16・百選Ⅱ〔第7版〕101事件を踏まえて、処罰範囲の明確化を図ったものといえる。

パソコンネットワークにおけるわいせつ画像のデータを記憶・蔵置させたコンピュータのハードディスク（最決平13.7.16・百選Ⅱ〔第7版〕101事件）等は、今後、「電磁的記録に係る記録媒体」に当たるものと解釈されることとなる。

二　行為

1　1項

(1)　前段

(a)「頒布」とは、不特定又は多数人に対して有償又は無償で交付することをいう。特定人に対する1回限りの交付は「頒布」に当たらない〈司が、反復継続する意思があれば、たとえ特定人に対する1回限りの交付であっても「頒布」に当たりうる（大判大6.5.19）〈共。

→「頒布」に当たるためには現実に交付・引渡しがなされることが必要である。そのため、わいせつ物を郵送したが、配送途中の事故により到達せず、交付に至らなかった場合は、わいせつ物頒布罪は成立しない〈司

ex.1　書籍の通信販売事業を営んでいた甲は、日本語で書かれたわいせつ文書である小説を、外国語で書かれているかのように装って複数の外国人に販売したが、これを購入した顧客はいずれも日本語の読解能力に乏しかったため、その小説の内容を理解することができなかった。この場合、甲には、わいせつ物頒布罪が成立する〈司共

ex.2　甲は友人の乙が誕生日を迎えることを知り、わいせつ図画であるDVD 1枚を購入した上、これをお祝いとして乙にプレゼントした。この場合、甲にはわいせつ物頒布罪は成立しない〈司

(b)「公然と陳列」するとは、不特定又は多数人が観覧し得る状態に置くことをいう（最決昭32.5.22）。特定少数人のみが観覧し得る場合であっても、それが不特定多数の者を勧誘した結果であれば、「公然と陳列」に当たりうる（最決昭33.9.5）〈共。

ex.1　ビデオ、映画フィルムの映写

ex.2　録音テープの再生

ex.3　わいせつな画像データをパソコンネットワークに不特定多数の人が容易に見られる形で流す行為（最決平13.7.16・百選Ⅱ〔第7版〕

各論

101事件）

⑵ 後段

(a) 「頒布」とは、不特定又は多数の者の記録媒体上に電磁的記録その他の記録を存在するに至らしめることをいう（最決平26.11.25・百選Ⅱ101事件）。

▼ 最決平26.11.25・百選Ⅱ101事件 〈同共〉

日本国内の顧客に、わいせつ動画等のデータファイルを、日本国外のサーバコンピュータから各自のパソコンにダウンロードさせる方法により取得させた事案において、「不特定の者である顧客によるダウンロード操作を契機とするものであっても、その操作に応じて自動的にデータを送信する機能を備えた配信サイトを利用して送信する方法によってわいせつな動画等のデータファイルを当該顧客のパーソナルコンピュータ等の記録媒体上に記録、保存させること」は、わいせつな電磁的記録の「頒布」に当たるとした。

(b) 「電気通信の送信により」の具体例としては、電子メールやファックスなどによるものが挙げられる。

2 2項

「有償で頒布する目的で、前項の物を所持」するとは、有償頒布目的で1項に規定されたわいせつ物を行為者自身の事実上の支配の下に置くことをいう。本罪の保護法益は、日本国内の性的風俗・秩序であることから、有償頒布目的とは、日本国内において有償で頒布する目的をいう。したがって、日本国外で販売する目的にとどまる場合には、たとえ日本国内においてわいせつな映像が録画されたＤＶＤを所持していたとしても、処罰の対象とはならない（最判昭52.12.22）〈共〉。

▼ 東京高判平25.2.22・平25重判9事件

日本国内の顧客に、わいせつ動画等のデータファイルを、日本国外のサーバコンピュータから各自のパソコンにダウンロードさせる方法により有償で頒布する目的で、ＤＶＤやハードディスクにわいせつな電磁的記録を保管した事案において、「ＤＶＤの複製販売等のほか、……ダウンロードに供することを目的として行うわいせつな電磁的記録の保管は、同条２項にいう『有償で頒布する目的』での保管に該当する」とした。

《その他》

・判例（最決令3.2.1・令３重判２事件）は、動画配信サイトを運営していた甲が、同サイト上でわいせつな動画を不特定多数の者に閲覧させて利益を得ようと考え、わいせつな動画の投稿者を広く勧誘し、その勧誘を受けた乙が同サイトにわいせつな動画を投稿して不特定多数の者が認識できる状態にしたという事案にお

各論

いて、甲自身はわいせつな動画を投稿していなくても、甲にわいせつ電磁的記録記録媒体陳列罪の共同正犯が成立するとしている〈同〉。

∵ 動画配信サイトの運営者甲と、同サイト上にわいせつな動画を投稿した乙との間には、わいせつな動画を投稿・配信することについて、黙示の意思連絡があったと評価することができ、甲の勧誘及び同サイトの管理・運営行為がなければ、乙がわいせつな動画を不特定多数の者が認識できる状態に置くことはなかったこと等の事情によれば、甲乙間の共謀が認められる

【不同意わいせつ罪】

第１７６条 （不同意わいせつ）

Ⅰ 次に掲げる行為又は事由その他これらに類する行為又は事由により、同意しない意思を形成し、表明し若しくは全うすることが困難な状態にさせ又はその状態にあることに乗じて、わいせつな行為をした者は、婚姻関係の有無にかかわらず、６月以上１０年以下の懲役に処する。

① 暴行若しくは脅迫を用いること又はそれらを受けたこと。
② 心身の障害を生じさせること又はそれがあること。
③ アルコール若しくは薬物を摂取させること又はそれらの影響があること。
④ 睡眠その他の意識が明瞭でない状態にさせること又はその状態にあること。
⑤ 同意しない意思を形成し、表明し又は全うするいとまがないこと。
⑥ 予想と異なる事態に直面させて恐怖させ、若しくは驚愕（がく）させること又はその事態に直面して恐怖し、若しくは驚愕していること。
⑦ 虐待に起因する心理的反応を生じさせること又はそれがあること。
⑧ 経済的又は社会的関係上の地位に基づく影響力によって受ける不利益を憂慮させること又はそれを憂慮していること。

Ⅱ 行為がわいせつなものではないとの誤信をさせ、若しくは行為をする者について人違いをさせ、又はそれらの誤信若しくは人違いをしていることに乗じて、わいせつな行為をした者も、前項と同様とする。

Ⅲ １６歳未満の者に対し、わいせつな行為をした者（当該１６歳未満の者が１３歳以上である場合については、その者が生まれた日より５年以上前の日に生まれた者に限る。）も、第１項と同様とする。

【令５改正】近年における性犯罪をめぐる状況に鑑み、この種の犯罪に適切に対処し、性犯罪に対する処罰を強化するという理由の下、改正刑法176条1項は、改正前の強制わいせつ罪（旧176）・準強制わいせつ罪（旧178 Ⅰ）を「不同意わいせつ罪」として規定し直すとともに、その成立要件を大きく改めた。

なお、今般の改正によって、改正前刑法下では処罰できなかった行為が新たに処罰の対象に含まれることになるわけではなく、規定が明確化されることにより、改正前刑法下でも本来であれば処罰されるべき行為が、より的確に処罰されることになるものと解されている。

《保護法益》

個人の性的自由（性的行為を行うかどうか、誰を相手方として行うかを自由に意思決定すること）である。

《注　釈》

一　176条の構造

本罪の保護法益は、個人の性的自由であり、これを侵害するのが性犯罪の本質的な要素である。すなわち、性犯罪の本質的な要素は、「自由な意思決定が困難な状態で行われた性的行為」であることと考えられる。そこで、本罪は、この性犯罪の本質的な要素を「同意しない意思を形成し、表明し若しくは全うすることが困難な状態」(176 Ⅰ柱書）という要件をもって文言化した。

次に、被害者がその「困難な状態」にあったかどうかの判断をより容易かつ安定的に行いやすくするために、その「困難な状態」の原因となり得る行為や事由について、具体的に例示列挙された（176 Ⅰ①～⑧)。

また、不同意わいせつ罪は、強制類型（わいせつな行為を強制する類型）と誤信類型（行為のわいせつ性や人の同一性を誤信させる類型）に分けられる。強制類型の要件を規定しているのが本条１項であり、誤信類型の要件を規定しているのが本条２項である。

そして、被害者が「16歳未満の者」である場合について規定しているのが本条３項である。本条３項は、いわゆる性交同意年齢について規定するとともに、本罪の主体を制限する年齢差要件を設けている。

各論

二「同意しない意思を形成し、表明し若しくは全うすることが困難な状態にさせ又はその状態にあることに乗じて」(Ⅰ柱書)

この要件は、「自由な意思決定が困難な状態で行われた性的行為」という性犯罪の本質的な要素が文言化されたものである。

→行為者が原因を作り出す場合（「困難な状態にさせ」る場合）のみならず、既に存在する原因を利用する場合（「困難な状態……にあることに乗じ」る場合）も本罪の処罰対象に含まれる

同意しない意思を「形成」することが困難な状態とは、性的行為をするかどうかを考えたり、決めたりするきっかけや能力が不足していて、性的行為をしない、したくないという意思を持つこと自体が難しい状態をいう。

ex.　気絶させる場合、眠っていて意識がない場合、精神障害のため性的行為に同意するかどうかを判断する能力が不足している場合

同意しない意思を「表明」することが困難な状態とは、性的行為をしない、したくないという意思を持つことはできたものの、それを外部に表すことが難しい状態をいう。

ex.　口を塞いで身動きできなくする場合、混乱や精神障害などにより意思表明ができない場合、恐怖・驚愕により言葉を発することができない場合

（いわゆるフリーズ状態）

同意しない意思を「全う」（実現）することが困難な状態とは、性的行為をしない、したくないという意思を外部に表すことはできたものの、その意思のとおりになることが難しい状態をいう。

ex.　同意しない意思を表明したものの、相手に押さえつけられたり、恐怖などにより抵抗できない場合

三　強制類型（Ⅰ）

強制類型の要件を規定する本条1項は、1号から8号まで、被害者が「同意しない意思を形成し、表明し若しくは全うすることが困難な状態」の原因となり得る行為や事由を列挙している。もっとも、176条1項柱書は、各号に掲げられた原因行為・原因事由に加えて、「その他これらに類する行為又は事由」（176Ⅰ柱書）と定めているため、各号に掲げられた原因行為・原因事由は例示列挙にすぎないと解されている。

→複数の原因行為・原因事由が相まって「困難な状態」の原因となることもあり、原因行為・原因事由は必ずしも1つに特定される必要はない

1　「暴行若しくは脅迫を用いること又はそれらを受けたこと」（①）

「暴行」とは、人の身体に向けられた不法な有形力の行使をいう（狭義の暴行、暴行罪（208）における「暴行」と同義）。

「脅迫」とは、他人を畏怖させるような害悪の告知をいう（狭義の脅迫、脅迫罪（222）における「脅迫」と同義）。

2　「心身の障害を生じさせること又はそれがあること」（②）

「心身の障害」とは、身体障害、知的障害、発達障害及び精神障害であり、一時的なものを含む。

3　「アルコール若しくは薬物を摂取させること又はそれらの影響があること」（③）

「アルコール若しくは薬物」の「摂取」とは、飲酒や、薬物の投与・服用のことをいう。

「それらの影響がある」とは、被害者が第三者によって飲酒させられたり薬物を摂取させられ、又は自ら飲酒したり薬物を摂取して、それらの影響を受けている場合をいう。

4　「睡眠その他の意識が明瞭でない状態にさせること又はその状態にあること」（④）

「睡眠」とは、眠っていて意識が失われている状態をいう。

「その他の意識が明瞭でない状態」とは、睡眠以外の原因で意識がはっきりしない状態をいう。

ex.　極度の疲労により意識がもうろうとしている場合

各論

5 「同意しない意思を形成し、表明し又は全うするいとまがないこと」(⑤)

性的行為がされようとしていることに気付いてから、性的行為がされるまでの間に、その性的行為について自由な意思決定をするための時間のゆとりがないことをいう。

ex.　すれ違いざまに突然胸部を触る場合

なお、5号は、原因事由のみを規定している。原因行為を定めなかったのは、「いとま」を与えないでなされる性的行為はそれ自体が虚をつくものであり、それと切り離した原因行為を観念しにくいからであると考えられている。

6 「予想と異なる事態に直面させて恐怖させ、若しくは驚愕させること又はその事態に直面して恐怖し、若しくは驚愕していること」(⑥)

予想外の又は予想を超える事態に直面したことから、自分の身に危害が加わると考え、極度に不安になったり、強く動揺して平静を失った状態（いわゆるフリーズ状態）をいう。

ex.　性的行為を求められるとは予想していない被害者に対して、2人きりの密室で執拗に性的行為を迫ることで被害者を激しく動揺させる場合

7 「虐待に起因する心理的反応を生じさせること又はそれがあること」(⑦)

「虐待」とは、暴力による身体的虐待、親の子に対する性的虐待、ネグレクト、他の兄弟姉妹との間における著しい差別などの心理的虐待、いじめなどをいう。

「虐待に起因する心理的反応」とは、虐待を受けたことによる順応（それを通常の出来事として受け入れること）や無力感（抵抗しても無駄だと考えること）、虐待を目の当たりにしたことによる恐怖心を抱いている心理状態などをいう。

8 「経済的又は社会的関係上の地位に基づく影響力によって受ける不利益を憂慮させること又はそれを憂慮していること」(⑧)

「経済的……関係」とは、金銭その他の財産に関する関係を広く含む。

ex.　雇用主と従業員、債権者と債務者、重要な取引先と取引関係にある者

「社会的関係」とは、家庭・会社・学校といった社会生活における関係を広く含む。

ex.　兄弟姉妹、上司と部下、先輩と後輩、教師と学生、コーチと教え子、介護施設職員と入所者

「不利益を憂慮」とは、自らやその親族等に不利益が及ぶことを不安に思うことをいう。客観的に憂慮すべき不利益があったかどうかではなく、被害者本人が主観的に不利益を想起して憂慮することである。

ex.　相手の要求に応じなければ解雇・降格させられてしまうのではないかと不安に思う場合

四　誤信類型（Ⅱ）

本条２項が規定している誤信類型（行為のわいせつ性や人の同一性を誤信させる類型）は、強制類型の場合と異なり例示列挙ではなく、行為のわいせつ性や人の同一性を誤信させる類型に限り処罰の対象となる（限定列挙）。

∵　性的行為を行う際の錯誤には多様なものがあるので、強制類型と同視しうる程度に錯誤によって性的行為に対する自由な意思決定が妨げられたといえる場合に限り、処罰の対象とすべきである

「行為がわいせつなものではないとの誤信をさせ」る場合としては、例えば、真実はわいせつな行為であるのに、医療行為であると誤信させる場合などがこれに当たる。

「行為をする者について人違いをさせ」る場合としては、例えば、真実は配偶者とは別の人物であるのに、暗闇の中で行為者を配偶者と勘違いさせる場合などがこれに当たる。

一方、人の同一性を正しく認識しているが、その属性（職業、資格の有無、既婚・未婚の別、財産状態など）に関する誤信をしているにすぎない場合には、「人違い」には当たらない。例えば、真実は無職であるのにＩＴ企業の社長であると誤信した場合や、真実は既婚者であるのに未婚者であると誤信した場合などは、「人違い」には当たらない。

→「金銭を提供するから」「契約を結んであげるから」「試験に合格させてあげるから」などと偽る場合（いわゆる利益供与型）であっても、いずれも限定列挙である２類型（行為のわいせつ性・人の同一性の誤信）に当たらない以上、本罪は成立しない

五　性交同意年齢（Ⅲ）

1　性交同意年齢

被害者が「16歳未満の者」である場合、原則として、わいせつな行為をしたことのみをもって本罪が成立する。

→ 176条１項各号の原因行為・原因事由の有無や、被害者が「同意しない意思を形成し、表明し若しくは全うすることが困難な状態」にあったかどうかを問わない

したがって、行為者がわいせつな行為をすることについて、16歳未満の被害者があらかじめ同意していた場合であっても、犯罪の成否に影響はなく、原則として、行為者には不同意わいせつ罪が成立する。

このように、刑法は、「16歳未満の者」について、その性的行為に関する同意能力を否定している（性交同意年齢を満16歳としている）。

∵　「16歳未満の者」には、性的行為に関する自由な意思決定の前提となる能力が十分に備わっているとはいえない

各論

2　年齢差要件

本条3項かっこ書は、「16歳未満」の被害者が「13歳以上」である場合には、本罪の主体を被害者より「5年以上」年長の者に制限し、いわゆる年齢差要件を設けている。

13歳未満の被害者については、そもそも「行為の性的意味を認識する能力」が十分に備わっていない以上、およそ性的行為に関する同意能力が否定され、絶対的な保護の対象となる。

一方、13歳以上16歳未満の被害者については、「行為の性的意味を認識する能力」がある程度備わっているものの、一定の年齢差以上の者との関係においては、なお十分に「その行為が自分に与える影響について自律的に考えて理解したり、その結果に基づいて相手に対処する能力」が備わっているとはいえない（すなわち、相手との関係が対等でなければ、性的行為に関する自由な意思決定の前提となる能力に欠ける）。そして、本罪の主体が13歳以上16歳未満の被害者よりも「5年以上」年長であれば、対等な関係は絶対にあり得ないと考えられる。そこで、本条3項は、「5年以上」の年長者によるわいせつな行為を一律に処罰対象とした。

→本罪の主体が13歳以上16歳未満の被害者よりも5年未満の年長にとどまる場合（18歳の甲が14歳の乙に対してわいせつな行為を行った場合など）には、単に176条3項が適用されないというだけであり、別途、176条1項所定の要件を満たす場合には、不同意わいせつ罪が成立する

各論

六 「わいせつな行為」

「わいせつな行為」とは、本人の性的羞恥心の対象となるような行為をいう。

→「わいせつな行為」に当たるかどうかは、被害者本人の具体的な感受性を基準とするのではなく、一般的基準により判断される

なお、「わいせつ」の要件は、公然わいせつ罪（174）やわいせつ物頒布等罪（175）においても用いられているが、これらの罪は社会の健全な性的風俗を保護法益とする社会的法益に対する罪であるのに対し、不同意わいせつ罪は個人の性的自由という個人的法益を直接侵害する罪であるので、不同意わいせつ罪の「わいせつ」概念は前者の「わいせつ」概念よりも広く捉えられる。

ex.　相手の意思に反してキスをする行為は、公然わいせつ罪の「わいせつな行為」には該当しない一方、不同意わいせつ罪の「わいせつな行為」には該当する

七 「婚姻関係の有無にかかわらず」

令和5年改正前においても、行為者と相手方との間に婚姻関係があるかどうかは性犯罪の成立に影響しないと解する見解が一般的であったが、このような理解は条文上明らかにされておらず、学説の一部には、配偶者間の性犯罪の成立を限定的に解する見解もあった。

そこで、令和5年改正により、「婚姻関係の有無にかかわらず」との文言が明記され、配偶者間（夫婦間）においても本罪が成立することが規定上明確化されたことにより、解釈上の疑義が払拭されるに至った。

八　故意・わいせつの意図

1　故意

(1)　本罪の故意が認められるためには、①原因行為・原因事由（176 I ①～⑧)、②「同意しない意思を形成し、表明し若しくは全うすることが困難な状態」(176 I 柱書)、③「わいせつな行為」(176 I 柱書）の認識・認容が必要である。ここでは、これらの評価を基礎づける事実の認識（意味の認識）があれば足りる。

→被害者が同意をしているものと軽信してわいせつな行為に及んだ場合であっても、その行為者が上記②「同意しない意思を形成し、表明し若しくは全うすることが困難な状態」にあることについて認識・認容していれば、故意が認められる

(2)　被害者の年齢及び行為者との年齢差も、本罪の故意における認識の対象である。したがって、被害者が16歳未満の者である場合、行為時に被害者が16歳未満の者であることの認識が必要となる。

→被害者が16歳未満の者であるにもかかわらず、16歳以上の者と誤信し、行為者がその者の同意に基づいてわいせつな行為をしたときは、事実の錯誤として故意が阻却される

また、被害者が13歳以上16歳未満である場合、行為時に被害者との間で「5年以上」の年齢差があることの認識が必要となる。

→被害者との間で「5年以上」の年齢差があるにもかかわらず、それがないと誤信し、行為者がその者の同意に基づいてわいせつな行為をしたときは、事実の錯誤として故意が阻却される

2　わいせつの意図の要否

本罪の成立のために主観的違法要素としてわいせつの意図（自己の性欲を刺激興奮させ、又は満足させる性的意図）が必要かどうかについて、かつての判例（最判昭45.1.29・百選Ⅱ〔第7版〕14事件）は必要説の立場に立っていたが、判例（最大判平29.11.29・百選Ⅱ 14事件）は、明示的な判例変更を行い、不要説の立場に立つに至った。

すなわち、判例（最大判平29.11.29・百選Ⅱ 14事件）〈共〉は、「わいせつな行為に当たるか否かの判断を行うためには、行為そのものが持つ性的性質の有無及び程度を十分に踏まえた上で、事案によっては、当該行為が行われた際の具体的状況等の諸般の事情をも総合考慮し、社会通念に照らし、その行為に性的な意味があるといえるか否かや、その性的な意味合いの強さを個別事案に応じた具体的事実関係に基づいて判断せざるを得ないことになる。したがって、そ

各論

のような個別具体的な事情の一つとして、行為者の目的等の主観的事情を判断要素として考慮すべき場合があり得ることは否定し難い。しかし、そのような場合があるとしても、故意以外の行為者の性的意図を一律に強制わいせつ罪［注：不同意わいせつ罪］の成立要件とすることは相当でな」いと判示した。

→その行為そのものが持つ性的性質が明確な行為の場合には、当該行為が行われた際の具体的状況や行為者の主観を問わず、当然にわいせつ行為と評価される一方、その行為そのものが持つ性的性質が不明確な行為の場合（16歳未満の者や要介護者を入浴させる行為や着替えをさせる行為など）には、「当該行為が行われた際の具体的状況等の諸般の事情をも総合考慮し、社会通念に照らし、その行為に性的な意味があるといえるか否か」を判断することになり、その際には行為者の目的等の主観的事情も考慮することもあり得る

九　未遂

本罪は、わいせつな行為が行われることにより既遂となる。また、未遂犯（180）も処罰されるところ、本罪の実行の着手時期については、まず、「同意しない意思を形成し、表明し若しくは全うすることが困難な状態にさせ」る場合には、その手段としての176条1項各号の原因行為（又はそれらに類する行為）のいずれかが開始された時点で実行の着手が認められる。

→ただし、5号の「同意しない意思を形成し、表明し又は全うするいとまがないこと」は「事由」であって「行為」ではないので、この場合にはわいせつな行為が開始された時点で実行の着手が認められる

次に、「同意しない意思を形成し、表明し若しくは全うすることが困難な状態……にあることに乗じ」る場合には、わいせつな行為が開始された時点で実行の着手が認められる。

十　罪数・他罪との関係

16歳未満の者に対し、176条1項又は2項の要件を満たす形でわいせつな行為をした場合、176条の各項の区別なく176条に該当する一罪が成立する（最決昭44.7.25参照）。

不同意わいせつ罪が同時に公然わいせつ罪（174）の要件を満たす場合には、既に述べたとおり、両者の保護法益は異なるので、不同意わいせつ罪と公然わいせつ罪の観念的競合となる（大判明43.11.17参照）司。

各論

【不同意性交等罪】

第１７７条　（不同意性交等）

Ⅰ　前条第１項各号に掲げる行為又は事由その他これらに類する行為又は事由により、同意しない意思を形成し、表明し若しくは全うすることが困難な状態にさせ又はその状態にあることに乗じて、性交、肛門性交、口腔性交又は膣若しくは肛門に身体の一部（陰茎を除く。）若しくは物を挿入する行為であってわいせつなもの（以下この条及び第１７９条第２項において「性交等」という。）をした者は、婚姻関係の有無にかかわらず、５年以上の有期懲役に処する。

Ⅱ　行為がわいせつなものではないとの誤信をさせ、若しくは行為をする者について人違いをさせ、又はそれらの誤信若しくは人違いをしていることに乗じて、性交等をした者も、前項と同様とする。

Ⅲ　１６歳未満の者に対し、性交等をした者（当該１６歳未満の者が１３歳以上である場合については、その者が生まれた日より５年以上前の日に生まれた者に限る。）も、第１項と同様とする。

【令５改正】不同意わいせつ罪（176）と同じ趣旨の改正である。また、今般の改正により、改正前の強制性交等罪の「性交等」（性交、肛門性交、口腔性交）に加えて、「膣若しくは肛門に身体の一部（陰茎を除く。）若しくは物を挿入する行為であってわいせつなもの」も「性交等」に含むこととされた。

《保護法益》

個人の性的自由（性的行為を行うかどうか、誰を相手方として行うかを自由に意思決定すること）である。

《注　釈》

一　はじめに

本罪における「性交等」は、不同意わいせつ罪における「わいせつな行為」の一態様にほかならないところ、刑法は、「わいせつな行為」のうち「性交等」を本条により特に重く処罰している。そのため、不同意性交等罪は、不同意わいせつ罪の加重・特別類型と解されており、本罪が成立する場合には、法条競合により不同意わいせつ罪の規定の適用が排除される。

不同意性交等罪の構造は、不同意わいせつ罪の構造と同じである。そのため、「性交等」の要件を除き、不同意わいせつ罪において説明した内容が不同意性交等罪においても同様に妥当する。

二　「性交等」

「性交等」とは、①性交、②肛門性交、③口腔性交、④「膣若しくは肛門に身体の一部（陰茎を除く。）若しくは物を挿入する行為であってわいせつなもの」をいう。④は、令和５年改正により新たに「性交等」に含めることとされた態様である。なお、④については、法文上「わいせつなもの」に限定されているが、これは、医療行為や介護の際に行われる行為であって「わいせつなもの」とはいえない行為（薬や生理用品を挿入する場合など）を除外する趣旨である。

→「口腔」に身体の一部や物を挿入するわいせつな行為や、行為者が被害者をして行為者自身の膣・肛門に身体の一部や物を挿入「させる」わいせつな行為は、④に含まれない以上、不同意性交等罪は成立しないが、別途、不同意わいせつ罪が成立しうる

三　未遂

1　本罪は、性交等が行われることにより既遂となる。また、不同意わいせつ罪と同様、未遂犯（180）も処罰される。実行の着手がどの時点で認められるかについては、不同意わいせつ罪において説明したことがそのまま当てはまる。

⇒ p.327 参照

2　176条1項各号の原因行為（又はそれらに類する行為）が行われるにとどまった場合において、その行為者に不同意わいせつ罪の未遂犯が成立するか、不同意性交等罪の未遂犯が成立するかは、その行為者の目的（わいせつな行為を行う目的であったのか、それとも性交等に及ぶ目的であったのか）により区別される。

また、わいせつな行為が行われた場合において、その行為者に不同意わいせつ罪の既遂犯が成立するか、不同意性交等罪の未遂犯が成立するかについても、その行為者の目的により区別される。

四　罪数

16歳未満の者に対し、177条1項又は2項の要件を満たす形で性交等の行為をした場合、177条の各項の区別なく177条に該当する一罪が成立する（最決昭44.7.25参照）。

同一の被害者に対して、同一の機会に不同意わいせつ行為を行い、更に不同意性交等を行った場合には、不同意性交等罪の包括一罪となる。

同一の場所において、数人に対して不同意性交等を行った場合には、それぞれの被害者との関係で複数の不同意性交等罪が成立し、併合罪として処断される。

五　非親告罪

本罪（不同意性交等罪）のほか、不同意わいせつ罪（176）、監護者わいせつ罪（179 Ⅰ）、監護者性交等罪（179 Ⅱ）及びこれらの罪の未遂罪は、非親告罪である〈司予〉。告訴に係る被害者の精神的負担の軽減を図るという趣旨に基づく。

同じ趣旨から、わいせつ目的又は結婚目的の略取・誘拐罪（225）なども非親告罪とされている。

各論

第１７８条　【準強制わいせつ及び準強制性交等】削除

【監護者わいせつ罪・監護者性交等罪】

第１７９条　（監護者わいせつ及び監護者性交等）〈司予

Ⅰ　１８歳未満の者に対し、その者を現に監護する者であることによる影響力があることに乗じてわいせつな行為をした者は、第１７６条第１項＜不同意わいせつ＞の例による〈司。

Ⅱ　１８歳未満の者に対し、その者を現に監護する者であることによる影響力があることに乗じて性交等をした者は、第１７７条第１項＜不同意性交等＞の例による。

[趣旨] 本罪は、子の親などの監護者がその地位や関係性を利用して性的行為に及んだ場合のように、同意がおよそ問題とならない状況下にあったと捉えられる場合を類型化したものであり、たとえ被害者に対する暴行又は脅迫等の事実が認められなくても、不同意わいせつ罪や不同意性交等罪と同等の悪質性・当罰性が認められることから、これを重く処罰するものである。

《保護法益》

18歳未満の者の性的自由である。

《注　釈》

一　はじめに

本罪の適用に当たっては、176条１項各号の原因行為・原因事由の有無や、被害者が「同意しない意思を形成し、表明し若しくは全うすることが困難な状態」にあったかどうかを問わない。

また、本罪は、不同意わいせつ罪や不同意性交等罪では処罰できない行為を捕捉する類型であるため、不同意わいせつ罪や不同意性交等罪が成立する場合には、本罪は成立しない。

二　「18歳未満の者」

本罪の客体は「18歳未満の者」である。

→被害者が「16歳未満の者」であるときは、本罪に関する179条ではなく、16歳未満の者に対する不同意わいせつ罪に関する176条３項、又は16歳未満の者に対する不同意性交等罪に関する177条３項が適用される〈司

三　「現に監護する者」

「現に監護する者」とは、事実上、現に18歳未満の者を監督・保護する関係にあることをいう。民法820条の「監護」と同様の意味であるが、法律上の監護権の存否を問わない。もっとも、親子関係と同視し得る程度に、居住場所、生活費用、人格形成等の生活全般にわたって、依存・被依存又は保護・被保護の関係が認められ、かつ、その関係性に継続性が認められることが求められる。

ex.　実親、養親、児童養護施設の職員（ただし、個別具体的な事案による）

→法律上の監護権を有する者であっても、実際に監護しているという実態がなければ「現に監護する者」に当たらないこともありうる

四　「影響力があることに乗じて」

「影響力」とは、監護者が被監護者の生活全般にわたって、経済的・精神的観点から、現に被監護者を監督し、保護することにより生じる影響力のことをいう。

「乗じて」とは、影響力を及ぼしている状態において行為を行うことをいう。影響力があることを明示して積極的にこれを利用することまでは必要ではない。

→ただし、行為者が監護者であることを相手方に認識させなかった場合（行為者が覆面をして犯行に及んだ場合など）には、「影響力があることに乗じて」に当たらない

五　未遂

本罪は未遂犯（180）も処罰される。実行の着手時期は、わいせつ行為又は性交等の行為が開始された時点である。

第１８０条　（未遂罪）

第１７６条、第１７７条及び前条＜不同意わいせつ、不同意性交等、監護者わいせつ及び監護者性交等＞の罪の未遂は、罰する。

【不同意わいせつ・不同意性交等致死傷罪】

第１８１条　（不同意わいせつ等致死傷）

Ⅰ　第１７６条＜不同意わいせつ＞、若しくは第１７９条第１項＜監護者わいせつ＞の罪又はこれらの罪の未遂罪を犯し、よって人を死傷させた者は、無期又は３年以上の懲役に処する。

Ⅱ　第１７７条＜不同意性交等＞、若しくは第１７９条第２項＜監護者性交等＞の罪又はこれらの罪の未遂罪を犯し、よって人を死傷させた者は、無期又は６年以上の懲役に処する。

《保護法益》

個人の性的自由及び人の生命・身体である。

《注　釈》

一　はじめに

本罪は、不同意わいせつ罪（176）・不同意性交等罪（177）、監護者わいせつ罪（179 Ⅰ）・監護者性交等罪（179 Ⅱ）を基本犯とする結果的加重犯である。「これらの罪の未遂罪を犯し」との文言から、基本犯が未遂罪にとどまる場合であっても、死傷結果が生じれば本罪の既遂犯が成立する。

二　「よって人を死傷させた」

死傷結果は、わいせつな行為・不同意性交等の各行為から生じた場合のほか、

手段としての暴行・脅迫から生じた場合であっても、本罪が成立する（最決昭43.9.17）。さらに、判例（最決昭46.9.22）は、不同意性交の被害者が逃走の際に転倒して傷害を負った場合には、不同意性交等致傷罪が成立するとしており、基本犯に随伴する行為から死傷結果が発生した場合においても、本罪の成立を認めるという立場に立っている。

→もっとも、被害者がショックのあまりに自殺した場合には、被害者の自律的な意思決定に基づく行為が介在しているので、本罪は成立しないと一般に解されている

▼　最決平20.1.22・百選Ⅱ15事件

事案：　甲は、熟睡して意識を失っている状態にあるAにわいせつ行為をしたところ、目を覚ましたAにTシャツをつかまれたため、その場から逃走しようとしてAに暴行を加えて、Aに傷害を負わせた。

決旨：「甲は、Aが覚せいし、甲のTシャツをつかむなどしたことによって、わいせつな行為を行う意思を喪失した後に、その場から逃走するため、Aに対して暴行を加えたものであるが、甲のこのような暴行は、……わいせつ行為に随伴するものといえるから、これによって生じた上記Aの傷害について強制わいせつ致傷罪［注：不同意わいせつ致傷罪］が成立する」。

評釈：　判例の立場では広く本罪の成立を認めることになるので、少なくとも基本犯と時間的・場所的に接着してなされた行為から死傷結果が発生することが必要であると解されている。

各論

《論　点》

◆　死傷結果について故意がある場合

判例（最判昭31.10.25）は、殺人の故意がある場合について、本罪と殺人罪の観念的競合となるとしている。この結論に対しては、死の結果を二重に評価するものであり妥当でないとの批判がなされているが、仮に本罪のみが成立すると解すると、刑の上限が死刑ではなく無期懲役である点で不都合であるし、不同意わいせつ罪・不同意性交等罪と殺人罪の観念的競合と解すると、刑の下限がかえって低くなり刑の均衡を失する以上、判例の立場によるほかないと解されている。

他方、傷害の故意がある場合について、判例はないが、一般的に本罪のみが成立すると解されている。

∵　不同意わいせつ罪・不同意性交等罪と傷害罪の観念的競合とすると、傷害の故意がない場合である本罪よりも刑がかえって軽くなり刑の均衡を失する

【面会要求等罪】

第182条 （16歳未満の者に対する面会要求等）

Ⅰ わいせつの目的で、16歳未満の者に対し、次の各号に掲げるいずれかの行為をした者（当該16歳未満の者が13歳以上である場合については、その者が生まれた日より5年以上前の日に生まれた者に限る。）は、1年以下の懲役又は50万円以下の罰金に処する。

① 威迫し、偽計を用い又は誘惑して面会を要求すること。

② 拒まれたにもかかわらず、反復して面会を要求すること。

③ 金銭その他の利益を供与し、又はその申込み若しくは約束をして面会を要求すること。

Ⅱ 前項の罪を犯し、よってわいせつの目的で当該16歳未満の者と面会をした者は、2年以下の懲役又は100万円以下の罰金に処する。

Ⅲ 16歳未満の者に対し、次の各号に掲げるいずれかの行為（第2号に掲げる行為については、当該行為をさせることがわいせつなものであるものに限る。）を要求した者（当該16歳未満の者が13歳以上である場合については、その者が生まれた日より5年以上前の日に生まれた者に限る。）は、1年以下の懲役又は50万円以下の罰金に処する。

① 性交、肛門性交又は口腔性交をする姿態をとってその映像を送信すること。

② 前号に掲げるもののほか、膣又は肛門に身体の一部（陰茎を除く。）又は物を挿入し又は挿入される姿態、性的な部位（性器若しくは肛門若しくはこれらの周辺部、臀（でん）部又は胸部をいう。以下この号において同じ。）を触り又は触られる姿態、性的な部位を露出した姿態その他の姿態をとってその映像を送信すること。

各論

【令5改正】16歳未満の者は、性的行為に関する自由な意思決定の前提となる能力が十分に備わっていないため、性犯罪の被害に遭う危険性が高い。そこで、16歳未満の者が性被害に遭うのを防止するため、実際の性犯罪に至る前の段階であっても、「性被害に遭う危険性のない保護された状態」（性的保護状態）を侵害する危険を生じさせたり、これを現に侵害する行為を新たに処罰することとされた。

《保護法益》

16歳未満の者の性被害に遭う危険性のない保護された状態（性的保護状態）である。

→究極的には16歳未満の者の性的自由を保護するものと解される

《注 釈》

一 客体

16歳未満の者である。

また、13歳以上16歳未満の者に対する行為については、行為者が「5年以上」年長の者である場合に限られる（年齢差要件。Ⅰ柱書かっこ書、Ⅲ柱書かっこ書）。

∵ 目的とされた行為が犯罪とならない（176 Ⅲかっこ書、177 Ⅲかっこ書参照）のに、その前段階の働きかけ行為が犯罪となるという矛盾を回避するため

二 行為態様

一般に、対面型（対面での面会を目的として行われる類型）と遠隔型（性的な姿態の映像を送信させる類型。離隔型とも呼ばれる）に区別される。

1 対面型

本条1項（面会要求罪）及び2項（面会罪）の行為態様が対面型とされる。いずれも「わいせつの目的」を要する目的犯である。

面会要求罪（Ⅰ）は、単なる要求行為を処罰の対象とするのではなく、面会するかどうかの判断を一般的・類型的にゆがめるような不当な手段（威迫・偽計、反復、利益供与など。Ⅰ①～③参照）を用いて面会を要求する行為を処罰の対象としている。面会要求罪は、性的保護状態に対する抽象的危険犯である。

面会罪（Ⅱ）は、面会の要求行為の結果、行為者と対象者が実際に「面会」（物理的な直接の対面）した場合に成立する。面会罪は、性的保護状態を現に侵害する侵害犯であり、面会要求罪よりも重く処罰される。

2 遠隔型（離隔型）

本条3項（映像送信要求罪）の行為態様が遠隔型（離隔型）とされる。

映像送信要求罪（Ⅲ）は、性交等をする姿態（Ⅲ①）、性的な部位を露出した姿態など（Ⅲ②）をとってその写真や動画を送るよう要求する行為を処罰の対象としている。2号については、「当該行為をさせることがわいせつなものであるもの」に限られる（Ⅲ柱書かっこ書）。映像送信要求罪は、性的保護状態に対する抽象的危険犯とされる（わいせつな行為を行うことを要求している以上、その限りで性的保護状態を現に侵害していると解する見解もある）。

三 他罪との関係

面会要求罪（Ⅰ）及び面会罪（Ⅱ）の行為の結果として、実際にわいせつな行為や不同意性交等に及んだ場合には、不同意わいせつ罪や不同意性交等罪が成立する。また、映像送信要求罪（Ⅲ）の行為の結果として、実際にそれらの映像を送信させた場合には、不同意わいせつ罪が成立する。

この場合において、面会要求等罪も同時に成立し、牽連犯として処断されるか、それとも不同意わいせつ罪や不同意性交等罪に吸収されるかについては争いがある。

面会要求等罪は不同意わいせつ罪や不同意性交等罪の予備罪ではなく、性的保護状態という独立の保護法益の侵害ないし危険が認められる以上、不同意わいせつ罪や不同意性交等罪に吸収されず、牽連犯となると解する見解もある。一方、面会要求等罪も究極的には16歳未満の者の性的自由を保護するものであり、不

同意わいせつ罪や不同意性交等罪の一種の予備罪としての性格を踏まえれば、これらの罰条のみにより評価され、面会要求等罪はこれに吸収されると解することになる（法条競合のうちの吸収関係）。

【淫行勧誘罪、重婚罪】

第１８３条　（淫行勧誘）

営利の目的で、淫行の常習のない女子を勧誘して姦淫させた者は、３年以下の懲役又は３０万円以下の罰金に処する。

第１８４条　（重婚）

配偶者のある者が重ねて婚姻をしたときは、２年以下の懲役に処する。その相手方となって婚姻をした者も、同様とする。

《保護法益》

社会の健全な性的風俗である。淫行勧誘罪（183）は被害者個人の性的自由、重婚罪（184）は家族生活の保護という側面もある。

・第23章・【賭博及び富くじに関する罪】

《保護法益》

勤労によって財産を取得するという健全な経済的風俗である（最大判昭25.11.22）。

【単純賭博罪】

第１８５条　（賭博）

賭博をした者は、５０万円以下の罰金又は科料に処する。ただし、一時の娯楽に供する物を賭けたにとどまるときは、この限りでない。

《注　釈》

一　「賭博」の意義

「賭博」とは、偶然の事情にかかっている結果に関し財物を賭けることをいう。

→偶然の事情とは、客観的にではなく、当事者にとって不確定なことをいう〈予〉

結果を偶然に依存させているようにみえても、当事者の一方が結果を支配している場合には、偶然性に欠けるので賭博罪は成立しない。

→甲が乙とトランプ賭博を行った際、乙の手札の内容が分かるよう不正な細工を施したトランプカードを用いて乙を負けさせ、乙に100万円の支払債務を負担させた場合のように、いわゆる詐欺賭博の事案において、判例（最判昭26.5.8）は、甲に乙に対する詐欺罪の成立を認める一方、賭博罪の成立を否定している〈共〉

二　既遂時期

本罪は、挙動犯であり、賭博行為に着手した時点で直ちに既遂に達する〈予〉。

【常習賭博罪・賭博場開張等図利罪】

> **第186条　(常習賭博及び賭博場開張等図利)**
> Ⅰ　常習として賭博をした者は、3年以下の懲役に処する。
> Ⅱ　賭博場を開張し、又は博徒を結合して利益を図った者は、3月以上5年以下の懲役に処する。

〔常習賭博罪、1項〕

《論　点》

◆「常習」性

「常習」とは、反復して賭博行為をする習癖のあることをいう〈予〉。常習性の有無は、賭博の種類・賭金の多寡、賭博の行われた期間・度数、前科の有無等諸般の事情を斟酌して判断される（最判昭25.3.10、最決昭54.10.26等）。常習性が認められる限り、1回の賭博行為でも本罪が成立する（最決昭54.10.26参照）〈予〉。なお、本罪は、不真正身分犯である〈司予〉。

各論

〔賭博場開張図利罪、2項前段〕

《注　釈》

一　賭博場の開張

「賭博場」の「開張」とは、自ら主催者となり、その支配下において、賭博をさせる場所を開設することをいう（最判昭25.9.14）。設備のいかんを問わず、また一時的な開設でもよいとされており、実際にそこで賭博が行われなくてもよく（大判明43.11.8）、そもそも賭博者を一定の場所に集合させる必要すらない。

判例（最判昭48.2.28）も、「賭博場開張図利罪が成立するためには、必ずしも賭博者を一定の場所に集合させることを要しない」として、賭博場開帳図利罪（186Ⅱ前段）の成立を認めている〈予〉。

二　既遂時期

図利目的をもって（目的犯）、賭博場を開設すれば既遂に達する。

〔博徒結合図利罪、2項後段〕

《注　釈》

◆「博徒を結合して利益を図った」

1　「博徒」とは、常習的又は職業的に賭博を行う者をいう。

2　「結合」するとは、行為者自ら中心となって、博徒との間に親分・子分の関係を結び、一定の区域内で賭博を行う便宜をこれに与えることをいう。

3　利益を図る意思で行われることが必要である（目的犯）。また、同項前段と同様、「利益を図った」ことも要件となる。

【富くじ発売等罪】

第１８７条　（富くじ発売等）

Ⅰ　富くじを発売した者は、２年以下の懲役又は１５０万円以下の罰金に処する。
Ⅱ　富くじ発売の取次ぎをした者は、１年以下の懲役又は１００万円以下の罰金に処する。
Ⅲ　前２項に規定するもののほか、富くじを授受した者は、２０万円以下の罰金又は科料に処する。

《注　釈》

・「富くじ」とは、一定の発売者があらかじめ番号札を発売しておき、その後、抽選その他の偶然性を有する手段を用いてその購買者の間に不平等な利益を分配することを指す。

・第24章・【礼拝所及び墳墓に関する罪】

《保護法益》

宗教上の善良な風俗ないし国民の正常な宗教感情である。

【礼拝所不敬罪・説教等妨害罪、墳墓発掘罪、死体損壊等罪、墳墓発掘死体損壊等罪、変死者密葬罪】

第１８８条　（礼拝所不敬及び説教等妨害）

Ⅰ　神祠、仏堂、墓所その他の礼拝所に対し、公然と不敬な行為をした者は、６月以下の懲役若しくは禁錮又は１０万円以下の罰金に処する。
Ⅱ　説教、礼拝又は葬式を妨害した者は、１年以下の懲役若しくは禁錮又は１０万円以下の罰金に処する。

第１８９条　（墳墓発掘）

墳墓を発掘した者は、２年以下の懲役に処する。

第１９０条　（死体損壊等）

死体、遺骨、遺髪又は棺に納めてある物を損壊し、遺棄し、又は領得した者は、３年以下の懲役に処する。

第１９１条　（墳墓発掘死体損壊等）

第１８９条＜墳墓発掘＞の罪を犯して、死体、遺骨、遺髪又は棺に納めてある物を損壊し、遺棄し、又は領得した者は、３月以上５年以下の懲役に処する。

第１９２条　（変死者密葬）

検視を経ないで変死者を葬った者は、１０万円以下の罰金又は科料に処する。

〔死体損壊等罪、190条〕

《注　釈》

一　行為

1　「損壊」とは、物理的に破壊することをいう。

cf.　屍姦は、屍体を侮辱する行為ではあるが、「損壊」には当たらない（最判昭23.11.16）

2　「遺棄」とは、「習俗上の埋葬等とは認められない態様で死体等を放棄し又は隠匿する行為」をいう（最判令5.3.24・令5重判4事件）。

(1)　死体を共同墓地に埋めても、それが習俗上の埋葬と認められない限り、「遺棄」に当たる（大判大8.5.31）。

(2)　「遺棄」には、死体をその場所に放棄するという不作為も含まれるが、これが処罰されるのは法律上の埋葬義務者に限られる〈司共予〉。そのため、殺人犯が死体を現場にそのまま放棄する行為は、その殺人犯が法律上の埋葬義務者でない限り、「遺棄」には当たらない。一方、殺人犯が犯跡を隠蔽するため、死体を床下に運ぶなどして隠匿する行為は、「遺棄」に当たる（最判昭24.11.26）。

(3)　「遺棄」には、他者が死体を発見することが困難な状況を作出する隠匿という作為も含まれる。この隠匿が「遺棄」に当たるか否かを判断するに当たっては、①それが葬祭の準備又はその一過程として行われたものか否かという観点から検討しただけでは足りず、②その態様自体が習俗上の埋葬等と相いれない処置といえるものか否かという観点から検討する必要がある（最判令5.3.24・令5重判4事件）。

3　「領得」とは、不法に占有を取得することをいう。

二　罪数

1　人を殺害後に死体を不法に損壊した場合

→殺人罪（199）と死体損壊罪の併合罪（45前段）

2　人を殺害後に死体を遺棄した場合

→殺人罪（199）と死体遺棄罪の併合罪（45前段）（大判昭9.2.2）

cf.　死体遺棄は、殺人行為の結果として行われていると考え、牽連犯（54Ⅰ後段）とする見解がある

各論

・第25章・【汚職の罪】

【公務員職権濫用罪】

第１９３条 （公務員職権濫用）

公務員がその職権を濫用して、人に義務のないことを行わせ、又は権利の行使を妨害したときは、２年以下の懲役又は禁錮に処する。

《保護法益》

第一次的には国家の司法・行政作用の適正な運営であり、第二次的には職権濫用の相手方となる個人の法益である〈通。

《注　釈》

一　職権の濫用

1 「職権を濫用し」(職権の濫用) とは、一般的職務権限に属する事項について、不当な目的のために、不法な方法によって行為することを指す。

2 「職権」とは、公務員の一般的職務権限のすべてをいうのではなく、そのうち、職権行使の相手方に対し法律上・事実上の負担ないし不利益を生ぜしめるに足りる特別の職務権限をいう (最決平元.3.14・百選Ⅱ111事件) 〈司。

→「職権」は、必ずしも法律上の強制力を伴うものであることを要しない (最決昭57.1.28) 〈司

→「職権」には個別・具体的に厳密な法的根拠は必要でない

3 「濫用」とは、公務員が、その一般的職務権限に属する事項につき、職権の行使に仮託して実質的、具体的に違法、不当な行為をすることをいう (最決昭57.1.28)。

4 公務員の不法な行為が職務としてなされたとしても、職権を濫用して行われていないときは同罪が成立する余地はない。その反面、公務員の不法な行為が職務とかかわりなくなされたとしても、職権を濫用して行われたときは同罪が成立することがある (最決平元.3.14・百選Ⅱ111事件) 〈司。

二　結果

本罪に未遂犯処罰規定はないので、本罪は「人に義務のないことを行わせ、又は権利の行使を妨害した」という結果が発生したときにのみ成立する。

1 「義務のないことを行わせ」とは、法律上全然義務がないのに行わせ、又は、義務がある場合に不当・不法に義務の態様を変更して行わせることをいう。

2 「権利の行使を妨害し」の「権利」とは、法律上明記された権利に限らず、法律上保護される利益であれば足りる〈司。

3 同罪の成立には、必ずしも職権行使の相手方の意思に直接働きかけ、それを制圧することまで要しない (最決平元.3.14・百選Ⅱ111事件) 〈司。

各論

【特別公務員職権濫用罪】

> **第１９４条　（特別公務員職権濫用）**
> 裁判、検察若しくは警察の職務を行う者又はこれらの職務を補助する者がその職権を濫用して、人を逮捕し、又は監禁したときは、６月以上１０年以下の懲役又は禁錮に処する。

《注　釈》

一　「裁判、検察若しくは警察の職務を行う者」又は「これらの職務を補助する者」

「裁判、検察若しくは警察の職務を行う者」とは、裁判官、検察官、司法警察員を意味する。

「これらの職務を補助する者」とは、裁判所書記官、検察事務官、司法巡査など、その職務上補助者の地位にある者をいう。

→単なる事実上の補助者（少年補導員など）は、職務を補助する職務権限を何ら有するものではないので、「補助する者」には当たらない（最決平6.3.29）

二　「逮捕し、又は監禁した」

本罪は、特定の公務員を主体とした身分犯であり、通常の逮捕・監禁罪（220）よりも重く処罰する不真正身分犯である。

各論

【特別公務員暴行陵虐罪】

> **第１９５条　（特別公務員暴行陵虐）**
> Ⅰ　裁判、検察若しくは警察の職務を行う者又はこれらの職務を補助する者が、その職務を行うに当たり、被告人、被疑者その他の者に対して暴行又は陵辱若しくは加虐の行為をしたときは、７年以下の懲役又は禁錮に処する。
> Ⅱ　法令により拘禁された者を看守し又は護送する者がその拘禁された者に対して暴行又は陵辱若しくは加虐の行為をしたときも、前項と同様とする。

《注　釈》

一　「暴行」

この場合の「暴行」は広義の暴行を指す。　⇒ p.362

二　「陵辱若しくは加虐の行為」（陵虐）

「陵辱若しくは加虐の行為」（陵虐）とは、侮辱的言動や食事・用便を妨げる行為、わいせつな行為などによって、肉体的・精神的に苦痛を与えることをいう。

【特別公務員職権濫用等致死傷罪】

> **第１９６条　（特別公務員職権濫用等致死傷）**
> 前２条の罪を犯し、よって人を死傷させた者は、傷害の罪と比較して、重い刑により処断する。

【単純収賄罪・受託収賄罪・事前収賄罪】

第１９７条　（収賄、受託収賄及び事前収賄）

Ⅰ　公務員が、その職務に関し、賄賂を収受し、又はその要求若しくは約束をしたときは、５年以下の懲役に処する。この場合において、請託を受けたときは、７年以下の懲役に処する。

Ⅱ　公務員になろうとする者が、その担当すべき職務に関し、請託を受けて、賄賂を収受し、又はその要求若しくは約束をしたときは、公務員となった場合において、５年以下の懲役に処する共。

《保護法益》　⇒下記《論点》一

〔単純収賄罪、１項前段〕

《注　釈》

一　「職務に関し」司

1　「職務」とは、公務員がその地位に伴い公務として取り扱うべき一切の業務をいい、独立の決裁権があることを要しない（最判昭28.10.27、最決昭40.10.19）共。

2　具体的に事務分配を受けていなくても、一般的職務権限の範囲内であれば「職務」に当たりうる司。

公務員が具体的事情の下においてその行為を適法に行うことができたかどうかは問うところではない司共。

ex.1　同一「課」の中であれば現に当該事務を担当していなくても一般的職務権限に属する

ex.2　（当時の）運輸大臣を指揮監督して特定の航空機を購入するよう働きかける行為は、内閣総理大臣の職務権限に該当する（最大判平7.2.22・百選Ⅱ107事件）

ex.3　警視庁Ａ警察署地域巡査課に勤務する警察官が、同庁Ｂ警察署刑事課で捜査中の事件に関して、同事件の関係者から現金の供与を受ける行為は、同事件の捜査に関与していなかったとしても、その「職務に関し」賄賂を収受したものであるというべきである（最決平17.3.11・百選Ⅱ105事件）共

ex.4　衆議院大蔵委員会で審査中の法律案について、同法案が廃案になるよう、あるいは自己らに有利に修正されるよう行動等することを依頼して、衆議院議員に対し金員の供与がなされたときは、同議員が同委員会委員でなく、同院運輸委員会委員であっても賄賂罪が成立する（最決昭63.4.11）

ex.5　中央省庁の事務次官が、私人の事業の遂行に不利益となるような行政措置を採らずにいたことの謝礼等として利益を享受したときは、その不

作為について、職務関連性が認められる（最決平14.10.22・平14重判8事件）

3　一般的職務権限の範囲内であれば、将来において行うべき職務でもよい（最決昭61.6.27・百選Ⅱ 108事件）。

ex.　市長が、その任期満了前に、現に市長としての一般的職務権限に属する事項に関し、再選された後に担当すべき具体的職務について請託を受けて賄賂を収受した場合、判例の立場に従うと、甲には受託収賄罪が成立する（最決昭61.6.27・百選Ⅱ 108事件）〈同

4　「職務」には職務密接関連行為も含まれる（大判大2.12.9）。

職務密接関連行為とは、形式的には一般的職務権限に属さず職務権限そのものの行使とはいえないが、それと密接に関係する行為をいう。職務密接関連行為には、自己の本来の職務行為から派生する行為と職務を利用して事実上の影響力を行使する行為の2つの類型がある。

<判例における職務密接関連行為の肯否>

肯定	自己の本来の職務行為から派生する行為	①　村役場の書記が村長の補助として担当していた外国人登録事務（最決昭31.7.12） ②　市議会議員が、会派内で市議会議長選挙の候補者を選出する行為（最決昭60.6.11）
肯定	職務を利用して事実上の影響力を行使する行為	①　板ガラス割当証明書発行事務の担当者が、証明書所有者に対して特定のガラス店から購入するように推薦する行為（最判昭25.2.28） ②　大学設置審議会委員及び同審議会内の歯学専門委員会委員が、審査基準に照らして教員候補者の適否をあらかじめ判定する行為（最決昭59.5.30・百選Ⅱ 106事件） ③　国立芸大の教授が、学生に特定の楽器の購入を勧告斡旋する行為（東京地判昭60.4.8） ④　県立医科大学の教授が、自らが主宰する医局に属する医師を関連病院に派遣する行為（最決平18.1.23・平18重判10事件） ⑤　北海道開発庁長官（当時）が、自己が直接の指揮監督権をもたない下部組織である北海道開発局の港湾部長に対し、競争入札が予定される港湾工事の受注に関し特定業者の便宜を図るように働きかける行為（最決平22.9.7・平22重判12事件）
否定		①　農林大臣（当時）が、復興金融公庫から融資を受けようと考えていた者に対し、県の食料事務所長への紹介状を交付した行為（最判昭32.3.28） ②　電報電話局施設課線路係長が、電話売買の斡旋をする行為（最判昭34.5.26） ③　工場誘致の職務を担当していた公務員が、希望に沿う土地が見つからなかった者に対し、別の私有地を斡旋した行為（最判昭51.2.19）

二　「賄賂」

1　「賄賂」とは、職務に関連する不正の報酬としての一切の利益をいうが、個別の職務行為との間に具体的対価関係があることまでは要しない。また、およそ人

の需要又は欲望を満たす利益であればいかなるものでも「賄賂」に当たる〈司共。

ex. 上場時には価格が確実に公開価格を上回るのを見込まれ、一般人には公開価格で取得することが極めて困難な株式を公開価格で取得できる利益は、「賄賂」に当たる（最決昭63.7.18・百選Ⅱ〔第7版〕103事件）。また、就職のあっせん、地位の供与、異性間の情交なども「賄賂」に当たると解されている

2 中元・歳暮などの名目で贈られても「賄賂」となるが、社交儀礼の範囲内であれば「賄賂」に当たらない（最判昭50.4.24・百選Ⅱ 104事件）〈司。

3 早期に売却する必要があったが、それが難航していた土地について、工事受注の謝礼の趣旨で買い取ってもらった場合には、土地の売買代金が時価相当額であったとしても、その換金の利益は、「賄賂」に当たる（最決平24.10.15・百選Ⅱ 103事件）〈共。

三 行為

1 「収受」とは、供与された賄賂を自己のものとする意思で現実に取得することをいう。

→賄賂を受け取ったとしても、後日返還する意思がある場合には「自己のものとする意思」がないため、「収受」に当たらない

2 「要求」は、一方的なもので足り、相手が応ずる必要はない〈共。

→要求を行った時点で既遂となる

3 「約束」とは、賄賂の授受についての意思の合致をいう。

→後に約束を解除する意思を表示しても賄賂罪の成否には影響しない

四 故意

客体の賄賂性についての認識が必要である。すなわち、目的物が職務行為の対価であることを認識していることを要する。

五 罪数・他罪との関係

1 罪数

賄賂の要求・約束・収受が一連の行為として行われた場合、包括して1個の収賄罪が成立する（大判昭10.10.23）。

2 他罪との関係

公務員が恐喝的・詐欺的方法を用いて賄賂を供与させた場合、恐喝罪（249）・詐欺罪（246）と賄賂罪の関係が問題となる。

判例（大判昭2.12.8、最判昭25.4.6）・通説は、公務員に職務執行の意思がない場合、その公務員は「職務に関し、賄賂を収受」したとはいえず、被害者を恐喝して財物を自己に交付させる意思しか有していないので、収賄罪は成立せず、恐喝罪・詐欺罪のみ成立すると解している。

これに対し、公務員に職務執行の意思がある場合には、恐喝罪・詐欺罪と収賄罪との観念的競合となる（大判昭15.4.22、最決昭39.12.8）。

各論

被害者である賄賂の供与者については、公務員に恐喝罪・詐欺罪しか成立しない場合は不可罰となるが、公務員に収賄罪が成立する場合には贈賄罪（197）も成立する（最決昭39.12.8）。

《論　点》

一　保護法益

賄賂の罪の保護法益については争いがある。

<賄賂罪における保護法益> 司

保護法益	理由	批判
職務の公正とそれに対する国民の信頼（信頼保護説、最大判平7.2.22・百選Ⅱ107事件）	①　職務行為に賄賂が絡まず公正であることについての社会の信頼が害されると、買収や不正の横行につながり、国民の失望・不安、行政不信・政治不信を招く ②　正当な職務・過去の職務に対する賄賂でも職務の公正を疑わせることになる	①　職務の公正を害してもそれに対する国民の信頼を害していない場合に処罰しえなくなるのではないかとの疑問が生じる ②　職務の公正を害する危険が全くない場合でも、根拠のない疑いにより信頼が害された場合に処罰することになるのは疑問（＊1）
職務行為の公正（純粋性説）	①　他の国家的法益と区別し賄賂罪でだけ「信頼」を独立の法益にする必要はない ②　こう解することで、漠然とした疑惑を通じて職務と賄賂の対価関係が曖昧にされることを防ぐことができる	①　過去の職務行為に対しては賄賂罪は成立しえないということになる ②　職務行為が適法であった場合にも賄賂罪が成立することを説明しえない（＊2）

＊1　利益を受けても職務を左右する意思が公務員に全くない場合や、職務に全く裁量を加える余地がない場合など。
＊2　公立学校の教員に、卒業生の父兄一同が、在学中に子弟が世話になった謝礼として現金を贈った場合など。

二　過去の職務と収賄罪の成否 司共

公務員が転職した後、その転職前の職務に関して賄賂を収受等した場合、収賄罪の成否が問題となる。

①　公務員が民間企業に転職した後、公務員であった時の職務行為に関して賄賂を収受等した場合

この場合、主体がもはや公務員ではないので、事後収賄罪以外の収賄罪は成立し得ない 司。

②　公務員が一般的職務権限を同じくする他の公務員の職に転職した後、前職の職務行為に関して賄賂を収受等した場合

この場合、転職前と転職後の職務の一般的職務権限は同じであるので、公務員は転職前の「職務に関して」賄賂を収受等したといえる。したがっ

て、通常の収賄罪（事後収賄罪以外の収賄罪、すなわち単純収賄罪・受託収賄罪・加重収賄罪）が成立する。

③　公務員が一般的職務権限を異にする他の公務員の職に転職した後、前職の職務行為に関して賄賂を収受等した場合 司

甲説：事後収賄罪のみ成立する

∵①　「職務に関し」の「職務」とは、一般的職務権限内の職務を意味するところ、上記③の場合はこれを異にする以上、通常の収賄罪は成立し得ず、事後収賄罪の成否のみが問題となる

②　主体が公務員でも前職との関係では「公務員であった者」にほかならない

←①事後収賄罪に関する197条の3第3項の「公務員であった者」との文言を無視するものであって、妥当でないとの批判や、②事後収賄罪しか成立しないとすると、請託の存在や職務違反行為がなければ不可罰となってしまい、不合理であるとの批判がなされている

乙説：通常の収賄罪（事後収賄罪以外の収賄罪、すなわち単純収賄罪・受託収賄罪・加重収賄罪）が成立する（最決昭58.3.25・百選Ⅱ109事件） 通

∵①　197条1項の「その職務」とは「自己の職務」と解釈すべきであり、必ずしも「現在の職務」と狭く解釈する必要はない

②　過去に担当していた「自己の職務」と賄賂との間に対価関係が認められれば、過去の職務行為の公正及びこれに対する社会一般の信頼が害される

←賄賂が公務員の担当する「その職務」に関するものでなければならないとしている刑法の趣旨をゆがめるものであるとの批判がなされている

〔受託収賄罪、1項後段〕 司 予H27

《注　釈》

一　「請託」

「請託」とは、公務員に対し、一定の職務行為を行うこと、又は行わないことを依頼することを意味する。黙示的でもよく、依頼の内容が正当な職務行為であってもかまわない（最判昭27.7.22）。ただし、依頼の対象である職務行為は、具体的に特定されている必要がある。

→何かと世話になった謝礼と併せて、将来も好意ある取扱いを受けたいという趣旨で利益の供与を行ったとしても、具体的な職務行為が特定されていないので、「請託」があったとはいえない（最判昭30.3.17）

各論

二　請託を「受けた」（受託）

受託とは、公務員が相手方の依頼を承諾することを意味する（最判昭29.8.20）。

〔事前収賄罪、2項〕

《注　釈》

・事前収賄罪は、賄賂が職務行為を行う公務員ではなく「公務員になろうとする者」に収受等される。そのため、職務行為と賄賂との間の対価関係を明確にする観点から、①「請託」の存在、及び②その者が「公務員となった」ことが成立要件とされている。

【第三者供賄罪】

第197条の2（第三者供賄） 〈司共

公務員が、その職務に関し、請託を受けて、第三者に賄賂を供与させ、又はその供与の要求若しくは約束をしたときは、5年以下の懲役に処する。

《注　釈》

一　「第三者」

「第三者」とは、収賄者である公務員やその共同正犯者及び贈賄者以外の者をいう。自然人に限らず、法人等の団体も含む（最判昭29.8.20）。収賄罪の脱法行為の禁止という趣旨から、「第三者」は、供与される金品等が賄賂であると認識していなくてもよい（賄賂性の認識がなくてもよい〈司）し、当該公務員と全く関係がない者でもよい。

→第三者供賄罪は、賄賂が職務行為を行う公務員以外の「第三者」に供与等されるため、職務行為と賄賂との間の対価関係を明確にする観点から、「請託」の存在が要件とされている

二　「供与」

「供与」とは、賄賂を受領させることをいう。他の収賄罪における「収受」と対応する概念である。

【加重収賄罪・事後収賄罪】

第197条の3（加重収賄及び事後収賄） 〈司

Ⅰ　公務員が前2条の罪を犯し、よって不正な行為をし、又は相当の行為をしなかったときは、1年以上の有期懲役に処する。

Ⅱ　公務員が、その職務上不正な行為をしたこと又は相当の行為をしなかったことに関し、賄賂を収受し、若しくはその要求若しくは約束をし、又は第三者にこれを供与させ、若しくはその供与の要求若しくは約束をしたときも、前項と同様とする。

Ⅲ　公務員であった者が、その在職中に請託を受けて職務上不正な行為をしたこと又は相当の行為をしなかったことに関し、賄賂を収受し、又はその要求若しくは約束をしたときは、5年以下の懲役に処する〈共。

各論

〔加重収賄罪、1項・2項〕

《注　釈》

・197条の3第1項は収賄した後に「不正な行為をし、又は相当の行為をしなかった」（枉法行為）場合について、同条2項は枉法行為が行われた後に収賄した場合について規定している。「不正な行為をし、又は相当の行為をしな」いとは、職務に反する一切の作為・不作為をいう（大判大6.10.23）。

〔事後収賄罪、3項〕

《注　釈》

・事後収賄罪は、賄賂が職務行為を行う公務員ではなく「公務員であった者」に収受等されるため、職務行為と賄賂との間の対価関係を明確にする観点から、①「請託」の存在、及び②「不正な行為をしたこと又は相当の行為をしなかったこと」（枉法行為）が成立要件とされている。
・事後収賄罪が成立するためには、在職中の受託に基づく枉法行為の対価としての賄賂を収受・要求・約束したのが退職後でなければならない。
→賄賂を収受・要求・約束したのが退職前（在職中）であれば、加重収賄罪が成立する

▼　最決平21.3.16・平21重判8事件

防衛庁調達実施本部副本部長等の職にあった被告人が、在職中に私企業の幹部から請託を受けて職務上不正な行為をしたうえ賄賂を要求したところ、上記私企業の関連会社が異例の条件で防衛庁を退職した被告人を顧問として受け入れた場合、被告人に同社の顧問としての実態が全くなかったとはいえないとしても、被告人に供与された金員は前記各不正行為との間には対価関係があるというべきであり、事後収賄罪が成立する。

各論

【あっせん収賄罪】

第197条の4　（あっせん収賄）

公務員が請託を受け、他の公務員に職務上不正な行為をさせるように、又は相当の行為をさせないようにあっせんをすること又はしたことの報酬として、賄賂を収受し、又はその要求若しくは約束をしたときは、５年以下の懲役に処する。

《注　釈》

一　「公務員」

積極的に地位を利用してあっせんする必要はないが、公務員の立場であっせんすることを要し、単なる私人としての行為では足りない（最決昭43.10.15）〈同〉。

二　「他の公務員に職務上不正な行為をさせるように、又は相当の行為をさせないようにあっせんをすること又はしたことの報酬として」

1　「あっせん」とは、他の公務員への紹介、仲介、働きかけ、依頼などを意味

する。

2 「他の公務員に職務上不正な行為をさせるように、又は相当の行為をさせないように」あっせんするものであることを要するので、正当な職務行為をするようあっせんしても本罪は成立しない。

公正取引委員会が独占禁止法違反の疑いをもって調査中の審査事件について、公務員が請託を受けて、同委員会の委員長に対し、これを告発しないように働きかけることは、同委員会の裁量判断に不当な影響を及ぼし、適正に行使されるべき同委員会の告発及び調査に関する権限の行使をゆがめようとするものであって、「職務上……相当の行為をさせないようにあっせんする」行為に当たる（最決平15.1.14・百選Ⅱ110事件）。

第１９７条の５　（没収及び追徴）

犯人又は情を知った第三者が収受した賄賂は、没収する〈共〉。その全部又は一部を没収することができないときは、その価額を追徴する。

[趣旨]総則の没収（19）・追徴（19の2）が任意的であるのに対し、本条は必要的な没収と、没収できない場合の追徴を定める。収賄者に賄賂罪による不正の利益を保持させないことを目的とする〈通〉。

《注　釈》

一　対象者

本条の没収・追徴の対象となる者は、「犯人又は情を知った第三者」である。

1 「犯人」には、共犯者も含まれる。

2 「情を知った第三者」とは、賄賂であることを知っている犯人以外の者をいう。

＊ 法人も、その代表者が情を知っている場合は、これに含まれる（最判昭29.8.20）。

3 賄賂が複数の収賄者により共同して収受され、分配された場合においては、各人の分配額に応じて没収・追徴を行う（大判大9.7.16）。

共犯間で分配、保有及び費消の状況が不明であるときは、各人に収受した賄賂の価額全部の追徴を命じることができるが、収賄犯人に不正な利益を許さないという要請が満たされる限りにおいては、共犯者間における帰属、分配が明らかである場合にその分配等の額に応じて各人に追徴を命じるなど、相当と認められる場合には、裁量により、各人にそれぞれ一部の額の追徴を命じ、あるいは一部の者のみに追徴を科することも許される（最決平16.11.8）〈司〉。

二　没収の対象

没収の対象は、犯人又は情を知った第三者の「収受した賄賂」に限られる。

1 提供されただけで収受されなかった賄賂は、本条によっては没収しえないが、犯罪組成物件として、19条1項1号による任意的没収の対象となる。

2 収受した事実がある以上、必ずしも当該賄賂につき収受罪が成立することを要しない。要求罪や約束罪が成立した後、犯罪を構成する事実としてではなく収受したものも含む。

3　謝礼と賄賂が混在しているような場合には、全体について賄賂性が認められ、全体が没収・追徴の対象となる（大判大9.12.10）。

4　数人で共同して収賄した場合には、分配額に応じて没収・追徴する。

5　金銭の貸与を受けて収賄した場合、「収受した賄賂」とはいえず、197条の5による没収はできないが、19条1項3号、19条の2により全額を追徴できる。

三　追徴

「追徴」は、「没収することができないとき」に行われる。

1「没収することができないとき」

(1)　本来的に没収に馴染まない場合

ex.　饗応を受けた酒食（大判大4.6.2）、芸妓の演芸、ゴルフクラブの会員権（最決昭55.12.22）、公務員が自己に代わって弁済してもらった債務 同

(2)　収受された後に費消されたり、滅失した場合

(3)　他の物と混同し、又は情を知らない第三者の所有に移って没収が不能となった場合

2　追徴すべき価額の算定時期

争いあるも、賄賂が収受された当時の価額による（大判昭4.11.8、最大判昭43.9.25）。

∵　収賄者は賄賂たる物を収受することによってその物のその当時の価額に相当する利益を得たものであり、その後の日時の経過等によるその物の価額の増減は右収受とは別個の原因に基づくものにすぎない

3　収賄者が賄賂を贈賄者に返還した場合

(1)　収賄者が贈賄者に返還した場合は、贈賄者から没収すべきである（最決昭29.7.5）。

(2)　収賄者が、賄賂を費消したうえ、その後、同額の金員を贈賄者に返還しても、賄賂そのものの返還ではないから、収賄者から費消した額を追徴しうる（最判昭31.2.3）。

【贈賄罪】

第１９８条（贈賄）

第１９７条から第１９７条の４まで<収賄、受託収賄及び事前収賄、第三者供賄、加重収賄及び事後収賄、あっせん収賄>に規定する賄賂を供与し、又はその申込み若しくは約束をした者は、３年以下の懲役又は２５０万円以下の罰金に処する。

各論

《注　釈》

◆　行為〈予H27

1　「供与」とは、相手方に利益を収受させることである。収受しない場合は申込みにとどまる。

→供与罪と収受罪は必要的共犯であり、収受罪が成立しなければ本罪は成立しない

2　「申込み」とは、利益の提供を申し出て収受を促す行為である。

→相手方の収受の意向に関係なく、一方的なものでよい

ex.　公務員の妻に差し出せば申込みに該当する（大判明43.12.19）

3　「約束」とは、賄賂の供与に関し収受者との間で意思が合致することである。

→約束は、どちらの側から先に申し出たのでもよく、必要的共犯である

<賄賂罪の条文構造>

<table>
<tr><th rowspan="2" colspan="2">犯罪</th><th>主体</th><th colspan="4">行　為</th></tr>
<tr><th>公務員</th><th>職務に関し</th><th>請託を受けて</th><th>賄賂の収受・要求・約束</th><th>不正行為をなし相当行為をなさず</th></tr>
<tr><td colspan="2">単純収賄罪（197 Ⅰ前段）</td><td>○</td><td>○</td><td>×</td><td>○</td><td>×</td></tr>
<tr><td colspan="2">受託収賄罪（197 Ⅰ後段）</td><td>○</td><td>○</td><td>○</td><td>○</td><td>×</td></tr>
<tr><td colspan="2">事前収賄罪（197 Ⅱ）</td><td>公務員になろうとする者</td><td>○</td><td>○</td><td>○</td><td>×</td></tr>
<tr><td colspan="2">第三者供賄罪（197の2）</td><td>○</td><td>○</td><td>○</td><td>第三者に供与させ又は供与の要求・約束</td><td>×</td></tr>
<tr><td rowspan="2">加重収賄罪（197の3）</td><td>1項</td><td rowspan="2">○</td><td colspan="3">197条又は197条の2の罪を犯すこと</td><td>○</td></tr>
<tr><td>2項</td><td>○</td><td>×</td><td>○</td><td>○</td></tr>
<tr><td colspan="2">事後収賄罪（197の3 Ⅲ）</td><td>公務員であった者</td><td>○</td><td>在職中の請託</td><td>退職後の収受・要求・約束</td><td>○（在職中）</td></tr>
</table>

犯罪	主体	行　為			
	公務員	職務に関し	請託を受けて	賄賂の収受・要求・約束	不正行為をなし相当行為をなさず
あっせん収賄罪（197の4）	○	×	○	○	他の公務員をして、その職務上不正行為をさせ又は相当行為をしないようにあっせんする
贈賄罪（198）	制限なし	197条から197条の4に規定されている賄賂の供与・申込・約束			

・第26章・【殺人の罪】

《保護法益》

個人の生命である。

【殺人罪】

第199条　（殺人）

人を殺した者は、死刑又は無期若しくは5年以上の懲役に処する。

第200条　【尊属殺】　削除

《注　釈》

一　「人」の始期・終期

自然人が本罪の客体となりうるのは、出生後、死亡に至るまでの間である。

1　人の始期

「人」の生命・身体は刑法上包括的な保護を受けているのに対し、「胎児」は限定的な保護を受けるにすぎない（ex. 過失堕胎は不可罰）。そこで、いつ「胎児」が「人」になるのか、人の始期が問題となる。

判例（大判大8.12.13）は、胎児の身体の一部が母体から露出したときが人の始期であると解している（一部露出説）。なお、民法においては、胎児の身体の全部が母体から露出したときが人の始期であるとする全部露出説が通説である。

2　人の終期

人の終期は、生命・身体に対する罪と死体損壊罪（190）との分水嶺となる問題であり、その判断基準について争いがある。この点、呼吸・脈拍の不可逆的停止及び瞳孔拡散の三徴候を基礎として総合的に判断する見解（三徴候説）や脳機能の不可逆的喪失の時点とする見解（脳死説）等が対立している。

二　「殺」す行為

殺人の故意をもって、自然の終期に先立って、他人の生命を断絶することを意味する。手段・方法のいかんを問わない。不作為・間接正犯の形態による殺人も可能である。

三　殺意の認定

殺人罪の故意（殺意）を証明する直接証拠が存在せず、情況証拠のみによって認定しなければならない場合も多い。その判断においては、客観的に死の危険性が高い行為をしたか、その認識があったかという点を考慮する。その際、犯行の態様（凶器の種類・形状・用法、創傷の部位・程度）が特に重要な要素となる。たとえば、刃渡りの長い刃物を刺入した場合、身体の枢要部である心臓に刃物を刺入した場合、複数回刃物を刺入した場合等は、殺意が認定されやすい。

【殺人予備罪】

第２０１条　（予備）

第１９９条＜殺人＞の罪を犯す目的で、その予備をした者は、２年以下の懲役に処する。ただし、情状により、その刑を免除することができる。

《注　釈》

一　「予備」

殺人罪の実行の着手に至る前の殺人の準備行為一般をいう。

二　「目的」

1　具体的に自ら殺害行為を遂行する意図のことをいう。

2　他人に殺人を行わせる目的（他人予備）は殺人罪の幇助にほかならないので、殺人予備罪は自己予備についてのみ成立し、他人予備については成立しないと解するのが一般的である。

【自殺関与罪・同意殺人罪】

第２０２条　（自殺関与及び同意殺人）

人を教唆し若しくは幇助して自殺させ、又は人をその嘱託を受け若しくはその承諾を得て殺した者は、６月以上７年以下の懲役又は禁錮に処する。

〔自殺関与罪（自殺教唆・自殺幇助）、前段〕

《注　釈》

一　「人」

死の意味を理解し、自由な意思決定の能力（同意能力）を有する者をいう。

→被害者が幼児（年少者）である場合（大判昭 9.8.27）〈回や、精神障害者である場合（最決昭27.2.21)、これらの者には同意能力がない以上、そもそも自殺関与・同意殺人罪の構成要件該当性が否定され、通常の殺人罪が成立する

二　行為

1　「教唆」とは、自殺の決意を有しない者を唆して、自殺の決意を与え、自殺を行わせることである。

教唆の手段には制限はなく、明示的方法のみならず、暗示的方法でもよい。

＊　教唆の手段・方法は、自殺意思を起こさせるに足りるものであればよいが、意思決定の自由を奪う程度の手段・方法であるときは殺人罪（199）の間接正犯となる。　⇒下記《論点》一

2　「幇助」とは、すでに自殺を決意している者に対して、その自殺行為を援助し、自殺を容易にさせることである。

ex.1　自殺を決意している者に自殺の方法を教えること

ex.2　自殺を決意している者に対して、死後家族の面倒をみると言うこと（精神的幇助）

三　未遂・既遂

1　自殺関与罪の着手時期　⇒下記《論点》二

2　既遂時期

自殺関与罪が既遂となるためには、被教唆者・被幇助者が自殺を遂げたことを要し、教唆・幇助によって本人が自殺しようとしたが死にきれなかったときは未遂にとどまる。

《論　点》

一　殺人罪との区別〈司

殺人罪（199）と自殺関与罪（又は同意殺人罪）とは、相手方の意思に反していたか否かにより区別される。相手方の意思に反していないといえるためには、①自殺者又は被殺者に死の意味を理解し自由な意思決定をする能力（同意能力）があること〈司共、②自殺ないし殺人の嘱託・承諾が任意かつ真意に出たものであること、が必要となる。このうち、②につき、特に欺罔による場合が問題となる。

ex.　Xは追死の意思がないのに、Yを欺き追死するものと誤信させて、自殺に至らせた場合、Xに殺人罪が成立するか〈司

判例（最判昭33.11.21・百選Ⅱ１事件）は、一貫して通常の殺人罪が成立するとしている。学説上は、追死の事実は自殺の決意の本質的要素であり、追死してくれるというのが嘘であると分かっていれば自殺しなかったはずであるので、その自殺の決意は無効であるとして、判例を支持する見解（承諾無効説）もある。

一方、追死に関する欺罔は自殺することの動機の錯誤にすぎず、死ぬこと自体について錯誤があるわけではないので、その自殺の決意は有効であって、自殺関与罪が成立すると解する見解（法益関係的錯誤説）も有力に主張されている。こ

の見解は、法益に関係する錯誤についてのみ承諾が無効となり、これに関係しない動機の錯誤があっても承諾は有効であると解する。

▼　最判昭 33.11.21・百選Ⅱ 1 事件 同共

自己に追死の意思がないのに、被害者を欺罔して追死すると誤信させ、自殺させたときは、通常の殺人罪（199）が成立する。

▼　福岡高宮崎支判平元.3.24・百選Ⅱ〔第7版〕2 事件

虚偽の事実に基づく欺罔威迫等の結果、もはや自殺する以外途はないと誤信させて自殺の決意を生じさせたときは、被害者を利用した殺人行為に該当する。

二　自殺関与罪の着手時期

自殺の教唆ないし幇助を行ったが、本人が意を翻して自殺行為に入らなかった場合に、自殺関与罪の未遂となるか。自殺関与罪の実行の着手時期が問題となる。

自殺関与罪は共犯ではなく、独自の違法性を有する独立の犯罪であると解すると、自殺関与罪の未遂犯も、独自の違法性を有する教唆・幇助の時点で成立するとも思える（教唆・幇助行為基準説）。

→教唆・幇助行為基準説の立場に立つと、被害者が自殺行為に着手しなくても、自殺を教唆・幇助した時点で自殺教唆・幇助罪の未遂犯が成立する

教唆・幇助行為基準説に対しては、より違法性が高い通常の殺人教唆・幇助の場合（殺人を教唆・幇助しただけでは殺人教唆・幇助の未遂犯は成立しない）とのバランスを考慮すると、実行の着手時期が早すぎるとの批判がなされている。

そこで、自殺関与罪は共犯ではなく独立の犯罪であるとしても、自殺者の生命を侵害した点に自殺関与罪の処罰根拠がある以上、生命に対する現実的な危険性が発生した時点、すなわち自殺行為への着手の時点で自殺関与罪の未遂犯が成立すると解するのが通説である（自殺行為基準説）。

〔同意殺人罪（嘱託殺人・承諾殺人）、後段〕 予H23

《注　釈》

一　「人」 ⇒ p.351

⇒ p.351

二　行為

1　「嘱託」とは、被殺者がその殺害を依頼することをいう。

2　「承諾」とは、被殺者がその殺害の申込みに同意することをいう 同。

三　故意

「殺した」とは、199条と同様に人を殺すことの認識が必要である。

ex.　客観的には被害者による殺人行為の嘱託が存在していたが、行為者がこれを理解せず、暴行又は傷害の故意で、嘱託された行為に及んで被害者を死亡させた場合、殺意がない以上、嘱託殺人罪は成立せず、傷害致死罪が

成立する（札幌高判平25.7.11・平26重判5事件）

殺意のほか、被害者の嘱託・承諾の認識を要するかについては、下記《論点》参照。

《論　点》

◆ **被害者の嘱託・承諾に関する行為者の認識の要否**

殺意に加えて、被殺者が嘱託・承諾していたことについて行為者が認識していたことが必要か、202条後段が「嘱託を受け」「承諾を得て」と規定しているため、問題となる。

ex.1　甲は、かねてからAに対して殺意を抱いており、機を狙ってAを殺害したところ、Aは「甲になら殺されてもよい」と常々思っており、実際に甲がAの殺害に及んだ時点でもこれを承諾していたが、甲はAの承諾の存在を全く知らなかった

このような消極的錯誤の事案においては、202条を適用できないので殺人罪（199）が成立すると解する見解もあるが、たとえ被害者が嘱託・承諾していたことについて行為者が認識していなくても、客観的に被害者の真意に基づく嘱託・承諾が存在する以上、被害者の意思に反する生命侵害の危険性はないので、199条の実行行為性が認められず、同意殺人罪が成立すると解する見解が通説である。裁判例（大阪高判平10.7.16参照）も同じ立場に立っている。

ex.2　甲は、Aが「甲になら殺されてもよい」などと言っていたのを真に受けて、実際にAは殺害について全く同意していないのに、Aが同意しているものと誤信して、Aを殺害した〈予R3

このような積極的錯誤の事案においては、抽象的事実の錯誤が問題となり、38条2項の適用により、構成要件が実質的に重なり合う限度で、甲には同意殺人罪が成立する（大判明43.4.28）。

第２０３条　（未遂罪）

第１９９条＜殺人＞及び前条の罪の未遂は、罰する。

各論

・第27章・【傷害の罪】

《保護法益》

身体の安全である。

【傷害罪】

> **第２０４条　（傷害）**
> 人の身体を傷害した者は、１５年以下の懲役又は５０万円以下の罰金に処する。

《注　釈》

一　「人の身体」

「人の身体」とは、犯人以外の自然人の身体をいう。自傷行為は本罪を構成しない〈予H24〉。

二　「傷害」

「傷害」とは、「被害者の健康状態を不良に変更し、その生活機能の障害を惹起したもの」（最決平24.1.30・百選Ⅱ４事件）、すなわち、人の生理的機能の障害を惹起することをいう（生理的機能説）。

暴行（有形的方法）による場合が一般であるが、無形的方法による場合でもよい〈共〉。

各論

《論　点》

一　「傷害」の意義

「傷害」の意義については、以下のように見解が対立する。

＜「傷害」の意義＞

	甲説 （最決平24.1.30・百選Ⅱ４事件）〈司〉	乙説	丙説
内容	人の生理的機能の障害	人の身体の完全性を害すること	人の生理的機能を害すること並びに身体の外形に重要な変更を加えること
具体的事案におけるあてはめ			
毛髪の剃去	×	○	○
少量の毛髪の切り取り	×	○	×
めまいを生じさせる	○	×	○

（○：傷害罪成立　×：傷害罪不成立）

<判例上傷害とされた例、暴行とされた例>

傷害とされた例	・中毒・めまい・嘔吐（大判昭 8.6.5） ・失神（大判昭 8.9.6） ・梅毒の感染（最判昭 27.6.6）〈共 ・胸部の疼痛（最決昭 32.4.23） ・全治 10 日間の内出血痕（東京高判昭 46.2.2） ・嫌がらせ電話により不安感を与えたことによる精神衰弱症（東京地判昭 54.8.10） ・ラジオや目覚まし時計を大音量で長時間鳴らして精神的ストレスを与えたことによる睡眠障害等（最決平 17.3.29・百選Ⅱ 5 事件） ・睡眠薬等による意識障害及び急性薬物中毒（最決平 24.1.30・百選Ⅱ 4 事件）〈共 ・ＰＴＳＤによる精神的機能障害（最決平 24.7.24・平 24 重判 5 事件）〈共
傷害と認められず、暴行とされた例	・剃刀による女性の頭髪の切断（大判明 45.6.20）〈司共

二　暴行の故意で傷害の結果が発生した場合

傷害罪は、傷害の故意犯のみならず、暴行罪の結果的加重犯も含むと解するのが判例（最判昭 25.11.9 参照）・通説である〈司共。したがって、傷害の故意として、暴行による傷害の場合には暴行の故意で足りる。

∵　仮に暴行の故意により傷害結果が生じても傷害罪の成立を認めないとすると、罰金刑のみの過失傷害罪（209）しか成立しない（208 条は「暴行を加えた者が人を傷害するに至らなかったとき」と規定しているので、傷害結果が生じた場合に暴行罪の成立を認めるのは文言上無理がある）が、それでは暴行にとどまった場合より傷害結果が生じた場合の方がかえって刑が軽くなり、刑の均衡を失する

一方、暴行によらない傷害の場合には、暴行を経由しない以上、暴行の故意が考えられないので、傷害の故意が必要となる。

三　罪数

甲は、眼鏡を掛けた乙の顔面を、眼鏡の上から拳で殴打し、眼鏡を損壊するとともに、乙に全治１週間を要する顔面打撲の傷害を負わせた場合、器物損壊罪は傷害罪に吸収され、傷害罪のみが成立する〈司。

【傷害致死罪】

> **第２０５条　（傷害致死）**
>
> 身体を傷害し、よって人を死亡させた者は、３年以上の有期懲役に処する。

《注　釈》

・本罪は、傷害罪の結果的加重犯である。

・判例は、致死についての過失は不要とするが、責任主義の見地から必要とする見解もある。

【現場助勢罪】

第２０６条　（現場助勢）

前２条<傷害、傷害致死>の犯罪が行われるに当たり、現場において勢いを助けた者は、自ら人を傷害しなくても、１年以下の懲役又は１０万円以下の罰金若しくは科料に処する〈司〉。

《注　釈》

一　「前２条の犯罪が行われるに当たり、現場において」〈司〉

「前２条の犯罪が行われるに当たり」と規定されているので、傷害罪又は傷害致死罪が行われる場合でなければならない。したがって、本犯が暴行にとどまった場合や、殺人や強盗致死傷などの場合には、本罪は成立しない。

二　「現場において勢いを助けた」

「現場」とは、その暴行が開始されてから結果発生に至るまでの時及び場所をいう。

「勢いを助け」るとは、単に「やれ、やれ」というように、はやしたてるにすぎない行為をいう。

三　「自ら人を傷害しな」いこと

傷害したときは傷害罪の共同正犯（60・204）又は同時犯が成立し、助勢行為はその罪に吸収される。

《論　点》

◆　**法的性格**

現場における声援行為が本罪に当たるのはどのような場合か。本罪の法的性格と関連して問題となる。

<現場助勢罪の法的性格>

現場助勢罪の性格	傷害の幇助に当たらない単なる助勢行為を独立に処罰するもの	現場における幇助行為を特別罪として定めたもの
根拠	傷害現場における扇動行為自体の危険性に着目する	野次馬の群集心理を考慮し、その責任を緩和している
傷害現場で双方に声援した場合	現場助勢罪（＊１）	現場助勢罪（＊２）
傷害現場で一方に声援した場合	傷害罪の幇助犯（＊１）	

現場助勢罪の性格	傷害の幇助に当たらない単なる助勢行為を独立に処罰するもの	現場における幇助行為を特別罪として定めたもの
現場で双方に声援したが傷害に至らなかった場合	不可罰	暴行罪の幇助犯の余地あり

＊1　双方の声援をする行為は単なる助成行為であり現場助勢罪に当たるが、現場において精神的に鼓舞する行為が特定の正犯者の傷害行為を容易にし、その幇助を構成する場合には、傷害罪の幇助犯が成立し、現場助勢罪は成立しない（大判昭2.3.28）共。

＊2　現場助勢の態様である限り、形式上傷害罪の幇助に当たるとしても206条で処罰すべきとされる。

第２０７条　（同時傷害の特例）

２人以上で暴行を加えて人を傷害した場合において、それぞれの暴行による傷害の軽重を知ることができず、又はその傷害を生じさせた者を知ることができないときは、共同して実行した者でなくても、共犯の例による。

[趣旨]207条の趣旨は、共犯関係にない２人以上の者が暴行を加えた事案において、立証困難の回避及び被害者保護の観点から、被告人側に立証責任を転換し、被告人側は積極的に自己の関与した暴行がその傷害を生じさせていないことを立証しない限り、傷害についての責任を免れないとする点にある。

たとえば、甲と乙がAに各々暴行を加えて傷害を負わせたが、甲乙間に共謀が存在せず、Aの傷害がいずれの暴行によって生じたものかが不明である場合、「疑わしきは被告人の利益に」の原則から、甲と乙に傷害罪の責任を負わせることができず、それぞれ暴行罪が成立するにとどまるとも思える。

しかし、２人以上の者が暴行を加える事案では、そもそも生じた傷害の原因となった暴行を特定することが困難な場合が多いことなどに鑑み、たとえ共犯関係が立証されない場合であっても、立証困難の回避及び被害者保護の観点から、暴行を加えた者全員に傷害罪の成立を認めるという特例を規定しているのが本条である。

《注　釈》

一　要件同共予

1　「２人以上の者」が、意思の連絡なく、同一人に対して、故意をもって暴行を加えたこと

2　各暴行が当該傷害を生じさせ得る危険性を有するものであること

3　各暴行が外形的には共同実行に等しいと評価できるような状況において行われたこと（同一の機会に行われたものであること）

厳密な意味で同時である必要はなく、順次、暴行が行われていったような場合であっても機会の同一性は認められるが、暴行の時間的・場所的同時性ない

し接着性が必要とされている。

4　傷害の原因となる暴行が特定できないこと（各人の暴行がどの程度の傷害を加えたかについて特定できず、又は傷害を生じさせた者を特定できないこと）

▼ 最決令2.9.30・令2重判4事件

事案：　A・Bは、共謀の上、被害者に対して暴行を加えた。その後、Xは、A・Bに加勢しようと考え、暴行につきA・Bと暗黙のうちに共謀し、A・Bとともに被害者に対して暴行を加えた。被害者は、右第六肋骨骨折（①傷害）及び上口唇切創（②傷害）を負ったが、これらの傷害結果がXの共謀加担の前後いずれの段階の暴行によって生じたのかは不明である。なお、Xの暴行には①傷害を生じさせ得る危険性があったが、②傷害を生じさせ得る危険性はなかった。

決旨：「同時傷害の特例を定めた刑法207条は、2人以上が暴行を加えた事案においては、生じた傷害の原因となった暴行を特定することが困難な場合が多いことなどに鑑み、共犯関係が立証されない場合であっても、例外的に共犯の例によることとしている。同条の適用の前提として、検察官が、各暴行が当該傷害を生じさせ得る危険性を有するものであること及び各暴行が外形的には共同実行に等しいと評価できるような状況において行われたこと、すなわち、同一の機会に行われたものであることを証明した場合、各行為者は、自己の関与した暴行がその傷害を生じさせていないことを立証しない限り、傷害についての責任を免れない」。

「刑法207条適用の前提となる上記の事実関係が証明された場合、更に途中から行為者間に共謀が成立していた事実が認められるからといって、同条が適用できなくなるとする理由はなく、むしろ同条を適用しないとすれば、不合理であって、共謀関係が認められないときとの均衡も失するというべきである。したがって、他の者が先行して被害者に暴行を加え、これと同一の機会に、後行者が途中から共謀加担したが、被害者の負った傷害が共謀成立後の暴行により生じたものとまでは認められない場合であっても、その傷害を生じさせた者を知ることができないときは、同条の適用により後行者は当該傷害についての責任を免れないと解するのが相当である。先行者に対し当該傷害についての責任を問い得ることは、同条の適用を妨げる事情とはならないというべきである。

また、刑法207条は、2人以上で暴行を加えて人を傷害した事案において、その傷害を生じさせ得る危険性を有する暴行を加えた者に対して適用される規定であること等に鑑みれば、上記の場合に同条の適用により後行者に対して当該傷害についての責任を問い得るのは、後行者の加えた暴行が当該傷害を生じさせ得る危険性を有するものであるときに限られると解するのが相当である。後行者の加えた暴行に上記危険性がないときには、その危険性のある暴行を加えた先行者との共謀が認められるからといって、同条を適用することはできないというべきである。」

「本件において、Xが共謀加担した前後にわたる一連の前記暴行は、同一の機会に行われたものであるところ、Xは、①の傷害を生じさせ得る危険性のある暴行を加えており、刑法207条の適用により同傷害についての責任を免れない。これに対し、Xは、②の傷害を生じさせ得る危険性のある暴行を加えていないから、同条適用の前提を欠いている。そうすると、原判決には、Xが同傷害についても責任を負うと判断した点で、同条の解釈適用を誤った法令違反がある」。

二 適用範囲・効果〈司予

1 傷害罪以外の罪への適用の可否〈司H18

⑴ 判例（最判昭26.9.20）は、傷害致死罪（205）の場合にも本条の適用を肯定している。判例を支持する学説は、立証困難の回避及び被害者保護という207条の趣旨は傷害致死罪の場合にもあてはまるとしている〈共。他方、判例に反対する学説は、207条は例外的な規定であり、「傷害した場合」との文言から、傷害罪以外の罪には適用すべきでないとしている。

⑵ 第1暴行と第2暴行のいずれもが傷害結果を生じさせ得る危険性を有し、かつ、その傷害結果がいずれの暴行によるものかが不明ではあるものの、第2暴行と死亡との間に因果関係が認められる傷害致死の事案において、裁判例（名古屋地判平26.9.19）は、第2暴行と死亡との間に因果関係が認められる以上、死亡結果について責任を負うべき者がいなくなる不都合を回避するための特例である207条を適用する前提に欠けるとして、207条の適用を否定した〈司共。

もっとも、この見解に対しては、暴行と実際に発生した傷害との因果関係について検討しないで、直ちに死亡との因果関係を問題にしている点で、暴行と傷害との因果関係が不明であることを要件とする刑法207条の規定内容に反するとの批判がなされている。

判例（最決平28.3.24・百選Ⅱ6事件）は、207条適用の前提となる事実関係が証明された場合には、「各行為者は、同条により、自己の関与した暴行が死因となった傷害を生じさせていないことを立証しない限り、当該傷害について責任を負い、更に同傷害を原因として発生した死亡の結果についても責任を負う……このような事実関係が証明された場合においては、本件のようにいずれかの暴行と死亡との間の因果関係が肯定されるときであっても、別異に解すべき理由はなく、同条の適用は妨げられない」としている〈司〈司R3。

2 承継的共同正犯と207条との関係 ⇒ p.139

3 効果

「共犯の例による」。すなわち、60条が適用され、共同正犯として処断される。

各論

《その他》

・本条は過失致死罪（210）・器物損壊罪（261）・殺人罪（199）には適用されない 司。

【暴行罪】

> **第２０８条　（暴行）**
>
> 暴行を加えた者が人を傷害するに至らなかったときは、２年以下の懲役若しくは３０万円以下の罰金又は拘留若しくは科料に処する。

《注　釈》

一　「暴行」

1　本条の「暴行」とは、人の身体に対する不法な有形力の行使を意味する。

ex.1　狭い四畳半の部屋で日本刀の抜き身を振り回す行為（最決昭39.1.28・百選Ⅱ３事件）共

ex.2　剃刀による女性の頭髪の切断（大判明45.6.20）司共

ex.3　有形力には、物理的な力に加え、音・光・電気などのエネルギーも含む 共

2　「暴行」概念

＜「暴行」概念の整理＞

暴行概念＼論点	暴行の客体	暴行の程度	該当する犯罪類型
最広義の暴行	人でも物でもよい	一地方の公共の平穏を害する程度	内乱罪（77） 騒乱罪（106） 多衆不解散罪（107）
広義の暴行	人、人の体に物理的影響力を与える限り物でもよい（間接暴行）	各規定が予定する不都合な状態を現出させ、又は相手方に不当な作為・不作為を強要しうる程度	公務執行妨害罪（95Ⅰ） 職務強要罪（95Ⅱ） 加重逃走罪（98） 逃走援助罪（100） 特別公務員暴行陵虐罪（195） 強要罪（223）
狭義の暴行	人の身体	不法な有形力の行使	暴行罪（208） 不同意わいせつ罪（176Ⅰ①）
最狭義の暴行	人	被害者の反抗を抑圧する程度	強盗罪（236） 事後強盗罪（238）（＊）

＊　事後強盗罪については争いあるも、判例は、強盗罪と同様に解している。

各論

二 「傷害するに至らなかった」こと

暴行の故意で傷害の結果が発生した場合は、傷害罪が成立する（最判昭25.11.9）〈同。 ⇒ p.357

《自動車の運転により人を死傷させる行為等の処罰に関する法律》

【危険運転致死傷罪、準危険運転致死傷罪、過失運転致死傷アルコール等影響発覚免脱罪、過失運転致死傷罪】

第１条　（定義）

Ⅰ　この法律において「自動車」とは、道路交通法（昭和３５年法律第１０５号）第２条第１項第９号に規定する自動車及び同項第１０号に規定する原動機付自転車をいう。

Ⅱ　この法律において「無免許運転」とは、法令の規定による運転の免許を受けている者又は道路交通法第１０７条の２の規定により国際運転免許証若しくは外国運転免許証で運転することができるとされている者でなければ運転することができないこととされている自動車を当該免許を受けないで（法令の規定により当該免許の効力が停止されている場合を含む。）又は当該国際運転免許証若しくは外国運転免許証を所持しないで（同法第８８条第１項第２号から第４号までのいずれかに該当する場合又は本邦に上陸（住民基本台帳法（昭４２年法律第８１号）に基づき住民基本台帳に記録されている者が出入国管理及び難民認定法（昭和２６年政令第３１９号）第６０条第１項の規定による出国の確認、同法第２６条第１項の規定による再入国の許可（同法第２６条の２第１項（日本国との平和条約に基づき日本の国籍を離脱した者等の出入国管理に関する特例法（平成３年法律第７１号）第２３条第２項において準用する場合を含む。）の規定により出入国管理及び難民認定法第２６条第１項の規定による再入国の許可を受けたものとみなされる場合を含む。）又は出入国管理及び難民認定法第６１条の２の１２第１項の規定による難民旅行証明書の交付を受けて出国し、当該出国の日から３月に満たない期間内に再び本邦に上陸した場合における当該上陸を除く。）をした日から起算して滞在期間が１年を超えている場合を含む。）、道路（道路交通法第２条第１項第１号に規定する道路をいう。）において、運転することをいう。

第２条　（危険運転致死傷）

次に掲げる行為を行い、よって、人を負傷させた者は１５年以下の懲役に処し、人を死亡させた者は１年以上の有期懲役に処する。

①　アルコール又は薬物の影響により正常な運転が困難な状態で自動車を走行させる行為

②　その進行を制御することが困難な高速度で自動車を走行させる行為

③　その進行を制御する技能を有しないで自動車を走行させる行為

④　人又は車の通行を妨害する目的で、走行中の自動車の直前に進入し、その他通行中の人又は車に著しく接近し、かつ、重大な交通の危険を生じさせる速度で自動車を運転する行為

各論

⑤　車の通行を妨害する目的で、走行中の車（重大な交通の危険が生じることとなる速度で走行中のものに限る。）の前方で停止し、その他これに著しく接近することとなる方法で自動車を運転する行為

⑥　高速自動車国道（高速自動車国道法（昭和３２年法律第７９号）第４条第１項に規定する道路をいう。）又は自動車専用道路（道路法（昭和２７年法律第１８０号）第４８条の４に規定する自動車専用道路をいう。）において、自動車の通行を妨害する目的で、走行中の自動車の前方で停止し、その他これに著しく接近することとなる方法で自動車を運転することにより、走行中の自動車に停止又は徐行（自動車が直ちに停止することができるような速度で進行することをいう。）をさせる行為

⑦　赤色信号又はこれに相当する信号を殊更に無視し、かつ、重大な交通の危険を生じさせる速度で自動車を運転する行為

⑧　通行禁止道路（道路標識若しくは道路標示により、又はその他法令の規定により自動車の通行が禁止されている道路又はその部分であって、これを通行することが人又は車に交通の危険を生じさせるものとして政令で定めるものをいう。）を進行し、かつ、重大な交通の危険を生じさせる速度で自動車を運転する行為

第３条

Ⅰ　アルコール又は薬物の影響により、その走行中に正常な運転に支障が生じるおそれがある状態で、自動車を運転し、よって、そのアルコール又は薬物の影響により正常な運転が困難な状態に陥り、人を負傷させた者は１２年以下の懲役に処し、人を死亡させた者は１５年以下の懲役に処する。

Ⅱ　自動車の運転に支障を及ぼすおそれがある病気として政令で定めるものの影響により、その走行中に正常な運転に支障が生じるおそれがある状態で、自動車を運転し、よって、その病気の影響により正常な運転が困難な状態に陥り、人を死傷させた者も、前項と同様とする。

第４条　（過失運転致死傷アルコール等影響発覚免脱）

アルコール又は薬物の影響によりその走行中に正常な運転に支障が生じるおそれがある状態で自動車を運転した者が、運転上必要な注意を怠り、よって人を死傷させた場合において、その運転の時のアルコール又は薬物の影響の有無又は程度が発覚することを免れる目的で、更にアルコール又は薬物を摂取すること、その場を離れて身体に保有するアルコール又は薬物の濃度を減少させることその他その影響の有無又は程度が発覚することを免れるべき行為をしたときは、１２年以下の懲役に処する。

第５条　（過失運転致死傷）

自動車の運転上必要な注意を怠り、よって人を死傷させた者は、７年以下の懲役若しくは禁錮又は１００万円以下の罰金に処する。ただし、その傷害が軽いときは、情状により、その刑を免除することができる。

第6条 （無免許運転による加重）

Ⅰ　第2条（第3号を除く。）の罪を犯した者（人を負傷させた者に限る。）が、その罪を犯した時に無免許運転をしたものであるときは、6月以上の有期懲役に処する。

Ⅱ　第3条の罪を犯した者が、その罪を犯した時に無免許運転をしたものであるときは、人を負傷させた者は15年以下の懲役に処し、人を死亡させた者は6月以上の有期懲役に処する。

Ⅲ　第4条の罪を犯した者が、その罪を犯した時に無免許運転をしたものであるときは、15年以下の懲役に処する。

Ⅳ　前条の罪を犯した者が、その罪を犯した時に無免許運転をしたものであるときは、10年以下の懲役に処する。

《概　要》

・自動車の運転により人を死傷させる行為等の処罰に関する法律（自動車運転死傷行為処罰法）の制定

旧208条の2に規定されていた危険運転致死傷罪は、平成25年11月の法改正により、「自動車の運転により人を死傷させる行為等の処罰に関する法律」（平成25年11月27日法律第86号。平成26年5月20日に施行）（以下「法」という。）に組み込まれることとなった（法2条、3条参照）。これは、自動車運転による死傷事犯の実情等に鑑み、事案の実態に即した対処をするため、悪質かつ危険な自動車の運転により人を死傷させた者に対する新たな罰則を創設するなど所要の罰則を整備しようとしたものである。

《注　釈》

一　旧208条の2から移されたもの（法2①～④、⑦）

1　酩酊運転致死傷罪（法2①）共

「アルコール又は薬物の影響により正常な運転が困難な状態で自動車」を走行させ、よって、人を死傷させる罪である。

(1)「薬物」

運転者の精神的又は身体的能力に影響を及ぼす薬理作用を有するものをいう。

→アルコール等の影響が認められるのであれば、過労等の他の原因と競合していても差し支えない

ex.　ヘロインなどの規制薬物、睡眠薬などの医薬品、シンナーなど

(2)「正常な運転が困難な状態」

道路や交通の状況等に応じた運転をすることが難しい状態になっていることをいう。

→アルコールの影響により前方を注視してそこにある危険を的確に把握

各論

して対処することができない状態もこれに当たる（最決平23.10.31・平23重判2事件）〈同〉

ex.　甲は、覚醒剤を使用した後、自動車の運転を開始したが、運転中、覚醒剤の影響により正常な運転が困難な状態になったのに、それを認識しながらあえて運転を続けたため、自車を電柱に激突させ、同乗者を死亡させた。この場合、甲には危険運転致死罪が成立する〈同〉

(3)　因果関係

本罪は危険な運転行為に「よって」死傷の結果を生じさせた場合に成立する。

ex.1　被害者の飛び出しが原因である場合のように、適法な運転をしたとしても回避不能な結果については因果関係は認められない

ex.2　危険な運転行為中に脇見運転をして事故を起こした場合、脇見運転が事故の原因であるように思われるが、危険な運転行為をしていなければ回避可能であったといえるから因果関係を認めてよい

(4)　故意

自己が「正常な運転が困難な状態」であることの認識が必要であるが、その認識は困難性を基礎付ける事実の認識があれば足りる。

(5)　責任能力

責任能力が認められるためには、行為の違法性を認識し（是非弁別能力）、その弁識に従って行動を制御する能力（行動制御能力）が必要である。行為者に弁識能力又は制御能力のいずれかが欠けている場合には心神喪失として責任能力が否定され（39Ⅰ）、弁識能力又は制御能力が著しく低い場合には心神耗弱として責任能力が限定的に認められる（同Ⅱ）。酩酊運転致死傷罪においても、酩酊の程度によっては、責任能力が否定又は限定されることがある〈同〉。一般に、普通酩酊の場合には完全な責任能力が認められるが、病的酩酊の場合には原則として責任能力が否定され、重症の酩酊又は異常酩酊の場合には責任能力が限定的に認められる。

2　制御困難運転致死傷罪（法2②）

「その進行を制御することが困難な高速度で自動車」を走行させ、よって、人を死傷させる罪である。

(1)　「その進行を制御することが困難な高速度」

速度が速すぎるため自らの車を進路に沿って走行させることが困難な速度をいう〈同〉。

(2)　故意

進行の制御困難性を基礎付ける事実の認識が必要である。

3　未熟運転致死傷罪（法2③）

「その進行を制御する技能を有しないで自動車」を走行させ、よって、人を

死傷させる罪である。

(1) 「進行を制御する技能を有しない」

運転技量が極めて未熟なことをいう。単に無免許という意味ではない。

ex. 甲は、自動車の運転免許を取得したことも運転経験もなく、ハンドル、ブレーキ等の運転装置を操作する初歩的な技能もなかったのに自動車を走行させたため、自車を対向車線に進入させ、対向車に衝突させて同車の運転者を死亡させた。この場合、甲には危険運転致死罪が成立する〈司

(2) 故意

進行を制御する技能を有しないことを基礎付ける事実の認識が必要である。

4 通行妨害運転致死傷罪（法2④）

「人又は車の通行を妨害する目的」で、「通行中の人又は車に著しく接近し、かつ、重大な交通の危険を生じさせる速度で自動車を運転」し、よって、人を死傷させる罪である。

(1) 「通行を妨害する目的」

相手方の自由かつ安全な通行の妨害を積極的に意図することをいう。本罪の場合、未必的な認識、認容があるだけでは足りない。

▼ 東京高判平 25.2.22・平 25 重判 6 事件

改正前刑法 208 条の 2 第 2 項前段にいう「人又は車の通行を妨害する目的」とは、人や車に衝突等を避けるため急な回避措置をとらせるなど、人や車の自由かつ安全な通行の妨害を積極的に意図することをいう。しかし、運転の主たる目的が通行の妨害になくとも、自分の運転行為によって通行の妨害を来すのが確実であることを認識して、当該運転行為に及んだ場合には、自己の運転行為の危険性に関する認識は通行の妨害を主たる目的にした場合と異なるところがないから、「人又は車の通行を妨害する目的」が肯定される。

(2) 「重大な交通の危険を生じさせる速度」

妨害行為の結果、相手方と接触すれば大きな事故を生じることとなるような速度をいう。

(3) 故意

「通行中の人又は車に著しく接近し、かつ、重大な交通の危険を生じさせる速度」で運転することを基礎付ける事実の認識があれば足りる。

5 信号無視運転致死傷罪（法2⑦）

「赤色信号又はこれに相当する信号を殊更に無視し、かつ、重大な交通の危険を生じさせる速度で自動車を運転」し、よって人を死傷させる罪である。

(1) 「殊更に無視」

故意に赤信号に従わない行為のうち、およそ赤信号に従う意思のないも

のをいう。

→赤信号であることの確定的な認識がない場合であっても、信号の規制自体に従うつもりがないため、その表示を意に介することなく、たとえ赤色信号であったとしてもこれを無視する意思で進行する行為も、これに含まれる（最決平20.10.16・平20重判6事件）◁同

→赤信号であることを認識した時点ですぐにブレーキを踏めば、停止位置で停止することが十分可能であるのに、これを無視して進行する行為に限られず、仮に停止位置を越えても安全な位置に停止できるのにあえて進行する行為も、これに含まれる（東京高判平26.3.26・平26重判10事件）

⑵ 「重大な交通の危険を生じさせる速度」

行為の結果、相手方と接触すれば大きな事故を生じることとなるような速度をいう。

ex. 赤色信号を殊更に無視し、対向車線に進出して時速約20キロメートルの速度で交差点に進入しようとしたため、右方道路から青信号に従って交差点に進入してきた被害者運転の自動車に自車を衝突させて、同車の運転者及び同乗者に傷害を負わせたときは、旧208条の2第2項後段の罪が成立する（最決平18.3.14・百選Ⅱ〔第7版〕7事件）

⑶ 故意

「重大な交通の危険を生じさせる速度」で運転することを基礎付ける事実の認識があれば足りる。

二　危険運転致死傷罪の新たな類型として追加されたもの

・妨害運転致死傷罪（法2⑤）

「車の通行を妨害する目的で、走行中の車（重大な交通の危険が生じることとなる速度で走行中のものに限る。）の前方で停止し、その他これに著しく接近することとなる方法で自動車を運転」し、よって人を死傷させる罪である。

・高速道路等妨害運転致死傷罪（法2⑥）

「高速自動車国道（高速自動車国道法（昭和32年法律第79号）第4条第1項に規定する道路をいう。）又は自動車専用道路（道路法（昭和27年法律第180号）第48条の4に規定する自動車専用道路をいう。）において、自動車の通行を妨害する目的で、走行中の自動車の前方で停止し、その他これに著しく接近することとなる方法で自動車を運転することにより、走行中の自動車に停止又は徐行（自動車が直ちに停止することができるような速度で進行することをいう。）をさせ」、よって人を死傷させる罪である。

→上記2つの妨害運転致死傷罪は、いずれも、自動車運転による死傷事犯の実情等に鑑み、事案の実態に即した対処をするため、新たに危険運転致死傷罪の対象として追加されたものである

・通行禁止道路運転致死傷罪（法2⑧）

「通行禁止道路（道路標識若しくは道路標示により、又はその他法令の規定により自動車の通行が禁止されている道路又はその部分であって、これを通行することが人又は車に交通の危険を生じさせるものとして政令で定めるものをいう。）を進行し、かつ、重大な交通の危険を生じさせる速度で自動車」を運転させ、よって、人を死傷させる罪である。

→「通行禁止道路」については、車両通行止め道路、自転車及び歩行者専用道路、一方通行道路（の逆走）、及び高速道路（の逆走）などが想定されている

・正常な運転に支障が生じるおそれのある状態での自動車運転致死傷罪（法3Ⅰ、Ⅱ）

アルコールや薬物（法3Ⅰ）、又は自動車の運転に支障を及ぼすおそれがある病気として政令で定めるもの（法3Ⅱ）の影響により、「その走行中に正常な運転に支障が生じるおそれがある状態で、自動車を運転し、よって、そのアルコール又は薬物の影響により正常な運転が困難な状態」に陥り、人を死傷させる罪である。

→「自動車の運転に支障を及ぼすおそれがある病気」は、具体的な病気の診断名まで分かっている必要はなく、何らかの病気のために、正常な運転に支障が生じるおそれがある状態にあることを認識していれば、この罪の対象となる

三　いわゆる「逃げ得」に対する罰則

・過失運転致死傷アルコール等影響発覚免脱罪（法4）

四　旧211条2項から移されたもの

・過失運転致死傷罪（法5）

五　無免許運転による死傷事犯に対する刑の加重

・無免許運転による加重（法6）

無免許運転とは道路交通法の無免許運転と同じである。

【凶器準備集合罪・凶器準備結集罪】

第２０８条の２　（凶器準備集合及び結集）

Ⅰ　２人以上の者が他人の生命、身体又は財産に対し共同して害を加える目的で集合した場合において、凶器を準備して又はその準備があることを知って集合した者は、２年以下の懲役又は３０万円以下の罰金に処する〈予〉。

Ⅱ　前項の場合において、凶器を準備して又はその準備があることを知って人を集合させた者は、３年以下の懲役に処する。

《保護法益》

第一次的には個人の生命・身体・財産の安全であるが、第二次的に公共の平穏を

各論

も保護法益とする。

《注　釈》

一　「共同して害を加える目的」

「共同して害を加える目的」とは、加害行為を共同実行しようとする目的をいう。

1　積極的加害目的であることは要しない。受動的な目的でよい。

ex.　相手方が襲撃してきたら迎撃して殺傷するという条件付きの目的も含まれる（最判昭52.5.6）

2　共同加害の目的をもって集団に加わった者を助勢する意思で足りるとするのが判例である（最判昭52.5.6）。

二　「凶器を準備して」又は「その準備があることを知って」

1　「凶器」とは、性質上又は用法上、人を殺傷し得べき器具を意味する。

ex.　ダンプカーは、本条の「凶器」に当たらない（最判昭47.3.14）〈予

2　「準備」とは、凶器を必要に応じいつでも本罪の加害行為に使用し得る状態に置くことをいう。

集合する場所と一致する必要はなく、近くに隠しておいてもよい。

3　「準備があることを知って」集合したとは、凶器が準備されていることを認識して共同加害目的をもって集合することをいう。この認識は、未必的なものでもよい。

集合したものの凶器が準備されていることを知らなかった場合には、凶器準備集合罪は成立しない。もっとも、この場合でも、集合した後に共同加害目的を有するに至り、その場から離脱しなかったときは、凶器準備集合罪が成立する。

三　「集合」

1　「集合」とは、2人以上の者が時間・場所を同じくすることをいう。

2　すでに一定の場所に集まっている2人以上の者がその場で凶器を準備し、又はその準備があることを知ったうえで共同加害目的を有するに至った場合も「集合」に当たる（最決昭45.12.3・百選Ⅱ7事件）〈予。

四　罪数

本罪から殺人・傷害等の加害行為に発展した場合

→判例は、本罪と殺人罪（199）・傷害罪（204）・暴行罪（208）などとは併合罪（45前段）の関係に立つと解している〈司共

《論　点》

◆　罪質

1　本罪は抽象的危険犯であり、相手方からの襲撃の蓋然性ないし切迫性が客観的状況として存在しなくとも、社会生活の平穏を害しうる態様の「集合」があれば、本罪は成立する（最判昭58.6.23）〈予。

2　本罪は継続犯であるが、集団が目的としている共同加害行為が開始された後

各論

も「集合」の状態が継続する場合、なお本罪は継続するか。具体的には、集合体が加害行為を開始した後に新たに加わった者について、本罪が成立するかという形で問題となる。

＜凶器準備集合及び結集罪の罪質＞

学説	甲説（最決昭 45.12.3・百選Ⅱ 7 事件）予	乙説
内容	加害行為を開始しても本罪は終了しない	加害行為を開始した時点で本罪は終了する
理由	凶器準備集合罪は、個人の生命・身体又は財産ばかりでなく、公共的な社会生活の平穏をも保護法益とするものと解すべきであるから、集合の状態が継続する限り、同罪は継続しているものと解すべきである	本罪は生命・身体・財産に対する罪の予備罪的性格をも有するから、加害行為が開始されれば、本罪の継続はなくなる
結論	加害行為開始後に加わった者にも、本罪が成立する	加害行為開始後に加わった者には、本罪は成立しない

・第28章・【過失傷害の罪】

《保護法益》

人の生命・身体の安全である。

【過失傷害罪、過失致死罪】

第２０９条　（過失傷害）

Ⅰ　過失により人を傷害した者は、３０万円以下の罰金又は科料に処する。
Ⅱ　前項の罪は、告訴がなければ公訴を提起することができない。

第２１０条　（過失致死）

過失により人を死亡させた者は、５０万円以下の罰金に処する。

【業務上過失致死傷罪・重過失致死傷罪】

第２１１条　（業務上過失致死傷等）

業務上必要な注意を怠り、よって人を死傷させた者は、５年以下の懲役若しくは禁錮又は１００万円以下の罰金に処する。重大な過失により人を死傷させた者も、同様とする。

〔業務上過失致死傷罪、前段〕

《注　釈》

◆「業務」〈司H22

「業務」とは、人が①社会生活上の地位に基づき②反復継続して行う行為であり、かつ③他人の生命・身体に対する危険性を包含するものをいう（最判昭33.4.18）〈司。

1　①社会生活上の地位に基づくこと

家庭生活における炊事や育児は、社会生活上の地位に含まれない。

2　②反復継続して行う行為であること

継続的・反復的に従事するものであれば足り、必ずしも職業や営業である必要はない。

3　③他人の生命・身体の危険に対して危険があること

(1)　人の生命・身体の危険を防止することを業務の内容とするものも含まれる（最決昭60.10.21・百選Ⅰ60事件）。

(2)　自転車の走行は、一般的には危険性を内包する行為とはいえないから、「業務」には含まれない。

4　適法性

適法であることを要せず、違法な業務も「業務」に当たる。

ex.　無免許の医業も「業務」に当たる

▼　**最決昭60.10.21・百選Ⅰ60事件**〈司

本条にいう「業務」には、人の生命・身体の危険を防止することを義務内容とする業務も含まれる。

〔重過失致死傷罪、後段〕

《注　釈》

◆「重大な過失により」

注意義務違反の程度が著しいこと、すなわち、行為者としてわずかな注意を払えば、結果発生を予見することができ、結果の発生を回避できた場合を意味し、発生した結果の重大性、結果発生の可能性が大であったことは必ずしも要しない（東京高判昭57.8.10）〈司共。

《自動車の運転により人を死傷させる行為等の処罰に関する法律》

【過失運転致死傷罪】

第５条　（過失運転致死傷）

自動車の運転上必要な注意を怠り、よって人を死傷させた者は、７年以下の懲役若しくは禁錮又は１００万円以下の罰金に処する。ただし、その傷害が軽いときは、情状により、その刑を免除することができる。

第6条 （無免許運転による加重）

Ⅰ～Ⅲ 略

Ⅳ 前条の罪を犯した者が、その罪を犯した時に無免許運転をしたものであるときは、１０年以下の懲役に処する。

〔過失運転致死傷罪〕

《注 釈》

・平成25年11月の法改正（平成26年5月20日施行）に伴い、旧211条2項に規定されていた自動車運転過失致死傷罪が「自動車運転死傷行為処罰法」に移されたものである（同法5）。無免許運転による場合には、刑を加重する旨の規定が新設された（同法6Ⅳ）。

・第29章・【堕胎の罪】

《保護法益》

胎児の生命・身体の安全、及び母体の生命・身体の安全である通。

【自己堕胎罪、同意堕胎罪・同致死傷罪、業務上堕胎罪・同致死傷罪、不同意堕胎罪、不同意堕胎致死傷罪】

第２１２条 （堕胎）

妊娠中の女子が薬物を用い、又はその他の方法により、堕胎したときは、１年以下の懲役に処する。

第２１３条 （同意堕胎及び同致死傷）

女子の嘱託を受け、又はその承諾を得て堕胎させた者は、２年以下の懲役に処する。よって女子を死傷させた者は、３月以上５年以下の懲役に処する。

第２１４条 （業務上堕胎及び同致死傷）

医師、助産師、薬剤師又は医薬品販売業者が女子の嘱託を受け、又はその承諾を得て堕胎させたときは、３月以上５年以下の懲役に処する。よって女子を死傷させたときは、６月以上７年以下の懲役に処する。

第２１５条 （不同意堕胎）

Ⅰ 女子の嘱託を受けないで、又はその承諾を得ないで堕胎させた者は、６月以上７年以下の懲役に処する同。

Ⅱ 前項の罪の未遂は、罰する。

第２１６条 （不同意堕胎致死傷）

前条の罪を犯し、よって女子を死傷させた者は、傷害の罪と比較して、重い刑により処断する。

各論

《注　釈》

一　「堕胎」

「堕胎」とは、自然の分娩期に先立って、胎児を母体外に排出することをいう(大判明44.12.8)。母体内での殺害も「堕胎」に当たる。

二　罪数

判例（大判大11.11.28）は、胎児を早期に排出したが、生命機能を有していたために作為によってこれを殺害した事案について、堕胎罪と殺人罪の併合罪になるとした。

また、判例（最決昭63.1.19・百選Ⅱ８事件）〈同は、堕胎により出生させた未熟児を、生育可能性のあることを認識し、医療の措置をとることが迅速・容易にできたのに放置して死亡させた医師には、業務上堕胎罪のほか保護責任者遺棄致死罪（219・218）が成立し、両罪は併合罪となるとした。

《論　点》

◆　胎児性致死傷

母体を通じて胎児に故意又は過失により侵害を加えたところ、その結果が生まれた後の「人」になった段階で傷害・死亡の結果が生じた場合、「人」に対する罪が成立するかが問題となる。

<胎児性致死傷>

<table>
<tr><th colspan="3">学説</th><th>理由</th><th>批判</th></tr>
<tr><td rowspan="3">肯定説</td><td colspan="2">胎児に対する傷害罪が成立</td><td>一定段階の「胎児」は「人」であるという解釈が不可能とはいえない</td><td>胎児を人とする類推解釈であり、罪刑法定主義に反する</td></tr>
<tr><td rowspan="2">母体に対する傷害を認める説</td><td>母体一部傷害説
(最決昭63.2.29・百選Ⅱ2事件)</td><td>①　胎児は母体の一部であるから胎児に傷害を負わせることは人（母体）に対する傷害となる
②　胎児が出生し「人」になった後に死亡すれば、母という「人」に傷害を負わせて子という「人」に死亡の結果をもたらしたといえ、「人」に対する罪が成立する</td><td>①　自傷行為と異なり自己堕胎は処罰されており（212）、現行法は胎児と母体を区別している
②　母体傷害の時点では、胎児しか存在しない以上、法定的符合説の論理によっても、傷害を受けた胎児が出生後に死亡した場合まで傷害致死罪（205）を認めることは無理である</td></tr>
<tr><td>母体機能傷害説</td><td>母親を、有害作用によって健康な子どもを出産できない状態に置いたことは、母親としての重要な生理的機能を傷害したといえる</td><td>胎児が侵害されたと見るのが自然であり、説明が技巧的にすぎる</td></tr>
</table>

学説		理由	批判
肯定説	生まれてきた「人」に対する罪が成立	侵害作用が及んだ時点で、「人」が現存することは必ずしも必要でなく、人に対する結果が発生した時点で客体である「人」が存在すれば足りる	① 傷害は状態犯であり、結果発生と同時に犯罪が完成する。とすれば、胎児にすでに侵害が及んだ以上、そこに既遂時期を認めないのは不自然である ② 堕胎行為により胎児が母体外に排出された直後に死亡するという堕胎の典型的な事例で、人に対する罪が成立することになる
否定説		① 刑法は堕胎の罪によって胎児を人と区別して保護しているから、実行行為時に胎児であれば堕胎罪のみが成立する ② 過失堕胎は不可罰であるのに過って胎児に傷害を与え、それが子どもに残った場合に過失傷害・過失致死で処罰するのは不均衡 ③ 胎児を傷害した場合に傷害罪（15年以下の刑）が成立するならば、胎児を殺した場合、堕胎罪（7年以下の刑）にしかならないのは、不均衡	① 傷害や致死の結果を生じさせる原因が、たまたま胎児の段階で生じたとしても、人が傷害を負い、死亡したという事実を無視すべきでない ② 過失堕胎が処罰されないのは証明が難しいからであるが、傷害を受けた子どもが生まれた後では、行為者の過失と傷害との因果関係の証明は難しいことではない

各論

《その他》

・業務上堕胎罪（214）は、被害者の嘱託又は承諾があることが要件であり、嘱託も承諾もない場合は、一般人・業務者を問わず、不同意堕胎罪（215 Ⅰ）が成立する〈共。

・妊婦が医師を教唆して堕胎させる行為は、単に自己堕胎罪（212）が成立する。

・妊婦に対して堕胎を教唆した場合は、自己堕胎罪の教唆（61 Ⅰ・212）が成立する。

・妊婦を教唆して同意を得た後、医師を教唆して堕胎を行わせる場合は、妊婦に対する自己堕胎罪の教唆と、医師に対する業務上堕胎罪の教唆（61 Ⅰ・214前段）を行ったことになる〈同。この点、両教唆行為は65条2項によりともに同意堕胎罪の教唆（61 Ⅰ・213前段）として処断されるという見解と、包括して重い業務上堕胎罪の教唆が成立し、65条2項により213条前段の刑を科すとする見解とがある。

・第30章・【遺棄の罪】

《保護法益》

扶助を必要とする者の生命・身体の安全である通予。

なお、保護法益を生命の安全のみであると考える見解予や、生命・身体の安全の他、社会的風俗も保護法益に含まれるとする見解も存在する。

【単純遺棄罪、保護責任者遺棄等罪、遺棄等致死傷罪】

第217条　（遺棄）

老年、幼年、身体障害又は疾病のために扶助を必要とする者を遺棄した者は、1年以下の懲役に処する。

第218条　（保護責任者遺棄等）

老年者、幼年者、身体障害者又は病者を保護する責任のある者がこれらの者を遺棄し、又はその生存に必要な保護をしなかったときは、3月以上5年以下の懲役に処する。

第219条　（遺棄等致死傷）

前2条の罪を犯し、よって人を死傷させた者は、傷害の罪と比較して、重い刑により処断する。

〔単純遺棄罪、217条〕

《注　釈》

一　客体

単純遺棄罪の客体は「老年、幼年、身体障害又は疾病のために扶助を必要とする者」である。「扶助を必要とする者」（要扶助者）とは、他人の保護によらなければ、自ら日常生活を営む動作をすることが不可能若しくは著しく困難な者をいう。

「老年、幼年、身体障害又は疾病のために」は、扶助を必要とする原因（要扶助原因）を限定列挙したものである回。

→熟睡中の者や手足を縛られた者は要扶助者には当たらない

二　「遺棄」　⇒下記《論点》二

〔保護責任者遺棄等罪、218条〕

《注　釈》

一　主体

保護責任者遺棄等罪の主体は「保護する責任のある者」（保護責任者）である。

判例（最判昭31.5.24参照）・通説の立場に立つと、保護責任者遺棄罪は不真正身分犯であるが、保護責任者不保護罪は真正身分犯である。

二　保護義務の発生根拠〈司H30

次の図表で保護義務の発生根拠を整理するが、現在では、要扶助者の生命・身体に対する排他的支配という実質的根拠から保護責任の有無を判断する見解が有力となっている。

＜保護責任者遺棄罪における保護義務の発生根拠＞

発生根拠	判　例
法令	①　民法上先順位の扶養義務者がいても、後順位者が老年者を看護すべき状態にあったときは、その後順位者が保護責任者に当たる（大判大7.3.23） ②　自己の交通事故の被害者を救助するためいったん車に乗せながら、別の場所に置き去りにした事案において、道路交通法72条を根拠に保護責任を肯定した（最判昭34.7.24）（＊）
契約	養子契約によって幼児を引き取った者は、養子縁組が成立していなくても保護責任者に当たる（大判大5.2.12）
事務管理	病者を引き取り自宅に同居させたときは、その引取主に引き取る義務がなくても、病人が保護を必要とする限り、継続して保護義務を負う（大判大15.9.28）
慣習	同居の従業者が病気になった場合の雇用主は、保護責任者に当たる（大判大8.8.30）
条理	①　同行中の同僚がけんかをして重傷を負ったのにもかかわらず放置して立ち去った者は、保護責任者に当たる（岡山地判昭43.10.8） ②　３日間同棲した男が相手の女性と共謀し、その女性の３歳の連れ子を高速道路に置き去りにした事案において、当該男の保護責任を肯定した（東京地判昭48.3.9）
先行行為	①　業務上堕胎を行った医師が生育可能性を有する嬰児を放置して死亡させた事案において、当該医師の保護責任を肯定した（最決昭63.1.19・百選Ⅱ８事件） ②　ホテルの一室で女性に覚醒剤を打ち、女性が錯乱状態になったのに置き去りにした事案において、その女性を置き去りにした者の保護責任を肯定した（最決平元.12.15・百選Ⅰ４事件） ③　重篤な状態で入院していた被害者の親族が、その被害者を病院から連れ出し、ホテルの一室に連れ込んで「シャクティパット」と称する治療を行う者に委ねて死亡させた事案において、当該親族の保護責任を肯定した（最決平17.7.4・百選Ⅰ６事件）

＊　道路交通法上の救護義務により直ちに保護責任が肯定されるわけではない。単純なひき逃げの場合は、保護責任は否定されるとするのが一般的である。もっとも、排他的な支配を獲得した場合には、保護責任者遺棄罪が成立しうる。

判例（最判昭34.7.24）は、ひき逃げをした運転手が、被害者を自動車に乗せて事故現場を離れて降雪中の薄暗い車道まで運び、医者を呼んで来ると欺いて被害者を自動車から下ろし、放置して自動車で走り去った事案において、運転手に保護責任者遺棄罪の成立を認めた〈司。

各論

三　客体

本罪と単純遺棄罪は同じ遺棄罪である以上、両者の客体は同一であると解されている。

「病者」には、負傷により歩行不能となった者（最判昭34.7.24）、高度の酩酊者（最決昭43.11.7）、覚醒剤により錯乱状態にある者（覚醒剤注射事件、最決平元.12.15・百選Ⅰ4事件）などが含まれる。

四　「遺棄」又は「生存に必要な保護をしなかった」こと

1　「遺棄」　⇒下記《論点》二

2　「生存に必要な保護をしなかった」（不保護）

「生存に必要な保護をしなかった」（不保護）とは、保護責任者が要保護者との間に場所的隔離を生じさせないまま、要保護者の生命・身体の安全のための保護を尽くさないことをいう。不保護は場所的隔離を伴わない真正不作為犯である。

不保護の実行行為について、判例（最判平30.3.19・百選Ⅱ9事件）は、「『生存に必要な保護』行為として行うことが刑法上期待される特定の行為をしなかったことを意味すると解すべきであり、同条が広く保護行為一般（例えば幼年者の親ならば当然に行っているような監護、育児、介護行為等全般）を行うことを刑法上の義務として求めているものでない」としている。

各論

〔遺棄等致死傷罪、219条〕

《注　釈》

・遺棄等致死傷罪は結果的加重犯であり、死傷結果について故意がある場合を含まない〈同〉。

《論　点》

一　保護法益・罪質

1　保護法益〈同〉

遺棄罪の保護法益については、①扶助を必要とする者の生命・身体の安全か、それとも②扶助を必要とする者の生命の安全に限られるかが争われている。

判例（大判大4.5.21）は、本罪の保護法益を生命・身体の安全であると解している。判例を支持する学説（多数説）は、以下のものを理由として挙げている。

∵①　遺棄罪の規定が「傷害の罪」の規定の後に位置している

②　219条は致傷結果が生じた場合の結果的加重犯をも規定している

一方、本罪の保護法益は生命の安全に限られると解する見解も有力である。

∵①　本罪は抽象的危険犯であると解されているので、身体の安全まで保護法益に含めると処罰範囲が広くなりすぎて不当である

②　218条は「生存に必要な保護をしなかった」こと（不保護）を遺棄と

ともに処罰しているので、遺棄も生命の安全を脅かした場合にのみ処罰されると解すべきである

2　罪質

判例（大判大4.5.21）・通説は、本罪は抽象的危険犯であると解している。

∵①　条文上、具体的な危険の発生が要求されていない

②　本罪を具体的危険犯と解すると、生命に対する具体的危険の認識も必要となるが、そうすると故意の点で殺人罪と本罪を区別できなくなる

この立場によると、遺棄行為がなされれば、一般的に法益侵害の危険が生じたものと考えるので、結果として生命・身体に対する危険が生じるかどうかを問わず、遺棄行為により遺棄罪が成立する。

二　「遺棄」の意義

217条は「遺棄」の処罰を規定し、218条は保護責任者の「遺棄」・「不保護」の処罰を規定するが、いわゆる置き去りは、「遺棄」なのか「不保護」なのか。「不保護」に当たるとするならば、保護責任者でない限り、処罰されないと考えられるため、置き去りの評価と関連して、「遺棄」・「不保護」の解釈が問題となる。

<「遺棄」の意義> 共予

		A説（最判昭34.7.24）通	B説	C説
「遺棄」	217条の遺棄	移置（＝作為）	作為による移置・作為による置き去り	作為及び不作為による移置・置き去り
	218条の遺棄	移置に加え置き去り（＝不作為）も含む 回	作為及び不作為による移置・作為及び不作為による置き去り	作為及び不作為による移置・置き去り
理由		①　217条には保護義務が規定されておらず、不作為の遺棄行為を基礎付ける作為義務が要求されていないので、不作為は処罰しない趣旨である ②　置き去りによる遺棄は不真正不作為犯であって、作為義務者、すなわち、保護義務者によってのみ犯されうる	①　A説の理由の① ②　「移置」及び「置き去り」と作為・不作為とは対応関係にはない	①　不作為形態の遺棄を可罰的とする作為義務と、218条の保護義務は区別すべき ②　217条の「遺棄」と218条の「遺棄」を、同一の意味を有するものとして統一的に把握できる

	A説 （最判昭34.7.24） ◀通	B説	C説
批判	①　隣り合った条文で用いられている「遺棄」という文言の解釈が異なってよいのか疑問 ②　かかる理解では、218条の遺棄が217条の遺棄に比べて加重処罰されていることを説明できない ③　B説の理由②	①　A説に対する批判①② ②　「幼児の母親を殺害する行為」や「幼児のそばから立ち去る行為」も、作為による置き去りに当たるので、単純遺棄罪ということになってしまう	217条、218条に共通する作為義務と区別された218条に固有の保護義務の実体が不明確である

三　保護責任者遺棄致死罪と不作為の殺人罪との区別◁司H22 司H30

両罪の区別基準としては、①作為義務の程度、②死亡へと直結しうる具体的危険の有無、③殺意の有無などが挙げられる。このうち、219条は217条及び218条の結果的加重犯であり、重い結果について故意のある場合は含まれないので、殺人罪との区別として③を考慮することにつき争いはないが、そのほかに①②を考慮すべきかについては争いがある。

甲説：作為義務の程度を考慮すべきとする立場

∵　遺棄罪は生命・身体に対する危険犯であると解する立場からは、遺棄罪の作為義務・保護責任と殺人罪の作為義務は明らかに異なる

←遺棄罪を生命に対する危険犯と解する立場からは、同程度の作為義務が求められていると解すべき

←作為義務の軽重によって両罪を区別することは困難

乙説：死亡へと直結しうる具体的危険の有無を考慮すべきとする立場

∵　遺棄罪の成立を基礎付ける生命に対する危険は、比較的軽度の、直接死亡に直結するものでなくともよい

・第31章・【逮捕及び監禁の罪】

【逮捕・監禁罪、逮捕・監禁致死傷罪】

第２２０条　（逮捕及び監禁）

不法に人を逮捕し、又は監禁した者は、３月以上７年以下の懲役に処する。

第２２１条　（逮捕等致死傷）

前条の罪を犯し、よって人を死傷させた者は、傷害の罪と比較して、重い刑により処断する。

〔逮捕・監禁罪、220条〕

《注　釈》

一　「人」

「人」とは、場所的移動（身体活動）の自由を有する自然人をいう。場所的移動の能力がない嬰児や意識喪失状態の者は「人」に含まれないが、後に説明するとおり（⇒ p.382）、被害者に意思能力は不要と解するので、幼児や精神障害者などは「人」に含まれる。

二　「逮捕」及び「監禁」

1　「逮捕」とは、人の身体を直接的に拘束してその身体活動の自由を奪うことをいう。

ex.　荒縄で縛り約5分間引きずり回す行為

2　「監禁」とは、一定の区域からの脱出を、不可能若しくは著しく困難にすることをいう。

ex.1　走行する原付自転車に乗せる行為（有形的方法）〈司

ex.2　入浴中の女性の衣類を隠し浴室から出ることを妨害する行為（無形的方法）

3　人を逮捕し、引き続いて監禁した場合、逮捕罪と監禁罪の罪数関係については、包括して220条の単純一罪が成立するとするのが判例である（最大判昭28.6.17）〈司予。

4　逮捕・監禁について被害者の承諾（⇒ p.58）がある場合は、およそ法益侵害そのものが認められないから、そもそも構成要件該当性が認められない〈司H21。もっとも、その同意が強制による場合や錯誤に基づく場合には、同意があったとはいえない（最決昭33.3.19参照）。

ex.　母親のところに連れて行くと偽って被害者を自動車に乗せて走り出し、途中で気付いた被害者が停止を要求したのに、これを無視して同車を走行させ続けた場合（最決昭33.3.19。被害者を自動車に乗車させた時点から監禁罪が成立する）〈司

5　逮捕・監禁罪は継続犯である。

〔逮捕・監禁致死傷罪、221条〕

《注　釈》

一　罪質

逮捕・監禁致死傷罪（221）は、逮捕・監禁罪の結果的加重犯であるので、逮捕・監禁が未遂に終わったときは成立しない〈司。

二　本罪の成否

①逮捕・監禁の手段として用いた暴行・脅迫から死傷結果が生じた場合だけでなく、②逮捕・監禁という事実から死傷結果が生じた場合（逮捕・監禁状態が原

各論

因となって死傷結果が生じた場合）も本罪が成立する。たとえば、監禁中に被害者が窓から逃げようとして死亡した場合（東京高判昭55.10.7）や、停車中の自動車のトランク内に監禁された被害者が他の自動車の追突により死亡した場合（最決平18.3.27・百選Ⅰ 11事件）などが②に当たる。

以上に対し、監禁中に加えられた暴行が、監禁の手段ではなく単に監禁の機会になされた場合であって、それにより死傷結果が生じたときは、本罪ではなく傷害（致死）罪が別途成立し、これと逮捕・監禁罪の併合罪となる（最決昭42.12.21）〈司。

《論　点》

◆ **逮捕・監禁罪の保護法益**〈司共〈司H25予R5

保護法益は、人の場所的移動の自由である。

場所的移動の自由の内容については、学説の対立がある。判例（最決昭33.3.19）・多数説は可能的自由（移動しようと思えば移動できる自由）と解しているが、現実的自由（現実に移動しようと思ったときに移動できる自由）と解する見解もある。

事例①：Aは幼児X（生後1年）が部屋の中で這い回っているのを目撃し、その部屋に鍵をかけた。

事例②：甲は受験勉強に熱中しているAの部屋に1時間鍵をかけたが、Aはこのことに気付かなかった。

<逮捕・監禁罪の保護法益>

	可能的自由	現実的自由
批判	身体の場所的移動の自由に生じた危険、すなわち未遂を処罰することになってしまい、処罰範囲を不当に拡大する	監禁されている者が途中で寝込んでしまった場合、現実には身体の拘束が続いているのに寝込んだ時点で監禁行為は終了していることになってしまう
事例①（幼児）	逮捕・監禁罪成立	逮捕・監禁罪不成立
事例②〈共（被害者が認識していない場合）	認識不要 →逮捕・監禁罪成立	認識必要 →逮捕・監禁罪不成立

※　偽計による監禁の事例において、判例（最決昭33.3.19）は、被害者を母親のところに連れて行くと騙して車に乗せ、気付いた被害者が停止を要求したのに無視して疾走した事案につき、監禁の方法には「偽計によって被害者の錯誤を利用する場合をも含むと解するを相当とする」とし、被害者が気付く以前をも含め監禁罪を認めた〈司。

▼ **京都地判昭45.10.12・百選Ⅱ10事件**

生後1年7月の幼児が「自然的、事実的意味において任意に行動しうる者である以上、その者が、たとえ法的に責任能力や行動能力はもちろん、幼児のような意思能力を欠如しているものである場合も、なお、監禁罪の保護に値すべき客体となりうるものと解することが、立法の趣旨に適し合理的であるというべきである」として監禁罪の成立を認めた。

・第32章・【脅迫の罪】

【脅迫罪】

第222条 (脅迫)

Ⅰ 生命、身体、自由、名誉又は財産に対し害を加える旨を告知して人を脅迫した者は、2年以下の懲役又は30万円以下の罰金に処する。

Ⅱ 親族の生命、身体、自由、名誉又は財産に対し害を加える旨を告知して人を脅迫した者も、前項と同様とする。

各論

《保護法益》

個人の意思決定の自由である。ただし、私生活の平穏であるとする見解もある。

《注 釈》

一 「脅迫」の意義

<「脅迫」の意義>

	意義	該当する犯罪類型
広義	人を畏怖させるに足る害悪の告知をいい、その害悪の内容は問わない	公務執行妨害罪(95Ⅰ) 恐喝罪(249)等
狭義	人を畏怖させるに足る害悪の告知をいい、その害悪の内容は、相手方又はその親族の生命、身体、自由、名誉、財産に対し害悪を加えることに限られる	脅迫罪(222) 強要罪(223) 不同意わいせつ罪(176Ⅰ①)
最狭義	相手方の反抗を抑圧するに足りる程度の害悪の告知	強盗罪(236) 事後強盗罪(238)

二 客体

「人」は、自然人に限られ、法人は含まれない(大阪高判昭61.12.16)共。

幼者や知的障害者も自然人である以上、客体となり得るが、本罪の保護法益は個人の意思決定の自由であることから、意思能力者であることを要する。

三　行為

1　害悪は被害者本人か親族の「生命、身体、自由、名誉又は財産」に限られる（限定列挙）共予。

→親族とは、①6親等内の血族、②配偶者及び③3親等内の姻族である（民725）

ex.　犯人が、被害者に対し、被害者本人の妻の実兄を殺害する旨告知した行為には、本罪が成立する共

→恋人や内縁の妻といった親族以外の者を殺すぞと脅しても本罪は成立しない共予

2　告知される害悪の程度は、相手方の事情（性別、年齢など）及び周囲の状況などから判断して、一般に人を畏怖させるに足りる程度のものであることを要する予。

→派閥抗争中に、対立派閥の中心人物宅に宛てて、現実に出火もないのに「出火御見舞い申し上げます、火の元に御用心」等と書いたはがきを送ることは、その住宅に放火することを暗示して害悪を告知するもので、「脅迫」に当たる（最判昭35.3.18・百選Ⅱ 11事件）

cf.　一般人ならば畏怖しない程度の害悪の告知で、被害者が特に臆病なため畏怖した場合については、脅迫罪成立説と脅迫罪不成立説の争いがある共

3　告知される害悪の内容は、告知者により害悪の発生を現実に左右できるものでなければならない。

cf.「天罰が下る。」旨の書き込みは「脅迫」に当たらない共

また、判例（大判大3.12.1）・通説は、告知の内容が犯罪であることを要しないとして、脅迫罪の成立を認める一方、それが権利実行の正当な範囲にとどまる場合には違法性が阻却されるとしている予。

→たとえ告知の内容が犯罪でなくても個人の意思決定の自由が害されうる以上、「脅迫」に当たるが、告訴自体は適法な行為であり、本当に告訴する意思がある場合にも脅迫罪の成立を認めるのは妥当でないので、権利実行の正当な範囲にとどまる場合には違法性が阻却される

4　害悪を告知する方法に制限はない。明示的・黙示的のいずれでもよく、また、文書、口頭、態度のいずれでもよい。そして、告知は、相手に対して直接行われる必要はなく、間接的な手段でもよい（大判大8.5.26）。

四　既遂時期

告知が相手方に伝達した段階で既遂に達し、相手方が現実に畏怖したかどうかを問わない（抽象的危険犯。大判明43.11.15）予。

伝達手段を施したが相手方に伝達されなかった場合には未遂となり、脅迫罪には未遂の処罰規定がないため不可罰となる共。

五　罪数・他罪との関係

加害の告知後その害悪を実行したときは、その実行した犯罪が独立して成立し、両者は併合罪の関係に立つ。

もっとも、脅迫と加害の実行とが同じ場所で時間的に前後して行われたときは、脅迫は実行した犯罪に吸収される。

→債権取立に行った先で、「払わなければ殴る」と申し向けて債務者を殴った場合は、暴行罪だけが成立する（大判大15.6.15）

【強要罪】

> **第２２３条　（強要）**
>
> Ⅰ　生命、身体、自由、名誉若しくは財産に対し害を加える旨を告知して脅迫し、又は暴行を用いて、人に義務のないことを行わせ、又は権利の行使を妨害した者は、３年以下の懲役に処する。
>
> Ⅱ　親族の生命、身体、自由、名誉又は財産に対し害を加える旨を告知して脅迫し、人に義務のないことを行わせ、又は権利の行使を妨害した者も、前項と同様とする。
>
> Ⅲ　前２項の罪の未遂は、罰する。

《保護法益》

個人の意思決定の自由及び意思実現の自由である。

《注　釈》

一　「脅迫し、又は暴行を用いて」

1　「脅迫」：狭義の脅迫　⇒ p.383

2　「暴行」：広義の暴行　⇒ p.362

二　「人に義務のないことを行わせ、又は権利の行使を妨害した」

1　「人」は自然人のみであり、法人は含まれない。

2　「義務のないことを行わせ」るとは、被強要者にその義務がないのに作為・不作為又は忍容を余儀なくさせることをいう。法的に強制されない限り、活動しない自由は保護されるべきであるので、「義務」は法律上のものに限られる。

ex.1　水入りバケツなどを数時間にわたり持ち上げさせた場合（大判大8.6.30）

ex.2　謝罪文を書かせてこれを読み上げさせた場合（最判昭34.4.28）

ここでは、脅迫・暴行を加えて人に「義務のあること」を行わせた場合における強要罪の成否が問題となる。

この点、脅迫・暴行を加えて人に「義務のあること」を行わせた場合には、249条の文言上、強要罪は成立せず、脅迫罪（222）・暴行罪（208）の成否が問題となるにすぎないとする見解もある。

一方、判例（最判令5.9.11・令5重判2事件）は、「人に義務の履行を求める場合であっても、その手段として脅迫が用いられ、その脅迫が社会通念上受忍すべき限度を超える場合には、強要罪が成立し得る」としている。

上記の判例を支持する学説は、被害者が法律上の義務を負っている場合であっても、社会通念上受忍すべき限度を超える脅迫や暴行を受けながらこれを履行する義務はない以上、人に「義務のないこと」を行わせたといえると解している。

→強要罪の成立を認める見解は、権利行使と恐喝の論点（⇒ p.473）において、恐喝罪（249）の成立を認める判例（最判昭 30.10.14・百選Ⅱ 61 事件）と整合的である

3 「権利の行使を妨害」するとは、被強要者が作為・不作為を行うことを妨げることをいう。法的に禁止されていない限り、活動する自由は保護されるべきであるので、「権利」は法律上のものに限られない。

ex. 告訴権者の告訴を中止させた場合（大判昭 7.7.20）

三　因果関係

本罪成立には、暴行又は脅迫によって相手方が現実に恐怖心を抱き、その結果、義務のないことを行い、又は、行うべき権利を妨害されたという因果関係が必要である。

四　既遂・未遂

本罪は未遂犯（223 Ⅲ）も処罰されるところ、強要罪の実行の着手は、暴行・脅迫の開始の時点で認められる。また、本罪は侵害犯であるので、暴行・脅迫により義務なきことを行わせ、又は権利の行使を妨害した時点で既遂に達する。

→なお、暴行・脅迫がなされても、被強要者の意思が抑圧されなければ、たとえ被強要者が行為者の要求に応じたとしても因果関係が認められないので、強要未遂罪が成立するにとどまる（手段である暴行罪・脅迫罪は、法条競合により成立しない）〈予

各論

《その他》

・本条は、恐喝罪（249）、強盗罪（236）、逮捕・監禁罪（220）、職務強要罪（95 Ⅱ）などに対して一般法的性格を有するから、これらの犯罪が成立する場合には、法条競合によって適用が排除される。

・第33章・【略取、誘拐及び人身売買の罪】

《保護法益》 ⇒下記《論点》

【未成年者拐取罪】

> **第224条 (未成年者略取及び誘拐)**
> 未成年者を略取し、又は誘拐した者は、3月以上7年以下の懲役に処する。

《注　釈》

一　客体

「未成年者」とは、18歳未満の者（民4参照）をいうところ、自ら移動する意思も能力も有していない生後間もない嬰児も「未成年者」に含まれる〈共〉。

二　行為

「略取」・「誘拐」はともに、他人をその生活環境から不法に離脱させ、自己又は第三者の事実的支配下に置くことをいうが、暴行・脅迫を手段とする場合を「略取」と呼び、欺罔・誘惑を手段とする場合を「誘拐」と呼ぶ。また、暴行・脅迫・欺罔・誘惑等の行為は、必ずしも被拐取者に対してなされる必要はなく、監護者に加えられても略取・誘拐になりうる〈司共〉。

三　着手時期・既遂時期

1　着手時期

→暴行・脅迫、欺罔・誘惑の開始時

2　既遂時期

→被害者を行為者又は第三者の実力支配内に移した時（単に保護監督状態から離脱させただけでは足りない）

四　違法性阻却〈司H26〉

親権者などの監護権者により未成年者の略取等がされた場合も、本罪が成立するかにつき、未成年者略取誘拐罪の保護法益と関係して争いがある。

判例（最決平17.12.6・百選Ⅱ12事件）は、このような場合も「略取」「拐取」の構成要件に該当し、監護権者であることは違法性が阻却されるかどうかの判断において考慮されるべき事情にすぎない旨判示している。

→一般に、連れ去り行為が監護養育上必要であり、子の利益に合致するものであるといえるのであれば、違法性が阻却されうる

《論　点》

◆　保護法益

略取及び誘拐の罪の保護法益はいかに解すべきか。この問題は、①監護権者が存在しない場合に本罪が成立しうるか、②監護権者の同意がある場合に本罪が成立しうるか、③監護権者も本罪の主体となりうるか、④被害者本人の同意があっても本罪が成立しうるか、の処理にかかわる。

各論

<略取・誘拐の罪の保護法益>

	被拐取者の自由であるとする説	被拐取者に対する監護権・親権（人的保護関係の侵害である）とする説	被略取者の自由及び被拐取者が要保護状態にある場合は親権者等の保護監督権(監護権)であるとする説（大判明43.9.30、大判大13.6.19）
①　監護権者が存在しない場合に本罪が成立しうるか	成立しうる	成立しえない	成立しうる
②　監護権者の同意がある場合に本罪が成立しうるか	成立しうる	成立しえない	争いあり
③　監護権者も本罪の主体となりうるか	主体となりうる	主体となりえない	争いあり
④　被害者本人の同意がある場合にも本罪が成立しうるか	同意があれば不成立	同意があっても成立しうる	同意があっても成立しうる

各論

▼ **福岡高判昭31.4.14** 共

未成年者誘拐罪の保護法益は、被誘拐者たる未成年者の自由のみならず、両親、後見人等の監護者又はこれに代わり未成年者に対し事実上の監護権を有する監督者などの監護権でもある。

▼ **最決平17.12.6・百選Ⅱ 12事件** 司共 司H26

別居中で離婚係争中の一方親権者である妻が養育している２歳の子を、他方親権者である夫が有形力を用いて連れ去る行為は未成年者略取罪の構成要件に該当し、行為者が親権者の１人であることは、違法性が例外的に阻却されるかどうかの判断において考慮されるべき事情にとどまる。

【営利目的等拐取罪】

第２２５条　（営利目的等略取及び誘拐）

営利、わいせつ、結婚又は生命若しくは身体に対する加害の目的で、人を略取し、又は誘拐した者は、１年以上１０年以下の懲役に処する。

《注　釈》

一　客体

1　未成年者

客体となる。

→本罪は未成年者略取・誘拐罪（224）の加重類型であるから、本罪が成立する場合には、法条競合により本罪のみが成立する〈司共

2　成人

客体となる。

→成人を客体とする場合は、営利・わいせつ・結婚・加害目的（225）、所在国外移送目的（226）、身の代金目的（225の2）がなければ、略取・誘拐罪は成立しない

二　「営利、わいせつ、結婚又は生命若しくは身体に対する加害の目的で」

1　「営利」目的とは、拐取行為により自ら財産上の利益を得、又は第三者に得させる目的をいう。一時的に利益を得る目的であってもよい。また、誘拐に対する報酬を得る目的であってもよい（大阪高判昭36.3.27、大判昭11.5.26）。

2　「わいせつ」目的とは、性交等その他被拐取者の性的自由を侵害する目的をいう。

3　「結婚」目的とは、行為者又は第三者と結婚させる目的をいう。

→「結婚」には、法律婚のみならず事実婚（内縁）も含まれる〈司

4　「加害」目的とは、被拐取者を殺害し、傷害し、又は暴行を加える目的をいう。

【身の代金目的拐取罪・身の代金要求罪】

第225条の2　（身の代金目的略取等）

Ⅰ　近親者その他略取され又は誘拐された者の安否を憂慮する者の憂慮に乗じてその財物を交付させる目的〈共で、人を略取し、又は誘拐した者は、無期又は3年以上の懲役に処する。

Ⅱ　人を略取し又は誘拐した者が近親者その他略取され又は誘拐された者の安否を憂慮する者の憂慮に乗じて、その財物を交付させ、又はこれを要求する行為をしたときも、前項と同様とする。

〔身の代金目的拐取罪、1項〕

《注　釈》

◆「憂慮する者」〈司共

「憂慮する者」とは、被拐取者の安否を親身になって憂慮するのが社会通念上当然であるとみられる特別な関係にある者をいう。

ex.　相互銀行の社長が拐取された場合の銀行幹部は、「憂慮する者」に当たる（最決昭62.3.24・百選Ⅱ13事件）

各論

〔身の代金要求罪、2項〕

《注　釈》

◆ 「要求する行為」

「要求する行為」とは、財物の交付を求める意思表示をすることをいい、要求の意思表示がなされれば既遂に達し、相手方がその意思表示を知りうる状態に達したことを要しない。

【所在国外移送目的拐取罪、人身売買罪、被略取者等所在国外移送罪、被略取者引渡し等罪】

第226条　（所在国外移送目的略取及び誘拐）

所在国外に移送する目的で、人を略取し、又は誘拐した者は、2年以上の有期懲役に処する。

第226条の2　（人身売買）

Ⅰ　人を買い受けた者は、3月以上5年以下の懲役に処する。

Ⅱ　未成年者を買い受けた者は、3月以上7年以下の懲役に処する。

Ⅲ　営利、わいせつ、結婚又は生命若しくは身体に対する加害の目的で、人を買い受けた者は、1年以上10年以下の懲役に処する。

Ⅳ　人を売り渡した者も、前項と同様とする。

Ⅴ　所在国外に移送する目的で、人を売買した者は、2年以上の有期懲役に処する。

第226条の3　（被略取者等所在国外移送）

略取され、誘拐され、又は売買された者を所在国外に移送した者は、2年以上の有期懲役に処する。

第227条　（被略取者引渡し等）

Ⅰ　第224条＜未成年者略取及び誘拐＞、第225条＜営利目的等略取及び誘拐＞又は前3条の罪を犯した者を幇助する目的で、略取され、誘拐され、又は売買された者を引き渡し、収受し、輸送し、蔵匿し、又は隠避させた者は、3月以上5年以下の懲役に処する。

Ⅱ　第225条の2第1項＜身の代金目的拐取＞の罪を犯した者を幇助する目的で、略取され又は誘拐された者を引き渡し、収受し、輸送し、蔵匿し、又は隠避させた者は、1年以上10年以下の懲役に処する。

Ⅲ　営利、わいせつ又は生命若しくは身体に対する加害の目的で、略取され、誘拐され、又は売買された者を引き渡し、収受し、輸送し、又は蔵匿した者は、6月以上7年以下の懲役に処する。

Ⅳ　第225条の2第1項＜身の代金目的拐取＞の目的で、略取され又は誘拐された者を収受した者は、2年以上の有期懲役に処する。略取され又は誘拐された者を収受した者が近親者その他略取され又は誘拐された者の安否を憂慮する者の憂慮に乗じて、その財物を交付させ、又はこれを要求する行為をしたときも、同様とする。

《注　釈》

・226条の2第1項、2項、3項及び5項の人身買受け罪は法条競合の関係にあり、重い罪のみが成立する共。同条4項と5項の人身売渡し罪も同様である。

第228条　(未遂罪)

第224条<未成年者略取及び誘拐>、第225条<営利目的等略取及び誘拐>、第225条の2第1項<身の代金目的拐取>、第226条から第226条の3まで<所在国外移送目的略取及び誘拐、人身売買、被略取者等所在国外移送>並びに前条第1項から第3項まで及び第4項前段の罪の未遂は、罰する。

《注　釈》

・略取・誘拐者身代金要求罪（225の2Ⅱ）、被拐取者収受者の身代金要求罪（227Ⅳ後段）は、財物を要求すればその時点で既遂となるから、未遂処罰規定がない。

第228条の2　(解放による刑の減軽)

第225条の2<身の代金目的略取等>又は第227条第2項<身の代金目的被拐取者引渡し等>若しくは第4項<身の代金目的被拐取者収受、収受者身の代金要求>の罪を犯した者が、公訴が提起される前に、略取され又は誘拐された者を安全な場所に解放したときは、その刑を減軽する共。

[趣旨]本条は、身代金目的の拐取罪及びその関連犯罪については、被拐取者の生命・身体の危険が大きいことから、その安全を図るために政策的に規定されたものである。解放が公訴の提起の前に行われなければ本条の適用はない同。

《注　釈》

・「解放」：被拐取者に対する事実的支配を解くこと

・「安全な場所」：被拐取者が安全に救出されると認められる場所
　→その安全性は、被拐取者が近親者・官憲などによって救出されるまで生命・身体に対して具体的な危険が生じない程度を意味する共

【身の代金目的拐取予備罪】

第228条の3　(身の代金目的略取等予備)

第225条の2第1項<身の代金目的拐取>の罪を犯す目的で、その予備をした者は、2年以下の懲役に処する。ただし、実行に着手する前に自首した者は、その刑を減軽し、又は免除する。

第229条　(親告罪)

第224条<未成年者略取及び誘拐>の罪及び同条の罪を幇助する目的で犯した第227条第1項<被略取者引渡し等>の罪並びにこれらの罪の未遂罪は、告訴がなければ公訴を提起することができない。

[趣旨] 本条は、略取・誘拐の犯人が被害者の実親等である場合において、その犯人を処罰することは被害者である未成年者のその後の成長に影響を与えうるので、処罰を求めるか否かの判断を被害者や監護権者の意思に委ねる点にある。

・第34章・【名誉に対する罪】

《保護法益》 ⇒ p.396

【名誉毀損罪】

> **第230条（名誉毀損）** 司H30
>
> Ⅰ　公然と事実を摘示し、人の名誉を毀損した者は、その事実の有無にかかわらず、3年以下の懲役若しくは禁錮又は50万円以下の罰金に処する。
>
> Ⅱ　死者の名誉を毀損した者は、虚偽の事実を摘示することによってした場合でなければ、罰しない。

〔名誉毀損罪、1項〕

《注　釈》

一　「公然と事実を摘示し」 司H30

1　「公然」とは、不特定又は多数人が知りうる状態をいう。

判例は、当初は特定した少数者に対するものでも、伝播して不特定多数者が認識しうる可能性を含む場合にも、公然性が認められるとしている（最判昭34.5.7・百選Ⅱ19事件） 司共。

2　「事実を摘示し」とは、具体的に人の評価を低下させるに足りる事実を告げることをいう。

→「事実」は、すでに一般に知られていてもよく、また、真実か否かも問わない 司共

二　「人の名誉」

1　「人」は、自然人のほか、法人及び法人格のない団体も含まれる（大判大15.3.24、最決昭58.11.1・百選Ⅱ22事件） 司共。自然人には、幼児（大判昭8.9.6）や精神障害者も含まれる。

→被害者は特定されている必要があるため、「○○県民」のような不特定集団は「人」に含まれない（大判大15.3.24参照） 司共

2　「名誉」とは、人に対する社会的な評価（外部的名誉）をいう。　⇒ p.396

ただし、人の経済的な支払能力及び支払意思に対する社会的評価は、信用毀損罪（233）における「信用」に含まれるので、本罪の「名誉」から除外される。

→いわゆる「虚名」（事実と異なる不当に高い評価）も人の社会的評価にほかならないから、真実である事実を摘示して虚名を修正する行為であって

も、人の社会的評価を低下させるものである以上、本罪が成立しうる

三 「毀損」

社会的評価を害するおそれのある状態を発生させることで足り、現実に社会的評価が低下したことは必要ないとされる（抽象的危険犯、大判昭13.2.28）司共。

〔死者の名誉毀損罪、2項〕

《注　釈》

◆ 「虚偽の事実を摘示」共

死者の名誉については、「虚偽の事実を摘示」した場合のみ処罰される。誤って虚偽の事実を摘示して名誉を侵害しても、故意犯である本罪は成立しない。

> **第230条の2　（公共の利害に関する場合の特例）**
>
> Ⅰ　前条第1項の行為が公共の利害に関する事実に係り、かつ、その目的が専ら公益を図ることにあったと認める場合には、事実の真否を判断し、真実であることの証明があったときは、これを罰しない。
>
> Ⅱ　前項の規定の適用については、公訴が提起されるに至っていない人の犯罪行為に関する事実は、公共の利害に関する事実とみなす。
>
> Ⅲ　前条第1項の行為が公務員又は公選による公務員の候補者に関する事実に係る場合には、事実の真否を判断し、真実であることの証明があったときは、これを罰しない。

各論

[趣旨]人格権としての個人の名誉の保護と、憲法21条による正当な言論の保障との調和を図ることにある。

《注　釈》

一　1項

名誉毀損行為に①事実の公共性（公共の利害に関する事実）と②目的の公益性が認められ、③事実が真実であると証明があったときは罰しない、とする原則を規定する司。

1 「公共の利害に関する事実」とは、一般の多数人の利害に関係する事実をいうが、表現の自由との関連を考慮して、「市民が民主的自治を行う上で知る必要がある事実」とする見解もある。

→「公共の利害に関する事実」に当たるか否かは、「摘示された事実自体の内容・性質に照らして客観的に判断されるべきものであり、これを摘示する際の表現方法や事実調査の程度などは、同条にいわゆる公益目的の有無の認定等に関して考慮されるべきことがら」にすぎず、摘示された事実が「公共の利害に関する事実」に当たるか否かの判断を左右するものではない（最判昭56.4.16・百選Ⅱ20事件）

2 「その目的が専ら公益を図ることにあった」とは、公共の利害を増進させることを主たる動機として事実を摘示したことをいう。

3　真実性の証明の対象は摘示された事実である。

→噂や風評の形式で事実が摘示された場合でも、証明の対象は噂や風評の存在ではなく、風評の内容たる事実である（最決昭43.1.18）〈共

二　2項

逮捕された犯人に関する報道など、公訴提起前の犯罪行為に関する事実は、①公共の利害に関する事実とみなす。

三　3項

名誉毀損行為が、公務員又は公選による公務員の候補者に関する事実にかかわるときは、①事実の公共性と②目的の公益性の要件の立証を不要とする。ただし、摘示事実が公務員としての資質、能力と全く関係ない場合は除く。

四　私人の私生活上の行状と事実の公共性〈共

判例（最判昭56.4.16・百選Ⅱ 20事件）は、私人の私生活上の行状であっても、そのたずさわる社会的活動の性質及びこれを通じて社会に及ぼす影響力の程度などのいかんによっては、「公共の利害に関する事実」に当たる場合があるとする。

各論

《論　点》

一　法的性質〈司

230条の2の規定は「罰しない」と定めているが、この「罰しない」とはどのような意味か、230条の2の法的性質が問題となる。

この点については、主に、①230条の2の規定は処罰阻却事由を定めたものであるとする見解（処罰阻却事由説）と、②230条の2の規定は違法性阻却事由を定めたものであるとする見解（違法性阻却事由説）の2つが対立している。

①処罰阻却事由説は、およそ人の名誉を毀損する行為それ自体が犯罪であり、真実性の証明は名誉毀損がなされた後の事情であるから、名誉毀損の違法性とは関係がないと考える。仮に、②違法性阻却事由説の立場に立つと、原則として検察官が真実性の証明に係る事実の不存在について立証責任を負うはずであるが、230条の2は真実性の証明に係る立証責任を被告人側に負担させていることから、230条の2は①説と整合的であると解されている〈司。

もっとも、①説に対しては、表現の自由に基づく真実の言論であっても違法性を認める点で疑問があるとの批判がなされている。

そこで、②説は、表現の自由に基づく真実の言論は違法性を阻却するので、犯罪そのものが成立しないと解する〈司。もっとも、後述するとおり、判例（最大判昭44.6.25・百選Ⅱ 21事件）は、②説の中でも、「230条の2の規定は、他人の名誉を毀損する表現の内容が証明可能な程度に真実であることを違法性阻却事由として定めたものである」との立場に立っているものと解される。

二　真実性の錯誤

事実を摘示した者が、何らかの根拠に基づいて事実を真実だと考えていたが、真実でなかった、あるいは真実性の証明に成功しなかった場合に、なお免責の余

地があるか。あるとすれば、それはいかなる根拠から、いかなる基準により判断されるのかが問題となる。

判例（最大判昭44.6.25・百選Ⅱ21事件）は「たとい刑法230条の2第1項にいう事実が真実であることの証明がない場合でも、行為者がその事実を真実であると誤信し、その誤信したことについて、確実な資料、根拠に照らし相当の理由があるときは、犯罪の故意がなく、名誉毀損の罪は成立しない」として、「確実な資料、根拠に照らし相当の理由」を基準とし、故意を否定することによって免責を肯定している〈同。

ex.1　新聞記者Aは市長が業者から賄賂を受け取ったという噂を聞き、熱心な取材活動を行ってこれを記事にして新聞に掲載したが、裁判で真実性の証明に成功しなかった。この場合、Aに名誉毀損の罪は成立しない

ex.2　インターネットの個人利用者による名誉毀損の場合においても、「確実な資料、根拠に照らし相当の理由」がある場合にのみ故意が否定されるべきで、インターネットの特殊性を理由に基準を緩和するべきではない（最決平22.3.15・平22重判9事件）〈共

<真実性の錯誤>〈同

<table>
<tr><th>230条の2の
法的性格</th><th>真実性の証明が
あったとき</th><th colspan="2">真実性の錯誤の処理</th></tr>
<tr><td>構成要件阻却事由</td><td>証明可能な程度に真実であったことにより、犯罪不成立</td><td rowspan="2">事実の錯誤</td><td>証明可能な程度の資料・根拠をもって真実と誤信すれば、故意阻却</td></tr>
<tr><td rowspan="2">違法性阻却事由</td><td rowspan="2">真実であったことにより、犯罪不成立</td><td>真実と誤信すれば、故意阻却（＊1）</td></tr>
<tr><td>法律の錯誤
（厳格責任説）</td><td>真実と誤信することが避けられなかったとき、責任阻却</td></tr>
<tr><td rowspan="2">処罰阻却事由</td><td>犯罪は成立し、処罰のみ阻却</td><td>犯罪の成立に影響しない</td><td>免責の余地なし（＊2）</td></tr>
<tr><td>真実であったことにより違法性が減少し、処罰阻却</td><td>虚偽性につき過失を要する（＊3）</td><td>事実が虚偽であることに過失がなければ責任阻却</td></tr>
</table>

＊1　確実な資料・根拠もなしに事実を真実と誤信した軽率な行為者を利することになり妥当でないと批判される。

＊2　どんなに十分な取材に基づいても最終的に証明に失敗したならば必ず処罰されるとすると、表現の自由は過度に萎縮してしまうと批判される。

→処罰阻却事由説に立ちつつ、確実な資料・根拠に基づいて事実を公表する行為は正当な言論活動にほかならないので、正当行為（35）によって違法性が阻却されるとする有力説もある〈予

＊3　事実が虚偽であることは違法性にかかわる処罰条件であるということになるから、責任主義の見地から虚偽性につき過失を要するとして、230条の2が前提とする名誉毀損罪は故意と過失の結合した犯罪類型であるとする。

【侮辱罪】

第２３１条　（侮辱）

事実を摘示しなくても、公然と人を侮辱した者は、１年以下の懲役若しくは禁錮若しくは３０万円以下の罰金又は拘留若しくは科料に処する。

《注　釈》

一　「公然」

「公然」とは、名誉毀損罪の場合と同じく、不特定又は多数人が認識しうる状態のことをいう。

二　「人を侮辱」

「人」には、自然人のほか、法人及び法人格のない団体も含まれる（最決昭58.11.1・百選Ⅱ22事件）〈共〉。自然人には、幼児や精神障害者も含まれる。

「侮辱」とは、人に対する侮蔑的価値判断を表示することをいう（大判大15.7.5）。言語のほか、動作・図画などでもよい。

また、本罪は抽象的危険犯であると解されており、人に対する侮蔑的価値判断が表示されれば、人に対する社会的評価が実際に低下したかどうかを問わない。

《論　点》

◆　保護法益

刑法上の名誉の意義は、①「人の真価」を意味する内部的名誉と、②人に対する社会の評価、世評、名声を意味する外部的名誉と、③人の価値について本人自身が有する意識感情である名誉感情に分けられる。

このうち、①内部的名誉は、外部からの力によって影響されえない以上、名誉に対する罪の法益になりえない。そこで、名誉に対する罪（名誉毀損罪、侮辱罪）の保護法益は、②外部的名誉なのか、③名誉感情なのか、が問題となる。

＜名誉毀損・侮辱罪の保護法益＞〈司予〉

学説	甲説（最決昭58.11.1・百選Ⅱ22事件）〈通〉	乙説	丙説
保護法益	名誉毀損・侮辱ともに外部的名誉	名誉毀損は外部的名誉、侮辱は名誉感情	名誉毀損・侮辱ともに外部的名誉・名誉感情の双方

学説	甲説 （最決昭 58.11.1・百選Ⅱ 22 事件）通	乙説	丙説
名誉毀損罪と侮辱罪との区別	手段による区別 →事実の摘示の有無 →「事実を摘示しなくても」とは、事実を摘示しないで、と解する	保護法益による区別 →「事実を摘示しなくても」とは、事実を摘示しない場合でも、と解する	手段による区別 →事実の摘示の有無 →「事実を摘示しなくても」とは、事実を摘示しないで、と解する
根　拠	①　名誉感情は人により相当異なる不明確なものであり、刑法上保護に値しない ②　名誉感情を保護法益とすると、名誉感情をもたない幼児や重度の精神病者に対して侮辱罪が成立しないことになる ③　侮辱行為が被害者の面前でなされなくても公然となされれば侮辱罪が成立するから、名誉感情を保護法益とするのは妥当でない	①　名誉毀損罪と侮辱罪は、法定刑から見て性格上の差異があると解すべき ②　名誉感情を有しえない者には、その侵害を理由に侮辱罪の成立を認める必要はない ③　侮辱罪が公然性を要求したのは、公然に侮辱された方が名誉感情を害される程度が大きいので、この場合のみ可罰的とした趣旨である	①　名誉毀損罪は親告罪であり、名誉感情を害された被害者の告訴を予期している ②　公然の侮辱行為によって、被害者の名誉感情のみならず外部的名誉も害されることからすれば、侮辱罪においても、名誉感情とともに外部的名誉も保護法益と解すべきである
法人に対する侮辱罪	成立しうる	成立しえない	成立しうる（＊）
名誉毀損罪が230条の2で免責された場合	事実の摘示があるので侮辱罪は成立しない	なお侮辱罪が成立しうる	事実の摘示があるので侮辱罪は成立しない

＊　第一次的法益は外部的名誉であり、副次的に名誉感情でもあると考えることにより、法人に対する侮辱罪も成立しうるとされる。

第232条　（親告罪）

Ⅰ　この章の罪は、告訴がなければ公訴を提起することができない。

Ⅱ　告訴をすることができる者が天皇、皇后、太皇太后、皇太后又は皇嗣であるときは内閣総理大臣が、外国の君主又は大統領であるときはその国の代表者がそれぞれ代わって告訴を行う。

各論

・第35章・【信用及び業務に対する罪】

【信用毀損罪・業務妨害罪】

> **第２３３条　（信用毀損及び業務妨害）**
>
> 　虚偽の風説を流布し、又は偽計を用いて、人の信用を毀損し、又はその業務を妨害した者は、３年以下の懲役又は５０万円以下の罰金に処する。
>
> **第２３４条　（威力業務妨害）**
>
> 　威力を用いて人の業務を妨害した者も、前条の例による。

各論

〔信用毀損罪、233条前段〕

《保護法益》

人の社会的地位における経済的信用である。

《注　釈》

一　「虚偽の風説を流布し、又は偽計を用いて」

1　「虚偽の風説を流布し」

「虚偽の風説を流布」するとは、客観的真実に反する噂・情報を不特定又は多数人に伝播させることをいう〈同〉。ある事項の全部が虚偽でなくてもよく、一部の虚偽で足りる。また、具体的な事実を摘示する必要もない（大判明45.7.23）。

ex.　甲が「A店が販売している弁当には腐った食材が使われている」との虚偽の事実をＳＮＳ上に投稿した場合

名誉毀損罪（230）と異なり「公然」性は不要であるため、直接少数の者に噂を流した場合でも、その者を介して多数人に伝播するおそれがあると認められれば、本罪が成立する（大判昭12.3.17）〈共〉。

名誉毀損罪では、原則として、摘示した事実が真実であっても処罰の対象となる（230条の2が適用される場合を除く）が、信用毀損罪は「虚偽の風説を流布」する行為を処罰する罪であるので、摘示した事実が真実である場合には処罰されない。

→上記ex.において、A店で実際に腐った食材が使われていた場合には、本罪は成立せず不可罰となる

2　「偽計を用いて」

「偽計」とは、人を欺罔・誘惑し、あるいは人の錯誤・不知を利用することをいう〈同〉。

二　「人の信用」

1　「人」は、自然人に限らず、法人や法人格のない団体をも含む。

2　「信用」とは、経済的信用〈同〉をいうが、人の支払能力又は支払意思に対する

社会的な信頼に限定されるべきものではなく、販売される商品の品質に対する社会的な信頼も含む（最判平15.3.11）司共。

三 「毀損」

「毀損」とは、信頼が低下するおそれのある状態を生じさせることをいう（抽象的危険犯、大判大2.1.27）司。

〔業務妨害罪、233条後段・234条〕

《保護法益》

人の社会生活上の地位における人格的活動（社会的活動の自由）である。

《注　釈》

一 「業務」

「業務」とは、職業その他社会生活上の地位に基づき継続して行う事務又は事業をいう（大判大10.10.24）共。

① 人の生命・身体に対する危険を含むもの、ないし危険を防止するものでなくてもよい。

② 娯楽のために行う自動車の運転や、学生の講義の聴講は含まない司。

③ 違法な業務であっても、要保護性が認められる限り、含まれる司共。

④ 営利を目的とするものでなくとも「業務」といいうる。

▼ 最決平14.9.30・百選Ⅱ24事件

東京都が、「動く歩道」設置のため、路上生活者の段ボール小屋等を排除し、撤去する工事は、行政代執行の手続を経ていないとしても、やむを得ない事情に基づくものであって、業務妨害罪による要保護性を失わせるような法的瑕疵があったとはいえない。

二 手段・態様

1 「虚偽の風説の流布し、又は偽計を用いて」(233)

「虚偽」とは、客観的真実に反することをいい、「風説」とは、噂をいう。

「流布」とは、不特定又は多数人に伝播させることである。

「偽計」とは、人を欺罔・誘惑し、又は他人の無知・錯誤を利用することのほか、計略や策略を講じるなど威力以外の不正な手段を用いることをいう。なお、人の意思に対する働きかけがなく、専ら対物的加害行為が行われた場合であっても、それが非公然と行われた場合には、偽計に当たる司。

2 「威力を用い」(234)

「威力」とは、人の意思を制圧するに足りる勢力を使用することをいう。暴行・脅迫はもちろん、地位・権勢を利用する場合も含まれる。そして、この威力を「用い」るとは、一定の行為の必然的結果として、人の意思を制圧するような勢力を用いれば足り、必ずしも、それが直接現に業務に従事している他人に対してなされることを要しない（最判昭32.2.21）司共。

＊　偽計と威力の区別について、判例は、犯行が隠密に行われたか公然と行われたかによって区別していると思われる。

＜「偽計」・「威力」の具体例＞

偽計	①　通話時に電話料金を課すシステムを回避するマジックホンという機械を電話に取り付けた行為（最決昭 59.4.27・百選Ⅱ 25 事件）共 ②　他人名義の商品注文により配達をさせる行為（大阪高判昭 39.10.5）司 ③　漁場の海底に障害物を沈めて漁網を破損させる行為（大判大 3.12.3） ④　他人のキャッシュカードの暗証番号等を盗撮するために、無人の銀行出張所にあるＡＴＭの１機を、一般の利用客を装い１時間 30 分以上にわたって占拠し続けた行為（最決平 19.7.2・百選Ⅱ 18 事件）共 ⑤　３か月の間に約 970 回の無言電話を中華料理屋にかけ顧客からの注文を妨げた行為（東京高判昭 48.8.7） ⑥　デパートの売り場の布団に見えない形で針を混入させた行為（大阪地判昭 63.7.21）
威力	①　弁護士から訴訟記録等が入った鞄を力づくで奪取し２か月余り隠した行為（最決昭 59.3.23）司共 ②　約 200 人で県議会委員会室に乱入し、バリケードを築いて室内に立てこもる行為（最決昭 62.3.12・百選Ⅱ〔第６版〕22 事件） ③　卒業式直前に、保護者らに対し大声で呼びかけ、これを制止した校長らに対し怒号を発するなどした行為（最判平 23.7.7・平 23 重判３事件）共 ④　事務机に猫の死骸を入れておき、被害者に発見させる行為（最決平 4.11.27）共

三　「妨害」

「妨害」とは、現に業務妨害の結果が発生したことを必要とせず、業務を妨害するに足りる行為があることをもって足りる（危険犯）（最判昭 28.1.30）司。

《論　点》

◆　公務と業務〈司〈司H21 司R5

＜公務と業務の区別に関する学説＞

学　説	内　容	理　由	批　判
無限定積極説	公務は全て「業務」に含まれる	公務も公務員としての個人の社会的活動にほかならないし、刑法は「業務」について特に限定を加えていない	①　強制力を行使する権力的公務は暴行・脅迫に至らない妨害（威力）を排除できる以上、威力による妨害にとどまる場合にまで本罪を成立させて権力的公務を保護する必要はない ②　公務執行妨害罪という国家的法益に対する罪と業務妨害罪という個人的法益に対する罪とを安易に混同している
消極説	公務は一切「業務」に含まれない	公務執行妨害罪は国家的法益に対する罪であるのに対し、業務妨害罪は個人的法益に対する罪であるから、個人的法益を保護するための業務妨害罪によって公務が保護されるべきではなく、公務執行妨害罪によってのみ保護されるべきである	公務というだけで、民間の業務と実質的に異ならない公務まで偽計・威力による妨害から保護されないとするのは不合理である
公務振分け説	一定の基準により公務を振り分けた上で、その基準を満たす公務については専ら業務妨害罪のみ成立し、それ以外の公務は専ら公務執行妨害罪のみ成立する	一定の基準（民間類似性、非権力性、現業性など）を満たす公務については民間の業務と同じ保護を与えるべきであり、それゆえ専ら業務妨害罪の成否のみが問題となるが、それ以外の公務については公務執行妨害罪で保護される	一定の基準を満たす公務については公務執行妨害罪が成立しないことになるが、それでは公務執行妨害罪の成立範囲が著しく狭められてしまう

学説	内容	理由	批判
限定積極説	権力的公務は「業務」に含まれないが、非権力的公務は「業務」に含まれる	① 公務というだけで民間の業務と同程度の保護に値しないとはいえないので「業務」に含まれると解すべきであるし、公務は公共の福祉に資するので、むしろ二重の保護を与えてもよい ② 強制力を行使する権力的公務は暴行・脅迫に至らない妨害（威力）を排除できる以上、威力業務妨害罪の成立を認めてまで保護すべきではない	暴行・脅迫を用いて民間の業務を妨害しても業務妨害罪しか成立しないのに、同じく暴行・脅迫を用いて非権力的公務を妨害した場合には公務執行妨害罪が成立すると解するのは不均衡である
修正積極説（有力説）	威力業務妨害罪における「業務」には非権力的公務のみが含まれるが、偽計業務妨害罪における「業務」には非権力的公務のみならず権力的公務も含まれる	① 限定積極説の理由①②と同じ ② 強制力を行使する権力的公務であっても、偽計による妨害を排除することはできないので、偽計業務妨害罪における「業務」には権力的公務も含まれると解すべきである	妨害手段が威力か偽計かによって「業務」の範囲が異なるのは妥当でない

＜公務と業務の区別に関する各学説による処理＞

学説	権力的公務			非権力的公務		
	暴行・脅迫	威力	偽計	暴行・脅迫	威力	偽計
無限定積極説	95 Ⅰ・234（＊）	234	233	95 Ⅰ・234（＊）	234	233
消極説	95 Ⅰ	×	×	95 Ⅰ	×	×
公務振分け説	95 Ⅰ	×	×	234	234	233
限定積極説	95 Ⅰ	×	×	95 Ⅰ・234（＊）	234	233

学説	権力的公務			非権力的公務		
	暴行・脅迫	威力	偽計	暴行・脅迫	威力	偽計
修正積極説（有力説）	95 Ⅰ	×	233	95 Ⅰ・234（＊）	234	233

＊　公務執行妨害罪と業務妨害罪が競合する場合には、法条競合（特別関係）又は観念的競合になり、これを法条競合（特別関係）と解するときは、公務執行妨害罪のみが成立する。

3　判例〈共

ex.1　県議会総務文教委員会の条例採決等の事務は、「なんら……強制力を行使する権力的公務ではないので……威力業務妨害罪にいう『業務』に当たる」（最決昭62.3.12・百選Ⅱ〔第6版〕22事件）〈司

ex.2　公職選挙法上の選挙長の立候補届出受理事務は、「強制力を行使する権力的公務ではないから……233条、234条にいう『業務』に当たる」（最決平12.2.17・百選Ⅱ 23事件）〈司

ex.3　動く歩道を設置するため、路上生活者に自主的退去を求め、退去後に残された段ボール小屋等を撤去する工事は、「強制力を行使する権力的公務ではないから、刑法234条にいう『業務』に当たる」（最決平14.9.30・百選Ⅱ 24事件）

ex.4　犯罪予告の虚偽通報により警察の公務が妨げられた場合、当該公務の中に強制力を付与された権力的公務が含まれるとしても、その強制力は虚偽通報のような妨害行為に対して行使しうる段階にないため、妨害された全ての公務が「業務」に含まれる（東京高判平21.3.12）

ex.5　覚醒剤に見せかけた砂糖入りのポリ袋を警察官の前で故意に落とした上で、それを拾って逃走し、違法薬物を所持した犯人が逃走したものと警察官に誤信させることにより、刑事当直・警ら活動・交番勤務等当時従事すべきであった業務の遂行を困難にさせた場合、「同業務中に警察官がその遂行の一環として強制力の行使が想定される場合が含まれるとしても、本件行為が行われた時点では、そもそも、その強制力を同行為に対して行使し得るはずはなく、その偽計性を排除しようにもそのすべはない」から、当該業務は、偽計業務妨害罪における「業務」に当たる（名古屋高金沢支判平30.10.30・令元重判3事件）

【電子計算機損壊等業務妨害罪】

> **第２３４条の２　（電子計算機損壊等業務妨害）**
> Ⅰ　人の業務に使用する電子計算機若しくはその用に供する電磁的記録を損壊し、若しくは人の業務に使用する電子計算機に虚偽の情報若しくは不正な指令を与え、又はその他の方法により、電子計算機に使用目的に沿うべき動作をさせず、又は使用目的に反する動作をさせて、人の業務を妨害した者は、５年以下の懲役又は１００万円以下の罰金に処する。
> Ⅱ　前項の罪の未遂は、罰する。

[趣旨]本罪は、電子計算機（コンピュータ）に対する加害行為を手段とする業務妨害を新たに業務妨害の１類型として捉え、偽計・威力業務妨害罪より重く処罰する。重罰を科す理由は、電子計算機に存在する情報は大量性・迅速性という特質を有しているところ、電子計算機にかかわる事務がひとたび侵害されると、被害が重大かつ広範なものとなる点にある。

《保護法益》

電子計算機による業務の円滑な遂行

《注　釈》

一　客体

「人の業務に使用する電子計算機」とは、他人の業務において、それ自体が一定の独立性をもって、あたかも人が行う業務であるかのように自動的に情報処理を行うものとして用いられる電子計算機をいう。

二　行為共

1　「損壊」：電子計算機等を物理的に毀損すること、磁気ディスクなどに記録されているデータを消去することなど、その効用を喪失させる一切の行為

2　「虚偽の情報」：その内容が真実に反する情報のこと

3　「不正の指令」：当該事務処理に過程において与えられるべきではない指令

4　「与え」る：当該情報又は指令を電子計算機に入力すること

三　結果

電子計算機に対する加害行為により、動作阻害の結果を発生させ（中間結果）、その結果として「人の業務を妨害した」ことを要する。

1　動作阻害の結果の発生

(1)「使用目的」に沿うべき動作をさせないこと共

(a)「使用目的」：電子計算機を使用している者が、具体的な業務遂行の過程において、電子計算機による情報処理によって実現を目指している目的

(b)「動作」：電子計算機の機械としての動き、すなわち電子計算機が情報処

各論

理のために行う入力・出力・検索・演算等の動き

(2) 電子計算機をして使用目的に反する動作をさせること

(3) 阻害の事態が現実に発生すること

2 業務妨害

「妨害した」とは、電子計算機の動作阻害によって電子計算機による業務の遂行に混乱を生じさせることをいう。

・第36章・【窃盗及び強盗の罪】

《概 説》

財産罪は、窃盗及び強盗の罪（236以下）、詐欺及び恐喝の罪（246以下）、横領の罪（252以下）、盗品等に関する罪（256以下）、毀棄及び隠匿の罪（258以下）からなり、以下のように分類される。

<財産罪の分類>

<table>
<tr><th>保護の客体</th><th colspan="4">行為態様</th><th>罪名</th><th>財物</th><th>財産上の利益</th></tr>
<tr><td rowspan="8">個別財産に対する罪</td><td rowspan="7">領得罪</td><td rowspan="6">直接領得罪</td><td rowspan="5">移転罪（奪取罪）</td><td rowspan="3">盗取罪</td><td>窃盗罪（235）</td><td>○（動産）</td><td>×</td></tr>
<tr><td>不動産侵奪罪（235の2）</td><td>○（不動産）</td><td>×</td></tr>
<tr><td>強盗罪（236）</td><td>○</td><td>○</td></tr>
<tr><td rowspan="2">交付罪</td><td>詐欺罪（246）</td><td>○</td><td>○</td></tr>
<tr><td>恐喝罪（249）</td><td>○</td><td>○</td></tr>
<tr><td colspan="2">非移転罪（非奪取罪）</td><td>横領罪（252等）</td><td>○</td><td>×</td></tr>
<tr><td colspan="3">間接領得罪</td><td>盗品等に関する罪（256）</td><td>○</td><td>×</td></tr>
<tr><td>毀棄罪</td><td colspan="3"></td><td>器物損壊罪等（261等）</td><td>○</td><td>×</td></tr>
<tr><td>全体財産に対する罪</td><td>領得・毀棄罪</td><td colspan="3"></td><td>背任罪（247）</td><td>○</td><td>○</td></tr>
</table>

各論

【窃盗罪】

> **第２３５条　（窃盗）**
> 　他人の財物を窃取した者は、窃盗の罪とし、１０年以下の懲役又は５０万円以下の罰金に処する。

《保護法益》

所有権その他の本権か、占有自体も保護法益に含めるかについて争いがあり、保護法益の捉え方によって「他人の財物」の意義も異なってくる。　⇒下記《論点》一

《注　釈》

一　「他人の財物」

1　意義　⇒下記《論点》一

2「財物」とは、所有権の対象となる有体物（固体・液体・気体）をいう（有体性説）。電気は有体物ではないが、245条とその準用規定により財物とみなされる（245条を処罰創設規定と捉える予）。また、情報それ自体は「財物」に当たらない（情報が化体（記録）された媒体が「財物」に当たる。東京地判昭59.6.28・百選Ⅱ33事件）。ただし、有体物であっても人体やその一部は性質上「財物」には当たらない。

→「財物」とは、人が管理し得る対象と解する立場（管理可能性説）に立つ場合、245条は単なる確認的な注意規定にすぎず、電気を盗む行為は、245条がなくても処罰可能と解する予

3「財物」に当たるためには、必ずしも金銭的・経済的価値（交換価値）を要しない（最判昭25.8.29）司R元。例えば、本人にとって主観的・感情的な価値しかない物（手紙や記念品など）であっても十分保護に値するし、他人の手に渡ると悪用されるおそれがあるため自己の手元で保管する利益（消極的価値）しかない物（失効した運転免許証や使用済みの収入印紙（最決昭30.8.9）予など）であっても、所有権の対象となる有体物である以上、財物性が肯定される。

また、麻薬や銃砲刀剣類などの禁制品も、国家により適法・適式に没収される場合を除き、これを保持し続ける利益は保護に値するので、財物性が肯定される司。

一方、有体物であっても、所有権の対象となっていない物は財物性が否定される。例えば、無主物（空気、自然水、海中の魚など）は「財物」に当たらない。もっとも、無主物先占（民239）により他人が所有権を取得すれば、それは「財物」に当たる。

二 「窃取」すること

「窃取」とは、占有者の意思に反して財物に対する占有者の占有を排除し、目的物を自己又は第三者の占有に移すことをいう〈共。

→方法・手段に制限はなく、欺罔行為を手段とする場合でも、被害者の意思に反して財物の占有を取得すれば窃盗罪が成立しうる

ex.1 磁石を用いてパチンコ機械から玉を取る行為（最決昭31.8.22）〈共

ex.2 体感器（専らパチンコ・パチスロ遊戯において不正に玉・メダルを取得する目的に使用される機器）がパチスロ機に直接には不正の工作ないし影響を与えないものであるとしても、これを身体に装着し不正取得の機会を窺いながら遊戯すること自体、通常の遊戯方法の範囲を逸脱するものであり、体感器を身体に隠匿装着・使用したうえで取得したメダルにつき、それが体感器の操作の結果取得されたものであるか否かを問わず、窃盗罪が成立する（最決平19.4.13・平19重判7事件）

ex.3 共犯者が不正行為により取得したメダルについて窃盗罪が成立し、被告人もその共同正犯であったとしても、被告人が自ら取得したメダルについては、被害店舗が容認している通常の遊戯方法により取得したものであるから窃盗罪は成立しない。また、パチスロ機の下皿内に窃取したメダル72枚が、ドル箱内に被告人が通常の遊戯方法により取得したメダルと共犯者が不正行為により取得したメダルとが混在した414枚が、それぞれある場合、窃盗罪が成立する範囲は、下皿内のメダル72枚のほか、ドル箱内のメダル414枚の一部にとどまる（最決平21.6.29・百選Ⅱ30事件）〈共

三 占有

1 意義

占有とは、財物に対する事実上の支配をいい、民法における「占有」に比べてより現実的な内容をもつ。

ex.1 「自己のためにする意思」（民180）に基づく占有に限らず、他人のために占有する場合（占有代理人の占有）も含まれる

ex.2 代理人による占有（民181、民204参照）は、代理人自体の直接占有がここでの占有となり、本人の占有はここでの占有にならない

2 占有の要素〈司H27

具体的な事実上の支配の有無は、支配の事実と支配の意思により判断される。

→客観的な時間的・空間的距離（支配の事実）が近い場合や、長時間経過したり距離が離れたりしても、意識的に置いた（支配の意思）場合は占有が認められやすい

(1) 支配の事実

被害者の占有を離れた物でも、第三者の事実支配が認められる場合があ

各論

る。特に、他人が管理する建物内で紛失した物につき、建物管理者に占有が認められる場合が多いが、その場所が閉鎖的か否かが影響する。

(2)　支配の意思

財物を事実的に支配する意思をいう。必ずしも個々の財物に向けられた特定的・具体的な意思に限らず、通常は自己の支配する場所内に存在する財物一般を対象とする包括的・抽象的な意思であれば足りる。

(3)　占有の有無

財物に対する現実的握持があれば、支配の事実が明白であり、占有が認められる。もっとも、占有が認められるためには、必ずしも現実的握持を要さず、前述のように、支配の事実と支配の意思からみて事実上の支配が認められれば占有が認められる。

<占有の有無>

①財物が事実的支配領域内にある場合	肯定	・　自宅内に存在するが、その所在を失念した財物について、主人に占有が認められる（大判大15.10.8）共 ・　飼い主の下へ帰る習性をもつ動物が飼い主の手元を離れた場合の当該動物について、飼い主の占有が認められる（大判大5.5.1、最判昭32.7.16）
	否定	・　自然湖の一部を区切って錦鯉を養殖している生簀から逃げ出した錦鯉については、未だ同湖内にあっても、養殖者の占有は失われている（最決昭56.2.20）司共
②財物を一時的に置き忘れた場合	肯定	・　バス待ちの行列の中でカメラを置き忘れた者が、約5分後、約20メートル離れたところで気付いて引き返した場合について、占有は認められる（最判昭32.11.8・百選Ⅱ〔第6版〕27事件） ・　公園のベンチにポシェットを置き忘れた者が、約2分後、約200メートル離れたところで気づいて引き返したが、ベンチから約27メートル離れた時点で領得された場合について、占有は認められる（最決平16.8.25・百選Ⅱ 28事件）
	否定	・　大規模スーパーマーケットの6階ベンチに財布を置き忘れた者が、約10分後、地下1階に移動した時点で置き忘れに気付き引き返した場合について、置き忘れた者の占有は認められない（東京高判平3.4.1）
③財物を自らの所在地から離れた場所に置いた場合	肯定	・　仏像を看守者のいない仏堂に安置していた場合について、当該安置していた者の占有が認められる（大判大3.10.21）共 ・　事実上の自転車置場に自転車を無施錠で放置した場合について、当該放置をした者の占有が認められる（福岡高判昭58.2.28）
	否定	——

④元々の占有者が財物の占有を喪失したとき、当該財物が存在する支配領域内を支配している者に、財物の占有が移る場合	肯定	・ ゴルフ場のロストボールについて、ゴルフ場管理者の占有が認められる（最決昭62.4.10） ・ 旅館内のトイレに遺失された財布について、旅館主の占有が認められる（大判大8.4.4）共 ・ 旅館内の風呂の脱衣所に遺失された時計について、旅館主の占有が認められる（札幌高判昭28.5.7）
	否定	・ 列車内に置き忘れた毛布について、車掌等の占有は認められない（大判大15.11.2）司共 ・ 村役場事務室内に納税者が遺失した金員について、村長の占有は認められない（大判大2.8.19）

＊ 海中に取り落した物件について、落とし主の意思に基づきこれを引き揚げようとする者が、その落下場所の大体の位置を指示し、引揚げを人に依頼した結果、当該物件がその付近で発見されたときは、依頼者による現実の所持がなく、現物を見ておらず、かつ監視していなくても、依頼者に占有が認められる（最決昭32.1.24）共。

3　占有の主体

(1)　占有の主体は、自然人であることを要する通。

(2)　死者の占有　⇒下記《論点》二

4　占有の帰属司

財物の占有に被害者のみならず行為者も関与している場合、その占有が、被害者に帰属するときは窃盗罪が成立し、行為者に帰属するときは横領罪が成立するので、占有が誰に帰属するかについて問題となる。

＜占有の帰属＞ 司R3

共同占有 司H27	・ 共同占有者が、他の共同占有者の同意を得ることなく、財物を自己の単独占有下に移転させた場合、他者の占有を侵害するから窃盗罪が成立する（大判大8.4.5）司共
上下主従の関係に立つ者の間の占有 ⇒下記《論点》三	・ 倉庫内に置いてある品物について、倉庫係に占有はなく、保管主に占有がある（大判昭21.11.26） ・ 貨物列車内に置いてある貨物について、乗務中の車掌に占有はなく、鉄道事業主に占有がある（最判昭23.7.27） ・ 店内の品物について、店員は占有補助者にすぎず、商店主に占有がある（大判大3.3.6）
封緘物の占有 ⇒下記《論点》四	・ 鍵の掛かった手提げ金庫が委託された場合、中身については委託者に占有が残る（大判明41.11.19、最決昭32.4.25）司共 ・ 委託を受けて封緘物を占有する場合、封緘物自体については受託者に占有がある（大判大7.11.19）予
支配関係が認められる占有	・ 旅館が提供した丹前・浴衣等は、宿泊客が着用中であっても、旅館に占有がある（最決昭31.1.19）司

四　着手時期・既遂時期

1　着手時期

判例は、一般に、窃盗の現場において、客体に対する物色行為を始めることを着手と解している。

ex.1　深夜、電気器具商の店舗に入り、懐中電燈で店内を照らしたところ、電気器具類が積んであることが分かったが、なるべく金を盗りたいので煙草売場の方に行きかけたというとき、その時点で着手が認められる（最決昭40.3.9・百選Ⅰ61事件）司

ex.2　倉庫や土蔵については、建造物の特殊性から見て、窃盗の目的で侵入を始めたときは、通常、その時点で窃盗の着手を認めて差し支えない

ex.3　スリがズボンのポケットから現金をすり取ろうとしてポケットの外側に手を触れたときは、その時点に着手が認められる（最決昭29.5.6）司

ex.4　電柱に架設されている電話線を盗もうと考え、電柱に登って切断用具を電話線に当て、その切断を始めたが、警察官に発見されたため、電話線の被膜を傷つけただけにとどまったときは、電話線を切断していない場合でも、切断しようとした時点で窃盗罪の実行の着手が認められる（最判昭31.10.2）司

ex.5　自動車を運転して盗み出すため、不正に入手した自動車のスペアキーを使い、駐車場に駐車してある同自動車の運転席のドアを開けた場合、運転席に乗り込む前でも、窃盗罪の実行の着手が認められる司

ex.6　不正に取得した他人名義のキャッシュカードを使用して同人の預金口座から現金を引き出そうと考え、同カードを銀行の自動預払機に挿入し、暗証番号を入力した場合、同カードの正しい暗証番号を知っていたが、その入力を誤ったため払戻しを受けることができなかったときでも、窃盗罪の実行の着手が認められる司

さらに、キャッシュカードを窃取する犯行計画に基づき被害者に電話をかけてうそを述べ、被害者宅付近路上まで赴いた時点において、窃盗罪の実行の着手を認めた判例もある（最決令4.2.14・令4重判1事件参照）。

▼　最決令4.2.14・令4重判1事件

事案：　甲は、乙らと共謀の上、金融庁職員になりすましてキャッシュカードを窃取する計画（以下、「本件犯行計画」）を立てた。本件犯行計画の内容は、警察官になりすました乙が、A宅に電話をかけ、Aに対し、A名義の口座から預金が引き出される詐欺被害に遭っており、再度の被害を防止するため、金融庁職員が持参した封筒にキャッシュカードを入れて保管する必要がある旨のうそ（以下、「本件うそ」）を言い、さらに、金融庁職員になりすました甲が、Aをしてキャッシュカードを封筒に入れさせた上、Aが目を離した隙に、同封筒を別の封筒とすり替えて同キャッ

各論

シュカードを窃取するというものであった。本件犯行計画に基づいて、警察官になりすました乙は、Aに対して本件うそを述べ、さらに甲も本件犯行計画に基づき、A宅付近路上まで赴いたが、警察官の尾行に気付いて断念し、その目的を遂げなかった。

判旨：「本件うそには、金融庁職員のキャッシュカードに関する説明や指示に従う必要性に関係するうそや、間もなくその金融庁職員がA宅を訪問することを予告するうそなど、甲がA宅を訪問し、虚偽の説明や指示を行うことに直接つながるとともに、Aに甲の説明や指示に疑問を抱かせることなく、すり替えの隙を生じさせる状況を作り出すようなうそが含まれている。このような本件うそが述べられ、金融庁職員を装いすり替えによってキャッシュカードを窃取する予定の甲がA宅付近路上まで赴いた時点では、Aが間もなくA宅を訪問しようとしていた甲の説明や指示に従うなどしてキャッシュカード入りの封筒から注意をそらし、その隙に甲がキャッシュカード入りの封筒と偽封筒とをすり替えてキャッシュカードの占有を侵害するに至る危険性が明らかに認められる。」

「このような事実関係の下においては、甲がAに対して印鑑を取りに行かせるなどしてキャッシュカード入りの封筒から注意をそらすための行為をしていないとしても、本件うそが述べられ、甲がA宅付近路上まで赴いた時点では、窃盗罪の実行の着手が既にあったと認められる。」

2　既遂時期

既遂時期については争いあるも、判例（東京高判平4.10.28・百選Ⅱ34事件）は被害者が占有を喪失し、行為者（ないし第三者）が占有を取得した時点としている（取得説）。

ex.1　自転車を他家の玄関先から路上まで持ち出した時点（東京高判昭26.10.15）

ex.2　他人の家の前に施錠して置かれていた自転車の錠を外してその方向を変えた時点（大阪高判昭25.4.5）

ex.3　泥酔者を介抱するように装い、靴をぬがせ腕時計を外してその場所に置いたまま、被害者を他の場所に運んだ時点（東京高判昭28.5.26）

ex.4　スーパーマーケットにおいて、買物かごに入れた商品35点をレジ横のパン棚の脇からレジの外側に持ち出した時点（東京高判平4.10.28・百選Ⅱ34事件）

五　罪数・他罪との関係

1　罪数

罪数は占有侵害の個数を基準として決定される。

2　他罪との関係〈司

キャッシュカードを窃取し、これを用いて現金自動預払機（ＡＴＭ）から現金を引き出す行為は、ＡＴＭの管理者に対する関係において、新たな法益侵害を伴うものであるから、カードの窃盗罪のほかに、カード利用による現金の窃盗罪が別個に成立する（東京高判昭55.3.3）〈共。

《論　点》

一　窃盗罪の保護法益（「他人の財物」の意義） 〈司共〈司H27 予R3

1　窃盗罪の保護法益は、占有を基礎付ける所有権その他の本権（質権・留置権・賃借権等）か、それとも占有自体か。具体的には、①被害者が窃盗犯人から盗まれた財物を自ら取り戻すことが窃盗罪に当たるか、②第三者が窃盗犯人から盗取する場合はどうか、③賃貸借終了後に賃貸人が賃貸目的物を引き揚げてしまう場合はどうか、という形で問題となり、従来本権説と占有説とが対立してきた。

<本権説と占有説>

本権説	占有説 （最判昭35.4.26、最決平元.7.7・百選Ⅱ26事件）〈共
①　刑法が保護するのは民法によって保護される権利だけで十分である ②「他人の財物」(235) は、他人の所有物をいう ③　242条は自己所有物につき特例を定めたもので、そこにいう「占有」は権原ある占有を指す ④　不可罰的事後行為は、本権の侵害が窃盗罪で評価しつくされているため、不可罰となる	①　現代社会では所有と占有の分離が顕著であり、財産的秩序の保護に重点を置くべきである ②「他人の財物」(235) は、他人の占有物をいい、他人の所有物に限られない ③　242条は他人の占有の保護を示す注意規定で、そこにいう「占有」は占有一般を指す ④　占有の保護は究極的には所有権を保護することになるから、不可罰的事後行為を基礎付けうる

判例は、かつては本権説の立場に立っていたが、現在では占有説の立場に立ち、例外的に違法性阻却の余地を認める（最決平元.7.7・百選Ⅱ26事件）。

学説上もかつては本権説が通説であったが、判例の変化に対応し、本権説と占有説の中間に線を引き、民事上の権原の裏付けをもたない占有であってもなお窃盗罪によって保護されるという中間説が有力となった。

たとえば、本権説から出発し、242条の「占有」を一応理由のある占有、その意味で適法な占有と解する拡張的本権説や、所持説から出発しつつ占有概念を相対的に把握して、一応平穏な占有のみが保護法益であると解する平穏占有説等があるが、特に平穏占有説が有力である。

2　各説からの帰結

事例①：被害者が窃盗犯人から盗まれた財物を直後に自ら取り戻す場合

事例②：第三者が窃盗犯人から盗品を盗取する場合〈共

事例③：賃貸借終了後に賃貸人が賃貸目的物を引き揚げる場合

<窃盗罪の保護法益に関する各学説からの帰結>

	本権説	中間説	占有説
事例①	× 構成要件非該当	× 構成要件非該当 ∵ 窃盗犯人の占有は合理的理由がない、又は平穏な占有といえない	○ 構成要件該当 自救行為として違法性阻却の余地あり
事例②	○ 構成要件該当（＊）	○ 構成要件該当	○ 構成要件該当
事例③	× 構成要件非該当	○ 構成要件該当	○ 構成要件該当

＊ 占有者に対する占有侵害と、所有者に対する所有権侵害を併せて、窃盗罪の成立を肯定する説や、占有侵害により所有権が再度侵害されたことを理由に窃盗罪の成立を肯定する説がある。

二 死者の占有 〈同〉〈司H29 予R5〉

死者には支配の事実も意思もなく、常識的には死者に占有はないが、死者から財物を奪うことが奪取罪を成立させるかが問題とされる場合がある。

<死者の占有に関する判例の整理>

	判例
事例① **当初から財物奪取の意思で殺害し、その後に財物を奪う場合**	死者の占有を問題にすることなく、強盗殺人罪（240後段）が成立する（大判大2.10.21）〈共〉 ∵ 強盗殺人罪は被害者の殺害結果が生じることにより既遂となるので財物奪取の時期は問題とならず、また強盗殺人罪の構成要件は殺害行為後に財物奪取が行われる場合も予定している
事例② **殺害後に初めて財物奪取の意思を生じ、死者から財物を奪う場合**	窃盗罪が成立する（最判昭41.4.8・百選Ⅱ 29事件） ∵ 窃盗犯人自身が殺害行為に関与した場合、犯人の行為を全体的に考察して、殺害行為と財物奪取行為が時間的・場所的に近接した範囲内にある場合には、被害者が生前有していた占有は、死亡直後においてもなお継続的に保護される
事例③ **殺害者以外の第三者（殺害現場の目撃者等）が死者から財物を奪う場合**	窃盗罪は成立せず、遺失物等横領罪が成立するにとどまる（大判大13.3.28）〈司共〉 ∵ 被害者の死亡によって、財物の占有は客観的にも主観的にも失われる

上記事例のうち、事例①については、学説上も強盗殺人罪（240後段）が成立することに争いはない。次に、事例②③に関する学説上の争いについて整理する。

<死者の占有が問題となる事例についての各学説からの帰結> 司

	甲説	乙説（最判昭41.4.8・百選Ⅱ29事件）	丙説
内容	死後一定の時間に限り、全ての者に対して生前の占有が継続的に保護される	犯人の行為を全体的に考察して、殺害行為と財物奪取行為が時間的・場所的に近接した範囲内にある場合、生前の占有が継続的に保護される	死者の占有を否定する
事例② 殺害後に初めて財物奪取の意思を生じ、死者から財物を奪う場合	殺人罪・窃盗罪		殺人罪・遺失物等横領罪
事例③ 殺害者以外の第三者（殺害現場の目撃者等）が死者から財物を奪う場合	窃盗罪	遺失物等横領罪	

▼ **最判昭41.4.8・百選Ⅱ29事件** 司

野外において人を殺害した後領得の意思を生じ、被害者が身に付けていた時計を奪取した場合、被害者が生前有していた財物の所持は、その死亡直後においてもなお継続して保護するのが法の目的にかなうというべきであるから、全体的に考察して窃盗罪が成立する。

三　上下主従の関係に立つ者の間の占有の帰属 司R3

上下主従関係にある者の間で、下位者が上位者の財物を領得する行為は、上位者の占有を侵害する窃盗罪か、それとも自己の占有する他人の物を領得する横領罪か。上下主従関係にある者の間では、いずれに占有があるのかが問題となる。

甲説：原則的に窃盗罪が成立する（窃盗罪説） 通

→ただし、たとえば商店の管理を任されている支配人などのように、下位者であるが上位者である雇主との間に高度の信頼関係があり、その現実に支配している財物についてのある程度の処分権が委ねられている場合（ex. 商店の管理を任されている支配人）には、下位者に占有を認め、これを領得すれば横領罪が成立する

乙説：下位者の領得はいわば複合的な占有の内部関係における侵害なのであって、外部よりする占有侵害ではなく、その本質において上位者に対する

背任的性格を主とするものである点から、これを窃盗罪ではなく横領罪に問擬すべきである（横領罪説）

判例：ex.1　売店の店員が売店の物を領得した場合には、物に対する占有は店主にあるとして窃盗罪の成立を認めた（大判大7.2.6）共

ex.2　倉庫係員が在庫品を領得した場合に窃盗罪の成立を認めた（大判大12.11.9）

四　封緘（ふうかん）物の占有の帰属

委託者が受託者に封緘物（容器の中に物を収め、封を施した物）を預けた場合、封緘物の占有が委託者又は受託者のいずれに属するのかが問題となる。

判例は、封緘物全体については受託者に占有が帰属するが、封緘物の内容物についてはなお委託者に占有が帰属するという二分説の立場に立っている。

→受託者が封緘物全体を領得した場合には横領罪が成立する（大判大7.11.19）一方、封緘物を無断で開封・開錠して内容物のみを抜き取った場合には窃盗罪が成立する（大判明45.4.26、最決昭32.4.25）共

∵　封緘物それ自体は受託者が握持しており、受託者には封緘物について一定の権限が与えられているので、封緘物全体の占有は受託者にあるといえる一方、封緘物は施錠によりその内容物の披見・処分が禁止されている以上、内容物に対する事実上の支配は依然として委託者に留保されている

二分説に対しては、内容物のみを抜き取った場合には窃盗罪が成立するのに、封緘物の全体を領得すれば刑がより軽い横領罪が成立するというのは不均衡であるとの批判がなされているが、受託者が業務者である場合には窃盗罪よりも刑が重い業務上横領罪（罰金刑がない）が成立するので、刑の不均衡はないとの反論がなされている。

▼　東京高判昭59.10.30・百選Ⅱ27事件

施錠されていない鞄を預かった者が、在中物を奪ったときには窃盗罪が成立する。

五　不法領得の意思の要否・内容 司共予 司H27 司H29 予R5

1　はじめに

判例は、窃盗罪の成立には不法領得の意思が必要であるとし、その内容を「権利者を排除して他人の物を自己の所有物としてその経済的用法に従いこれを利用若しくは処分する意思」であるとしている。

学説上は、

①　判例と同内容の意思（権利者排除意思・利用処分意思）を必要とする説 通

②　判例の前段部分、すなわち「権利者を排除して他人の物を自己の所有物

とする意思」ないし「所有権者として振る舞う意思」のみが必要であるとする説

③　判例の後段部分、すなわち「経済的用法（ないし本来的用法）に従いこれを利用若しくは処分する意思」のみが必要であるとする説

④　不要説

とが対立している。

このように、判例・学説の対立構造は複雑であるが、不法領得の意思概念が果たす実践的役割である、(a)使用窃盗の可罰性判断と、(b)領得罪と毀棄罪の区別について、それぞれ独立にその要否を検討すると理解しやすい。

なお、従来は財産罪の保護法益論と関連付けて不法領得の意思の要否が論じられてきたが（本権説は必要説と結び付き、占有説は不要説と結び付くとされた）、現在では保護法益論と不法領得の意思の要否との間には論理的な関係は存しないとするのが一般である。

2　権利者排除意思

(1)　意義

権利者排除意思とは、「権利者を排除して他人の物を自己の所有物」とする意思をいう。不可罰である使用窃盗と窃盗罪とを区別する機能を担っており、主観的違法要素として位置づけられている。一般には、次の3つの場合には、行為者に権利者排除意思があるものと判断されている。

①　返還意思がない場合

②　返還意思はあるが、相当程度の利用可能性を侵害する意思がある場合

③　返還意思があり、利用可能性の侵害の程度も軽微であるが、物に化体された価値の消耗・侵害を伴う利用意思がある場合

以上の場合に当たらず、権利者排除意思が否定される程度の使用窃盗の意思であれば、結果的に目的物を返還できなかったとしても、窃盗罪の成立は否定される。

(2)　判例・裁判例

判例・裁判例は、以下のような事案において不法領得の意思（権利者排除意思）を肯定している。

①　強盗犯人が当初から乗り捨てる意思で逃走のために他人の船を使用した場合（最判昭26.7.13）共

→たとえ一時使用の意思であっても、返還意思が認められない

②　元の場所に戻しておくつもりで自動車を4時間余り乗り回した場合（最決昭55.10.30・百選Ⅱ 32事件）

→たとえ返還意思があっても、被害者の相当程度の利用可能性を侵害する意思が認められる

③　景品交換の目的で磁石を用い、パチンコ機械からパチンコ玉を取る場合（最決昭31.8.22）、会社の機密資料を盗み出して社外でコピーし、数時間後に元の場所に戻しておいた場合（東京地判昭55.2.14）

→たとえ返還意思があり、被害者の利用可能性を侵害する程度が軽微であっても、物に化体された価値の消耗・侵害（所有権の内容をなす利益の重大な侵害）を伴う利用意思が認められる

＊　なお、YouTubeに動画としてアップロードする目的で、スーパーマーケットの店内において、商品として陳列されていた魚の切り身をレジで精算する前に食べた後、当該商品の販売価格をレジ係に支払ったという事案において、裁判例（名古屋高判令3.12.14・令4重判4事件）は、権利者排除意思を肯定し、窃盗罪の成立を認めた。

これに反対する学説は、スーパーマーケットとしては商品の代金を取得できれば実質的法益侵害が生じない以上、レジで商品の代金を精算する意思があれば、店内で商品を飲食・費消しても権利者排除意思に欠けるといえ、窃盗罪は成立しないと解すべきであるとする。

しかし、レジで商品の代金を精算する前の段階では、いまだ商品の取引は成立しておらず、商品を飲食・費消した後において一方的に支払われるのは商品の代金ではなく弁償にすぎないとして、上記裁判例の結論を支持する学説が有力である。

→上記裁判例では、店側を困惑させた上で動画視聴者の興味を引くような動画を撮影するために切り身を食べたので、利用処分意思の有無も争点となったが、上記裁判例は利用処分意思を肯定し、学説上も、飲食物を食べて消費する行為は、行為者の主観的意図にかかわらず利用処分意思の実現行為にほかならないとし、これを「毀棄」と評価することはできないとして、利用処分意思を肯定している

3　利用処分意思

(1)　意義

利用処分意思とは、経済的用法に従い他人の物を利用又は処分する意思をいう。

窃盗罪が毀棄罪よりも法定刑が重いのは、窃盗罪が財物を利用しようという動機・目的をもって行われる利欲犯的性格をもつ犯罪であり、より強い非難に値するだけでなく、一般予防の見地からも抑止の必要性が高いからである。したがって、窃盗罪が成立するには、利用処分意思が必要となる。

このように、利用処分意思は、毀棄罪と窃盗罪とを区別する機能を担っている。

(2)　判例

判例（最判昭33.4.17）は、経済的用法に従ったとは言い難い場合（たと

各論

えば、水増し投票の目的で投票用紙を持ち出すような場合）であっても、本来の用法に従い使用・処分する意思であれば足りるとしている。

また、窃盗罪が利欲犯的性格をもつ犯罪であり、毀棄罪よりも強い非難に値することを重視すると、たとえ本来の用法に従ったものではなくても、その財物から生ずる何らかの効用を享受する意思さえあれば、利用処分意思を肯定してもよいと考えられている。判例（最決昭37.6.26）は、甲が性的な目的でAの下着を盗んだ事案において、甲に窃盗罪の成立を認めているが、甲には下着を経済的用法・本来的用法に従って利用・処分する意思はないのであり、それでも窃盗罪の成立が認められるのは、下着から生ずる性的な満足感という効用を享受する意思が認められるからであると解される。

したがって、利用処分意思が否定されるのは、専ら毀棄・隠匿目的の場合に限られる〈司〉。

なお、判例は校長を失脚させる目的で教育勅語を持ち出し隠匿した事例（大判大4.5.21）、廃棄する目的で正当な受取人を装い支払督促状を受け取った事例（最決平16.11.30・百選Ⅱ 31事件）〈司〉等で不法領得の意思を否定している。

これらに対し、判例は特定候補者の氏名を記入して他の票に混入する目的で投票用紙を持ち出した事例（最判昭33.4.17）につき、不法領得の意思を肯定している〈司〉。

【不動産侵奪罪】

> **第２３５条の２（不動産侵奪）**
> 他人の不動産を侵奪した者は、１０年以下の懲役に処する。

《保護法益》

他人の不動産である。

《注　釈》

一　「他人の不動産」

1　「他人」は、自然人であると法人であるとを問わない。自己の不動産であっても、他人が占有し、又は公務所の命令により他人が看守するものであるときは、他人の不動産とみなされる（242）。

2　「不動産」とは、土地及びその定着物をいう（民86Ⅰ）。

(1)　土地は、地面だけでなく、地上の空間及び地下をも含む。

(2)　土地の定着物とは、建物に限定される。民法上は立木も「不動産」に含まれるが、その占有侵害は事実上土地から分離せざるを得ず、その場合は窃盗罪の客体となる（最判昭25.4.13）。

3 「他人の不動産」は、他人が占有するものでなければならない。

本罪の占有は、窃盗罪と同じく事実的支配のみをいい、法律的支配は含まれない。もっとも、不動産の所在は動かないこと、登記が公示されていれば、距離的に実効支配が及ばない場合であっても、社会通念上事実的支配が認められることから、登記（法律的支配）がある場合には不動産の事実的支配も認められる。

ex. 土地の所有者である会社について、その代表者が行方をくらまして事実上廃業状態となり、本件土地を現実に支配管理することが困難な状態になった場合であっても、当該会社は土地に対する占有を喪失していたとはいえない（最決平11.12.9・百選Ⅱ36事件）

二 「侵奪」

1 不動産の「侵奪」〈司

(1) 「侵奪」とは、不法領得の意思をもって、不動産に対する他人の占有を排除し、これを自己又は第三者の占有に移すことをいう（最判平12.12.15）。公然・非公然を問わず、また、方法にも限定はないが、窃盗罪との対比上、事実行為として他人の占有を排除することが必要となる。「侵奪」に当たるかどうかは、具体的事案に応じて、不動産の種類、占有侵害の方法、態様、占有期間の長短、原状回復の難易、占有排除及び占有設定の意思の強弱、相手方に与えた損害の有無などを総合的に判断し、社会通念に従って決する（最判平12.12.15）。

(2) 「侵奪」の態様には、占有非先行型と占有先行型がある。

占有非先行型（行為者が侵奪前には当該不動産を占有していなかった場合）は、自己の新たな占有状態を作出・設定したときに「侵奪」が認められる。

ex. 他人の土地を不法占拠し、その上に建物を建築した場合（大阪高判昭31.12.11）

占有先行型（行為者が侵奪の前から当該不動産を占有していた場合）は、他人の不動産を無断で利用・使用しているだけでは「侵奪」にならないが、占有の態様が質的に変化したときには「侵奪」が認められる（最決昭42.11.2）。

ex. 使用貸借の目的とされた土地の無断転借人が、土地上の簡易施設を改造して本格的店舗を構築する場合（最決平12.12.15・百選Ⅱ37事件）

各論

＜侵奪の具体例＞

侵奪を肯定	①　他人の土地の周囲をブロック塀で囲い、更にその上にトタン板を覆って、倉庫として使用する行為（最決昭 42.11.2） ②　使用貸借の目的とされた土地の無断転借人が、土地上の簡易施設を改造して本格的店舗を構築する行為（最決平 12.12.15・百選Ⅱ 37 事件） ③　公園予定地の一部に無権限で簡易建物を構築するなどした行為（最判平 12.12.15） ④　他人の土地を不法占拠し、その上に建物を建築する行為（大阪高判昭 31.12.11） ⑤　建物の賃借権及びこれに付随する土地の利用権を有する者が利用権限を超えて地上に大量の廃棄物を堆積させ容易に原状回復できなくした場合（最決平 11.12.9・百選Ⅱ 36 事件） ⑥　他人の土地を掘削し廃棄物を投棄する行為（大阪高判昭 58.8.26） ⑦　一間物の戸棚１つを使用して、寮の台所を不法に占拠する行為（福岡高判昭 37.8.22） ⑧　隣接する他人所有の土地にまたがり所有者に無断で鉄筋コンクリート製の倉庫を建築する行為 同 ⑨　他人の隣地を取り込む目的で境界の標識をずらす行為
侵奪を否定	①　不動産を賃借権に基づいて占有していた者が、その利用等が違法となった後も占有を継続する行為（東京高判昭 53.3.29） ②　使用貸借期限終了後も事実上居住を継続していた家屋に対して、小規模の増築をする行為（大阪高判昭 41.8.9） ③　境界線を壊し境界を判別できなくしたが土地の占有を取得したとはいえない行為（境界損壊罪、262 の２）

2　不動産の強取

暴行・脅迫をもって不動産を侵奪する行為、たとえば、脅迫して貸家から借家人を立ち退かせた場合は、いかに処断されるかが問題となる。

甲説：２項強盗罪（利益強盗罪）が成立する 通

∵　不動産侵奪罪の新設により不動産は 236 条１項の客体には含まれないこととされたと理解するのが自然といえ、２項強盗罪として処断するのが最も合理的である

乙説：１項強盗罪が成立する

∵　窃盗罪の「財物」には不動産は含まれないが、強盗罪のそれには含まれると理解することも可能である

【強盗罪・強盗利得罪】

第２３６条　（強盗）

Ⅰ　暴行又は脅迫を用いて他人の財物を強取した者は、強盗の罪とし、５年以上の有期懲役に処する。

Ⅱ　前項の方法により、財産上不法の利益を得、又は他人にこれを得させた者も、同項と同様とする。

《保護法益》

他人の財物に加え、人の生命・身体・生活の平穏等の人格的利益である。

〔強盗罪、1項〕

《注　釈》

一　「強取」

「強取」とは、暴行・脅迫により、相手方の反抗を抑圧し、その意思によらずに財物を自己又は第三者の占有に移すことである〈共〉。

1　「暴行」・「脅迫」の意義

(1)　本罪における「暴行」・「脅迫」は、相手方の反抗を抑圧する程度のものでなければならない（最判昭24.2.8）。　⇒p.362、383

また、「暴行」・「脅迫」は、財物の占有を奪取するための手段となっていることを要する（最決昭61.11.18・百選Ⅱ40事件参照）〈司予〉。

なお、判例（最判昭24.2.15）は、財物奪取後の暴行・脅迫であっても、1項強盗罪が成立する場合があるとしている。すなわち、強盗の意思で、まず財物を奪取し（窃盗既遂）、次いで被害者に暴行・脅迫を加えてその奪取（占有）を確保した場合には、1項強盗罪が成立する。

→もっとも、窃盗が既遂に至っている以上、財物の奪取（占有）を確保するための暴行・脅迫は事後強盗罪（238）における財物奪還阻止目的の暴行・脅迫と評価できるのが通常であるので、端的に事後強盗罪の成立を認めれば足りるとする見解が学説上有力である

(2)　判断基準　⇒下記《論点》一

(3)　ひったくりと強盗〈司〈司H27

いわゆるひったくりのうち、スリがぶつかりざまにすり取る行為は窃盗とされるが、自動車やオートバイ等を利用して走りながら奪う場合には、手放さなければ生命・身体に重大な危険をもたらすおそれのある暴行を用いており、相手方の反抗を抑圧するに足りる暴行を加えているから、強盗とされる（最決昭45.12.22）。

(4)　暴行・脅迫の相手

財物の直接の所持者以外に向けられてもよく、財物を強取する際に障害となる者であればよい。

ex.　甲が財物奪取の意思で乙宅に乙の留守中に侵入し、乙の甥でたまたま留守番をしていた丙（15歳）に対し、暴行を加えてその反抗を抑圧し、タンス内から乙が所有し管理する衣類を奪った。この場合、甲には強盗既遂罪が成立する〈司

2　反抗の抑圧と財物の奪取

(1)　強盗罪における被害者の反抗抑圧の要否　⇒下記《論点》二

各論

(2) 反抗抑圧と奪取の因果性

暴行・脅迫により被害者の反抗の抑圧が生じた場合は、①意思に反して奪い取るほかに、②被害者が差し出した物を受け取っても「強取」となる。さらに判例（最判昭23.12.24）は、③反抗を抑圧された被害者が気付かない間に財物を持ち去る行為も「強取」に当たるとしている〈司共予〉。

ex. 甲が財物奪取の意思で乙に強迫を加えてその反抗を抑圧し、同人のポケットから財物を奪ったが、乙が財物を奪われたことに気付かなかった場合でも、甲には強盗既遂罪が成立する〈司〉

3 事後的奪取意思 ⇒下記《論点》三

二 着手時期・既遂時期

1 着手時期は、強盗の手段としての暴行・脅迫の開始時である。

2 既遂時期は、被害者の財物の占有を得た（ないしは第三者に得させた）時点である（最判昭24.6.14）〈司〉。

3 居直り強盗〈共〉

居直り強盗とは、当初は窃盗の意思であったところ、途中から強盗の目的で暴行・脅迫を行った場合をいう。

(1) 甲が窃盗に着手したが、Aの財物を取得する前にAに発見されたため、暴行・脅迫によりAの財物を奪取した場合

窃盗に着手した行為について窃盗未遂罪が成立し、後の暴行・脅迫により財物を奪取した行為について1項強盗罪が成立する。そして、これらは重い1項強盗罪の包括一罪（吸収一罪）となる。

(2) 甲がAの財物を取得した後（窃盗既遂）、Aに発見されたため、更に新たな財物を奪取するためにAに暴行・脅迫を加えてAの財物を奪取した場合

甲には窃盗罪と1項強盗罪が成立し、これらは重い1項強盗罪の包括一罪（吸収一罪）となる（高松高判昭28.7.27参照）。

→上記(2)の事案と異なり、財物の占有者が同一でない場合には、包括一罪ではなく併合罪となる（最決昭32.3.5）

《論　点》

一 「相手方の反抗を抑圧する程度」の判断基準

暴行・脅迫が相手方の反抗を抑圧するのに足りる程度のものであるかどうかは、いかなる基準で判断すべきか、行為者が特に知っていた事情も考慮するかが問題となる。

ex. Xは被害者が特別の臆病者であることを知りつつ、おもちゃのピストルで脅迫し、現に反抗を抑圧された被害者から財物を奪取したという場合、Xの脅迫行為は、強盗罪にいう「脅迫」に当たるか

甲説：主観説

→行為者が相手方の反抗を抑圧しうると予見したかどうか、あるいは、

被害者がどの程度の恐怖を覚えたかなどの主観的標準によるべき
→Xの脅迫行為は、強盗罪にいう「脅迫」に当たる
乙説：客観説
→暴行・脅迫自体の客観的性質により、一般人を標準に判断すべき
乙1説：行為者の主観を判断事情に取り込む
→Xの脅迫行為は、強盗罪にいう「脅迫」に当たる
乙2説：行為者の主観を判断事情に取り込まない
→Xの脅迫行為は、強盗罪にいう「脅迫」に当たらない（ただ、具体的事情によっては、「脅迫」に当たりうる）

二 強盗罪における被害者の反抗抑圧の要否

相手方の反抗を抑圧するに足りる程度の暴行・脅迫を加えたのに、被害者が反抗を抑圧されず、恐怖心で財物を交付した場合、「強取」があったといえるか、「強取」といえるためには、被害者が実際に反抗を抑圧された状態で財物の奪取がなされることを要するかが問題となる。

＜強盗罪における被害者の反抗抑圧の要否＞

学説	甲説	乙説（最判昭24.2.8）	丙説
内容	被害者の反抗抑圧が必要 →強盗未遂罪	被害者の反抗抑圧は不要 →強盗既遂罪	・恐怖心から交付 →強盗既遂罪 ・憐れんで交付→強盗未遂罪
理由	強盗は暴行・脅迫を手段として被害者の意思に反して財物を奪う犯罪であるから、その暴行・脅迫による反抗抑圧と財物奪取との間に因果関係がなければならない	客観的に強盗手段が用いられ、相手の交付によるにせよ財物を取得した以上、強盗罪の既遂を認めるべきである	① 暴行・脅迫と無関係に財産の移転が生じた場合は強取といえず、両者の間に一定程度の因果性が必要である ② 被害者が畏怖した場合は通常の因果性の枠内にあるが、憐れんで渡した場合には、因果性の枠内にあるといえない
批判	暴行・脅迫はあくまで手段であって、強盗は最終的には財物を奪う罪であるから、暴行・脅迫が認定されれば反抗抑圧までは必要でない	暴行・脅迫を加えたにもかかわらず相手は恐怖心すら生じなかったが、憐憫の情から財物を手渡した場合も強盗の既遂となり、妥当でない	甲説の理由

▼ 最判昭23.11.18・百選Ⅱ38事件

強盗罪の成立には被告人が社会通念上被害者の反抗を抑圧するに足る暴行又は脅迫を加え、それに因って被害者から財物を強取した事実が存すれば足りる。

▼ **最判昭 24.2.8**

暴行・脅迫が、被害者の反抗を抑圧するに足りる程度か否かは、社会通念上一般に被害者の反抗を抑圧するに足りる程度のものであるかどうかという客観的基準によって決せられるのであって、具体的事案の被害者の主観を基準としてその反抗を抑圧する程度であったかどうかということによって決せられるものではない。

三　事後的奪取意思 司 司R2

故意犯である強盗罪は、財物奪取の意思で暴行・脅迫を加えて強取することにより成立する。では、暴行・脅迫を加え被害者の反抗が抑圧された後の段階で財物奪取の意思が生じた場合は、どのように評価されるのであろうか。たとえば、不同意性交の目的でXがAに暴行を加えて反抗を抑圧し、Aを全裸にしたところ同性であることに気付き、その際、この機会を利用して金品を奪おうと考え実行した場合、Xに強盗罪は成立するか。

判例・通説は、上記の事例のような事後的奪取意思を生じた場合は、強盗罪は成立せず、暴行罪と窃盗罪が成立するにとどまるとしている。

∵　強盗罪が重い法定刑を規定しているのは、財物奪取の手段として暴行・脅迫がなされるのを禁止するためであるから、暴行・脅迫後に財物奪取の意思が生じた場合には、財物奪取を目的とする暴行・脅迫がなされたとはいえない

これに対し、財物奪取の意思が生じた後、新たな暴行・脅迫を加えた場合には、その暴行・脅迫は財物奪取の手段と評価できるため、強盗罪が成立する。そして、新たな暴行・脅迫は、それ自体だけみて反抗を抑圧するに足りる程度のものでなくても、反抗抑圧状態を維持・継続させるものであれば足りる（大阪高判平元.3.3・百選Ⅱ〔第6版〕39事件）。

→新たな暴行・脅迫が反抗抑圧状態を維持・継続させるものとはいえない場合には、第1の暴行・脅迫に加え、財物移転の態様（奪取か交付か）に応じて、第2の暴行・脅迫罪と窃盗罪又は恐喝罪が成立する（併合罪）

また、上記の事例のように、先行する暴行・脅迫が不同意性交等の目的であった場合、判例は、積極的に新たな暴行・脅迫を加えなくても強盗罪の成立を肯定する傾向にある（大判昭19.11.24、最判昭24.12.24、大阪高判昭61.10.7など）。

∵　不同意性交等の犯人がその現場に滞留していること自体が、被害者の意識に反映されている限りで、被害者に対する反抗抑圧状態を継続する行為としての「脅迫」（さらに暴行を加えられるかもしれないという害悪の告知）に当たる

→なお、現在では、不同意性交の目的で不同意性交（又はその未遂）をした後に財物奪取意思を生じた場合であって、新たな暴行・脅迫も認められるとき

各論

は、強盗・不同意性交等罪（241 Ⅰ）が成立しうる

一方、被害者が失神状態にあった場合、被害者は犯人の存在を認識できないため、被害者から財物を奪取しても新たな脅迫の存在を認めることができず、強盗罪は不成立となり、窃盗罪が成立するにとどまる（札幌高判平7.6.29参照）。

▼ **東京高判平20.3.19・百選Ⅱ42事件**

不同意わいせつの目的による暴行・脅迫が終了した後に、新たに財物取得の意思を生じ、当該暴行・脅迫により反抗が抑圧されている状態に乗じて財物を取得した場合において、強盗罪が成立するには、新たな暴行・脅迫と評価できる行為が必要である。もっとも、被害者が緊縛された状態にあり、実質的には暴行・脅迫が継続していると認められる場合には、新たな暴行・脅迫がなくとも、これに乗じて財物を取得すれば、強盗罪が成立する。すなわち、緊縛状態の継続は、それ自体は、厳密には暴行・脅迫には当たらないとしても、逮捕監禁行為には当たりうるものであって、違法な自由侵害状態に乗じた財物の取得は、強盗罪に当たる。

〔強盗利得罪、2項〕 予H30

《注　釈》

◆ **「財産上不法の利益」の意義**

1　財産上の利益とは、財物以外の財産的な価値のある利益のことをいう。

ex.　キャッシュカードを窃取した犯人が、暴行・脅迫を加えて、被害者から当該口座の暗証番号を聞き出した場合、事実上、ATMを通して当該預貯金口座から預貯金の払戻しを受け得る地位という財産上の利益を得たものといえるので、2項強盗罪が成立する（東京高判平21.11.16・百選Ⅱ41事件） 予 司H28

cf.1　会社の経営権を取得するために実質的経営者を殺害した場合、殺害行為自体によって経営上の権益が移転したとはいえないので、このような権益は財産上の利益には当たらない（神戸地判平17.4.26）

cf.2　相続を開始させて財産上の利益を得ようと企て、推定相続人である子が親を殺した場合、相続の開始による財産の承継は財産上の利益には当たらない（東京高判平元.2.27）

2　財産上「不法の」利益を得るとは、不法に財産上の利益を得ることを意味する。

→財産上の利益自体が不法なものでなくてもよい

ex.　暴行・脅迫を加え、正当な対価を支払わず強制的に労働をさせる場合や、債権者を脅迫して債務免除の意思表示をさせる場合も、これに当たる 司

各論

3　財物の占有を確保した後の暴行・脅迫〈予H26

先行する窃盗ないし詐欺により、財物の占有を確保した後で、被害者からの財物の返還請求ないし代金支払請求を暴行・脅迫により免れた場合、いかなる罪責が成立するか。

(1)　窃盗の機会に行われた場合

先行する犯罪が窃盗であり、かつ暴行・脅迫が窃盗の機会（⇒ p.428）に行われた場合、事後強盗罪（238）一罪が成立する。

(2)　窃盗の機会とはいえない場合

先行する犯罪が詐欺罪である場合、又は窃盗の機会に行われたとはいえない場合、事後強盗罪は成立しない。

この場合、先行する窃盗罪（235）あるいは詐欺罪（246 Ⅰ）とは別個に２項強盗罪が成立するかが問題となるが、肯定すべきである。被害者の返還請求権ないし代金支払請求権は、物とは別個の保護に値するからである。

→被侵害法益の主体の同一性、犯意の一個性、時間的・場所的近接性を考慮し、密接な関係が認められる場合、法定刑の重い２項強盗罪の包括一罪となる

∵　同一の財産的利益といえ、二重評価を避けるべき

各論

▼　**最決昭 61.11.18・百選Ⅱ 40 事件**〈同共

甲・乙が共謀の上、甲が丙を騙して覚せい剤を取得し逃走した後、乙が丙を殺害しようとして未遂に終わった場合、殺害行為は、覚せい剤の返還ないし代金支払を免れるという財産上不法の利益を得るためになされたものであるから、先行する覚せい剤取得行為が窃盗罪・詐欺罪のいずれに当たるにせよ、包括して強盗殺人未遂罪（243・240 後段）が成立する。

《論　点》

◆　**処分行為の要否**

1　Ａから借金していたＸが、借金の返済を免れるためＡを殺害した場合、Ｘに強盗殺人罪（240 後段）が成立するか。この点、Ｘに強盗殺人罪が成立するためには、Ｘが「強盗」（236 Ⅱ）といえなければならないが、Ａは何ら処分行為を行っていないので、利益強盗における「財産上不法の利益」の取得が被害者の処分行為に基づくことを要するかが問題となる。

<強盗利得罪における処分行為の要否>

学説	必要説	不要説（最判昭32.9.13・百選Ⅱ39事件）
理由	①　１項の強盗罪が占有移転という外形的事実により成立する以上、利益強盗罪の場合も処分行為という利益の移転を明確化するメルクマールが必要 ②　他の２項犯罪との均衡	反抗を抑圧する程度の暴行・脅迫を要件とする以上、任意の処分を要求するのは無理である〈同〉

2　利益移転の現実性

処分行為は不要であるとしても、利益移転は目に見えず明確性に欠けるため、不当な処罰範囲の拡大を招きかねない。そこで、１項強盗罪における財物移転と同視できるほどの財産的利益の移転が必要と解されている。

特に、債務者が債権者を殺害した事案において、債務者が「財産上不法の利益を得」たといえるほどの利益移転の有無が問題となる。

⑴　債権に関する証拠が残っていない場合

以下のような事例では、債務者は事実上債務を免れたといえ、利益移転が肯定される。

事例①　相続人のいない債権者を殺害した場合

事例②　相続人がいるが、債権者の下に債権に関する証拠が残っておらず、債権の存在を知る者がいないことを認識しつつ債権者を殺害した場合（最判昭32.9.13・百選Ⅱ39事件）

⑵　債権に関する証拠が残っている場合

甲説：利益の移転を否定する説〈通〉

∵　債務の存在が明白で相続人がその履行を確実に請求し得る以上、事実上債務の支払を免れたとはいえず、利益の移転に欠ける

乙説：相続人による速やかな債権の行使を当分の間不可能にさせ、債権者による支払猶予の処分行為を受けたのと同視できるだけの利益を得た場合には、利益の移転を肯定する説（大阪高判昭59.11.28）

∵　「支払の一時猶予」という利益を取得している

【強盗予備罪】

> **第２３７条　（強盗予備）**
> 強盗の罪を犯す目的で、その予備をした者は、２年以下の懲役に処する。

《論　点》

◆　**事後強盗目的の予備について**

Xが、A宅に盗みに入ろうと思い、Aに見つかったときに備え、財物の取り戻

各論

しを防ぐための出刃包丁を持ってA宅に向かったが、A宅の付近を徘徊中に警察官の職務質問を受け逮捕されたという場合、Xに強盗予備罪が成立するか。237条にいう「強盗の罪を犯す目的」に事後強盗予備の目的も含まれるかが問題となる。

<事後強盗目的の予備> 司共

学説	肯定説 （最決昭54.11.19・百選Ⅱ〔第7版〕43事件）	否定説
理由	①　事後強盗罪は強盗として論ぜられるから、予備についても同様に解し、237条の「強盗の目的」には、事後強盗の目的も含まれる ②　昏酔強盗罪（239）も強盗予備罪（237）の後に規定されているが、昏酔強盗の目的が「強盗の罪を犯す目的」に含まれることに異論はないので、条文の位置は決定的な理由にはならない ③　居直り強盗の目的も強盗予備罪として処罰すべきであるが、否定説の立場に立つと、居直り強盗の目的がある場合でも強盗予備罪の成立を否定すべきこととなり、妥当でない	①　事後強盗罪（238）は、強盗予備罪（237）より後に規定されているから237条の「強盗の目的」には事後強盗の目的は含まれない ②　事後強盗目的の予備を処罰すると、現行法上不可罰である窃盗の予備を実質的に処罰することになり、妥当でない

【事後強盗罪】

> **第２３８条　（事後強盗）**
>
> 窃盗が、財物を得てこれを取り返されることを防ぎ、逮捕を免れ、又は罪跡を隠滅するために、暴行又は脅迫をしたときは、強盗として論ずる。

《注　釈》

一　主体 共

本罪の主体は、「窃盗」すなわち窃盗犯人である。窃盗既遂犯人のみならず、窃盗未遂犯人も「窃盗」に含まれる（大判昭7.12.12）司共。

cf.　主体に強盗犯人は含まれない

＊　事後強盗罪の暴行（脅迫）のみに加功した者の罪責　⇒下記《論点》一

二　行為

1　暴行・脅迫の程度 予R4

暴行・脅迫は、相手方の反抗を抑圧するに足りる程度のものであることを要する（大判昭19.2.8）共。

2　窃盗行為と「暴行」・「脅迫」の関連性

(1)　窃盗の機会 予R4

「暴行」・「脅迫」は、窃盗の犯行の機会の継続中になされることを要する。

→窃盗犯人に対する追及が継続していたか否かが重要

ex.1 現場住宅の天井裏に潜んでいた窃盗犯人が、約3時間後に逮捕を免れるため警察官に暴行を加えたときは、窃盗の機会の継続中に行われたといえる（最決平14.2.14）

ex.2 財布等を窃取後、発見・追跡されずに犯行現場を離れ、ある程度の時間の経過後、被害者等から容易に発見・取返し・逮捕されうる状況ではなくなった後、再度窃盗目的で犯行現場に戻ってなした脅迫は、窃盗の機会の継続中に行われたものではない（最判平16.12.10・百選Ⅱ43事件）〈司共

(2) 「暴行」・「脅迫」の相手方

→必ずしも窃盗の被害者であることを要しない〈司

三 評価

事後強盗罪は、すべての点で強盗罪として扱われ、強盗致死傷罪（240）、強盗・不同意性交等罪（241）の成立もありうる。

四 既遂・未遂の基準 ⇒下記《論点》二

《論 点》

一 事後強盗罪の暴行（脅迫）のみに加功した者の罪責〈司〈司R元

窃盗犯人Xが、被害者Aから財物を取り戻されそうになったため、これを防ごうとして、たまたまそこを通りかかったYに事情を話し、事情を了解したYと共同してAに暴行を加えたという場合、Xに事後強盗罪が成立することは争いない。では、Yに事後強盗罪の共同正犯が成立するであろうか、事後強盗罪の暴行（脅迫）のみに加功した者がいかなる罪責を負うかが、事後強盗罪の法的性格をどのように解するかと関連して問題となる。

<事後強盗罪の法的性格>

学説	事後強盗罪を結合犯と解し、承継的共同正犯の問題として論ずる立場（結合犯説）〈通	事後強盗罪を身分犯と解し、共犯と身分の問題として解決する立場（身分犯説）
理由	① 事後強盗罪は財産犯であり、同罪の既遂・未遂は窃盗の既遂・未遂で区別すべきであるから、同罪の財産犯的性格を基礎づける窃取行為も実行行為の一部とみるべきである ② 窃盗は暴行・脅迫に先行する行為にすぎないから、本罪を身分犯とする必要はない	① 「窃盗が」という条文の文言から、犯罪の主体について規定したものと解するのが妥当である ② 窃盗の段階で逮捕されれば事後強盗罪は成立しないのであるから、事後強盗罪の実行行為は窃盗行為ではなく、暴行・脅迫行為である
批判	いかに事後強盗の計画をもっていようと窃盗段階で逮捕されれば事後強盗罪は成立しないことが明らかなので、事後強盗罪は、暴行・脅迫行為によって開始されるものである	なぜ実行行為ではない身分に関する要件によって本罪の既遂・未遂が決まるのか説明できない

各論

<結合犯説に立った場合の罪責>

学説	承継的共同正犯肯定説	承継的共同正犯否定説
帰結	事後強盗罪の共同正犯	暴行・脅迫の共同正犯
理由	本罪は結合犯（それぞれ独立して犯罪となる複数の行為を結合して１個の犯罪を形成する場合）であり、それ自体が独立した犯罪類型であるから、途中加功の場合であっても、窃盗と暴行・脅迫を分断して評価すべきではなく、その全体について共同正犯の成立を肯定すべきである	共同正犯の処罰根拠は結果に対する因果性であるから、承継的共同正犯は結果に対する因果性が認められる限度でのみ肯定されるが、窃盗後に関与した者が「財物の所有ないし占有」の侵害という結果に因果性を及ぼすことはあり得ないから、承継的共同正犯は認められない
批判	暴行・脅迫以前の窃取行為に因果性を認めることはできない	強度の暴行・脅迫が行われることが強盗罪の重い不法を根拠付けるのであるから、暴行・脅迫のみに関与した者についても、承継的共同正犯として本罪の成立を認めるのが妥当である

各論

<身分犯説に立った場合の罪責>

学説	真正身分犯説 （大阪高判昭62.7.17・百選Ⅰ95事件）	不真正身分犯説 （東京地判昭60.3.19）
帰結	事後強盗罪の共同正犯	暴行・脅迫の共同正犯
理由	「窃盗が」は実行行為の主体を表しており、本罪は窃盗犯人でなければ犯せない犯罪類型と解すべきであるから、真正身分（構成的身分）として扱うべきである	窃盗犯人でない者が暴行・脅迫を加えた場合には、暴行罪・脅迫罪が成立するにすぎず、事後強盗罪は、窃盗犯人が238条所定の目的をもって同じ行為を行った場合に適用される、暴行罪・脅迫罪の加重類型である
批判	事後強盗罪は窃盗犯人という身分がなくても、暴行罪・脅迫罪として処罰可能であるので、不真正身分犯と解すべきである	財産犯と非財産犯という罪質の異なる犯罪類型の間に基本類型と加重類型という関係を認めることはできない

▼ 大阪高判昭62.7.17・百選Ⅰ95事件

先行者の窃盗が既遂に達したのち、先行者と意思を通じて、逮捕を免れる目的で被害者に暴行を加えて負傷させた後行者は、65条1項、60条の適用により、強盗致傷罪の共同正犯が成立する。

二　事後強盗罪の既遂・未遂の基準〈司共予

1　学説

事後強盗罪の既遂・未遂を判断する基準については、見解が分かれている。

甲説：暴行・脅迫の既遂・未遂で判断する

∵　強盗致死傷罪との対比から、暴行・脅迫が行われれば、窃盗が未遂であっても事後強盗罪は既遂と解すべきである

←強盗致死傷罪は人の生命・身体の保護に重点を置くが、事後強盗罪の本質は財産侵害に求められる（利欲犯）

乙説：窃盗行為の既遂・未遂で判断する

∵　通常の強盗罪の既遂・未遂の判断基準が財産取得の有無に置かれる以上、これに準ずる事後強盗罪のそれもやはり強盗の場合と同じでなければならない

←財物の取り返しを防ぐ場合の未遂が事実上存在しないことになる

2　判例

「窃盗未遂犯人による準強盗行為の場合は、準強盗の未遂を以って問擬すべきものである」として、事後強盗罪の既遂・未遂を、先行する窃盗行為の既遂・未遂によって判断している（最判昭24.7.9）〈司共予〈予R4。

【昏酔強盗罪】

> **第２３９条　（昏酔強盗）**
> 人を昏酔させてその財物を盗取した者は、強盗として論ずる。

《注　釈》

◆「人を昏酔させて」

1「昏酔させ」るとは、意識作用に一時的又は継続的に障害を生じさせ、財物についての事実的な支配が困難な状態に至らせることをいい、その方法には制限はない。

たとえば、睡眠薬や麻酔剤を用いること、泥酔させること等を含む。

cf.　暴行により昏酔させる場合には、単純な強盗罪となる

ex.　甲が財物奪取の意思で乙の頭部を強打して意識を喪失させた上で乙の財物を奪った。この場合、甲には強盗既遂罪（236 Ⅰ）が成立する〈司

2　行為者が積極的に昏酔させる行為を行うことが必要で、すでに寝ている者や、他人が昏酔させた者から奪う行為は、窃盗罪（235）にすぎない（176条、177条との違いに注意）。

【強盗致死傷罪】

第２４０条　（強盗致死傷）

強盗が、人を負傷させたときは無期又は６年以上の懲役に処し、死亡させたときは死刑又は無期懲役に処する。

《注　釈》

一　保護法益・罪質

1　保護法益

240条は、刑事学的にみて、強盗の機会に人の殺傷の結果が生じることが多く、このような行為から人の生命・身体を特に保護するために、強盗罪(236)・事後強盗罪(238)・昏酔強盗罪(239)の加重類型として特に重い刑罰を定めたものである。

このような240条の刑事学的な類型性に鑑みると、本罪は、まず第一次的に被害者の生命・身体の保護に重点を置いており、第二次的に財物の占有と財産上の利益を保護しているものと解されている。

2　罪質

判例（最判昭32.8.1）・通説は、240条は結果的加重犯のみならず、故意犯（強盗犯人が傷害や殺人の故意をもって被害者を負傷ないし殺害した場合）をも規定したものであるとする（故意犯包含説）。すなわち、240条には、結果的加重犯としての強盗致死傷罪だけでなく、故意犯としての強盗殺人罪・強盗傷人罪も含まれる〈予〉。

∵①　240条の刑事学的な類型性に鑑みると、強盗に際して故意に殺傷する場合こそ240条の典型例であるといえ、それゆえに法定刑が極端に重いのであって、240条がこのような場合を除外しているとは考えられない

②　240条は、結果的加重犯に特有の「よって」という文言をあえて用いていない

二　「強盗」

240条の罪の主体は「強盗」、すなわち強盗犯人である。「強盗」とは、強盗罪・事後強盗罪・昏酔強盗罪のいずれかの実行に着手した者をいい、強盗罪等の既遂・未遂を問わない（最判昭23.6.12）〈共〉。

一方、強盗の予備(237)にとどまる者は、強盗罪等の実行に着手した者とはいえないから、240条の「強盗」には含まれない。

三　「負傷させた」（前段）

1　傷害の程度　⇒下記《論点》一

2　死傷結果の原因行為　⇒下記《論点》二

＊　脅迫による傷害も含まれる。

各論

3　主観的要件　⇒下記《論点》三

4　判例

夜間に人通りの少ない道で通行中の女性が所持しているハンドバッグを窃取するため、背後から自動車で近づき、自動車の窓からハンドバッグのさげ紐を引っ張ったが、同女が抵抗して紐を放さなかったため、同女が引きずられて傷害を負った場合、強盗致傷罪が成立する（最決昭45.12.22）〈司。

四 「死亡させた」（後段）

1　死傷結果の原因行為　⇒下記《論点》二

2　主観的要件　⇒下記《論点》三

五　未遂・既遂〈予H26

1　本罪は未遂犯（243）も処罰される。判例（最判昭23.6.12）・通説は、強盗致死傷罪は死傷の結果の発生により既遂となり、財物奪取の有無（強盗罪の既遂・未遂）を問わないとしている（殺傷基準説）。

∵　240条の刑事学的な類型性に鑑みると、本罪の保護法益は、財産等よりも人の生命・身体に重点が置かれている

→結果的加重犯である強盗致死傷罪については、死傷の結果が発生すれば、たとえ強盗罪が未遂でも強盗致死傷罪の既遂犯が成立するので、未遂犯が成立する余地はない

2　通説は、傷害の故意がある強盗傷人罪について、強盗傷人未遂罪の成立の余地はないと解している。

∵①　傷害の故意で暴行をしたが傷害結果が生じなかった場合には、強盗の手段である暴行がなされたにすぎないので、強盗罪のみが成立する

②　暴行はもともと強盗の手段であるから、傷害結果を生じなかった場合を通常の強盗罪よりも類型的に重い強盗傷人未遂罪として処罰する必要はない

3　したがって、240条の未遂犯は、強盗殺人罪の未遂犯に限られる。

→強盗犯人が故意に被害者を殺害しようとしたが、殺害に至らなかった場合に強盗殺人未遂罪（243・240後段）が成立する（大判昭4.5.16・百選Ⅱ45事件）〈司

六　罪数

本罪の罪数は、死傷した被害者の数を基準として決定される。複数の者に死傷の結果が生じた場合には、強盗致死傷罪の併合罪（最決昭26.8.9）又は観念的競合（最判昭53.7.28・百選Ⅰ42事件）が成立する。

∵　240条の刑事学的な類型性に鑑みると、本罪の保護法益は、財産等よりも人の生命・身体に重点が置かれている

《論　点》

一　傷害の程度

軽微な傷害であっても、傷害罪（204）が成立するようなものであればすべて本罪の傷害となりうるか。

＜強盗致傷における傷害の程度＞

両者の傷害を同一に解する立場（大判大 4.5.24）	極めて軽微な身体の損傷は強盗致傷罪にいう傷害に当たらないと解する立場
①　傷害罪における「傷害」と、強盗致傷罪その他刑法上の致傷罪における傷害の意義について、何らの差異は存しない ②　ごく軽微な傷害は、傷害罪における「傷害」にすら当たらない	強盗罪の手段としての「暴行」が、被害者の反抗を抑圧するのに足りる程度のものである以上、ごく軽度の傷害は当然にそれに含まれて、強盗罪を構成するにとどまる

※　なお、平成16年改正により強盗致死傷罪の有期刑の下限が6年とされたことで執行猶予を付すことが可能となった（66、67、25 Ⅰ）ことから、判例の立場でも特に不都合はないと解されている。

二　暴行・脅迫と負傷・死亡との関連性〈司H20

金品奪取の際に被害者の傍らに寝ていた子どもを殺害したときや、強盗犯人が逃走しようとした際に追跡してきた被害者に傷害を負わせたときに、本条の罪は成立するか。強盗と死傷の結果の関係について、致死傷の原因となる行為は強取の手段としての暴行・脅迫であることを要するかが問題となる。

＜暴行・脅迫と負傷・死亡との関連性＞〈司共予

	手段説（＊1）	機会説	
学説	強盗の手段である暴行・脅迫から、直接生じることを要する	強盗の機会に生ずれば足りる（最判昭 23.3.9）（＊2）	強盗の機会になされた行為のうち、強盗と一定の関連性のあるものに限定する（関連性説）
理由	240条は結果的加重犯である以上、手段としての暴行・脅迫から生じたものに限るべき	①　強盗の機会には死傷などの残虐な結果を伴うことが多い ②　窃盗犯人が逮捕を免れるために暴行を加えれば238条で強盗とされ、その暴行から死傷の結果を生ずれば240条が適用されるのに対し、強盗犯人が同じ行為をしても「窃盗」でないために240条が適用されないとするのは不合理である	240条の死傷の結果は、本条の基本となる強盗罪が財産犯である以上、原則として財物奪取・確保や逮捕を防ぎ証拠を隠すことに向けられた一連の行為の中で生ずることが必要であり、たまたま現場付近に居合わせた仇敵や、強盗仲間に対する殺害・傷害は含まれない

	手段説（＊1）	機会説	
批判	240条は181条等と異なり「よって」という文言がないので、240条は通常の結果的加重犯と異なる	単に強盗中に生じたというだけで、強盗自体と無関係な死傷の結果をすべて240条の死傷とみるのは、同条の基本が財産犯であることを軽視するものである	強盗致死傷罪は結果的加重犯であるから、強盗の機会に過失により死傷の結果が生じた場合も、相当因果関係の認められる限り、その成立を認めるべきである

＊1　拡張された手段説

強盗の手段である暴行・脅迫と、刑法238条所定の目的で行う暴行・脅迫から死傷の結果が生じることを要するとする見解（拡張された手段説）もある。この見解は、窃盗が238条所定の目的で暴行を加えた結果、死傷の結果が発生した場合には強盗致死傷罪（240）が成立することとの均衡上、強盗が238条所定の目的で暴行を加えた結果、死傷の結果が発生した場合についても同様に強盗致死傷罪が成立すると解すべきであることを理由としている。

＊2　強盗の機会性の認定〈司

機会説に立った場合、強盗の機会であるか否かについては、①強取行為と死傷結果発生の原因行為との時間的・場所的接着性、②犯意の継続性を中心に、その他の事情（被害者の同一性や原因行為が強盗の実現に役立つかなど）を総合考慮して判断する。特に重要なのは、②犯意の継続性の有無である。なお、判例（最判昭23.3.9）は、原因行為が「新たな決意に基づく別の機会」に行われたといえる場合には、「強盗の機会」性を否定している。

▼ **最判昭24.5.28・百選Ⅱ〔第7版〕44事件**

家屋内で強盗に着手した者が、同家屋表入口付近で追跡してきた被害者を日本刀で突き刺して死なせたときは、強盗の機会に殺害したものといえる。

▼ **東京高判平23.1.25・百選Ⅱ 44事件**

被告人が、被害者を監禁したうえで金品を強取した後、強盗の罪跡を隠滅するために、強取時点から、約6時間、約50km離れた時点で、被害者に覚せい剤を注射し放置して死亡させた行為について、①当初からの計画に従って、常時被害者の間近に居続けて強盗・罪跡隠滅行為をし、かつ、②強盗の意思を放棄するや直ちに罪跡隠滅のための行動を始めていたことから、強取行為と罪跡隠滅行為との連続性・一体性を肯定して、強盗の機会性を認めた。

三　主観的要件

1　死傷の結果について故意がある場合

前述のとおり、判例（最判昭32.8.1）・通説によれば、240条には、結果的加重犯としての強盗致死傷罪だけでなく、故意犯としての強盗殺人罪・強盗傷人罪も含まれる。

→結果的加重犯である強盗致死傷罪については死傷の結果についての故意は

不要であるが、故意犯としての強盗殺人罪・強盗傷人罪については死傷の結果についての故意が必要である

2　暴行の故意の要否（脅迫により死傷結果が発生した場合）

240条の死傷の結果について、いわゆる機会説の立場に立った場合、本罪の成立範囲が広くなりすぎるおそれがあることを理由として、本罪の成立に「暴行の故意」を要求する見解もある。

→この見解に立つ場合、脅迫の故意しかない者の脅迫により死傷結果が発生しても、暴行の故意に欠ける以上、本罪は不成立となる

しかし、通説は、脅迫の故意しかない場合であっても、強盗致死傷罪の成立を肯定すべきであると解している。

∵①　240条の刑事学的な類型性に鑑みれば、脅迫が原因となって死傷結果が発生することもありうる

②　240条の「負傷させた」「死亡させた」との文言から暴行の故意が求められる理論的な必然性もない

裁判例（大阪高判昭60.2.6）は、強盗の機会における脅迫から傷害結果が発生した事案について、脅迫による強盗致傷罪の成立を認めている。

各論

【強盗・不同意性交等罪・同致死罪】

> **第２４１条　（強盗・不同意性交等及び同致死）**
>
> Ⅰ　強盗の罪若しくはその未遂罪を犯した者が第１７７条の罪若しくはその未遂罪をも犯したとき、又は同条の罪若しくはその未遂罪を犯した者が強盗の罪若しくはその未遂罪をも犯したときは、無期又は７年以上の懲役に処する。
>
> Ⅱ　前項の場合のうち、その犯した罪がいずれも未遂罪であるときは、人を死傷させたときを除き、その刑を減軽することができる。ただし、自己の意思によりいずれかの犯罪を中止したときは、その刑を減軽し、又は免除する。
>
> Ⅲ　第１項の罪に当たる行為により人を死亡させた者は、死刑又は無期懲役に処する。

[趣旨] 本条は、同一の機会に強盗の行為と不同意性交等の行為の双方を行うことの悪質性・重大性に着目し、強盗罪と不同意性交等罪を結合させて（結合犯）、同一の機会になされた強盗の行為と不同意性交等の行為の先後関係を問わず、重い法定刑を科す規定である。

《保護法益》

他人の財物・財産上の利益、人の生命・身体の自由及び性的自由である。

《注　釈》

一　強盗・不同意性交等罪（Ⅰ）

1　主体

本罪の主体は、①「強盗の罪若しくはその未遂罪を犯した者」、又は②「第177条の罪若しくはその未遂罪を犯した者」である。

①「強盗の罪」とは、強盗罪（236）、事後強盗罪（238）、昏酔強盗罪（239）をいい、強盗予備罪（237）は含まれない。

②「第177の罪」は、不同意性交等罪である。なお、監護者性交等罪と強盗の罪が同一の機会に犯されることは想定し難いため、監護者性交等罪（179 Ⅱ）は明文で除外されている（241 Ⅰかっこ書）。

2　行為

本罪は、①「強盗の罪若しくはその未遂罪を犯した者」が「第177条の罪若しくはその未遂罪をも犯したとき」、又は②「同条の罪若しくはその未遂罪を犯した者」が「強盗の罪若しくはその未遂罪をも犯したとき」に成立する。したがって、いずれの犯罪の要件も充足されることを要する。

→不同意性交等の行為を行った後に初めて財物奪取の意思が生じた場合には、新たな暴行・脅迫をした上で、財物を奪取しなければ本罪は成立しない。もっとも、不同意性交等罪の犯人がその現場に滞留していること自体が、被害者の意識に反映されている限りで、被害者に対する反抗抑圧状態を継続する行為としての「脅迫」（さらに暴行を加えられるかもしれないという害悪の告知）と解されるから、積極的な暴行・脅迫までは必要ではないと解される

また、本条が「……を犯した者が……をも犯したとき」と規定していることから、強盗の行為と不同意性交等の行為は同一の機会に行われる必要がある。同一の機会の意義については、強盗の機会（⇒ p.434）と同様に解される。

なお、不同意性交等罪の被害者は、強盗の罪の被害者と同一でなくてもよい。

3　故意

本罪の故意として、同一の機会に強盗の行為と不同意性交等の行為を行う認識・認容が必要である。

二　強盗・不同意性交等致死罪（Ⅲ）

1　「第1項の罪に当たる行為により人を死亡させた」

(1)　意義

強盗・不同意性交等致死罪が成立するためには、強盗・不同意性交等罪（241 Ⅰ）に当たる行為により人を死亡させたこと、すなわち、強盗の行為又は不同意性交等の行為のいずれかと死亡の結果との間に因果関係が認められることを要する。

本条の対象となるのは、その文言上、強盗の行為又は不同意性交等の行為により死亡結果が発生した場合に限られる。そのため、強盗の行為又は不同意性交等の行為ではなく「強盗・不同意性交等の機会」における行為によって人を死亡させた場合、強盗・不同意性交等致死罪は成立せず、強盗・不同意性交等罪（241 Ⅰ）と強盗殺人罪（240後段）の観念的競合になるにす

各論

ぎないと解する見解が有力である。

(2)　傷害の結果のみが生じた場合

本条は、強盗・不同意性交等罪に当たる行為により人の死亡の結果が生じた場合について規定しているが、傷害の結果のみが生じた場合については規定していない。そこで、強盗・不同意性交等罪に当たる行為により傷害の結果のみが生じた場合、いかなる犯罪が成立するかが問題となる。

判例（大判昭8.6.29参照）・通説は、強盗・不同意性交等罪のみで処断すべきとする見解を採っている。

∵①　強盗・不同意性交等罪の法定刑が非常に重くなっているのは、被害者に負傷の結果が生じた場合でも、強盗・不同意性交等罪のみの成立を認める趣旨であると解することができ、傷害の点については量刑上不利益な情状として考慮すれば足りる

②　傷害の結果が発生したが、強盗と不同意性交等のいずれも未遂に終わった場合でも、刑が減軽されることはない（241 Ⅱ参照）ので、強盗致傷罪（240前段）や不同意性交等致傷罪（181 Ⅱ）よりも処断刑が軽くなることもない

各論

2　故意

本罪の故意として、同一の機会に強盗の行為と不同意性交等の行為を行うことの認識・認容が必要である。

また、強盗・不同意性交等罪の犯人が、殺人の故意をもって死亡の結果を生じさせた場合にも、本罪が成立する（故意犯包含説）。

∵①　241条3項は、「死刑又は無期懲役」という極めて重い法定刑を定めており、殺人の故意がある場合を含まないとするのは妥当でない

②　241条3項は、「第1項の罪に当たる行為により人を死亡させた」としか規定しておらず、結果的加重犯に特有の「よって」という文言をあえて用いていないので、殺人の故意がある場合も含むと解すべきである

3　未遂

本罪は未遂犯（243）も処罰される。本罪の未遂は、強盗・不同意性交等罪を犯した者が殺意をもって被害者を殺そうとしたが、被害者が死亡しなかった場合に成立する。

三　減軽・免除事由（Ⅱ）

本罪は、「強盗の罪若しくはその未遂罪」と「第177条の罪若しくはその未遂罪」が同一の機会に行われた場合を結合犯としてその処罰の対象としていることから、強盗の行為と不同意性交等の行為のいずれもが未遂に終わったとしても、強盗・不同意性交等罪が成立する。

もっとも、241条2項は、強盗の行為と不同意性交等の行為のいずれもが未遂

であり、かつ、人の死傷結果が生じていない場合には、刑の任意的減軽を認めている（241Ⅱ本文）。これは、法の規定の上では既遂犯であるため、通常の未遂犯（43本文）そのものではないものの、その行為の違法性の低さを考慮し、実質的には未遂減軽の規定を置いたものと解されている。

また、強盗の行為と不同意性交等の行為のいずれもが未遂であり、強盗の行為と不同意性交等の行為の少なくとも一方の行為について、自己の意思により中止したときは、中止犯（43ただし書）と同様に、刑が必要的に減軽・免除される（241Ⅱただし書）。

四　罪数

強盗・不同意性交等罪及び同致死罪は、同一の機会に強盗の行為と不同意性交等の行為の双方を行うことの悪質性・重大性に着目し、重い法定刑を科す規定であり、被害者の性的自由を重要な保護法益の1つとすることから、本条は、被害者の数により罪数を決定すべきである。

判例（最判昭24.8.18参照）は、1つの強盗が行われた場所において、複数の被害者に対して不同意性交等の行為が行われた事案において、被害者の数に応じた強盗・不同意性交等罪が成立し、これらは併合罪（45）となるとしている。

第２４２条　（他人の占有等に係る自己の財物）

自己の財物であっても、他人が占有し、又は公務所の命令により他人が看守するものであるときは、この章の罪については、他人の財物とみなす。

《注　釈》

- 「自己の財物」には、不動産侵奪罪等における不動産も含まれる。
- 「他人」の「占有」の意義については争いがある。　⇒ p.412
- 「公務所の命令により他人が看守するもの」としては、強制執行等によって執行官が差し押さえた物、収税官吏が滞納処分として差し押さえた物等がある。

第２４３条　（未遂罪） 同

第２３５条から第２３６条まで＜窃盗、不動産侵奪、強盗＞、第２３８条から第２４０条まで＜事後強盗、昏酔強盗、強盗致死傷＞及び第２４１条第３項＜強盗・不同意性交等致死＞の罪の未遂は、罰する。

第２４４条　（親族間の犯罪に関する特例）

Ⅰ　配偶者、直系血族又は同居の親族との間で第２３５条＜窃盗＞の罪、第２３５条の２＜不動産侵奪＞の罪又はこれらの罪の未遂罪を犯した者は、その刑を免除する 同。

Ⅱ　前項に規定する親族以外の親族との間で犯した同項に規定する罪は、告訴がなければ公訴を提起することができない。

Ⅲ　前２項の規定は、親族でない共犯については、適用しない 同。

《注 釈》

一 意義

配偶者、直系血族又は同居の親族の間において窃盗罪（235）・不動産侵奪罪（235の2）（及びその未遂罪）を犯した者はその刑を免除し、その他の親族に関するときは親告罪とするという特例（親族相盗例）である。

二 親族の概念

1 本条1項が適用されれば、必要的に刑が免除される。本条1項は、「配偶者」、「直系血族」（父母・祖父母・子・孫など）及び「同居の親族」との間で一定の犯罪を犯した者に適用される。

→内縁関係にある者は「配偶者」に当たらない（最決平18.8.30・平18重判6事件）〈共

∵ 免除を受ける者の範囲は明確に定める必要がある

→「配偶者」、「直系血族」については、同居の有無を問わず、本条1項が適用される〈司

「同居の親族」とは、事実上、居を同じくして日常生活を共同にしている親族（配偶者・直系血族を除いた、6親等内の傍系血族と3親等内の姻族。民725参照）をいう〈共。一時宿泊している者は含まれない。

2 本条2項が適用されれば、その犯罪は親告罪となる。本条2項は、「同居」の親族以外の親族との間で一定の犯罪を犯した者に適用される。

3 本条1項・2項は、「親族でない共犯」については、適用されない（244 Ⅲ）〈司。

→本条1項の刑の免除の法的性質について、「法は家庭に入らず」という刑事政策的配慮に基づく一身的処罰阻却事由であると解すると、本条3項は、当然の注意規定と解することになる

三 準用関係

＜親族相盗例の準用関係＞〈司共

窃盗	不動産侵奪	強盗	詐欺	背任	恐喝	横領	遺失物等横領	盗品等	毀棄
○	○	×	○ (251)	○ (251)	○ (251)	○ (255)	○ (255)	× (*)	×

* 盗品等の罪については244条の準用規定はないが、257条が親族等の間の犯罪に関する特例を規定している。

《論 点》

一 親族関係は行為者と誰との間に必要か

窃盗罪・不動産侵奪罪は占有と所有権を保護法益とするから、これらの罪の被害者は占有者と所有者である。そして、本条の趣旨は、親族間の財産上の紛争は親族間の処分に委ねることが相当であるという点にあるから、本条所定の親族関

係は、窃盗罪・不動産侵奪罪の犯人と占有者及び所有者との間にあることが必要である（最決平6.7.19・百選Ⅱ〔第6版〕33事件）〈司。

二　親族関係の錯誤

それでは、犯人が被害者との間に親族関係がないのにあると誤信して窃盗に及んだ場合、244条を適用する余地があるかが問題となる。

この点、244条1項による刑の免除は一身的処罰阻却事由であると解するのが通説とされており、その趣旨は、「法は家庭に入らず」の思想から、親族間の財産上の紛争は親族間の処分に委ねるのが相当であるという政策的な理由に基づく。そうすると、客観的には親族関係がない以上、244条の適用による免除は認めるべきではなく、犯人が誤信したことについては量刑上考慮すれば足りるものと考えられている。

→なお、一身的処罰阻却事由に関する錯誤があっても、故意が阻却されることはない

第245条　（電気）

この章の罪については、電気は、財物とみなす。

《概　説》

・電気は財物とみなされる〈司が、電気以外のエネルギー等について、どこまでを財物と考えるかは争いがある。判例は、可動性と管理可能性を併有すれば「財物」に当たるとするが、現在では、本条は本来財物でないものを財物とみる趣旨であるとして、「財物」は有体物に限るとする見解（有体性説）が通説である。

《論　点》

◆　情報の不正入手

情報化社会の進展に伴い、企業秘密やノウハウなどの重要な経済的価値のある情報を保護する必要性が高まっているが、情報それ自体は、財物を管理可能性あるものとする見解も、財物と扱わないのが一般である。しかし、情報が化体された媒体は「財物」に当たるとされ、情報の不正入手に財産犯の成立を認める裁判例も多く見られる。

1　窃盗罪で問題となった裁判例

秘密資料のファイルを持ち出し、コピーした事案（東京地判昭59.6.28・百選Ⅱ33事件）につき、情報の財物性については情報と媒体が合体したもの全体について判断すべきで、財物の価値は主として情報の価値によるとされた。なお、不法領得の意思についても争われた。

マイクロフィルムを区役所の閲覧コーナーから持ち出した事案（マイクロフィルム窃盗事件）について、マイクロフィルムは閲覧中も区役所側の管理支配下にあり、所定の閲覧コーナーから持ち出す行為は、管理者の意思に反する占

有の侵害に当たるとした。

2　横領罪で問題となった裁判例

部外秘とされ、会社外への自由な処分が禁止されている機密資料を、資料の保管責任者が複写後に返還する目的で持ち出した事案（新潟鉄工事件、東京地判昭60.2.13）につき、資料の所有権が会社にあり、行為者に業務上の占有が認められることを前提に、不法領得の意思の有無が争われ、業務上横領罪（253）の成立が肯定された。

不法領得の意思の有無として争われた点は、不法領得の意思の要否・内容（⇒ p.478）とかかわるが、財物の横領といえるか、情報の横領にすぎないのかの問題である。この点、学説からは、社内での複写は、一般的権限の範囲内であり財物の横領に当たらないことも多いが、社外での複写は当たりうる（研究のための自宅への持ち帰りやそれに伴う社外での複写が一般に行われている場合を除く）とされる。

3　背任罪で問題となった裁判例

企業が開発したコンピュータプログラムを無断使用し、別会社のコンピュータに入力した事案（綜合コンピューター事件、東京地判昭60.3.6）につき、背任罪（247）の成立が肯定された。媒体に化体されていない情報の侵害は、窃盗罪・横領罪の成立の余地はなく、背任罪が考えられるのみであるが構成要件に該当する場合は例外的であるとされる。この点、情報の管理に関しいかなる範囲の者が事務処理者に当たるかが問題となるが、企業秘密の保管に直接関係する役職員でなければならず、一般の社員は当たらないとされる。

・第37章・【詐欺及び恐喝の罪】

《保護法益》

他人の財物・財産上の利益である。

【詐欺罪・詐欺利得罪】

> **第２４６条　（詐欺）**
>
> Ⅰ　人を欺いて財物を交付させた者は、１０年以下の懲役に処する。
>
> Ⅱ　前項の方法により、財産上不法の利益を得、又は他人にこれを得させた者も、同項と同様とする。

〔詐欺罪、１項〕〔詐欺利得罪、２項〕

《注　釈》

一　欺罔行為と錯誤

1　「人を欺」く行為〈司R2 予R2〉

「人を欺」く行為（欺罔行為）とは、一般人を財物・財産上の利益を処分させるような錯誤に陥らせる行為をいう。

具体的には、①相手方の処分行為に向けられたものであり、②処分の判断の基礎となる重要な事項につき錯誤に陥らせる行為をいう。

(1) 欺罔行為は、相手方の処分行為に向けられたものでなければならない〈共予〉。たとえば、駅員の隙を見て切符なしで乗車する行為や、磁石でパチンコ玉を誘導する行為は、欺罔行為とはいえない。

(2) 手段方法に制限はなく、挙動によるものや不作為によっても可能である〈司〉。

(a) 不作為による詐欺とは、すでに相手方が錯誤に陥っていることを知りながら真実を告知しないことをいう。不作為による詐欺は、不真正不作為犯であるから、真実を告知すべき告知義務に違反することが必要となる。

(b) 挙動による詐欺とは、行為者の言動それ自体により相手方を錯誤に陥らせる行為をいう。不作為による詐欺とは、告知義務の存否により区別される。

ex.1 最初から支払の意思も能力もなく、食堂で注文して飲食する行為は、支払意思があるかのように装って注文するという作為による欺罔行為である〈司予〉

ex.2 銀行支店の行員に対し預金口座の開設等を申し込むこと自体、申し込んだ本人がこれを自分自身で利用する意思であることを表しているというべきであるから、預金通帳及びキャッシュカードを第三者に譲渡する意図であるのにこれを秘して申込みを行う行為は、詐欺罪にいう「人を欺」く行為に当たる（最決平19.7.17・平19重判9事件）

ex.3 ゴルフ倶楽部において、その入会審査に当たり暴力団関係者を同伴等しない旨誓約させるなどして暴力団関係者の利用を未然に防いでいた場合、当該誓約をしていたゴルフ倶楽部の会員である者が、同伴者の施設利用を申し込むこと自体、その同伴者が暴力団関係者でないことを保証する旨の意思を表している上、利用客が暴力団関係者かどうかは、本件ゴルフ倶楽部の従業員において施設利用の許否の判断の基礎となる重要な事項であるから、同伴者が暴力団関係者であるのにこれを申告せずに施設利用を申し込む行為は、その同伴者が暴力団関係者でないことを従業員に誤信させようとするものであり、人を欺く行為に当たる（最決平26.3.28・平26重判7事件②）

→ゴルフ倶楽部において、暴力団関係者の確認措置が講じられておらず、暴力団排除活動も徹底されていなかった場合、暴力団関係者が、暴力団関係者であることを申告せずに、氏名を含む所定事項を偽りなく記入した受付表等を従業員に提出して当該施設の利用を申し込む行為は、申込者が当然に暴力団関係者でないことまで表して

各論

いるとは認められないから、人を欺く行為に当たらない（最判平26.3.28・百選Ⅱ51事件）

⑶　前述のとおり、欺罔行為とは、①相手方の処分行為に向けられたものであり、②処分の判断の基礎となる重要な事項につき錯誤に陥らせる行為をいう。では、どのような事実が処分の判断の基礎となる「重要な事項」となるのか。

少なくとも、被害者が交付した財物そのものや、これに対する反対給付の価値が「重要な事項」に当たることに争いはない。また、当該取引や業務内容の目的・性質に鑑みて、被害者が財物・財産上の利益を移転する際に重視する必要性が高い事情は、広く「重要な事項」として把握するのが適切であると解されている。さらに、「重要な事項」かどうかは、被害者の個人的関心ではなく、当該取引や業務における一般的な重要性によって客観的に判断され、財産的損害が生じる危険性に関する事情も「重要な事項」かどうかの判断資料の１つに位置づけられる。　⇒下記《論点》五

ex.　航空会社は、航空券に氏名が記載されている乗客以外の者の航空機への搭乗を認めておらず、搭乗券の交付を請求する者自身が航空機に搭乗するかどうかは、航空会社の係員らにとって搭乗券の交付の判断の基礎となる重要な事項であるから、自己に対する搭乗券を他の者に渡してその者を搭乗させる意図であるのにこれを秘して係員らに対してその搭乗券の交付を請求する行為は、詐欺罪にいう人を欺く行為といえる（最決平22.7.29・百選Ⅱ50事件）司

⑷　詐欺罪（246）の実行の着手は、行為者が財物を騙し取る意思で欺く行為を開始した時点に認められる。判例（大判昭7.6.15）は、火災保険金の詐欺目的で家屋に放火した事案において、家屋に放火した時点ではなく、失火を装って保険会社に支払の請求をした時点に詐欺罪の実行の着手が認められるとしている司。

各論

▼　詐欺被害を回復するための協力名下での嘘（最判平30.3.22・百選Ⅰ63事件）司 司R5

事案：　Xらは、警察官になりすまし、前日に詐欺の被害を受けていたAにあらかじめ預金口座から現金を払い戻させた上で、同現金をだまし取ろうと考え、Aに対し、預金を下ろして現金化する必要があるとの嘘、前日の詐欺の被害金を取り戻すためには被害者が警察に協力する必要があるとの嘘、これから間もなく警察官が被害者宅を訪問する等の嘘を言い、被害者から現金の交付を受けようとした。

原審は、「刑法246条1項にいう人を欺く行為とは、財物の交付に向けて人を錯誤に陥らせる行為をいうものと解される。被害者に対し警察官を装って預金を現金化するよう説得する行為は、財物の交付に向けた

準備行為を促す行為であるものの、被害者に対し下ろした現金の交付まで求めるものではなく、詐欺罪にいう人を欺く行為とはいえず、詐欺被害の現実的、具体的な危険を発生させる行為とは認められない」とし、Xに無罪を言い渡した。

判旨：「本件嘘の内容は、その犯行計画上、被害者が現金を交付するか否かを判断する前提となるよう予定された事項に係る重要なものであったと認められる。そして、このように段階を踏んで嘘を重ねながら現金を交付させるための犯行計画の下において述べられた本件嘘には、預金口座から現金を下ろして被害者宅に移動させることを求める趣旨の文言や、間もなく警察官が被害者宅を訪問することを予告する文言といった、被害者に現金の交付を求める行為に直接つながる嘘が含まれており、既に……詐欺被害に遭っていた被害者に対し、本件嘘を真実であると誤信させることは、被害者において、間もなく被害者宅を訪問しようとしていた被告人の求めに応じて即座に現金を交付してしまう危険性を著しく高めるものといえる。このような事実関係の下においては、本件嘘を一連のものとして被害者に対して述べた段階において、被害者に現金の交付を求める文言を述べていないとしても、詐欺罪の実行の着手があったと認められる」。

山口厚補足意見：「財物の交付を求める行為が行われていないということは、詐欺の実行行為である『人を欺く行為』自体への着手がいまだ認められないとはいえても、詐欺未遂罪が成立しないということを必ずしも意味するものではない。未遂罪の成否において問題となるのは、実行行為に『密接』で『客観的な危険性』が認められる行為への着手が認められるかであり、この判断に当たっては『密接』性と『客観的な危険性』とを、相互に関連させながらも、それらが重畳的に求められている趣旨を踏まえて検討することが必要である。特に重要なのは、無限定な未遂罪処罰を避け、処罰範囲を適切かつ明確に画定するという観点から、上記『密接』性を判断することである」。

(5) 具体的検討

(a) 商取引行為

日常の商取引においては、たとえば販売者・購買者ともに自己に有利になるように駆け引きを行い、地域や職種によっては一定の誇張・虚偽の宣伝が通常となっている。そこで、誇大広告も、それだけでは詐欺罪に該当しない。もっとも、通常の取引の性質を超えるものであるときは、詐欺罪が成立しうることになる。

各論

▼ **大判昭 6.11.26** 〈共〉

商人が、自己と通謀して客を装い他の客の購買心をそそる者（いわゆる「さくら」）を使って、商品の効用が極めて大きく世評も売れ行きも良いように見せかけた行為は、「人を欺」く行為（246 Ⅰ）に当たり、詐欺罪が成立する。

(b) 釣銭詐欺 ⇒下記《論点》三

2 錯誤と処分の関係

欺罔行為は存在したが、被害者がそれを見抜いて錯誤に陥らなかった場合は、未遂罪にとどまる。

錯誤に陥らず別の理由で（たとえば憐憫の情から）財物を交付した場合も、錯誤→処分行為という詐欺罪の予定する因果関係が切れるため未遂罪にとどまる〈司予〉。

ex.1 甲は、出資金名目で金を騙し取ろうと考え、乙に対し、架空の投資案件を持ちかけたところ、乙は、甲の話が嘘であることに気付いたものの、甲が金に困っているのに同情して現金を甲に渡した。この場合、甲には詐欺未遂罪が成立するにとどまる〈司〉

ex.2 自己名義で携帯電話機の購入を申し込んだ者が、真実、購入する携帯電話機を第三者に無断譲渡することなく自ら利用する意思であるのかどうかという点は、相手方が携帯電話機を販売交付するかどうかを決する上で、その判断の基礎となる重要な事項といえるから、第三者に無断譲渡する意図を秘して自己名義で携帯電話機の購入を申し込む行為は、その行為自体が、交付される携帯電話機を自ら利用するように装うものとして、人を欺く行為に当たる。もっとも、相手方が、第三者に無断譲渡するという申込者の意図を察知し、そうであったとしても構わないとの意思で携帯電話機を販売交付した場合には、相手方には欺罔に基づく錯誤が認められず、詐欺未遂罪が成立する（東京高判平 24.12.13・平 25 重判 7 事件）

3 相手方に過失のある場合

判例の立場によれば、豊田商事事件に代表されるような現物まがい商法、投資顧問詐欺、商品先物取引、ねずみ講等といった「騙される側にも一定の落ち度がある場合（＝過失）」についても詐欺罪の成立を認めている（最決平 4.2.18、大阪地判平元 .3.29、東京地判昭 62.9.8 など）〈予〉。

二 処分行為〈司R元 予H26〉

1 内容

処分行為とは、相手方が錯誤に基づいて財物の占有を移転させること、又は財産上の利益を移転させることをいう。処分行為があるというためには、処分行為の客観面（占有の終局的な移転）と、処分行為の主観面（処分意思＝占有

各論

の終局的移転についての認識）の2つが必要となる。

処分行為の有無が、いわゆる交付罪（詐欺罪・恐喝罪）と盗取罪（窃盗罪・不動産侵奪罪・強盗罪）を区別する要素になる。とりわけ、財産上の利益については、利益窃盗が不可罰とされる一方、2項詐欺罪は可罰的であるので、特に処分行為の有無が重要な問題となる。

→処分行為があれば一応被害者の意思に基づく「交付」によって財物・財産上の利益が移転したといえる一方、処分行為がなければ占有者の意思に反して財物・財産上の利益を「盗取」したものといえる

2　処分行為者

(1)　処分行為は、処分権限を有する者のみが行いうる。

ex.1　当該不動産に関する処分権限のない登記官吏を騙して所有権移転登記を行っても、詐欺罪は成立しない（最決昭42.12.21）

ex.2　家屋を処分する権限を有しない裁判所書記官及び執行吏を騙して占有を移転させても、詐欺罪は成立しない〈司（最判昭45.3.26・百選Ⅱ56事件）

(2)　三角詐欺

被詐欺者と被害者が異なる場合を三角詐欺という。この場合でも、錯誤に基づく処分行為が必要であるから、被詐欺者と処分行為者は一致しなければならない。さらに、その場合も、被詐欺者には被害者の財産を処分する権限のあることが必要である。

(3)　なお、財物・財産上の利益の移転先は、欺罔行為者以外の第三者でもよい。

たとえば、甲がAから金を騙し取ろうとしたところ、Aに資金がなかったため、Aが甲から商品を購入したように仮装し、購入代金についてAと信販会社との間でクレジット契約を締結させた上で信販会社に立替払をさせた場合、Aにも信販会社に対する詐欺罪が成立し得るので、Aは欺罔行為者に当たりうるが、判例（最決平15.12.9）は、Aの行為が別個の詐欺罪を構成するか否かを問わず、甲のAに対する詐欺罪の成立を認めている〈共。

三　財物・財産上の利益の移転

1　財物・財産上の利益

「財物」には、窃盗罪（235）と異なり、不動産も含まれる。

→銀行の預金通帳は、それ自体として所有権の対象となりうるものであるのみならず、財産的価値を有するものであるから、「財物」に当たる（最決平14.10.21・平14重判5事件）〈司

処分行為によって、財物・財産上の利益が移転することにより詐欺罪は既遂となる。財物については、詐欺罪の保護法益がその占有それ自体である以上、占有の移転が必要であり、私法上の所有権が移転しただけでは足りないと解さ

れている。すなわち、動産については現実の引渡時、不動産については現実の占有移転又は登記移転時が財物の移転時期となる（大判大11.12.15）〈予〉。

逆に、財物の占有が移転すれば、その所有権が被害者に留保されていても詐欺罪が成立する（最決昭45.6.30）。

なお、家賃を支払う意思も能力もないのに、これがあるかのように装って大家を騙してアパートの１室を借り受けた場合、不動産の事実的支配の利益（居住の利益）を得たことになるため、246条２項の詐欺罪が成立する〈予〉。

2　占有の移転

詐欺罪（Ⅰ）は、被害者の錯誤に基づく処分行為により財物の占有が移転した時に既遂に達する（処分と財物の移転との間に因果性が必要である）〈共〉。欺罔行為によりいったん財物を放棄させてから領得する場合については、詐欺罪説の他、窃盗罪説、遺失物等横領罪説が対立する。

ex.　甲は、自動車販売会社の販売員に対し、その代金を支払う意思も能力もないのに、これらがあるかのように装って自動車の購入を申し込み、分割払いの約定で同販売員から自動車の引渡しを受けた。この場合、代金完済まで自動車の所有権が同会社に留保され、甲が売却その他の処分をする権限を有しない等の民事法上の制限があったとしても、自動車の引渡しを受けて占有を取得した以上、詐欺罪が成立する（最決昭45.6.30）〈司〉

3　利益の移転

詐欺利得罪（Ⅱ）においては、相手方の錯誤により処分行為がなされ、その結果財産上の利益を得た時に既遂に達する。もっとも、財物の占有移転に比べ利益の移転の有無は曖昧であるから、被詐欺者の処分行為の行われた時期により判別される。

ex.　すでに履行遅滞の状態にある債務者が欺罔行為によって一時債権者の督促を免れた場合、それだけで246条２項にいう財産上の利益を得たということはできない。債務の免除・猶予の意思表示がないのに財産上の利益を得たというためには、債権者がもし欺罔されなかったとすれば、その督促などにより、かなりの蓋然性で債務の全部又は一部の履行が行われざるを得なかったであろうというような特段の事情が存在する場合に限られる（最判昭30.4.8・百選Ⅱ57事件）

4　銀行取引と詐欺　⇒下記《論点》九

四　罪数・他罪との関係

1　罪数

通常、１個の欺罔行為により１個の財物・利益移転を受けた場合には単純一罪となる。これに対し、１個の欺罔行為により同一の被害者から複数の財物・利益移転を受けたときには、包括一罪となる。１個の欺罔行為により複数の被害者から財物・利益移転を受けた場合には、被害客体が異なるために複数の詐欺罪が成立し、観念的競合（54 Ⅰ前段）となるのが原則である。

→街頭募金詐欺事件決定（最決平22.3.17・百選Ⅰ 102事件）は、上記の例外的な処理として、複数の被害者から財物の交付を受けていると考えられるにもかかわらず、（犯人の）意思決定の一個性、被害の個性の乏しさから、これらの被害を一体のものと評価して包括一罪とした

1個の行為について1項詐欺罪と2項詐欺罪が競合的に成立する場合には、包括して246条に当たる1個の詐欺罪が成立する。

2 他罪との関係

窃取又は詐取した財物を利用してさらに詐欺を実行したときは、新たな法益侵害を伴うといえる以上、別個の詐欺罪が成立し、併合罪（45前段）となる。ただし、詐欺目的で文書偽造を行い、これを用いて詐欺を行った場合など、文書偽造・同行使と詐欺、有価証券偽造・同行使と詐欺とは牽連犯（54 Ⅰ後段）として科刑上一罪となるとするのが判例・通説である（大判大4.3.2、大判昭8.10.2）。

これに対して、通貨偽造・同行使と詐欺については詐欺が通貨偽造行使罪に吸収されるとするのが判例（大判明43.6.30）・通説である〈司〉。詐欺罪の成立を認めるとすると、収得後知情行使罪（152）の法定刑がその額面価格の3倍以下の罰金又は科料と軽く定められている趣旨を没却するからであると説明される。

各論

《論 点》

一 不法原因給付と詐欺〈司〉

不法原因給付（覚醒剤を購入するための資金を提供した場合など）をした者は、民法上、その給付した物の返還を請求することができない（民708参照）。そのため、詐取した財物や利益が不法原因給付とされる場合には、民法上保護されない財産であるとして、詐欺罪の成立を否定する見解もある。

しかし、判例（最判昭25.7.4・百選Ⅱ 46事件）は、不法原因給付を詐取した場合であっても一貫して詐欺罪の成立を肯定している。学説上の多数説も判例の結論を支持している。

∵ 詐欺罪が処罰されるのは、単に被害者の財産権の保護のみにあるのではなく、違法な手段による行為は社会の秩序をみだす危険があるからであり、社会の秩序をみだすという点においては、いわゆる闇取引の際に行われた欺罔手段でも通常の取引の場合と何ら異なるところはない。したがって、相手方を欺罔するという社会秩序をみだすような手段をもって相手方の占有する財物を交付させて財産権を侵害した以上、その行為が闇取引の際に行われたものであるとしても刑法の適用を免れる理由とはならない

二　国家的法益と詐欺

国家（ないし地方公共団体）に対して虚偽の申立て等を行い、国家から何らかの給付を不正に受けたり、国家の徴収権を不正に免れた場合につき、詐欺罪が成立するか。詐欺罪は、個人的法益としての財物・財産上の利益を保護するものであるため、国家的法益を侵害する場合にも詐欺罪が成立するかが問題となる。

＜国家的法益と詐欺＞予

	肯定説（最決昭51.4.1・百選Ⅱ47事件）	否定説
理由	欺罔行為によって国家的法益を侵害する場合でも、それが同時に詐欺罪の保護法益である財産的利益を侵害するものである以上、詐欺罪が成立する	詐欺罪は個人的法益としての財産的法益に対する罪であるから、本来の国家的法益に向けられた欺罔行為は、詐欺罪の定型性を欠く（個人的法益としての財産的法益ならば、国有・公有でもよい）

※　肯定説に立っても、個別の場面ごとで詐欺罪が成立するだけの根拠があるかが問題となる。

各論

＜国家的法益と詐欺の成立が問題となる具体的事案の検討＞

事　案	結　論	理　由
関税の逋脱	否定 （大判大4.10.28）	詐欺の手段により関税を逋脱すればその結果として財産上不法の利益を得るのは当然であり、関税法の関税逋脱罪の規定はかかる場合をも処罰する趣旨であり、詐欺罪は成立しない
旅券・運転免許証の不正取得	否定	単に一定の資格を証明する文書を発行させるにすぎず、財産的利益の侵害とはいえない
健保等の被保険証の不正取得	否定	健保等の被保険証は事実・資格を証明するにとどまり、別段の財産的価値を有するものではない
	肯定	①　健保等の被保険証は一定の給付を受けるのに必要な書面であり、経済的に重要な価値を有する ②　民間の保険との類似性が強い場合、詐欺罪の成立を認めないのは不均衡である
郵便局の簡易生命保険証書（郵政民営化前の事案）	肯定 （最決平12.3.27）	性質上所有権の対象となる有体物であるとした原審の判断を是認した

三　釣銭詐欺

釣銭詐欺は以下のような場合に問題となる。

事例①：釣銭が多いことに気付いたがそのまま黙って受け取る場合

事例②：釣銭を受け取ってしばらくして多いことに気付いたが、そのまま持ち去る場合事例③：釣銭を受け取ってしばらくして多いことに気付いていながら、翌日被害者から「多く渡し過ぎたので返せ」と言われ、「多くはなかった」と虚偽の申立てをして返還を拒んだ場合

<釣銭詐欺>

	結　論	理　由
事例①	１項詐欺罪	信義則（民１Ⅱ）上、「釣銭が余分である」という事実の告知義務があり、不作為による欺罔行為に当たる
事例②	遺失物等横領罪	相手方の錯誤を利用して財物を取得したのではなく、偶然に自己の占有に属した物を領得したにすぎない
事例③	２項詐欺罪（詐欺利得罪）が成立するとする説	騙して返還を拒んだのだから２項詐欺罪が成立する
	遺失物等横領罪が成立するにとどまるとする説	すでに遺失物等横領罪として財産権の侵害は評価されているから、改めて詐欺罪を成立させるのは二重評価となる

四　処分行為の内容

被害者の処分行為によらずに財物・財産上の利益が移転した場合には、詐欺罪ではなく窃盗罪などの成否が問題となる。そして、処分行為があるというためには、処分行為の客観面（占有の終局的な移転）と、処分行為の主観面（処分意思＝占有の終局的移転についての認識）の２つが必要となることは、前に説明したとおりである。

1　占有の移転と占有の弛緩

ex.1　甲は、老舗ブティックXの店主Aに対して、高級コートを持ちながら「このコートを試着してもよいですか」と言い、Aは「どうぞ、ごゆっくり」と応じた。試着室に入った甲は、そのコートを着用した後、Aが他の客に対応している隙にコートを着用したまま店外へと逃走した

上記ex.1では、甲に窃盗罪と詐欺罪のいずれが成立するかを巡り、両罪の区別基準とされる処分行為の有無が問題となる。甲は試着室でコートを着用しているところ、コートの占有がAから甲に終局的に移転したと認められるか、それとも単にコートの占有が弛緩したにすぎないかが、処分行為の客観面として問題となる。

→店内にある試着室で甲がコートを試着しただけでは、いまだAの場所的な支配領域内を脱したとはいえないので、コートの占有は甲に終局的に移転していないものと解される

次に、処分行為の主観面である処分意思の有無について問題となる。Aはコートの試着を承諾してはいるが、甲が店外へ出ることまでは承諾していないの

各論

で、コートの占有が甲に終局的に移転することについての認識はないと解される。

→以上より、上記ex.1では、Aの処分行為がないと考えられるので、そもそも処分行為に向けられた甲の欺罔行為もない（詐欺罪の未遂にすらならない）ということになり、甲には詐欺罪ではなく窃盗罪が成立する（広島高判昭30.9.6参照）

2　処分意思の認識の対象

以上の事例と異なり、次のex.2では、主として処分意思の具体的な内容が問題となる。

ex.2　甲は、Aから小説を借りようとしてA宅へと赴き、Aの部屋の棚にあった小説を手に取ってみたところ、1万円札が挟まっていることに気づいた。甲は、Aがそのことに気づいていなかったため、1万円札が挟まっていることを告げずに、「この小説は古いから譲ってくれ」と言ったところ、Aは「いいよ」と言った

上記ex.2において、Aは1万円札が挟まった小説の占有を甲に終局的に移転させているので、処分行為の客観面については、特に問題とはならない（なお、前提として甲には不作為による詐欺が認められる）。もっとも、Aは1万円札の存在について全く認識していない。そこで、処分意思が認められるためには、移転の対象となる財物・財産上の利益についても認識している必要があるかが問題となる。

この点について、単に財物・財産上の利益の移転という外形的な事実の認識があれば足りるとする見解（無意識的処分行為説）と、移転の対象となる財物・財産上の利益の具体的な内容についても認識している必要があるとする見解（意識的処分行為説）が対立しているが、学説上の多数説は、無意識的処分行為説であるとされる。

∵　そもそも詐欺罪は人を欺いて事実の認識を誤らせることを基本とする犯罪であり、財物・財産上の利益の存在を被害者に認識させずに移転させるという詐欺罪の典型例を詐欺罪から除外するのは不合理である

→上記ex.2では、Aには小説の占有を甲に移転させることの認識があるので、甲にはAの1万円に対する1項詐欺罪が成立する

3　詐欺利得罪（2項詐欺罪）と利益窃盗の区別

ex.3　甲は、代金を支払うつもりで老舗旅館にチェックインし、宿泊した。翌日、甲が代金を支払うためにフロントに向かったところ、そのタイミングで財布を家に忘れてきたことに気づいた。甲は、とっさに旅館主Aに対して「ちょっと散歩してくる」と言い、Aは「どうぞ、ごゆっくり」と言って甲を送り出した。外出した甲は、そのまま帰宅した

前記のとおり、財産上の利益については、利益窃盗が不可罰とされる一方、

各論

２項詐欺罪は可罰的であるので、特に処分行為の有無が重要な問題となる。

上記 ex.3 において、甲は旅館から外出して帰宅することにより宿泊代金の支払を免れているので、処分行為の客観面については、特に問題とならない。また、無意識的処分行為説の立場に立つと、Ａはともかく甲の外出を許可しており、店外に出れば事実上宿泊代金の支払を免れるという利益が得られる状態となるから、財産上の利益の移転という外形的な事実の認識も認められる。したがって、たとえＡに財産上の利益の具体的な内容（甲が宿泊代金の支払を免れること）についての認識がなくても、Ａに処分意思が認められるので、甲には２項詐欺罪が成立する。

→仮に、甲がＡに気づかれないように逃走した場合には、Ａの処分行為がないことが明らかであり、利益窃盗として不可罰となる。また、甲が「知人を見送りに行く」と偽って玄関先に出て、そのまま逃走した場合も、Ａは甲が玄関先に出ることを承諾しただけであり、甲が宿泊代金の免脱という利益が得られる状態になることを認識していたとはいえないから、Ａの処分行為は認められず、利益窃盗として不可罰となる

なお、判例（最決昭 30.7.7・百選Ⅱ 53 事件）は、傍論ながら、意識的処分行為説に立っているとされるが、その後の裁判例（東京高判昭 33.7.7）は、「今晩必ず帰ってくる」と欺いて旅館から外出・逃走し、宿泊代金を免れた事案において、２項詐欺罪の成立を認めたものがある。

各論

五　重要事項性（財産的損害の発生の危険）〈司

1　はじめに

詐欺罪は財産犯である以上、その成立には被害者に財産的な損害が生じることが必要である。そうすると、欺罔行為はあっても、財産的な損害がなければ詐欺罪は成立せず、詐欺未遂罪が成立しうるとも思える。もっとも、およそ財産的損害が生じる危険のないような欺罔行為がなされた場合にまで、未遂犯が成立すると解するのは妥当でない。そこで、欺罔行為は、財産的損害を生じる危険性があるものでなければならず、およそ財産的損害の発生の危険がない場合には、欺罔行為も存在しない（未遂にすらならない）と解されている。

→財産的損害が発生する危険性があるかどうかという点は、財物・財産上の利益を移転するかどうかの判断の基礎となる重要な事項といえるので、およそ財産的損害の発生の危険がない場合には、重要な事項を偽ったといえず、そもそも欺罔行為が存在しないことになる

もっとも、どのような場合に財産的損害が生じる危険性があると評価されるかについては、以下のとおり、学説の対立がある。

2　形式的個別財産説

財産的損害が生じたかが問題となる典型的な事例は、以下のように相当対価の反対給付を受けている場合である。

ex.1　甲は、Aに対して、客観的な価値が5万円相当であるホットスチーマーを、「限定品なので20万円もの価値があるけれども、特別にあなたにだけ、今なら5万円で売ってあげるわ」と言い、Aに販売した

上記ex.1において、Aは客観的な価値が5万円相当の商品を5万円で購入しているので、そもそもAに財産的損害が発生したといえるかが問題となる。

この点について、詐欺罪は、背任罪（247）のような全体財産に対する罪ではなく、個別財産に対する罪であると一般に解されている。すなわち、個別の財産の喪失それ自体を法益侵害と捉えるものであり、被害者の財産が全体として減少していなくても詐欺罪が成立する。したがって、たとえAが客観的な価値が5万円相当の商品を反対給付として取得したとしても、甲に5万円を支払ったこと自体が財産的損害に当たるので、甲に詐欺罪が成立する。

もっとも、相手方が本当のことを知っていればその財産を交付しなかったといえる場合には、常にその財産の交付それ自体が財産的損害に当たるとする見解（形式的個別財産説）に立つと、詐欺罪の成立範囲が広くなりすぎるという問題が指摘されている。

ex.2　16歳の甲は、未成年者への販売が禁止されている定価1000円の成人向け雑誌を購入するために、書店の店主Aに対して、自分は成年者であると偽り、1000円を支払ってこれを入手した

形式的個別財産説によれば、上記ex.2の甲にも詐欺罪が成立することになるが、甲は自分の年齢を偽ったにすぎず、Aに何らの経済的な損害が生じていない。にもかかわらず、相手方が本当のことを知っていればその財産を交付しなかったといえる場合に常に詐欺罪の成立を認めてしまうと、もはや詐欺罪は財産犯ではなく、個人の意思決定の自由に対する罪になってしまうとの批判がなされている。

3　実質的個別財産説

そこで、経済的に評価して損害が発生したかどうかを実質的に判断すべきであるとする見解（実質的個別財産説）が現在の通説であるとされる（なお、判例はいずれの見解を採用したかを明示してはいないが、実質的個別財産説に親和的であると解されている）。

実質的個別財産説に立つ場合に詐欺罪の成立が限定されるものには、以下の3つの類型があり、それぞれ詐欺罪の成立が限定される根拠が異なる。

(1)　錯誤の性質による限定

実質的個別財産説からは、被害者がその取引上達成できなかった目的が経済的に評価して損害といえるかどうかという観点が重視される。すなわち、欺罔行為によって被害者が経済的に「重要な事項」について錯誤に陥ったかどうかが問題となる。

▼ **医師詐称事件（大決昭 3.12.21）**

事案：　薬の販売員であった甲は、薬の販売のために、医師免許を有していないのに、仲間とともに医師による無料の巡回診察であると偽って診察を行い、医師による販売と誤信させて薬を販売した。

決旨：　薬の定価と実際に販売した価格とが一致しており、相手方は財産上不正の損害を被ったという事実はなく、また甲に特に不法の利益を享受したというべき事情もないので、詐欺にはならないとした。

医師詐称事件（大決昭 3.12.21）では、被害者は支払った金銭と相当な対価関係にある反対給付を受けている。そして、「医師が処方した治療薬」と「医師が処方していない治療薬」という違いはあるものの、治療薬としての効果は同一であり、被害者がその取引上達成できなかった目的（処方された治療薬が「医師が処方した」ものであること）は、経済的に評価して損害とはいえないと解される。

→欺罔行為によって被害者が経済的に「重要な事項」について錯誤に陥ったものとは評価できず、甲の行為にはおよそ財産的損害が生じる危険性がない以上、甲の行為は欺罔行為には当たらない（未遂にすらならない）

各論

▼ **電気あんま事件（最決昭 34.9.28・百選Ⅱ 48 事件）** 共

事案：　甲は、ドル・バイブレーターと呼ばれる電気あんま器（中風、小児麻痺その他の疾病に特効がなく、一般に市販されていて何人も容易に入手できる）を販売していた。甲は、電気器具に対する知識が乏しく、中風、小児麻痺等により困惑している農村家庭の窮状に乗じて、ドル・バイブレーターが一部の大学にしかない、一般には入手困難な中風や小児麻痺に特効のある新しい高価な特殊治療器であるかのように装い、これを本来の価格程度の価格で販売した。

決旨：　「たとえ価格相当の商品を提供したとしても、事実を告知するときは相手方が金員を交付しないような場合において、ことさら商品の効能などにつき真実に反する誇大な事実を告知して相手方を誤信させ、金員の交付を受けた場合は、詐欺罪が成立する」。

電気あんま事件（最決昭 34.9.28・百選Ⅱ 48 事件）でも、被害者は支払った金銭と相当な対価関係にある反対給付を受けている。しかし、「中風や小児麻痺に効果のある高価で希少な電気あんま器」と「中風や小児麻痺に効果のない安価で一般的な電気あんま器」という違いがあり、被害者がその取引上達成できなかった目的（購入した電気あんま器が「中風や小児麻痺に効果のある高価で希少な」ものであること）は、経済的に評価して損害ということができる。したがって、欺罔行為によって被害者が経済的に「重要な事項」について錯誤に陥ったと評価することができる。

(2) 被害客体による限定〈司

虚偽の申告により証明文書（旅券、印鑑証明等）の発給を受けた際にも、詐欺が成立しない場合があるが、この類型は、(1)の類型（錯誤の性質による限定）と異なり、被害客体そのものの性質に着目して詐欺罪の成立が限定される。

具体的には、旅券（最判昭27.12.25）、印鑑証明書（大判大12.7.14）を詐取したとしても、これらの物には証明の利益しかなく、経済的・財産的な価値が認められないので詐欺罪の成立が否定される。

これらに対し、簡易生命保険証書（最決平12.3.27）、国民健康保険証（最決平18.8.21）〈司、預金通帳（最判平14.10.21・平14重判5事件）を詐取した場合、これらの物には証明の利益のみならず、経済的・財産的な価値や効用が認められるので詐欺罪の成立が肯定される。これらの文書は、単なる事実証明に関する文書であるにとどまらず、社会生活上重要な経済的価値・効用を有するものである。

(3) 軽微性による限定

財産的損害がないわけではないが、軽微であるという場合にも詐欺罪の成立が否定される場合がある。

▼ 最判昭30.4.8・百選Ⅱ57事件

「すでに履行遅滞の状態にある債務者が、欺罔手段によって、一時債権者の督促を免れたからといって、ただそれだけのことでは、刑法246条2項にいう財産上の利益を得たものということはできない」。

▼ 最判平13.7.19・百選Ⅱ49事件〈共

「請負人が本来受領する権利を有する請負代金を欺罔手段を用いて不当に早く受領した場合には、その代金全額について刑法246条1項の詐欺罪が成立することがあるが、本来受領する権利を有する請負代金を不当に早く受領したことをもって詐欺罪が成立するというためには、欺罔手段を用いなかった場合に得られたであろう請負代金の支払とは社会通念上別個の支払に当たるといい得る程度の期間支払時期を早めたものであることを要すると解するのが相当である」。

上記の2つ目の判例（最判平13.7.19・百選Ⅱ49事件）は、工事代金はいずれにせよ支払わなければならないものである以上、その時期を早めたにすぎない場合には欺罔行為が結果に与えた影響はきわめて軽微なものである以上、詐欺とはならないとしている。この判例の立場によると、「社会通念上別個の支払に当たるといい得る程度の期間支払時期を早めたもの」でない限りは、損害の軽微性を理由として欺罔行為がないと考えることになる。

六　キセル乗車

キセル乗車とは、たとえば、Xが甲駅から乗車して、乙駅・丙駅を経由して丁駅まで行く際に、乙駅―丙駅間の無賃乗車を企て、甲駅で乙駅までの切符を買って改札係員Aにそれを呈示して電車に乗り、丁駅の改札係員Bに丙駅―丁駅間の定期券を呈示して改札を出たような場合をいう。

▼ 大阪高判昭44.8.7・百選Ⅱ54事件

甲駅改札係員に対する欺罔行為を認定し、右係員をして正常な乗客と誤信させた結果、国鉄職員が被告人を丁駅まで輸送する有償的役務の提供という処分行為をしたものとして、詐欺罪の成立を認めた。

もっとも、現在では、改札はほぼ自動化又は無人化されており、有人改札はまれであるから、通常の詐欺罪が成立する場合も限られる。そこで、キセル乗車については、電子計算機使用詐欺罪となるとする裁判例（東京地判平24.6.25）もあるが、処分行為が認められないので不可罰の利益窃盗にとどまるとする学説もある。

七　クレジットカード詐欺 司H29

1　クレジットカードによる取引の性質 司

信販会社と会員契約を締結したクレジット会員（クレジットカードの名義人）が、当該信販会社と加盟店契約を結んだ店（加盟店）にクレジットカードを呈示して商品を購入した場合、信販会社は、会員に代わり、加盟店に対してその商品の購入代金を立替払いすることになる。その後、信販会社は、立替払いした金額を、会員の預金口座から取り立てることで取引が成立する。

このように、クレジットカードシステムにおいては、会員契約を締結したクレジットカードの名義人本人に対する個別的な信用を下に、一定限度内の信用を供与することが制度の根幹となっている。そのため、クレジットカードの会員規約上、名義人以外の者によるクレジットカードの利用は許されておらず、加盟店は、クレジットカード利用者が名義人ではないと知れば、クレジットカードの利用には応じないという建前となっている。

したがって、クレジットカード利用者と名義人とが同一人物であるということは、加盟店が商品を交付するかどうかを判断するための基礎となる重要な事実であるといえるから、この点を偽る行為は欺罔行為に当たり、これにより商品を購入すれば、詐欺罪が成立する。

→加盟店が名義人以外の利用であることを知りながら、クレジットカードの利用を認めた場合、加盟店には「クレジットカード利用者と名義人の同一性」に関する錯誤はないから、錯誤に基づく処分行為も認められず、詐欺罪は成立しない

各論

2　他人名義のクレジットカードの不正使用〈司

　クレジットカードの名義人本人に成り済まし、同カードの正当な利用権限がないのにこれがあるように装う行為について、判例（最決平16.2.9・百選Ⅱ55事件）は、たとえ行為者が「クレジットカードの名義人から同カードの使用を許されており、かつ、自らの使用に係る同カードの利用代金が会員規約に従い名義人において決済されるものと誤信していたという事情があったとしても、本件詐欺罪の成立は左右されない」としている〈司共。

3　自己名義のクレジットカードの不正使用

　信販会員（クレジット会員）が、代金支払の意思も能力もないのに、自己名義のクレジットカードを利用して加盟店から物品を購入し、又は飲食などをした場合に、詐欺罪が成立するかが問題となる。

　この問題に対しては、1項詐欺罪が成立するとする見解と、2項詐欺罪が成立するとする見解があり、裁判例（東京高判昭59.11.19）は、1項詐欺罪が成立するとする見解（次の図表の甲説）に立つ。

<クレジットカード詐欺>

<table>
<tr><th rowspan="2"></th><th>甲説</th><th>乙説</th><th>丙説</th><th>丁説</th></tr>
<tr><th colspan="2">1項詐欺罪成立</th><th colspan="2">2項詐欺罪成立</th></tr>
<tr><td>被欺罔者</td><td rowspan="3">加盟店</td><td rowspan="2">加盟店</td><td rowspan="3">信販会社</td><td rowspan="2">加盟店</td></tr>
<tr><td>処分者</td></tr>
<tr><td>被害者</td><td>信販会社</td><td>信販会社</td></tr>
<tr><td>客　体</td><td>商品</td><td>商品</td><td>代金債務</td><td>代金債務</td></tr>
<tr><td>既遂時期</td><td>商品の取得時</td><td>商品の取得時</td><td>立替払時</td><td>立替払時</td></tr>
</table>

	甲説	乙説	丙説	丁説
	1項詐欺罪成立		2項詐欺罪成立	
理　由	①　支払の意思・能力がないのにあるかのように装って加盟店にカードを呈示する行為は、挙動による欺罔行為といえる ②　1項詐欺罪は個別財産に対する罪だから、加盟店に実質的損害が発生していなくても、加盟店を被害者と構成しうる	①　甲説の理由① ②　加盟店は、信販会社からの代金決済を確実に期待できるから損害が発生したとみることはできない ③　加盟店は、商品に化体された信販会社の財産を処分する権限を有し、必ず信販会社に損害を生ぜしめるような処分を行ったといえる	①　カード取引では、加盟店は顧客の支払意思等について関心がないから、加盟店を被欺罔者とするのは実態に反する ②　信販会社は加盟店を通じて送られる売上票を受け取って、それが後日会員によって支払われると誤信して加盟店に立替払をするのであるから、この点に錯誤・処分行為がある	①　甲説の理由① ②　加盟店は信販会社からの代金決済を確実に期待できるから、損害が発生したとみることはできない ③　加盟店の処分行為により信販会社が立替払をすることで、行為者の口座から信販会社の口座への振替ができなくなる危険が現実化する
批判	信販会社から立替払を受けることにより、加盟店には何ら実質的損害が発生しないという実態を軽視するものである	代金立替をしなければならない信販会社には錯誤に基づく処分行為があったとはいえず、被害者を被欺罔者と別人格とする三角詐欺のような法律構成は無理である	①　信販会社も支払意思等につき錯誤に陥って立替払をするわけではない ②　加盟店は信義則上支払意思等に注意を払い信販会社の損害発生を防止する義務を負うから加盟店が欺かれることもありうる	代金立替をしなければならない信販会社には錯誤に基づく処分行為があったとはいえず、被害者を被欺罔者と別人格とする三角詐欺のような法律構成は無理である

八　訴訟詐欺

裁判所を欺いて勝訴判決を得て、敗訴者から財物・財産上の利益を得るという、いわゆる訴訟詐欺は、詐欺罪を構成するか。訴訟詐欺は犯罪類型が詐欺罪と異なるのではないかが問題となる。

<訴訟詐欺>

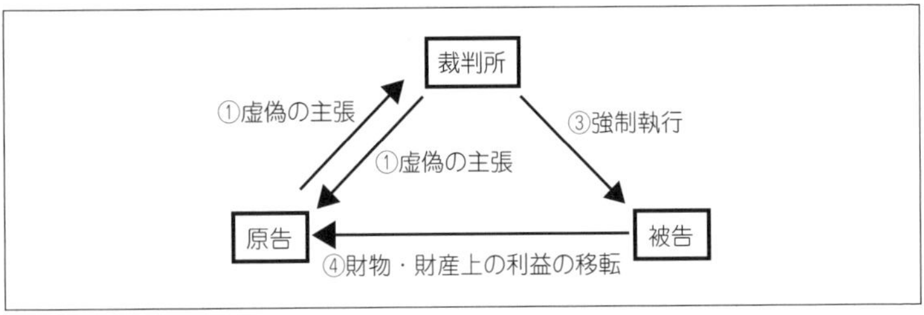

1　欺く行為について

訴訟詐欺の場合、人に錯誤を生じさせるような詐欺行為が認められるか。

<訴訟詐欺における欺く行為>

	肯定説（大判明44.11.14）	否定説
理由	自由心証主義の下、裁判官が事実を誤認することもありうるし、錯誤に陥ることは否定できないから虚偽の主張に基づいて勝訴判決を得れば、詐欺に当たる	形式的真実主義を採用する民事訴訟制度の下では、裁判所は虚偽だとわかっていても当事者の主張に拘束されて一定の裁判をしなければならず、このような訴訟制度の利用は欺く行為といえない

2　処分行為について

敗訴者は裁判に服してやむを得ず財物を提供せざるを得ない関係にあるが、任意性のある処分行為は認められるだろうか。

敗訴者が処分権者と考えると、処分意思を欠くため処分行為が存在せず、詐欺罪が成立しないとも思えるが、判例・通説は、訴訟詐欺を三角詐欺（被欺罔者かつ処分権者が裁判所、被害者が敗訴者）であると解している。被欺罔者である裁判所は、判決を下すことにより、それに基づいて強制執行による財物・財産上の利益の移転が可能となるので、被害者の財産を処分しうる地位を有する処分権者にほかならず、判決を下す行為が処分行為であるといえる（最判昭45.3.26・百選Ⅱ 56事件）。

したがって、判例によると、裁判所による処分行為が存在するとして、詐欺罪の成立を認めることができる。

九　銀行取引と詐欺罪の成否

1　誤振込み

誤振込みの場合であっても、判例（最判平8.4.26）は、振込みの原因となる法律関係が存在するか否かにかかわらず、受取人と銀行との間に預金債権が成立し、民事上、受取人は銀行に対して預金債権を取得するとしている。

そうすると、誤振込みの場合であっても受取人は正当な預金債権を有する以上、誤振込みの事実に気付きながら金銭を払い戻したとしても、詐欺罪は成立しないとも思える。

しかし、判例（最決平15.3.12・百選Ⅱ52事件）は、自己の口座に誤振込みがされた金銭について、誤振込みの事実を知りながら、受取人が窓口で預金の払戻しを請求したという事案において、以下のとおり判示し、詐欺罪の成立を肯定している。

▼ 最決平15.3.12・百選Ⅱ52事件〈同〉

「本件において、振込依頼人と受取人である被告人との間に振込みの原因となる法律関係は存在しないが、このような振込みであっても、受取人である被告人と振込先の銀行との間に振込金額相当の普通預金契約が成立し、被告人は、銀行に対し、上記金額相当の普通預金債権を取得する」。

「銀行にとって、払戻請求を受けた預金が誤った振込みによるものか否かは、直ちにその支払に応ずるか否かを決する上で重要な事柄である……受取人においても、銀行との間で普通預金取引契約に基づき継続的な預金取引を行っている者として、自己の口座に誤った振込みがあることを知った場合には、……誤った振込みがあった旨を銀行に告知すべき信義則上の義務がある」。

「そうすると、誤った振込みがあることを知った受取人が、その情を秘して預金の払戻しを請求することは、詐欺罪の欺罔行為に当たり、また、誤った振込みの有無に関する錯誤は同罪の錯誤に当たるというべきであるから、錯誤に陥った銀行窓口係員から受取人が預金の払戻しを受けた場合には、詐欺罪が成立する」。

▼ 東京高判平25.9.4・平26重判9事件

自己が代表を務める会社名義の口座に詐欺等の犯罪行為によって現金が振り込まれているのに乗じてその現金を窓口から払い戻す行為について、「預金契約者は、自己の口座が詐欺等の犯罪行為に利用されていることを知った場合には、銀行に口座凍結等の措置を講じる機会を与えるため、その旨を銀行に告知すべき信義則上の義務があり、そのような事実を秘して預金の払戻しを受ける権限はない」と解すべきであり、払戻しを受ける権限があるように装って預金の払戻しを請求することは、人を欺く行為に当たり、詐欺罪が成立する。

※ なお、キャッシュカードを用いてＡＴＭから当該振込金を引き出した行為については、「預金の管理者ひいて現金自動預払機の管理者の意思に反する」として、窃盗罪（235）の成立を認めている〈共〉。

2 振り込め詐欺〈予H25〉

判例（大判昭2.3.15）は、自己の管理する銀行口座に金員を振り込ませれば犯人はその金額の預金を自由に払い戻せるから、犯人と被害者との間で現実に現金の授受があったのと同視しうるとして、入金の時点で1項詐欺罪の既遂と

各論

なるとしている（恐喝して振り込ませた場合も、同様の問題が恐喝罪に関して生ずる）。行為者が開設した架空人名義の口座に金員を振り込ませた場合も同様である（大阪高判平16.12.21）。

次に、いわゆる「出し子」（詐欺等の被害金の引き出しを担当する者）の刑事責任も問題となる。上記のとおり、振り込め詐欺自体は被害者が口座に入金した時点で既遂に達している以上、被害者に対する詐欺罪の刑事責任が出し子に帰責されることはないと解される。

一方、出し子がＡＴＭから現金を引き出す行為については、銀行に対する窃盗罪が成立する（出し子が銀行の窓口で現金を引き出した場合には、銀行に対する詐欺罪が成立する）。

∵①　犯罪による収益の移転防止に関する法律により、他人名義の銀行口座を利用することは許されていないので、出し子には引出権限がない

②　被害者が入金した金員は詐欺によって得られた預金債権であるので、本当のことを知っていれば払戻しには応じないはずであるから、現金を引き出す行為は銀行の意思に反する占有の移転といえる

【電子計算機使用詐欺罪】

> **第２４６条の２　（電子計算機使用詐欺）**
> 前条に規定するもののほか、人の事務処理に使用する電子計算機に虚偽の情報若しくは不正な指令を与えて財産権の得喪若しくは変更に係る不実の電磁的記録を作り、又は財産権の得喪若しくは変更に係る虚偽の電磁的記録を人の事務処理の用に供して、財産上不法の利益を得、又は他人にこれを得させた者は、１０年以下の懲役に処する。

《注　釈》

◆　行為

1　行為の手段・態様

人を欺くものでない点で、詐欺罪（246）と異なる〈同〉。

(1)「人の事務処理に使用する電子計算機」とは、他人がその事務を処理するために使用する電子計算機である。事務はその種類を問わない。

(2)「虚偽の情報」・「不正な指令」の意味

(a)「虚偽の情報」を与えるとは、電子計算機を使用する当該事務処理システムにおいて予定されている事務処理の目的に照らし、その内容が真実に反する情報を入力することをいう。

ex.1　金融機関が業務用に使用している電子計算機に対して、入金がないにもかかわらず入金したとのデータを入力する行為（東京高判平5.6.29・百選Ⅱ 58事件）

ex.2　窃取したクレジットカードの情報を、インターネットを介して、クレジットカード決済代行業者が事務処理に使用する電子計算機に

送信し、名義人本人がこれを購入したとする財産権の得喪にかかわる不実の電磁的記録を作り、財産上不法の利益を得る行為（最決平18.2.14・百選Ⅱ59事件）〈司共

ex.3 往路につきB駅・C駅区間の乗車券を購入の上B駅の自動改札機に投入して入場し、D駅からF駅までを有効区間とする回数券をその中間に位置するE駅の自動改札機に投入して出場した行為、及び復路につきD駅・E駅区間の乗車券を購入の上E駅の自動改札機に投入して入場し、A駅の自動精算機に往路の乗車券と不足運賃を投入して出場した行為（東京高判平24.10.30・百選Ⅱ60事件）

(b) 「不正な指令」とは、与えられるべきでない指令をいい、たとえば、プログラムを改変することにより、自己の口座への不実の振替入金を実現する場合等が考えられる。

ex. パソコンから外国の電話交換システムに対して不正の信号を送って課金できないようにする行為（東京地判平7.2.13・百選Ⅱ〔第7版〕58事件）

(3) 「財産権の得喪若しくは変更」にかかる「電磁的記録」とは、財産権の得喪・変更があったという事実又は財産権の得喪・変更を生じさせるべき事実を記録した電磁的記録であって、取引の場面においてそれが作出されることによってその財産権の得喪・変更が行われるものをいう。

ex. オンラインシステムにおける銀行の元帳ファイルの預金残高の記録、テレホンカードのようなプリペイドカードにおける残度数の記録

cf. 財産権の得喪・変更を公証する目的で記録するにすぎないもの（不動産登記ファイルなど）、一定の事項を証明するための記録（クレジット会社の信用情報ファイル、キャッシュカードなど）は、「電磁的記録」に当たらない〈司

(4) 「虚偽の電磁的記録を人の事務処理の用に供」するとは、行為者が、その所持する内容虚偽の電磁的記録を他人の事務処理用の電子計算機に差し入れて使用させることをいう。

ex. 不正に作出したテレホンカードを電話機に差し込んで電話をかける行為

2 「財産上不法の利益を得」ること

財物を客体とするものでない点で、窃盗罪（235）と異なる〈司共。

ex.1 不実の電磁的記録を使用して銀行の預金元帳ファイルに一定額の自己の預金があるように作出し、その預金の引き出し又は他への振替移転をなしうる地位を取得すること

ex.2 虚偽のプリペイドカードを用いることによって電話を接続して通話させるなどの一定の役務の提供を受けること

各論

3　他罪との関係

本罪は、「財産上不法の利益を得、又は他人にこれを得させた者は」と規定していることから、２項詐欺罪の補充類型である。そして、「前条に規定するもののほか」との文言から、２項詐欺罪が成立する場合には、本罪は成立しないと解されている。

【背任罪】

第２４７条（背任）

他人のためにその事務を処理する者が、自己若しくは第三者の利益を図り又は本人に損害を加える目的で、その任務に背く行為をし、本人に財産上の損害を加えたときは、５年以下の懲役又は５０万円以下の罰金に処する。

《保護法益》

委託者の財産と、事務処理の委託者と行為者との間の委託信任関係の両方である。

《注　釈》

一　主体

1「事務」

「事務」とは、財産上の利害に関する仕事一般を意味する。継続的なものに限らず、一時的な仕事でもよい。また、公的事務も含む。

事務処理者は本人との間にその事務を誠実に処理すべき信任関係のあることが必要である。この信任関係は、法令、契約に基づく場合の他、事務管理（民697）、慣習に基づくものでもよい通。

「他人」とは、行為者以外の者で、法人も含む。

2　他人のための他人の事務司H24

「他人の事務」を処理するとは、本人固有の事務を本人に代わって行うことをいう（大判大3.10.12）。したがって、自己の事務（売買契約の売主が負う目的物引渡義務や、買主が負う代金支払義務など）を処理する者は、それがたとえ「他人のためにする事務」であっても「他人の事務」ではないので、背任罪の主体とはならない予。

→自己の事務の処理を怠り、本人に財産上の損害を加えても、それは単なる債務不履行にすぎず、本罪は成立しない

判例は、二重抵当（自己の不動産について抵当権設定契約を締結したが、その登記を完了する前に別の者と抵当権設定契約を締結し、先に後者の登記を完了する場合）の事案（最判昭31.12.7・百選Ⅱ70事件）や、県知事の許可がなければ所有権が移転しない農地売買において、その許可を得ない間（つまり他人の所有物になる前）に売主がさらに第三者に抵当権を設定した事案（最決昭38.7.9）などにおいて、背任罪の成立を肯定している。

▼ **最決平 15.3.18**

事案： 株式を担保としてこれに質権を設定した者が、株券を質権者に交付した後、裁判所を騙して除権判決を取得し、当該株券を失効させた。

決旨： 「株式を目的とする質権の設定者は、株券を質権者に交付した後であっても、融資金の返済があるまでは、当該株式の担保価値を保全すべき任務を負い、これには、除権判決を得て当該株券を失効させてはならないという不作為を内容とする任務も当然含まれる。そして、この担保価値保全の任務は、他人である質権者のために負うものと解される」とし、質権者に損害を加えた場合には、背任罪が成立するとした。

評釈： 本判例では、質権設定者が株券を質権者に既に交付しており、設定者として行うべき事務を全て終えている以上、「他人のためにその事務を処理する者」に当たらないとも思える。しかし、担保権設定者は、単に担保権者に第三者対抗要件を具備させれば足りるわけではなく、当該担保の目的物を他に譲渡、滅失させたりすることで当該担保権を処分させてはならないという担保価値保全任務を負っている。また、本来、担保価値の保全は担保権者の任務であるから、担保価値保全任務は他人の事務といえる。したがって、質権設定者は、被担保債権の完済に至るまで、担保価値保全任務を負っており、「他人のためにその事務を処理する者」に当たる。

3 事務の内容

事務の内容は、裁量的なものに限定されず、機械的な事務であってもよい。

∵ 機械的な事務であっても、委託信任関係に違背してその事務を履践せず、本人に財産上の損害を加えた以上、背任罪としての当罰性が認められる

判例も、登記協力義務を負う抵当権設定者（最判昭 31.12.7・百選Ⅱ 70 事件）や、質物の保管者（大判明 44.10.13）のような、裁量の余地のない事務処理者についても背任罪の成立を肯定している。

もっとも、背任罪も財産犯である以上、委託された事務は財産上の事務に限られる。

→弁護の弁護活動において任務懈怠があった場合や、治療・診療を委託された医師による任務懈怠や秘密漏示があった場合、これらはいずれも財産上の事務とはいえないので、背任罪は成立しない

二 任務違背行為

1 「任務」

その事務の事務処理者として当該具体的事情の下で当然になすべきものと法的に期待される行為をいう。

2 「背く」

信任関係に違背することをいう。任務違背行為の成立範囲の問題（任務違背

行為は法定代理権を濫用して法律行為をする場合に限られるか、それとも信任関係に違背する事実行為まで含まれるか）については、背任罪の本質との関係で争いがある。　⇒下記《論点》一

3　具体例

判例上、任務違反行為とされたものとしては、①銀行の貸付事務担当者が、資力・信用の乏しい者に無担保で金を貸す行為（不良貸付、大判大15.9.23）、②会社の取締役が、利益がないのに架空の利益を計上して、株主に利益金を配当する行為（いわゆる蛸配当、大判昭7.9.12）、③村長が、給与所得者に対して、村条例に違反して過少に賦課徴収する行為（最決昭47.3.2）〈司〉等がある。

三　財産上の損害　⇒下記《論点》二

背任罪は、任務違背行為に着手した時点が実行の着手で、本人に財産上の損害が発生した時点で既遂に達する〈司〉。背任罪の損害には、全体財産の減少が必要となる。得べかりし利益（消極的損害）も含む。

四　図利・加害目的

1　自己又は第三者の利益を図る目的（図利目的）

故意の内容とは異なる主観的超過要素である。客観的に利益を得る必要はない。「利益」とは、身分上の利益その他の非財産的利益を含むとするのが通説・判例（大判大3.10.16）である〈司〉。

2　本人に損害を加える目的（加害目的）

故意の内容としての損害発生の認識との相違が問題となるが、247条が故意の他に加害目的を必要とする以上、未必的な認識では足りず、確定的認識が必要と解されている。もっとも、確定的認識を超えた加害する意欲までは不要とされる〈司〉。

これに対し、図利・加害目的は、本人のためにする意思で行われたものでないという要件を裏側から規定したものであり、動機が本人のためである場合は除く趣旨であるとする見解がある。この見解によると、本人のためか自己のためかが曖昧な場合が問題となるが、両者が併存する場合には、主たる目的・動機で判断すべきとされる〈司〉。

▼　最決平10.11.25・百選Ⅱ73事件

経営が危機的状況にある会社に対して、十分な担保もなく多額の融資を行うことは、融資を行う必要性、緊急性が認められないこと等に照らすと、主として自己又は第三者の利益を図る目的をもって行われたといえ、図利加害目的が認められる。

《論　点》

一　任務違背行為の意義

任務違背行為の意義については、背任罪の本質と関連して問題となる。判例は、背信説に立つ（大判大3.6.20）。

＜任務違背行為の意義＞回

	権限濫用説	背信説（大判明44.10.13）	背信的権限濫用説
背任罪の本質	法的な代理権を濫用して財産を侵害する犯罪	他人との信頼関係に違背してその財産に損害を加える犯罪	信頼に背いて権限を濫用し財産を侵害する犯罪
任務違背行為の成立範囲	①　法的代理権の存在する場合に限る ②　対外関係（対第三者）に関する法律行為に限る	①　事実的信頼関係の場合も成立しうる ②　対内関係に関しても成立しえ、事実行為でも成立しうる	①　事実的信頼関係の場合も成立しうる ②　対内関係に関しても成立しえ、事実行為でも成立しうる
理由	①　背任罪は、本人によって与えられた代理権の濫用によって財産を侵害する点にその本質がある ②　基準として明確で背任罪の成立範囲を限定的に捉えうるし横領罪との限界も明確である	①　背任罪は横領罪と同種の信頼関係を前提に権利侵害をも処罰する横領罪の補充規定である ②　事実行為としての背任行為にも当罰性の強いものが少なくない	①　従来の背信説においては背任行為の範囲が必ずしも明確にならず、限定を加えるべきである ②　背信説において、信義誠実を強調しすぎると、財産犯ではなく、信義誠実義務違反自体を処罰することになりかねない
批判	事実行為としての背任行為にも当罰性の強いものが少なくない	①　横領罪との競合を生じ、両罪の関係をどう理解するかという困難な問題が生じる ②　背任罪の処罰範囲が不明確となり、成立範囲が無制限に広がってしまうおそれがある	「権限」に法的権限だけでなく事実上の権限を含めることによって結論の具体的妥当性を目指しているが、それだけにその「権限」の内容が不明確である

各論

二　「財産上の損害」

1　意義

背任罪の成立には、任務違背行為により本人に「財産上の損害」が生じることが必要である。「財産上の損害」には、既存の財産が減少すること（積極的損害）だけでなく、将来取得するはずであった利益を喪失すること（消極的損害）も含まれる（最決昭58.5.24・百選Ⅱ 72事件）。

背任罪は「全体財産に対する罪」であると解されており、「財産上の損害」が認められるためには、個別の財産それ自体の喪失・侵害があったというだけでは足りず、本人の財産状態全体に損害が加えられたこと（全体財産の減少）を要する。

2　判断基準

上記の判例は、経済的見地において本人の財産状態を評価し、本人の財産の価値が減少したとき又は増加すべかりし価値が増加しなかったときは、「本人に財産上の損害を加えたとき」に当たるとしている〈司予。

ex.　A銀行の支店長である甲が友人Bに対して、回収の見込みもないのに1000万円を無担保で貸し付けた

上記のex.において、A銀行は現金1000万円を失う一方、Bに対する1000万円の金銭債権を取得するため、法律的にみれば本人の財産に減少はない。しかし、経済的見地から評価すると、Bに対する金銭債権は担保権の設定もなく、債権の回収が不能ないし困難であるので、もはやその債権は経済的に無価値であり、たとえ履行期前であっても「財産上の損害」が生じているものと判断される〈司。

三　二重抵当と背任罪・二重抵当と詐欺罪

1　二重抵当と背任罪

Xが債権者Aのために自己の不動産に抵当権を設定した後に、まだその登記をしていないことを奇貨として、さらに債権者Bのために新たに抵当権を設定し、Bのために抵当権の設定登記をした場合、Xに背任罪は成立するか。

二重抵当について背任罪が成立するかについては、①Xは「他人のためにその事務を処理する者」といえるか、②Xに任務違背行為があるか、③「財産上の損害」は認められるか、について検討する必要がある。

⑴　①について

不動産に抵当権を設定したXが抵当権設定の登記に協力する行為（登記協力義務）が、「他人の」事務といえるか。

<登記協力義務と「他人の」事務>〈司H24

	他人の事務とする見解（最判昭31.12.7・百選Ⅱ70事件）〈司予	自己の事務とする見解
理由	登記権利者Aの側からすると、登記義務者Xの協力がなければAが抵当権設定登記を完了し財産を保全することは不可能であるから、登記義務者Xの義務履行はAの抵当権保全行為の一部をなしている	登記義務者の任務は、抵当権設定として自己の財産処理行為を完成させるものであるから、自己（X）の事務としての性格をもつ

⑵　②について

XがAに対して登記に必要な書類をすべて交付していた場合に、Xに任務違背行為があるか。

この点、XはAが第一の抵当権設定登記をするまでその地位を保全すべきであるから、たとえAの登記に必要な事務を完了したとしても、Aが登記

を完了する以前の時点でXがBに対する登記を完了したときには、抵当権保全義務に反するものとして任務違背行為となる。

(3)　③について

さらに、どのような事実を「損害」とみるかについては争いがある。

＜二重抵当の事案における「財産上の損害」＞

	抵当権の順位の後退それ自体を損害とする見解（最判昭31.12.7・百選Ⅱ70事件）	抵当権の順位の後退により、被担保債権がカバーされなくなったという実害との関係で損害をみる見解
理由	一番抵当権付債権と二番抵当権付債権とでは、債権に対する経済的評価が実際上極めて異なる	財産上の損害を経済的意義において把握すると、抵当物件の担保価値が一番・二番両抵当権の極度額を上回るような場合には「財産上の損害」は発生しないといえる

2　二重抵当と詐欺罪

(1)　Aに対する関係

前述の事案で、XがBに対し二重に抵当権を設定することが、先の抵当権者Aに対する関係で詐欺罪を構成するか（被害者をA、被詐欺者をBとする）が問題となる。

＜二重抵当の事案における先の抵当権者に対する詐欺罪＞

	否定説	肯定説
理由	詐欺罪が成立するには、必ずしも被詐欺者と被害者とが一致する必要はないが、その場合には被詐欺者が被害者の財産を法律上又は事実上処分しうる地位・権能を有していなければならない（本事案のBはAの順位の変動を左右しうる立場にない）	詐欺罪の成立には、被詐欺者本人（B）であると第三者（A）であるとを問わず、詐欺行為に起因して他人に財産上の損害が生ずれば足りる（いわゆる「三角詐欺」を認める）

(2)　Bに対する関係

また、Xが、Bに対し先にAに抵当権を設定していることを秘して抵当権を設定することが、Bに対する関係で詐欺罪を構成するか（被害者・被詐欺者をともにBとする）も問題となる。

＜二重抵当の事案における後の抵当権者に対する詐欺罪＞

	肯定説	否定説
理由	①　Xが抵当権設定の事実を秘してBから金銭を借りる申込みをすることは、不作為による欺く行為に当たる ②　1項詐欺の成立には、個別財産の喪失をもって財産上の損害があると解するので、Bが欺かれなければ交付しなかったであろう金銭を欺かれて交付したこと自体を「損害」とみることができる	①　Bに対しては一番抵当権の設定登記を条件に借金を申し込み、その条件通りに一番抵当権の設定登記がなされたのだから、先にAに対して未登記の抵当権を設定したことをXがBに隠していたとしても、その事実を告知する刑法上の作為義務はXにはない ②　Bは、対抗要件を具備することにより、第三者に対抗できる一番抵当権を取得できる以上、財産的損害が生じる危険性はなく、詐欺罪の要件である錯誤及びそれに向けた欺罔行為が認められない

四　横領と背任の区別 司 司H21 司H24 司H29 予R元

横領罪と背任罪とは要件を異にする別個の犯罪であり、その成立範囲は排他的な関係には立たないとするのが通説的な理解である。そうすると、両罪の構成要件を同時に充足した場合の処理が問題となる。

横領罪の保護法益は個別の財産の所有権及び委託信任関係である一方、背任罪の保護法益は全体財産及び委託信任関係であり、両罪の保護法益には重なり合いが認められるところ、法益侵害は1つであることから、両罪の関係は法条競合であり、重い横領罪が成立する。したがって、まず重い横領罪の成否を検討し、横領が成立しない場合に限り、背任罪の成否を検討すればよいと解される。

▼　大判昭 9.7.19・百選Ⅱ 68 事件

村長が業務上保管している公金を、同村の計算において、親交のある第三者に貸与し、村に財産上の損害を加えた場合には、業務上横領罪（253）ではなく、背任罪が成立する。

五　背任と共犯

銀行員が回収の見込みなく、十分な担保や保証なしに金銭を貸し付ける行為（不良貸付け）は銀行に対する背任罪となるが、そのような不良貸付けの借り手の行為が共同正犯（60）の要件をみたすと思える場合であっても、背任罪の共同正犯の成否は一定の場合に限定すべきと解されている。

∵　金融機関に融資を求める行為自体は自由経済の下では当然であり、借り手の経済活動の不当な制約とならないように背任罪の成立範囲を限定する必要がある

1　貸し手と借り手の利害関係が一体化している場合

▼ 最決平15.2.18・百選Ⅱ74事件

経営が危機的状態にある会社の代表取締役である者が、別会社である住宅金融専門会社の融資担当者に任務違背するように仕向けた際、支配的な影響力を行使することもなく、また、社会通念上許されない方法を用いるなどして積極的働き掛けもなかったものの、同社の財産上の損害につき高度の認識を有し、また担当者が自己保身及び被告人会社の利益を図る目的を有していることを認識し、担当者が融資に応じざるを得ない状況にあることを利用して、自己への融資の実現に加担した場合には、被告人は特別背任罪の共同正犯になる。

▼ 最決平17.10.7・平17重判8事件

経営ひっ迫の中で、それぞれ別会社の会社経営者甲、乙は、甲に取引上の便宜を図ることが乙自らの利益にもつながるという関係にあった。甲は乙に対して、甲の会社から絵画等を著しく不当な高額で購入させるように依頼し、応じた乙が同絵画等を自己が支配する丙社に購入させて、丙社に損害を生じさせたときは、甲には、乙とともに特別背任罪の共同正犯（60、会960Ⅰ）が成立する。

2　借り手が積極的な働きかけをした場合

▼ 最決平20.5.19

被告人は、単に本件融資の申込みをしたにとどまらず、本件融資の前提となる再生スキームを貸し手に提案し、被告人が代表取締役である会社の債権者との債権譲渡の交渉を進めさせ、不動産鑑定士にいわば指し値で本件ゴルフ場の担保価値を大幅に水増しする不動産鑑定評価書を作らせ、本件ゴルフ場の譲渡先となる新会社を新たに設立した上、銀行頭取らと融資の条件について協議するなど、本件融資の実現に積極的に加担したものである。このような事実からすれば、被告人は銀行頭取らの特別背任行為について共同加功したものと評価することができるのであって、特別背任罪の共同正犯となる。

六　他罪との関係

他人のためにその事務を処理する者が、本人を欺いて財物を交付させた場合には、詐欺罪が成立し、別に背任罪を構成するものではない（最判昭28.5.8）〈同〉。

【準詐欺罪】

第２４８条　（準詐欺）

未成年者の知慮浅薄又は人の心神耗弱に乗じて、その財物を交付させ、又は財産上不法の利益を得、若しくは他人にこれを得させた者は、１０年以下の懲役に処する。

各論

《注 釈》

◆ 行為

1 「未成年者」とは、18歳未満の者をいい（民4）、「知慮浅薄」とは、知識が乏しく、思慮の足りないことを意味する。

2 「心神耗弱」とは、精神の健全を欠き、事物を判断するのに十分な普通人の知識を備えていない状態をいう（大判明45.7.16）。

cf. 全く意思能力を欠く心神喪失者や幼児から財物を取得する行為は、本罪ではなく窃盗罪（235）を構成する 通

3 「乗じて」とは、誘惑にかかりやすい状態を利用することをいう。積極的に誘惑する場合の他、未成年者等が任意に財産的処分行為を行うのを放置しておく場合でもよい。

cf. 詐欺的手段を用いるときは、ここにいう未成年者等に対しても、詐欺罪（246）が成立する 共予

【恐喝罪】

> **第２４９条 （恐喝）**
> Ⅰ 人を恐喝して財物を交付させた者は、１０年以下の懲役に処する。
> Ⅱ 前項の方法により、財産上不法の利益を得、又は他人にこれを得させた者も、同項と同様とする。

《保護法益》

個人の財産とその自由である。

《注 釈》

一 恐喝行為と畏怖

1 「恐喝」するとは、相手方に対して、その反抗を抑圧するに至らない程度の脅迫を加え、財物の交付又は財産上の利益の処分を要求することをいう 共予。

→暴行も相手方を畏怖させうるものである以上、相手方の反抗を抑圧しない程度の暴行は本罪の手段となる（最判昭24.2.8）

2(1) 脅迫は、相手方に恐怖心を生じさせるような害悪の通知をいい、脅迫罪（222）におけるものと異なり、通知されるべき害悪の種類は問わない（広義）。 ⇒ p.383

(2) 脅迫の内容をなす害悪の実現は、それ自体違法であることを要しない。

ex. 「告訴する」というように権利行使を通告した場合でも、それが不当な財物取得の手段として用いられるときは、ここにいう「脅迫」に当たる（最判昭29.4.6）

3 恐喝の手段としての脅迫は相手方の処分に向けられたものである必要がある。

4 脅迫罪（222）・強要罪（223）の「脅迫」と異なり、本罪の「脅迫」は、相手方又は親族に対する害悪の告知に限られず、第三者に対する害悪の告知でもよい。

二　処分行為

1　恐喝罪は被害者の瑕疵ある意思に基づいて財物・財産上の利益を領得するという罪であるから、処分行為が必要である〈共〉。

＊　被害者が自ら交付・処分する場合のみならず、畏怖して黙認しているのに乗じて行為者が奪取する場合にも処分行為が認められる（最判昭24.1.11）〈司共〉。

＊　飲食代金の請求を断念させようと、脅迫行為により畏怖させ、請求を断念させ支払を免れた場合、被害者の黙示的な支払猶予の処分行為が存在するから、２項恐喝罪が成立する（最判昭43.12.11・百選Ⅱ62事件）。

2　窃盗犯人から盗品を喝取した事案について、判例は、「正当な権利を有しない者の所持であっても、その所持は所持として法律上の保護を受ける」として、恐喝罪の成立を認めている（最判昭25.4.11）〈予〉。

三　既遂時期〈司予〉

恐喝罪が既遂に達するには、財物・財産上の利益が移転し、被害者に損害が生じることが必要である。

ex.　金員喝取の目的で自らの預金口座に振込入金させたときでも、銀行側が当該口座に振り込まれた金員の預金払戻しを受けることができない体制を整えていた場合には、自由に払戻しを受けることができず、現金の交付を直接に受けたと実質的に同視することはできないから、恐喝は未遂にとどまる（浦和地判平4.4.24）

各論

《論　点》

一　権利行使と恐喝〈司H19 司R2〉

1　債権者が債務者を脅して債権を取り立てる行為は恐喝罪を構成するか。たとえば、100万円の債権を有するXが、返さない債務者Aを脅して100万円を取り立てたという場合Xに恐喝罪は成立するだろうか（騙して取り立てた場合も、詐欺罪（246）につき同様の問題が生ずる）。

＜権利行使と恐喝＞

	理由	批判
恐喝罪説（最判昭30.10.14・百選Ⅱ61事件）	（恐喝罪を個別財産に対する罪と解する見解から）畏怖しなければ交付しなかったであろう物を交付したことによって、財産上の損害が発生している（＊）	行為者が財産的権利を有している場合、およそ行為者に権利が認められない通常の恐喝の場合と実質的・内容的に同様の損害が発生したといえるかは疑問である

	理由	批判
脅迫罪説	①　手段としての脅迫は違法であるが、その違法のために初めから有する権利の行使まで違法となるものではない ②　手段の違法性自体は存在するので、脅迫罪（222）が成立する	手段としての脅迫行為と、それに基づいて財物の交付を受けたことは一体として捉えるべきであり、手段だけを切り離すのは妥当でない
無罪説	①　手段としての脅迫は違法であるが、その違法のために初めから有する権利の行使まで違法となるものではない ②（恐喝罪を全体財産に対する罪と解する見解から）権利行使であれば被害者の全体財産の減少はない	当該脅迫行為が、債務の弁済を得る方法として社会的に相当といえる程度を超えたときは、もはや権利の行使とはいい難い

＊　権利行使の一環としてなされたことを考慮して、積極的に違法性阻却の可能性を認める見解からは、①権利の行使という正当な目的があり、②権利の範囲内で、かつ、③手段が社会的に相当な範囲内にあると認められる場合は、違法性を阻却するとされる。

2　権利が存在することを理由に、直ちに恐喝罪の構成要件該当性（無罪説・脅迫罪説）又は違法性（恐喝罪説）が阻却されるとすると、権利があると誤信した場合には故意が阻却されうる。しかし、権利の存在自体が後に民事訴訟で争われる可能性のある民事くずれの事件の場合、このように解してよいかは問題である。

この点、消費者団体の役員で弁護士でもあった者が、自動車会社を相手に、その生産した自動車の欠陥から事故が発生したとして、脅迫によって損害賠償請求をした事案につき、「他人に対して権利を有すると確信し、かつ、そう信じるについて相当な理由（資料）を有する場合」には恐喝罪は成立しないとした下級審判例（東京高判昭57.6.28）がある。

二　恐喝して銀行口座に振り込ませた場合の罪責 司R2

Xが、Aを恐喝して、100万円をXの銀行口座に振り込ませた場合、Xには1項恐喝罪が成立するのか、それとも2項恐喝罪が成立するか（欺いて振り込ませた場合は、詐欺罪に関して同様の問題が生ずる）。

甲説：振り込まれた金銭に対する1項恐喝罪が成立する

∵　振込・振替という決済手段が多用される今日、入金され預金口座に記帳されたときは、それと同額の金銭は犯人の自由に処分しうる状態に置かれたとみるべきである

乙説：預金債権を取得したことを財産上の利益とみて、2項恐喝罪が成立する

∵　犯人が取得するのは財物性の特定が困難な預金債権である（特に行為者の口座にもともと振り込まれた金額以上の預金がある場合）から、払込の時点で名義人が不特定の現金に対して排他的支配を取得したと認めることは困難である

三　他罪との関係

1　恐喝罪と暴行罪・脅迫罪

恐喝罪が成立する場合、その手段として行われた暴行・脅迫について、それぞれ独立に暴行罪（208）・脅迫罪（222）は成立せず、恐喝罪に吸収される。

2　恐喝罪と傷害罪

恐喝罪が成立する場合、その手段として用いられた暴行により傷害の結果が生じた場合には、恐喝罪と傷害罪の観念的競合となる（最判昭23.7.29）〈司。

3　恐喝罪と詐欺罪〈司H19 司R2

恐喝的手段と詐欺的手段が併用された場合、最終的に被害者が畏怖して財物を交付しているのであれば、詐欺的手段は恐喝的手段の一部とみることができるから、恐喝罪のみが成立する（最判昭24.2.8）〈司。

他方、畏怖しつつも、錯誤が主な理由となって財物を交付している場合には、詐欺罪のみが成立すると解されている。

4　恐喝罪と収賄罪

公務員が恐喝的手段を用いて賄賂を収受した場合において、相手方が畏怖により意思の自由を全く失ってしまったときは、恐喝罪のみが成立する（最判昭25.4.6参照）。他方、相手方に意思の自由が残っているときは、恐喝罪と収賄罪（197 Ⅰ）との観念的競合となる（福岡高判昭44.12.18）。

5　恐喝罪と盗品等無償譲受け罪

盗品であることの情を知りながら、これを所持する者を恐喝して盗品の交付を受けた場合には、恐喝罪と盗品等無償譲受け罪が成立し、両者は観念的競合となる（大判昭6.3.18）〈司。

6　恐喝罪と監禁罪

人を恐喝する目的で監禁した場合、監禁罪（220）との併合罪となる（最判平17.4.14・百選Ⅰ103事件）〈司。

7　恐喝罪と業務妨害罪

恐喝的手段を用いて業務を妨害した場合、業務妨害罪（233）との牽連犯（大判大2.11.5）となる。

第２５０条　（未遂罪）

この章の罪の未遂は、罰する。

第２５１条　（準用）

第２４２条＜他人の占有等に係る自己の財物＞、第２４４条＜親族間の犯罪に関する特例＞及び第２４５条＜電気＞の規定は、この章の罪について準用する。

各論

・第38章・【横領の罪】

《保護法益》

物に対する所有権その他の本権である。

【単純横領罪】

> **第252条（横領）**
> Ⅰ　自己の占有する他人の物を横領した者は、5年以下の懲役に処する。
> Ⅱ　自己の物であっても、公務所から保管を命ぜられた場合において、これを横領した者も、前項と同様とする。

《注　釈》

一　「自己の占有」

1　窃盗罪等にいう「占有」とは異なり、物に対する事実的支配に限らず、法律的支配を含む司共 予R元。

∵　横領罪における占有の重要性は処分の濫用のおそれのある支配力にあり、法律的支配があれば濫用のおそれがある

法律的支配とは、法律上自己が容易に他人の物を処分しうる状態をいう。

ex.1　登記による不動産の占有について、登記済不動産の登記名義人は当該不動産を第三者に対し処分しうる地位にあるので、法律的支配による占有を有する。他方、未登記不動産については登記簿上の占有が存在しないので、事実的支配をなす者に占有がある共

ex.2　預金による金銭の占有について、正当な払戻権限を有する者は、いつでも金銭を預金口座から引き出して自由に処分しうる地位にあるので、法律的支配が認められる。他人の金銭を自己名義の口座で保管しているときには、預金名義人に法律的支配による占有が認められる（大判大元.10.8）。また、他人名義の口座の預金であっても、払戻権限が与えられている者には、法律的支配による占有が認められる司H21 予H30

2　占有は、物の所有者又はその他の権限ある者との間の委託信任関係に基づくものでなければならない司共 司R4。

＊　委託信任関係は、賃貸借司、委任、寄託、雇用などの契約に基づく場合が典型的であるが、後見、事務管理などによる場合も含む通。

また、委託信任関係は事実上の関係であれば足り、不法な目的による場合であってもよく、委託契約が法律上無効である場合や取り消された場合であっても、委託信任関係があるといいうる司。

ex.1　甲は、不在中の自宅に誤って配達された他人あての贈答品の高級食材を食べてしまった。この場合、判例の立場に従うと、甲の当該食材に対する占有は委託信任関係に基づくものではないので、甲には横領

各論

罪は成立しない〈司〉

ex.2 甲は、未成年の乙と同人所有の絵画の売買契約を締結し当該絵画の引渡しを受けたが、乙が親権者の同意がないことを理由に同契約を取り消した。甲はこれを知りながら、乙に無断で当該絵画を丙に売却し丙に引き渡した場合、判例の立場に従うと、甲には横領罪が成立する〈司〉

ex.3 株式会社の代表取締役は、法人たる株式会社の機関としての地位にあるため、委託関係を認めることができ、同社の所有物について、横領罪の「占有」を認めることができる〈共〉。

なお、委託者が「物の所有者」でなくとも、委託者が財物の占有を第三者に委託することについて所有者から権限を付与されている場合には、横領罪における委託信任関係が認められ、横領罪が成立し得る（最判令4.4.18・令4重判5事件）。

二 「他人の物」

1 「他人の」

(1) 所有権の移転

「他人の」物に当たるためには、行為者以外の者に所有権が移転していることが必要である。民事法上は、所有権は契約時に移転する（民176）が、刑事法上の「所有権」は民事法上の所有権とは必ずしも一致しないため、様々な問題が生じる。 ⇒下記《論点》二

ex. 甲は、自己が所有し、その旨登記されている土地について、乙を権利者とする抵当権を設定した後、その登記が完了する前に、当該土地に丙を権利者とする抵当権を設定し、その旨の登記をした。この場合、判例の立場に従うと、乙には抵当権があるにすぎず所有権の移転がないので、当該土地は「他人の物」とはいえず、甲には乙を被害者とする横領罪は成立しえない〈司〉

所有権留保の約定付き割賦売買契約の場合、目的物の所有権は代金完済まで売主に属するから、買主が代金完済前に目的物を処分すれば、「他人の」物の所有権を侵害する行為として横領罪（252Ⅰ）が成立する（最決昭55.7.15）〈予〉。

(2) 共有物

共有物も、他の共有者との関係では「他人の」物に当たる〈司〉。

→共有物である宝くじを換金した金銭（共有金）もまた共有物となる

(3) 委託物が金銭である場合

金銭の民事法上の所有権は占有と一致するとされるが、それを形式的に刑法にあてはめると、およそ金銭についての横領罪は成立しないこととなるため、問題となる。 ⇒下記《論点》四

各論

また、封金については、特定物として扱い、所有権は委託者に残るものと解されている。　⇒封緘物について、p.415

(4) 自己の物

自己の物であっても、公務所から保管を命ぜられた場合には、その自己の物も横領罪の客体となる（252 Ⅱ）。

2 「物」

(1) 財物であることが必要であり、財産上の利益に対する横領罪はない（不動産は客体となる〈共）。

(2) 窃盗罪、詐欺罪と異なり、横領罪には245条が準用されていないため、電気は横領罪の客体とならない〈司。

三 「横領」 ⇒下記《論点》一

四 着手時期・既遂時期〈司H24

横領罪には、未遂を処罰する規定がなく、不法領得の意思が外部に発現したときは直ちに既遂となる（大判大2.6.12）〈共。

具体的には、動産の場合、売却の意思表示をした時点で、既遂に達する（大判大2.6.12)。不動産の場合、所有権移転登記手続を完了した時点で、既遂に達する（最判昭30.12.26）〈共〈予R元。

各論

《論点》

一 「横領」の意義〈司R4

1 「横領」

「横領」の意義につき、信義誠実違背の側面を重視し、受託者が委託の趣旨に反し占有物に対しその権限を越えた行為をすれば全て横領となるとする越権行為説と、財産権侵害の側面を重視し、不法領得の意思を発現する行為であるとする領得行為説の対立がある。判例（最判昭27.10.17）・通説は、領得行為説に立っている。

2 不法領得の意思

(1) 内容〈司H24

領得行為説からは、不法領得の意思が必要とされる。判例（最判昭24.3.8・百選Ⅱ 66事件）は、横領罪における不法領得の意思を、他人の物の占有者が委託の任務に背いて、その物につき権限がないのに所有者でなければできないような処分をする意思と定義している。

ex. 登記簿上所有名義人となっており他人の不動産を保管中の者が、その不動産につき所有権移転登記手続の訴えが提起された場合に、自己の所有権を主張して争った場合には、横領罪が成立する（最決昭35.12.27）

→横領罪は単なる毀棄罪ではなく利欲犯であるとの立場から、利用処分意思を要件とすべきであるとして、「他人の物の占有者が委託の趣旨に背いて、その物につき権限がないのに、その物の経済的用法に従って、所有者でなければできないような処分をする意思」と定義する見解もある

(2) 毀棄・隠匿行為

判例の立場からは、毀棄・隠匿行為はまさに所有者でなければできない行為であるといえるから、横領罪の成立が肯定される。

ex. 不正工事の発覚をおそれて、市の助役が他人と共謀して自己の保管している図面を市役所外に帯出して隠匿した場合、横領罪が成立する（大判大2.12.16）〈司

(3) 一時使用

判例の立場からは、自己の占有する他人の物を一時的に使用する場合については、それが所有者の許容する態様・程度を大きく超えない限り、所有者でなければできないような処分をする意思を欠き、横領罪の成立は否定される。

(4) 本人のためにする越権行為

判例の立場からは、専ら本人のためにする意思であった場合には、自己の所有物であるかのように処分する意思はないため、不法領得の意思を欠き、横領罪の成立は否定される。

ex. 会社を防衛するために違法な支出をし、さらにその問題化を防ぐ目的で（自らの保身を図る意図を含む）違法な支出を続けた場合、専ら本人のためにする意思はなかったとして、不法領得の意思を肯定し、業務上横領罪の成立を認めた判例がある（最決平13.11.5・百選Ⅱ67事件）〈共

* この事案では、違法目的であることから、直ちに本人のためにする意思が否定されるかどうかについても問題とされたが、「行為の客観的性質の問題と行為者の主観の問題は……別異のものであ」るとして、これを否定した。

(5) 第三者に取得させる意思

自ら取得する場合のみならず、第三者に取得させる意思も不法領得の意思に含まれる（大判大12.12.1）。

3 具体例

判例が認めた横領行為の態様としては、売却、贈与、交換、質入、抵当権の設定、譲渡担保の設定、毀棄・隠匿などがある。

ex.1 甲が、乙から賃借している同人所有の骨董品について、その売却代金を自己の借金の返済に充てるつもりで乙に無断で丙にその買取りを求めた。この場合、判例の立場に従うと、甲の行為は不法領得の意思が外部的に発現したといえるから、丙が買受の意思表示をしなくても、甲には横領罪が成立する〈司予

ex.2 「甲は、自動車のレンタル業を営む乙会社との間で、『返還期日は7日

後とする。料金は返還と同時に支払う。』旨の約定で自動車1台を借りる契約を交わし、甲がこの契約を履行するものと信じた乙会社従業員から自動車1台の引渡しを受けた。」という事例において、甲は、自動車の引渡しを受けた後、返還する意思を失い、返還期日経過後数週間にわたり通勤のため同車を使用していたところ、乙会社従業員が、直ちに同車を返還するよう強く要求したのに、これを拒否して上記同様に同車を使用し続けた。この場合、甲には横領罪が成立する〈司

ex.3　上記事例において、甲は、借り受けた自動車を運転中、ハンドル操作を誤って同車を海に転落させ、これを水没させてしまったが、そのまま放置した。この場合、甲には横領罪は成立しない〈司

ex.4　集金業務に従事する者が、横領した金銭の穴を埋めるために、自己が占有する金銭を順次充当する場合（穴埋め横領）、充当される金銭についても横領罪が成立する（大判昭6.12.17）〈司

ex.5　A社の代表取締役である甲は、A社が有する債権をB組合に譲渡したが、同債権の債務者Cに対する債権譲渡の通知をする前に、Cから債務の弁済として現金を受領したため、同現金をB組合に無断で自己のために費消した場合、甲には横領罪が成立する（最決昭33.5.1）〈司

各論

▼　最決平21.3.26・平21重判6事件〈司

和解により所有権が相手方に移転した建物をその者ために預かり保管していたところ、共犯者らと共謀の上、金銭的利益を得ようとして仮登記を了した場合、それに基づいて本登記を経由することによって仮登記の後に登記された権利の変動に対し当該仮登記に係る権利を優先して主張することができるようになり、これを前提として、不動産取引の実務において、仮登記があった場合にはその権利が確保されているものとして扱われるのが通常であるから、不実とはいえ、本件仮登記を了したことは不法領得の意思を実現する行為として十分であり、横領罪が成立する。このような場合に、同罪と仮登記真正に係る電磁的公正証書原本不実記録罪及び同供用罪が併せて成立することは、何ら不合理ではない。

二　不動産の二重譲渡と横領〈司

不動産の二重譲渡とは、売主Xがいったん不動産をYに売却した後、所有権移転登記がまだ完了していないのを奇貨として、さらに、第三者Zにその不動産を売却することをいう。この場合、第二の売買によってYの所有権を消滅させたことにつき、売主X及び第二の買主Zについての財産犯の成否が問題となる。

1　Xの罪責

(1)　横領罪の成否

不動産の二重譲渡が自己の占有する他人Yの物を横領したといえるか。

(a) 「他人の物」

不動産を二重譲渡した売主に横領罪が成立するためには、第1売買の買主に保護されるべき所有権の実質が存在することが必要であるので、代金の完済又は大部分の支払が済んでいることが必要である。

→上記の事案において、Yが代金を完済しているか、又は大部分の支払が済んでいる場合、Xにとって、不動産は「他人の物」に当たる

(b) 「自己の占有する」

登記名義人Xに法律上の支配があり、占有が認められる。

∵ 横領罪における「占有」は、事実上の占有のみならず法律上の占有も含み、濫用のおそれのある支配力で足りる

(c) 委託信任関係

委託信任関係は、当事者間の契約の効果として一方が他方のために法的義務を負う関係にあれば足りる。XはYに対して売買契約上の移転登記協力義務及び保管義務を負うから、委託信任関係が認められる〈共。

(d) 「横領」行為

XのZに対する譲渡は、YのXに対する委託の趣旨に反し、しかもすでに所有者でないXが所有者でなければできない処分行為をしたのであるから、Xの行為は横領行為に当たる（⇒ p.478）。所有権移転登記がなされた段階で既遂となり（福岡高判昭47.11.22・百選Ⅱ 65事件）、このことは、ZがYに対して所有権を対抗することができるか否かによる影響を受けない〈司共。

(e) 結論

Yへの所有権移転登記前にZに不動産を売却し、その移転登記を完了すれば、Xに横領罪が成立する。

(2) 詐欺罪（246）の成否

Xの第1譲受人Yに対する詐欺罪の成否については、Xが当初から二重譲渡をする意思であった場合には、取得した売買代金について詐欺罪が成立すると解される。

次に、Xの第2譲受人Zに対する詐欺罪の成否については、第2譲受人が第1売買の事実を知っていれば目的物を購入することは絶対になかったという特段の事情がない限り、詐欺罪の成立を否定すべきであると解されている（東京高判昭48.11.20参照）。

∵ 第2譲受人は対抗要件を具備することにより所有権を取得できる以上、詐欺罪の要件である錯誤及びそれに向けた欺罔行為が認められない

2 Zの罪責

登記を具備した第2譲受人Zが二重譲渡について善意者である場合は、Zに

各論

横領罪の故意がない以上、横領罪の共犯が成立する余地はない。

一方、Ｚが二重譲渡について単純悪意者である場合、Ｚには横領罪の故意が認められ、共同正犯の成立要件も形式的には満たすと考えられる。また、Ｚには横領罪の身分（委託信任関係に基づく他人の物の占有者）はないが、65条１項の適用により共犯を認めることが可能である。

もっとも、判例（最判昭31.6.26）は、Ｚに横領罪の共犯は成立しないとしている〈共〉。

∵　民法177条によれば、不動産登記を取得した第２譲受人が単純悪意者にとどまる場合には、自由競争の原理からその所有権を第１譲受人に対抗できる以上、有効に所有権を取得できるという意味において民法上許容された行為を刑法上処罰するのは刑法の謙抑性に反する

他方、Ｚが二重譲渡について背信的悪意者である場合、Ｚに横領罪の共犯が成立する（福岡高判昭47.11.22・百選Ⅱ65事件）〈共〉。

∵　背信的悪意者は、民法177条の「第三者」に当たらず、民法上所有権を対抗できる地位にないので、第２譲受人を不処罰とすべき理由はない

各論

三　横領後の横領〈司H24〉

委託を受けて他人の不動産を占有していた者が、ほしいままに当該不動産に抵当権を設定してその旨の登記をした後（横領罪成立）、当該不動産を売却するなどして所有権移転行為を行いその旨の登記をした場合について、先行の抵当権設定行為により委託信任関係が破壊されているため、後行の所有権移転行為の時点では委託信任関係という要件を欠き、構成要件に該当しないのではないか（①後行の所有権移転行為の構成要件該当性）、後行の所有権移転行為が不可罰的事後行為に当たり、横領罪の成立が否定されないか（②不可罰的事後行為）、及び２つの行為の罪数関係をどのように考えるべきか（③罪数）が問題となる。

１　①後行の所有権移転行為の構成要件該当性

「委託を受けて他人の不動産を占有する者が、これにほしいままに抵当権を設定してその旨の登記を了した後においても、その不動産は他人の物であり、受託者がこれを占有していることに変わりはなく」、委託信任関係は未だ存続し、「受託者が、その後、その不動産につき、ほしいままに売却等による所有権移転行為を行いその旨の登記を了したときは、委託の任務に背いて、その物につき権限がないのに所有者でなければできないような処分をしたものにほかならない」（最大判平15.4.23・百選Ⅱ69事件）〈共予〉。

２　②不可罰的事後行為　⇒ p.201

後行の所有権移転行為それ自体が構成要件に該当していれば横領罪は成立し、「先行の抵当権設定行為が存在することは、後行の所有権移転行為について犯罪の成立自体を妨げる事情にはならない」（最大判平15.4.23・百選Ⅱ69事件）から、不可罰的事後行為の論理が否定され、横領罪は成立する。

3　③罪数

多数説は、被害客体と委託関係の同一性、1個の物は1回しか領得できないという横領罪の罪質の特殊性などを根拠に、2個の横領を包括一罪とする。

四　委託物が金銭の場合

1　委託物が金銭である場合の他人性

金銭については、所有と占有とは常に一致するのが民法上の原則である。そこで、委託物が金銭であった場合には、金銭の所有権が委託を受けた者に移転する結果、金銭の他人性が否定されて（すなわち、「自己の占有する自己の物」となって）、横領罪が成立しないのではないかが問題となる。

判例（最判昭26.5.25・百選Ⅱ64事件）は、使途を定めて寄託された金銭の受託者は、特別の事情のない限り、「他人の物」を占有する者と解すべきであるとしている〈共〉。

<委託物が金銭である場合の他人性>

「自己の占有する他人の物」に当たる場合	・使途を定めて寄託された金銭 ・債権の取立てを委任された者が取立受領をした金銭 ・物品販売ないし売却依頼を受けた者が代金として受領した金銭
「自己の占有する他人の物」に当たらない場合	・銀行預金契約のような消費寄託契約に基づいて寄託された金銭 ∵　消費寄託契約は、その性質上、寄託された金銭を消費することが許される

2　金銭の一時流用

他人から使途を定めて寄託された不特定物としての金銭を、後に補填する意思で一時的に流用した場合に横領罪が成立するかが問題となる。

判例（大判明42.6.10、最判昭24.3.8・百選Ⅱ66事件）は、不法領得の意思は必ずしも占有者が自己の利益の取得を意図することを要するものではないので、後日に補填する意思があったとしても、横領罪が成立するとしている。

他方、学説上は、確実な補填の意思と能力がある場合には、①不法領得の意思が認められないとして横領罪の成立を否定する見解や、②価値としての金額に対する所有権を侵害したとはいえない以上、領得行為には当たらないことを理由として横領罪の成立を否定する見解がある。

五　不法原因給付と横領罪〈司〉

詐欺罪の箇所においても説明したとおり、民法708条は、不法原因給付をした者にその給付物の返還請求権を認めていない。そこで、不法原因給付物が「他人の物」に当たるかが問題となる。

判例（最判昭23.6.5・百選Ⅱ63事件）は、賄賂のための資金を費消したという事案において、横領罪の成立を認めている。判例の結論を支持する見解は、①所有権者でなくても他人からの委託信任関係それ自体を保護すべきであるので、

各論

「他人」は所有権者でなくてもよいこと、②使途を定めて委託された金銭の所有権は受託者に移転しない（最判昭26.5.25・百選Ⅱ64事件）から、たとえ「使途」も不法な目的であっても、その金銭の所有権は委託者にあることを理由として、横領罪の成立を認めている。

→横領罪の成立を認める見解に対しては、受託者が民法708条に基づいて委託者からの返還請求を拒む行為にも横領罪が成立することになりかねず、刑法の謙抑性に反するとの批判がなされている

一方、後の判例（最大判昭45.10.21・民法百選Ⅱ73事件）は、民法708条が不法原因給付物について給付者の返還請求権を認めていないことの反射的効果として、不法原因給付物の所有権は受託者にあるとしていることから、不法原因給付物は「他人の物」には当たらず、これを領得しても横領罪は成立しないとの見解が現在の多数説とされる。

→この見解に立っても、民法708条ただし書に当たる場合や、受益者の不法性と比べて給付者の不法性が小さい場合（最判昭29.8.31）には、同条本文の適用はなく、所有権はなお委託者にあるから、その限りで横領罪が成立する

各論

六　盗品・その処分代金 司共予 司R4 予H26

不法原因給付に関連して、盗品の「保管」又は「売却」を委託された者が、その盗品を領得したり、売却代金を領得した場合において、横領罪が成立するかが問題となる。

ex.1　Aが密輸入された仏像Xを密かに所有していることを知った甲は、A宅に侵入し、Xを入手した。甲は、いったん身を隠すこととし、持ち帰ったXを乙に保管させることにして、国外に逃亡した。甲からXを受け取った乙は、Xの保管を開始した時点で、XがA宅から盗まれた物であることを知っていた。乙は、遊興費欲しさに甲に無断でXを500万円で第三者に売却し、その代金を自己の用途に費消した

この場合、乙に盗品等保管罪（256Ⅱ）が成立する。また、乙の盗品の保管が盗品等保管罪を構成する以上、その委託は保護に値しないので、委託信任関係が否定される結果、乙には遺失物等横領罪（254）が成立しうるものの、より重い盗品等保管罪のみが成立すると解する見解が有力である。判例（大判大11.7.12）も、甲は所有者ではなく、不法原因給付として返還請求権を有しないから、乙に横領罪は成立しないとしている。

ex.2　ex.1において、甲からXを受け取った乙は、遊興費欲しさに甲に無断でXを500万円で第三者に売却し、その代金を自己の用途に費消したが、最後までXが盗品であることに気づかなかった

この場合、乙はXが盗品であることの認識がないので、盗品等保管罪は成立しない。そうすると、乙に横領罪が成立するかが問題となる。

この点、上記ex.1と同様、盗品の保管の委託は保護に値しないとして横領罪

の成立を否定する見解（せいぜいAに対する遺失物等横領罪のみ成立しうる）が有力に主張される一方、たとえ窃盗犯人からの委託信任関係であっても保護すべきであるとして横領罪の成立を肯定する見解が対立している。判例（大判昭13.9.1参照）は、上記ex.2に類似の事案において、乙に横領罪の成立を認めている。

ex.3　ex.1において、甲は、非合法な売買ルートに通じている乙に対し、Xを売却して現金化するよう依頼した。乙はこれを承諾し、Xを第三者に売却して500万円を得たが、ほしいままに自己の用途に費消した

まず前提として、委託された行為に基づいて取得した金銭の所有権は委託者に帰属するので、上記ex.3の乙が得た500万円の所有権は甲に帰属する。しかし、盗品の処分に関する委託は違法行為の委託である以上、保護に値しないとして横領罪の成立を否定する見解が有力に主張される一方、たとえ窃盗犯人からの委託信任関係であっても保護すべきであるとして横領罪の成立を肯定する見解が対立している。判例（最判昭36.10.10）は、盗品等有償処分あっせん罪と横領罪の併合罪が成立するとしている。

《その他》

・本罪は、真正身分犯である。

∵　本罪の主体は、他人の者を占有する者又は公務所の命令によって物を保管する者でなければならない

・横領行為を実現する手段として詐欺的手段を用いた場合の取扱いについては争いあるも、当該手段は横領行為を完成させる手段にすぎず、かつ詐欺罪における財産的処分行為も認められないことを理由に、横領罪の成立のみを認めるのが通説である司H19。

→甲は乙社に勤務し、同社の取引先からの集金業務に従事していたところ、取引先から現金50万円を集金した後、これを自己の借金の返済に充てようと思い付き、上司に「集金の途中でひったくりに遭った」と嘘の報告をし、50万円を同社に納めるのを免れた。この場合、甲には業務上横領罪が成立する司

・会社から集金業務を委託された者が、自己の用途に費消し会社に入金するつもりがないのに、これを秘して集金しても、当該集金は会社に対して有効な支払となり、これを費消した場合には業務上横領罪が成立し、右集金行為は詐欺罪に当たらない（東京高判昭28.6.12）司。

・質権者から質物の保管を委託された者が、これを質権者に無断で所有者に返還した場合、所有権の侵害に当たらないから、背任罪は各別、横領罪は成立しない（大判明44.10.13）司共予。

各論

【業務上横領罪】

第２５３条　（業務上横領）〈予H27

業務上自己の占有する他人の物を横領した者は、１０年以下の懲役に処する。

《注　釈》

◆ 「業務」

業務上横領罪の「業務」とは、委託を受けて他人の物を占有・保管することを内容とする事務をいう〈共。社会生活上の地位に基づいて、反復継続して行われる必要があるのは、他の場合と同じである。職業であると利益を目的とするものであるとを問わない。

倉庫業者や運送業者など、保管自体を職業とする場合はもちろんのこと、会社などにおいて職務上保管する場合も含まれる。また、本来の業務に付随する業務も含まれる（大判大11.5.17）。

→業務の根拠は法令のほか、契約や慣習でもよい

《論　点》

◆ **非占有者が共犯として本罪に加功した場合の取扱い**　⇒ p.169

【遺失物等横領罪】

第２５４条　（遺失物等横領）

遺失物、漂流物その他占有を離れた他人の物を横領した者は、１年以下の懲役又は１０万円以下の罰金若しくは科料に処する。

《注　釈》

◆ 客体

1 「遺失物、漂流物その他占有を離れた」

「遺失物」とは、占有者の意思に基づかずに占有を離れ、何人の占有にも属していない物をいう。「漂流物」とは、遺失物のうち水面又は水中にあるものをいう。両者は、「占有を離れた」他人の物の例示である。

「占有を離れた」他人の物（占有離脱物）とは、占有者の意思に基づかずに占有を離れ、何人の占有にも属していない物（列車内に置き忘れられた携帯品、窃盗犯人が乗り捨てた他人の自動車など）、及び他人の委託に基づかずに行為者が占有するに至った物（郵便集配人が誤って配達した郵便物、風で飛んできた隣家の洗濯物、誤って払いすぎた金銭など）をいう〈司。

2 「他人の物」

無主物は本罪の客体となりえないが〈司共、所有者が不明確でも「他人の物」であることが分かれば、本罪の客体となる。

各論

3　「横領」

「横領」とは、不法領得の意思をもって占有離脱物を自己の事実上の支配内に置くことをいう（大判大6.9.17）〈予〉。

> **第２５５条　（準用）**
>
> 第２４４条＜親族間の犯罪に関する特例＞の規定は、この章の罪について準用する。

《その他》

・家庭裁判所から孫の未成年後見人に選任された被告人が、後見の事務として孫の預金通帳と印鑑を預かっていたところ、これを使用して、ほしいままに孫の預金口座から現金を引き出し、自己のために費消した場合、被告人が255条の準用する244条1項の「直系親族」に当たるとしても未成年後見人の事務の公的性格から同条項の準用はなく、刑は免除されない（最決平20.2.18・百選Ⅱ35事件）〈司〉。

・後見事務は公的性格を有するものであって、成年後見人は成年被後見人のためにその財産を誠実に管理すべき法律上の義務を負っているから、成年後見人が業務上占有する成年被後見人所有の財物を横領した場合、両者の間に244条1項所定の親族関係があっても、同条項を準用して処罰を免除することはできず、これを量刑事情として考慮するのも相当ではない（最決平24.10.9・平24重判7事件）〈司〉。

・第39章・【盗品等に関する罪】

《保護法益》　⇒下記《論点》一

【盗品等関与罪】

> **第２５６条　（盗品譲受け等）**
>
> Ⅰ　盗品その他財産に対する罪に当たる行為によって領得された物を無償で譲り受けた者は、３年以下の懲役に処する。
>
> Ⅱ　前項に規定する物を運搬し、保管し、若しくは有償で譲り受け、又はその有償の処分のあっせんをした者は、１０年以下の懲役及び５０万円以下の罰金に処する。

《注　釈》

一　主体

1　本犯（領得罪）の正犯者は、本罪の主体となりえない（不可罰的事後行為）〈司共〉。

2　本犯の教唆犯・幇助犯は、本罪の主体となりうる〈共〉。

3　本犯行為の性質〈司〉

(1)　本犯者の行為は、構成要件に該当する違法な行為であれば足りる〈司予〉。

ex.　本犯が親族相盗例（244）により処罰阻却、刑事未成年（41）により

責任阻却された場合でも、その盗品は本罪の客体となる

(2) 親族相盗例により本犯の刑が免除される場合（大判大5.7.13）、本犯に公訴時効（刑訴250）が完成した場合（大判明42.4.15）、免責特権により本犯者にわが国の裁判権が及ばない場合（福岡高判昭27.1.23）であっても、盗品等に関する罪は成立しうる。

(3) 本犯者の行為は、既遂に達していることが必要である。本犯が未遂であれば、本犯の共犯となる。

二 客体

1 「盗品その他財産に対する罪に当たる行為によって領得した物」

→収賄罪（197）によって収受した賄賂は、「財産に対する罪に当たる行為によって領得された物」ではないため、本罪の客体とならない〈予〉

→会社が保管する秘密資料を窃取した者には窃盗罪が成立するが、その者が自宅でそのコピーを作成した場合、そのコピーは「財産に対する罪に当たる行為によって領得された物」ではないため、本罪の客体とならない〈予〉

2 盗品の同一性

原則として盗品性は当該財物に限り認められる。

ex. 盗品等の対価（盗品等を売却して得た金銭等）は盗品性を有しない

(1) 金銭の両替

判例は、横領した紙幣を両替して得られた金銭や、詐取した小切手を現金化して得られた金銭について盗品性を認めている。

(2) 加工

盗品等が加工（民246）されても、原則として盗品等の所有権は被害者に帰属したままであるが、例外的に加工者が所有権を取得したとき（民246 I ただし書）は、追求権説によると、追求権が失われる結果、本罪の客体とならなくなる。

cf. 盗品である自転車のサドルを外して他の自転車に取り付ける行為（最判昭24.10.20・百選II 77事件）、盗伐した材木を製材した行為は、加工に当たらず、盗品等の罪に該当する〈同〉

3 盗品が即時取得された場合〈予〉

盗品等が善意・無過失の第三者に即時取得（民192）された場合、追求権説によると、追求権が失われる結果、本罪の客体とならなくなる（大判大6.5.23）。

→もっとも、盗品・遺失物は、2年間は被害者・遺失者がその回復を請求できるため（民193）、その間は本罪の客体たる性質を失わない（最決昭34.2.9）

各論

三　行為態様〈司

1　無償譲受け（Ⅰ）

盗品等を無償で自己の物として取得することをいう。単に契約を締結しただけでは足りず、盗品等の現実の移転が必要である〈司。

ex.　贈与、無利息消費貸借

2　運搬（Ⅱ）

委託を受けて盗品の所在を移転することをいう。有償・無償を問わない。

なお、本犯の犯人に盗品等運搬罪などが成立しない場合（不可罰的事後行為）であっても、窃盗犯人と共同して盗品等を運搬した者については、本犯が運んだ分を含め、全部の盗品等に運搬罪が成立する（最決昭30.7.12）〈共。

3　保管（Ⅱ）

委託を受けて本犯のために盗品を保管することをいう。有償・無償を問わない。

ex.1　集金の担保として盗品を受領する行為

ex.2　盗品であることを知らずに絵画を購入し、その後、盗品であることを知ったが、そのまま自宅の応接間に飾り続けた場合、本犯の委託に基づく「保管」に当たらないため、盗品等保管罪は成立しない〈司

ex.3　盗品であることを知らずに保管を開始した後、盗品であることを知ったのに、なおも本犯のためにその保管を継続するときは、盗品等保管罪が成立する（最決昭50.6.12・百選Ⅱ76事件）〈予H26

4　有償譲受け（Ⅱ）

(1)　盗品を対価を払って取得することをいう。単に契約が成立しただけでは足りず、盗品等の移転を必要とする（大判大12.1.25）〈司共。

ex.　売買、交換、利息付消費貸借

(2)　契約の時に盗品であることの認識がなくても、取得の時点で認識していれば本罪に当たる。

ex.　甲は、丙が窃取して乙に売却したつぼを、これが盗品であることを知りながら、乙から購入した。この場合、判例の立場に従うと、丙の窃盗行為について公訴時効が成立していても、甲には盗品等有償譲受け罪が成立する〈司

5　有償処分のあっせん（Ⅱ）

(1)　盗品等の法律的処分を媒介・あっせんすることをいう〈司。この法律的処分は有償であることを要するが、あっせん行為自体は有償・無償を問わない。そして、あっせん行為をすれば、盗品等が現実に移転されなくても、同罪が成立する〈司。

ex.1　盗品であることを知りながら盗品の売買をあっせんした場合、たとえそのあっせんに係る盗品の売買が成立しなくても、盗品等有償処分

各論

あっせん罪が成立する（最判昭23.11.9）

ex.2　甲は、乙から、乙が盗んだ時計の処理に困り、盗んだ時計を誰かに無償で譲りたいとの相談を受け、時計を欲しがっていたAを乙に紹介した。この場合、判例の立場に従うと、甲が乙からあっせん料をもらったとしても、甲には盗品等有償処分あっせん罪は成立しない〈司

⑵　本罪が成立するためには盗品自体の存在が必要であり、将来窃取すべき物の売却をあっせんしても本罪を構成しない。

四　故意

盗品性の認識が必要だが、未必的認識で足りる（最判昭23.3.16・百選Ⅰ41事件）〈司共。また、何らかの財産罪に当たる行為によって領得された物であることの認識があれば足り、いかなる財産罪に当たるかの認識までは不要である（最判昭30.9.16）〈司。さらに、その本犯者又は被害者が誰であるかの認識も不要である（最判昭30.9.16）。

《論　点》

一　保護法益・罪質

盗品等に関する罪の保護法益及び罪質をどのように捉えるかについては、以下のとおり争いがある。

甲説：本犯の被害者の追求権の実行を困難にすることと解する立場（追求権説）（大判大4.6.2）

←盗品等有償譲受け罪などが占有・所有権を直接侵害する窃盗罪等よりも法定刑が重く規定されていることを、単なる追求権の侵害のみで説明することは困難である

乙説：財産犯によって生じた違法状態を維持することと解する立場（違法状態維持説）

←「盗品その他財産に対する罪に当たる行為によって領得された物」を客体として規定する現行法の下においては、この見解を維持することは困難である

丙説：追求権の侵害だけでなく、窃盗罪等の本犯を事後的に援助することにより窃盗罪等の財産犯を一般的・類型的に助長・促進する本犯助長性（事後従犯性）をも考慮する立場

＊　判例は、基本的には追求権説に立つと解されている。ただし、盗品等有償処分あっせん罪をめぐっては、犯罪を助長・誘発せしめる危険も加味する旨の判示がなされている（最判昭26.1.30、最決平14.7.1・百選Ⅱ75事件）

二　被害者を相手方とする場合

1　運搬

被害者の下への運搬でも、盗品の正常な回復を困難にする場合は、盗品等運搬罪が成立する（最決昭27.7.10）。

2　あっせん

盗品等に関する罪により盗品等が被害者の下へ返還された場合、占有の回復自体はなされていることから、本罪が成立するかが問題となる。追求権説からは、被害者による盗品等の正常な回復を困難にすることなどを理由に、本罪の成立を肯定する（最決平14.7.1・百選Ⅱ75事件）共。

▼　最決平14.7.1・百選Ⅱ75事件

盗品等の有償の処分のあっせんをする行為は、窃盗等の被害者を処分の相手方とする場合であっても、被害者による盗品等の正常な回復を困難にするばかりでなく、窃盗等の犯罪を助長し誘発するおそれのある行為であるから、刑法256条2項にいう盗品等の「有償の処分のあっせん」に当たる。

三　盗品等保管罪における知情の時期 司R3

当初は盗品であることを知らなかったが、知った後も本犯者のために保管を継続した場合、盗品等保管罪が成立するかが問題となる。

甲説：保管の途中で初めて盗品等であると知った場合であっても、盗品等保管罪が成立するとする説（最決昭50.6.12・百選Ⅱ76事件）
∵　盗品等保管罪は継続犯である

乙説：盗品等の占有を取得する時点で盗品性の認識が必要であるとする説
∵①　盗品等の無償・有償譲受けの場合、占有移転の時点で盗品性の認識が必要であるとされていることとの均衡
②　構成要件の認識・認容は実行行為時に必要である

四　禁制品・不法原因給付

1　禁制品

本犯者が財産犯により禁制品を取得した場合、それが盗品等に関する罪の客体となるかが問題となる。追求権説からは、一般に、被害者は国家に対してその回復を請求できないにとどまり、追求権自体は否定されないとして、盗品等に関する罪の客体性が肯定されている。

2　不法原因給付

不法原因給付により本犯者が取得した物は、盗品等に関する罪の客体となるかが問題となる。

甲説：全面肯定説
∵　不法原因給付物に対する財産犯は一般的に成立することから、盗品等に関する罪の客体としても保護すべきである

乙説：全面否定説
∵　不法原因給付物の所有権は、返還請求が否定される結果、反射的に給付者から受給者に移るため、追求権が否定される

丙説：本犯者に横領罪が成立する場合は否定する一方、本犯者に詐欺罪・恐

喝罪が成立する場合は肯定する説

∵ 不法原因給付物を横領しても横領罪が成立しないのに対し、不法原因給付物を詐取・喝取した場合は詐欺罪・恐喝罪が成立する

《その他》

・本罪の各犯罪類型に該当する行為を相次いで行ったときは、包括一罪となる。

ex.1 無償・有償譲受後に運搬した場合、無償譲受け・有償譲受け罪のみが成立する

ex.2 有償処分あっせんのために運搬・保管した場合、有償処分あっせん罪のみが成立する

・本犯の教唆犯・幇助犯と盗品等に関する罪とは、併合罪の関係（45前段）に立つ（最判昭25.11.10）司共。

・盗品の有償処分あっせんに当たり、その情を知らない買主から代金を受け取ったとしても、盗品等有償処分あっせん罪の他に詐欺罪（246）は成立しない。

・保管した盗品等をいったん返還した後、有償処分のあっせんをした場合には、盗品等保管罪と盗品等有償処分あっせん罪が成立し、これらは併合罪の関係（45前段）に立つ（最判昭25.3.24）司。

各論

第２５７条 （親族等の間の犯罪に関する特例）

Ⅰ 配偶者との間又は直系血族、同居の親族若しくはこれらの者の配偶者との間で前条の罪を犯した者は、その刑を免除する。

Ⅱ 前項の規定は、親族でない共犯については、適用しない。

[趣旨] 盗品等に関する罪に関し、244条（親族相盗例）を準用せずに、別に本条を設けて、親族間の犯罪について「刑の必要的免除」としたのは、本罪には、親族相盗の「法は家庭に入らず」という観点と異なり、むしろ、これらの親族間では、情においてこの種の犯罪を犯しがちであるという、親族間の犯人蔵匿等の特例（105）との共通性が見られることを考慮したものである通。

＊ ただし、244条の親族相盗例と同旨のものと捉える見解もある。

《注 釈》

一 適用範囲

本条が適用されるためには、盗品犯人と誰との間に親族関係があることが必要か。たとえば、甲がAから盗んだ宝石を、情を知る妻乙に無償で渡した場合、乙には無償譲受け罪が成立するが、257条1項の適用により刑が免除されないであろうか。

甲説：盗品犯人と本犯との間に必要である（大判大3.1.21、最決昭38.11.8）通 司共

∵ 本特例が設けられた趣旨は、盗品罪の犯人庇護的な性格に着眼して、一定の親族関係にある者が本犯者を人的に庇護しその利益を助長するために本犯の盗品等の処分に関与する行為は、同情・宥恕すべき

であるという点にある

乙説：盗品犯人と本犯の被害者との間に必要である

∵　本条は244条の特例と同旨のものであり、追求権説を徹底させた場合に、被害者の追求権を困難にしたのがその親族の場合には、あえて被害者の追求権を保護する必要がないとの趣旨に出たものである

*　盗品犯人同士に親族関係がある場合（たとえば、妻が本犯から譲り受けた盗品を夫が情を知って保管したような場合）、判例は本条の適用を否定するが、この場合も同様に期待可能性は減少すると考えられる以上刑の免除を認めるべきであるとする見解もある。

二　効果

1　免除の根拠

通説は、盗品罪が利得への関与という性格をもつことから考えると、たとえ親族間で犯されたからといって犯罪の不成立を認めることは妥当でないことなどを理由として、本条は一身的な処罰阻却事由を定めたものと解している（一身的処罰阻却事由説）。

2　親族関係に関する錯誤

行為者が、錯誤によって、客観的には身分関係が存在しないのに、主観的には存在すると誤信した場合、行為者の罪責にいかなる効果を及ぼすか。たとえば、盗品犯人が、本犯者を自己の直系血族であると誤信して盗品を買い受けた場合、有償譲受け罪が成立しないか。

通説である一身的処罰阻却事由説によれば、親族関係の錯誤は犯罪の成否に何ら影響しないことになる。

各論

・第40章・【毀棄及び隠匿の罪】

<毀棄・隠匿の罪の要件>

犯罪	客体	行為	結果	自己の物に関する特例	親告罪
公用文書等毀棄罪（258）	公務所の用に供する文書又は電磁的記録	毀棄	文書の効用滅却・減損	なし	×
私用文書等毀棄罪（259）	権利・義務に関する他人の文書又は電磁的記録			差押え、物権負担、賃貸（262）	○
建造物等損壊（260前段）	他人の建造物又は艦船	損壊	建造物等の効用滅却・減損		×
建造物等損壊致死傷罪（260後段）	他人の建造物又は艦船及び人		建造物等の効用滅却・減損による人の死傷		
器物損壊罪・動物傷害罪（261）	前３条に規定するもの以外の他人の物	損壊・傷害	物の本来の効用喪失・動物の殺傷		○
境界損壊罪（262の２）	土地の境界	境界標の損壊、移動、除去、その他の方法で土地の境界を認識不能にすること	境界の認識不能	なし	×
信書隠匿罪（263）	他人の信書	隠匿	信書の発見の阻害		○

《保護法益》

個人の財産としての物ないし物の効用である。ただし、262条の２に関しては、土地に関する権利の範囲の明確性が保護法益とされる。

【公用文書等毀棄罪】

第２５８条　（公用文書等毀棄）

公務所の用に供する文書又は電磁的記録を毀棄した者は、３月以上７年以下の懲役に処する。

《注　釈》

一　「公務所の用に供する文書」

1　その作成者、作成の目的等にかかわりなく、現に公務所において使用に供せられ、又は使用の目的をもって保管されている文書を総称するものをいう（最判昭38.12.24）。

→公文書であると私文書であるとを問わない〈予〉。

→「公務所の用に供する文書」に該当するには、公務所又は公務員が作成したものであることを要しない

2　偽造文書や未完成の文書であってもよい（大判大9.12.17、最決昭32.1.29）〈共予〉。また、保存期間が経過した後の廃棄前の文書であってもよい（大判明42.7.8）〈予〉。

二　「毀棄」

「毀棄」とは、文書又は電磁的記録の本来の効用を毀損する一切の行為をいう〈通〈司〉。

ex.1　文書に記載されている事項を部分的に抹消する行為（大判大11.1.27）

ex.2　文書に貼付されている印紙を剥離するなど形式的部分を毀損する行為

ex.3　裁判所から隠匿目的で競売記録を持ち出し自宅で保管する行為（大判昭9.12.22）

【私用文書等毀棄罪】

第２５９条（私用文書等毀棄）

権利又は義務に関する他人の文書又は電磁的記録を毀棄した者は、５年以下の懲役に処する。

《注　釈》

一　「権利又は義務に関する他人の文書」

1　「権利又は義務に関する」

権利・義務の存否・変更等を証明しうることをいう。

ex.　手形（大判大14.5.13）や小切手（最決昭44.5.1）等の有価証券〈予〉

→単なる事実証明に関する文書は含まれない

2　「他人の文書」

その文書の名義人が誰であるかとは関係がなく、他人が所有していることを意味する〈予〉。

二　「毀棄」に当たるとされた例

ex.1　他人が所有する自己名義の文書の日付を改ざんした行為（大判大10.9.24）

ex.2　文書の内容を変更しないで文書の連署者中１名の署名を抹消し、新たに

各論

他の氏名の署名を加えた行為（大判大11.1.27）

【建造物等損壊罪・同致死傷罪】

第２６０条　（建造物等損壊及び同致死傷）

他人の建造物又は艦船を損壊した者は、５年以下の懲役に処する。よって人を死傷させた者は、傷害の罪と比較して、重い刑により処断する。

《注　釈》

一 「他人の建造物又は艦船」

1 「建造物」

⑴ 「建造物」とは、家屋その他これに類似する建築物であって、屋蓋を有し、障壁又は柱材によって支持され、土地に定着し、少なくともその内部に人が出入りしうるものをいう（大判大3.6.20）。

⑵ 器物が「建造物」の一部として認められるか否かは、当該物と建造物との接合の程度の他、当該物の建造物における機能上の重要性をも総合考慮して決める（最決平19.3.20・百選Ⅱ79事件）。

▼ 最決平19.3.20・百選Ⅱ79事件 共

「建造物に取り付けられた物が建造物損壊罪の客体に当たるか否かは、当該物と建造物との接合の程度のほか、当該物の建造物における機能上の重要性をも総合考慮して決すべきものであるところ、……本件ドアは、住居の玄関ドアとして外壁と接続し、外界とのしゃ断、防犯、防風、防音等の重要な役割を果たしているから、建造物損壊罪の客体に当たるものと認められ、適切な工具を使用すれば損壊せずに同ドアの取り外しが可能であるとしても、この結論は左右されない」。

<建造物の具体例>

建造物性肯定		建造物性否定
損壊しなければ取り外しが不可能であり、当該建造物における機能上の重要性を有するもの	損壊しなくとも取り外しが可能であるが、当該建造物における機能上の重要性を有するもの	損壊しなくとも取り外しが可能であり、当該建造物における機能上の重要性も有しないもの
・天井版（大判大3.4.14） ・敷居、鴨居（大判大6.3.3） ・屋根瓦（大判大7.9.21）	・住居の玄関ドア（最決平19.3.20・百選Ⅱ79事件）共 ・出入口ガラス扉 ・鉄製シャッター ・ビルの各室ドア ・ガラスのはめ込まれた事務室の会計等の窓口	・ガラス障子（大判明43.12.16） ・板戸、雨戸（大判大8.5.13） ・潜り戸（大判大3.6.20） ・竹垣（大判明43.6.28） ・畳

2 「艦船」

「艦船」とは、軍艦及び船舶をいう。

3 「他人の」

「他人の」建造物というためには、他人の所有権が将来民事訴訟等において否定される可能性がないということまでは要しない（最決昭61.7.18・百選Ⅱ78事件）。

二 「損壊」

1 「損壊」とは、建造物・艦船の実質を毀損すること、又はその他の方法によって、それらの物の使用価値を滅却若しくは減損することをいう◀通。

2 物質的に形態を変更又は滅尽させる場合の他、事実上、その本来の用法に従って使用しえない状態に至らせる場合をも含む。建造物・艦船の用法を全く不能にすることを要せず、また、必ずしもその主要な構成部分を毀損した場合に限らない（大判明43.4.19）。

ex.1 1回に500枚ないし2500枚のビラを建物の壁、窓ガラス戸、ガラス扉、シャッター等に3回にわたり糊で貼付する行為は、建造物の効用を毀損するものであって、「損壊」に当たる（最決昭41.6.10）

ex.2 美観に工夫がなされた公園内の公衆便所の外壁にラッカースプレーでペンキを吹き付け、「反戦」などと大書した行為は、「損壊」に当たる（最決平18.1.17・百選Ⅱ80事件）

【器物損壊等罪】

> **第２６１条 （器物損壊等）**
>
> 前３条に規定するもののほか、他人の物を損壊し、又は傷害した者は、３年以下の懲役又は３０万円以下の罰金若しくは科料に処する。

《注　釈》

一 客体◀司

「物」とは財物のことであり、動物も含む。また、建造物以外の不動産も客体となる。さらに、違法な物、たとえば違法に掲示された政党演説会告知用ポスターも本罪の客体に当たる。

二 行為

1 「損壊」

「損壊」とは、物質的に器物自体の形状を変更し、あるいは滅尽させる場合だけでなく、事実上又は感情上その物を本来の用途に従って使用できなくすること、すなわち、その物の本来の効用を失わせることをいう◀通。

ex.1 営業上来客の飲食の用に供すべき器物に、放尿する行為（大判明42.4.16）

ex.2 家屋を建設するため地ならしをした敷地を、掘り起こして畑地とする

行為（大判昭4.10.14）

ex.3 組合の看板を取り外す行為及び組合事務所に集荷された荷物から荷札を取り外す行為（最判昭32.4.4）

2 「傷害」

「傷害」とは、動物を殺傷することをいう。

→動物としての効用を失わせる行為ということ

ex.1 鳥かごを開け鳥を逃がす行為

ex.2 池に飼育されている他人の鯉を、生けすの柵を外して流失させる行為（大判明44.2.27）

＜「毀棄」・「損壊」の意義＞ 司予

	物理的損壊説	効用侵害説（判例・通説）
内容	財物の物理的損壊を要求する見解	物理的損壊に限定せず、物の効用を害する一切の行為を含む見解
理由	「毀棄」、「損壊」という法文上使用されている用語の日常的用語的理解に適う	物理的損壊に限定するのでは処罰範囲が狭すぎる
批判	① 物理的損壊に限定するのでは処罰範囲が狭すぎる ② 窃盗罪に不法領得の意思が必要とすると、隠匿目的で他人の物の占有を取得する行為については、窃盗罪では処罰できず、物理的に破壊・毀損するわけでもないので、毀棄罪及び損壊罪でも処罰できなくなってしまう	「毀棄」、「損壊」という法文上使用されている用語の日常用語的理解からの隔たりが大きい
結論	鳥籠から他人の鳥を逃がす行為・食器への放尿は、器物損壊罪の毀棄にならない	鳥籠から他人の鳥を逃がす行為・食器への放尿は、その物を使用できなきなくなるような場合には器物損壊罪の毀棄に当たる

第262条 （自己の物の損壊等）

自己の物であっても、差押えを受け、物権を負担し、賃貸し、又は配偶者居住権が設定されたものを損壊し、又は傷害したときは、前3条の例による。

《注 釈》

＜262条の適用関係＞

公用文書毀棄	私用文書毀棄	建造物損壊	建造物損壊致死傷	器物損壊	境界損壊	信書隠匿
×	○	○	○	○	×	×

【境界損壊罪】

> **第262条の2　（境界損壊）**
> 　境界標を損壊し、移動し、若しくは除去し、又はその他の方法により、土地の境界を認識することができないようにした者は、5年以下の懲役又は50万円以下の罰金に処する。

［趣旨］本罪は、不動産侵奪罪（235の2）の新設に併せて創設されたものであり、不動産侵奪罪の予備的行為を対象とし、土地に対する権利の範囲に重要な関係をもつ境界の明確性を保護すべく、土地の境界を不明確にする行為を処罰するものである。

《注　釈》

一　客体

1　「土地の境界」とは、権利者を異にする土地の限界線をいう。

2　土地に対する権利は、所有権ばかりでなく地上権、賃借権などでもよい。なお、境界は現に存在する事実上のものであれば足り、法律上正当なものであるかどうかを問わない。

二　行為

1　「境界標」とは、柱、杭等の土地の境界を示す標識をいう。立木などの自然物でもよい。地上に顕出されていると地中に埋没されているとを問わない。永続的なものでも、一時的なものでもよい。また、自己の所有に属するものであると、他人の所有に属するものであるとを問わない。

2　「その他の方法」とは、土地の境界を認識しえなくする方法として例示されている境界標の損壊・移動・除去に準ずるものでなければならない。

三　結果

本罪が成立するためには、境界を認識することができなくなるという結果が発生することを要する。境界標を損壊したが、未だ境界が不明にならないという場合には、器物損壊罪（261）が成立することは格別、本罪は成立しない（最判昭43.6.28）。

【信書隠匿罪】

> **第263条　（信書隠匿）**
> 　他人の信書を隠匿した者は、6月以下の懲役若しくは禁錮又は10万円以下の罰金若しくは科料に処する。

《注　釈》

一　「他人の信書」

1　「他人の」

「他人の」とは、他人が所有するという意味である（発信人が他人である必

各論

要はない)。

2 「信書」

「信書」とは、特定人から特定人に宛てた文書をいう。信書開封罪(133)とは異なり、特に封緘された信書に限られないから葉書なども含まれる。

cf. 信書としての目的を完全に果たしてしまえば「信書」でなくなる

二 「隠匿」

信書隠匿罪の位置づけについては争いがある。「毀棄」の意義について、物理的損壊説(財物の物理的損壊を要求する見解)に立つと、隠匿は「毀棄」に当たらないので、本罪は信書について処罰範囲を拡張する規定と解することになる。

一方、効用侵害説(物の効用を害する一切の行為を含む見解、判例・通説)に立つと、隠匿も「毀棄」に当たるので器物損壊罪(261)が成立するはずであるが、信書の「隠匿」を特に軽く処罰したものが本罪であると解することになる。

第２６４条 (親告罪)

第２５９条＜私用文書等毀棄＞、第２６１条＜器物損壊等＞及び前条＜信書隠匿＞の罪は、告訴がなければ公訴を提起することができない。

各論

《注 釈》

＜264条の適用関係＞

公用文書毀棄	私用文書毀棄	建造物損壊	建造物損壊致死傷	器物損壊	境界損壊	信書隠匿
×	○	×	×	○	×	○

判例索引

明治

大正

昭和

平成

令和

事項索引

ア行

カ行

サ行

タ行

ナ行

ハ行

マ行

ヤ行

ラ行

ワ行

司法試験＆予備試験対策シリーズ
2025年版 司法試験＆予備試験 完全整理択一六法　刑法

2000年１月20日　第１版　第１刷発行
2024年11月15日　第26版　第１刷発行
編著者●株式会社　東京リーガルマインド
LEC総合研究所　司法試験部
発行所●株式会社　東京リーガルマインド
〒164-0001　東京都中野区中野4-11-10
アーバンネット中野ビル
LECコールセンター　0570-064-464
受付時間　平日9：30〜19：30/土・日・祝10：00〜18：00
※このナビダイヤルは通話料お客様ご負担となります。
書店様専用受注センター　TEL 048-999-7581 / FAX 048-999-7591
受付時間　平日9：00〜17：00/土・日・祝休み
www.lec-jp.com/

カバーデザイン●桂川 潤
本文デザイン●グレート・ローク・アソシエイツ
印刷・製本●株式会社 シナノパブリッシングプレス

ISBN978-4-8449-3477-6

司法試験 予備試験
2025 年版
民法
司法試験 予備試験
2025 年版
完全整理
択一六法
憲法
司法試験&予備試験対策シリーズ
Constitution
司法試験&予備試験受験生の必携書
▶令和6年8月までの最新百選・重要判例をカバー
▶司法＆予備の論文式試験の論点一覧表を掲載
▶令和6年までの司法＆予備の短答式試験の
出題箇所が過去問マークで一目瞭然

Compact
Complete
Creative
C
Book 3
民法
Ⅰ
総則
改訂新版
司法試験&予備試験対策シリーズ
Civil Law
—司法試験&予備試験対策テキストの決定版—
短答式・論文式試験に必要な知識を整理
初学者にもわかりやすく解説

OUTPUT

司法試験＆予備試験 単年度版 短答過去問題集（法律基本科目）

短答式試験（法律基本科目のみ）の問題と解説集。

	定価
令和元年	本体2,600円+税
令和２年	本体2,600円+税
令和３年	本体2,600円+税
令和４年	本体3,000円+税
令和５年	本体3,000円+税
令和６年	本体3,000円+税

司法試験＆予備試験 体系別短答過去問題集【第３版】

平成18年から令和５年までの司法試験および平成23年から令和５年までの予備試験の短答式試験を体系別に収録。

	定価
憲法	本体3,800円+税
民法（上）総則·物権	本体3,600円+税
民法（下）債権·親族·相続	本体4,300円+税
刑法	本体4,300円+税

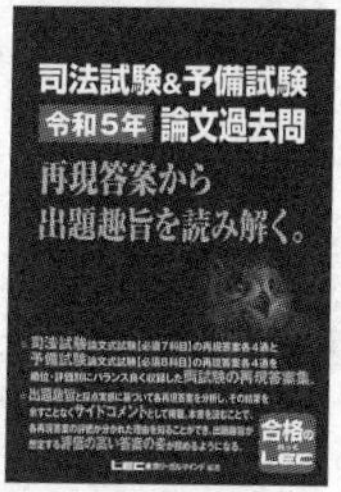

司法試験＆予備試験 論文過去問 再現答案から出題趣旨を読み解く。

※単年度版

出題趣旨を制することで論文式試験を制する！
各年度再現答案を収録。

	定価
令和元年	本体3,500円+税
令和２年	本体3,500円+税
令和３年	本体3,500円+税
令和４年	本体3,500円+税
令和５年	本体3,700円+税

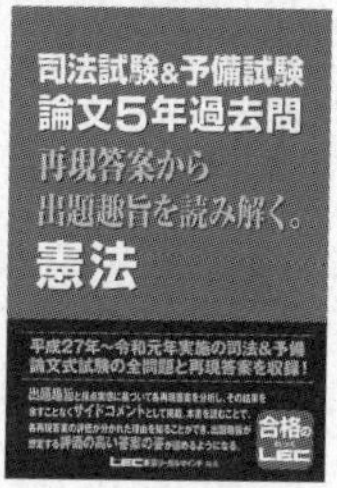

司法試験＆予備試験 論文５年過去問 再現答案から出題趣旨を読み解く。

※平成 27 年～令和元年

5年分の論文式試験再現答案を収録。

	定価
憲法	本体2,900円+税
民法	本体3,500円+税
刑法	本体2,900円+税
商法	本体2,900円+税
民事訴訟法	本体2,900円+税
刑事訴訟法	本体2,900円+税
行政法	本体2,900円+税
法律実務基礎科目·一般教養科目(予備試験)	本体2,900円+税

【新傾向に対応！】過去問を徹底的に分析

通学　通信

【論完】矢島の論文完成講座

Input

講義時間数

120時間

憲法 16時間　民訴法 16時間
民法 20時間　刑訴法 16時間
刑法 20時間　行政法 16時間
商法 16時間

通信教材発送／Web・音声DL配信開始日

2025/1/14（火）以降、順次

Web・音声DL配信終了日

2025/9/30（火）

使用教材

矢島の論文メイン問題集2025
矢島の論文補強問題集2025
※レジュメのPDFデータはWebup致しませんのでご注意ください。

タイムテーブル

講義 4時間　途中休憩あり ※2回（合計15分程度）

担当講師

矢島純一
LEC専任講師

講座概要

本講座（略称：矢島の【論完】）は、論文試験に合格するための**事例分析能力、法的思考力、本番の試験で合格点を採る答案作成のコツを、短期間で修得**するための講座です。講義で使用する**教材は解答例を含め全て矢島講師が責任を持って作成**しており、問題文中の**事実**に対してどのように**評価**をすれば**試験考査委員に高評価**を受けられるかなど、**合格するためには是非とも修得しておきたいことを分かりやすく講義**していきます。論文試験の答案の書き方が分からないという受験生はもちろん、答案の書き方はある程度修得しているのに本試験で良い評価を受けることができないという受験生が、**確実に合格答案を作成する能力を修得**できるように**矢島講師が分かりやすい講義**をします。なお、教材及び講義の内容は、**令和7年度**試験の出題範囲とされている**法改正**や**最新の判例に全て対応**しているので、情報収集の時間を省略して、全ての時間をこの講座の受講と復習にかけて効率よく受験対策をすることができます。

講座の特長

1 論文対策はこの講座だけで完璧にできる

限られた時間で論文対策をするには**検討すべき問題を次年度の試験の合格に必要なものに限定**する必要があります。そこで、本講座は、**次年度の論文試験の合格に必要な知識や法的思考能力を効率よく修得するのに必須の司法試験の過去問、近年の試験の形式に合わせた司法試験の改問やオリジナル問題、知識の隙間を埋めることができる予備試験の過去問**を、試験対策上必要な数に絞り込んで取り扱っていきます。**取り扱う問題を合格に真に必要な数に絞り込んでいるので、途中で挫折せずに合格に必要な論文作成能力を確実に修得**できます。

2 矢島講師が責任をもって作成した解答例

合格者の再現答案には不正確な部分があり、こうした解答例を元に学習をすると、悪いところを良いところだと勘違いして、**誤った思考方法を身につけてしまうおそれ**があります。**本講座で使用する解答例は、出題趣旨や採点実感を踏まえて試験考査委員が要求する合格答案となるよう、矢島講師が責任をもって作成**しています。矢島講師作成の解答例は法的な正確性が高く、**解答例中の法的な規範のところは、そのまま論証例**として使うことができ、**あてはめのところは、規範に事実を当てはめる際の事実の評価の仕方を学ぶ教材**として用いることができるため、**論文試験用の最強のインプット教材**になること間違いなしです。矢島講師の解答例なら繰り返し復習して**正しい法的思考能力を修得**することができるので、余計なことを考えずに安心して受験勉強に専念できます。なお、矢島講師作成の解答例は、**前年度以前の過去問**について以前作成したものであっても、**直近の試験で試験考査委員が受験生に求める能力**を踏まえて**毎年調整**し直しています。

受講料

受講形態	科目	回数	講義形態	一般価格	大学生協・書籍部価格	代理店書店価格	講座コード
				税込（10%）			
通学・通信	一括	30	Web※1	112,200円	106,590円	109,956円	通学：LA24514 通信：LB24504
			DVD	145,750円	138,462円	142,835円	
	民法/刑法※2	各5	Web※1	28,600円	27,170円	28,028円	
			DVD	36,850円	35,007円	36,113円	
	憲法/商法/民訴法 刑訴法/行政法※2	各4	Web※1	20,350円	19,332円	19,943円	
			DVD	26,400円	25,080円	25,872円	

※1 音声DL+スマホ視聴付き
※2 いずれか1科目あたりの受講料となります

■一般価格とは、LEC各本校・LEC提携校・LEC通信事業本部・LECオンライン本校にてお申込される場合の受付価格です。 ■大学生協・書籍部価格とは、LECと代理店契約を結んでいる大学内の生協、購買会、書店にてお申込される場合の受付価格です。■代理店書店価格とは、LECと代理店契約を結んでいる一般書店（大学内の書店は除く）にてお申込される場合の受付価格です。 ■上記大学生協・書籍部価格、代理店書店価格を利用される場合は、必ず本冊子を代理店窓口までご持参ください。

【解約・返品について】 1.弊社所定書面をご提出下さい。実施済受講料、手数料等を清算の上返金します。教材等の返送料はご負担頂きます（LEC申込規定第3条参照）。
2.詳細はLEC申込規定（http://www.lec-jp.com/kouzamoushikomi.html）をご覧下さい。

矢島の短答対策シリーズ

➡ Input

講義時間数

18時間

民事訴訟法　6時間
刑事訴訟法　6時間
商法総則・商行為・手形法　6時間

通信教材発送／Web・音声DL配信開始日

2025/2/3(月)

Web・音声DL配信終了日

2025/7/31(木)

使用教材

○民事訴訟法/刑事訴訟法/商法総則・商行為・手形法

【受講料込】
矢島の基本知識プラステキスト2025
※レジュメPDFデータのwebupは致しません。

担当講師

矢島 純一
LEC専任講師

講座概要

本シリーズは、短答試験でのみ出題される分野のみを集中的に学習したいという受験生のた
の講座をラインナップしたものです。特に短答試験に特有な事項が多い、民事訴訟法・刑事訴
法・商法総則・商行為・手形法を扱います。矢島の速修インプット講座で論文試験や短答試
の重要基本知識の学習が終わって、いわゆる短答プロパーといわれる短答試験でのみ出題さ
る分野の学習を本格的にしたいという受験生にお勧めです。

※矢島の短答対策シリーズとして以前まで実施していた「憲法統治」、「家族法」、「会社法」、「行政法」について
テキストの情報を整理して「矢島の速修インプット講座」のテキストに掲載しました。

講座の特長

1 民事訴訟法

管轄、移送、送達、争点整理手続、上訴、再審などの民事訴訟法の短答プロパーの他に、民事
全法や民事執行法の重要基本部分を修得できます。

2 刑事訴訟法

告訴、保釈、公訴時効、公判前整理手続、証拠調べ手続、上訴、再審などの短答プロパーを
り扱います。

3 商法総則・商行為・手形法

商法総則・商行為・手形法を取り扱います。手形法については、論文の事例処理ができる
うにどの論点をどの順番で書けばよいのかについてもしっかりと講義していきます。

受講料

受講形態	科目		回数	講義形態	一般価格	大学生協・書籍部価格	代理店書店価格	講座コー
					税込（10%）			
通信	一括		3	Web※1	14,600円	13,870円	14,308円	LB244
				DVD	19,400円	18,430円	19,012円	
	科目別	民事訴訟法·刑事訴訟法	各1	Web※1	5,500円	5,225円	5,390円	
				DVD	7,300円	6,935円	7,154円	
		商法総則商行為	各1	Web※2	6,600円	6,270円	6,468円	
				DVD	8,800円	8,360円	8,624円	

※1 音声DL＋スマホ視聴付き
※2 いずれか1科目あたりの受講料となります

■一般価格とは、LEC各本校・LEC提携校・LEC通信事業本部・LECオンライン本校にてお申込される場合の受付価格です。■大学生協・書籍部価格とは、LEC
店契約を結んでいる大学内の生協、購買会、書店にてお申込される場合の受付価格です。■代理店書店価格とは、LECと代理店契約を結んでいる一般書店（大学内の
除く）にてお申込される場合の受付価格です。■上記大学生協・書籍部価格、代理店書店価格を利用される場合は、必ず本冊子を代理店窓口までご持参ください。

《解約・返品について》弊社所定の書面をご提出下さい。実施済受講料、手数料等を清算の上返金いたします。教材等の返送料はご負担いただきます。詳細はLEC
規定（http://www.lec-jp.com/kouzamoushikomi.html）をご参照下さい。

直前期に短時間で効率よく知識を総復習　通学　通信　➔ Input

【スピチェ】矢島のスピードチェック講座

講義時間数

72時間

憲法　8時間　民訴法8時間
民法　16時間　刑訴法8時間
刑法　16時間　行政法8時間
会社法 8時間

通信教材発送／Web・音声DL配信開始日

上3法：2025/4/28（月）
下4法：2025/5/12（月）

Web・音声DL配信終了日

2025/9/30（火）

使用教材

矢島の要点確認ノート2025
※レジュメのPDFデータはWebup致しませんのでご注意ください。

タイムテーブル

講義 4時間　途中10分休憩あり

担当講師

矢島純一
LEC専任講師

講座の特長

1　72時間で最重要知識が総復習できる

本講座で必修7科目の論文知識を72時間という短時間で総復習することができます。日ごろから試験考査委員が公表している出題趣旨や採点実感を分析している矢島講師が、直近の試験傾向を踏まえて本番の試験で受けがよい見解や思考方法を講義しますので、「試験直前期に最終確認しておくべき最重要知識」の総まとめには最適なものとなっています。講義時間は矢島の速修インプット講座の2分の1未満で、試験前日まで繰り返し講義を聴くことで最重要知識が修得できるため、試験が近づいてきたのに論文知識に自信がない受験生受験生にもお勧めです。

2　情報量を絞り込み、繰り返し復習することで知識を確実に

講義時間が短いことから、隙間時間を利用して**各科目の全体を試験直前期まで続けて復習**することができます。全て覚えるまで復習を繰り返せば、本番で重要論点を落とすミスを回避できます。**矢島の速修インプット講座を受講されている方でも本講座を受講することにより短時間で論文試験の合格に必要な最重要知識を総復習して確実に合格**できる力を身に付けることができます。

3　論証集としても使えるテキスト

本講座のテキストは論文知識の中でも**本試験で絶対に落とせない重要度の高い論点**の要件、効果及び判例ベースの規範と論証例が掲載されています。市販の論証集は読んでも意味が分からないものが多々あるといわれていますが矢島講師作成の本テキストは初学者から上級者まで誰が読んでも分かりやすい論証が掲載されている上に、講義の際に論証の使い方のポイントを説明します。市販の論証集を購入して独学しても身に付けられない論証力を短時間で修得できることをお約束します。

通学スケジュール

※通学講義は教室で教材を配布します（発送はございません）。

科目	回数	日程	
憲法	1	25/3/29（土）	13:00~17:00
	2		18:00~22:00
民法	1	4/1（火）	13:00~17:00
	2		18:00~22:00
	3	4/3（木）	13:00~17:00
	4		18:00~22:00
刑法	1	4/5（土）	13:00~17:00
	2		18:00~22:00
	3	4/8（火）	13:00~17:00
	4		18:00~22:00

科目	回数	日程	
会社法	1	4/10（木）	13:00~17:00
	2		18:00~22:00
民訴法	1	4/12（土）	13:00~17:00
	2		18:00~22:00
刑訴法	1	4/15（火）	13:00~17:00
	2		18:00~22:00
行政法	1	4/17（木）	13:00~17:00
	2		18:00~22:00

※休憩時間含む

生講義実施校

水道橋本校　03-3265-5001
〒101-0061
千代田区神田三崎町2-2-15
Daiwa三崎町ビル（受付1階）
JR水道橋駅東口より徒歩3分。都営三田線水道橋駅より徒歩5分。都営新宿線・東京メトロ半蔵門線神保町駅A4出口から徒歩8分。
■受付
平日11:00~21:00 土・日・祝9:00~19:00
■開館
平日9:00~22:00 土・日・祝9:00~20:00

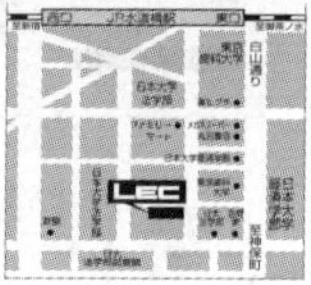

【通学生限定、欠席WEBフォロー】
講義の翌々日～通常のWEB配信開始日まで、WEB上で講義をご覧いただけます。
講義の復習にもご利用ください。
欠席WEBフォロー配信日終了後は、通常のWEB配信またはDVDにて学習してください。

受講料

受講形態	科目	回数	講義形態	一般価格	大学生協・書籍部価格	代理店書店価格	講座コード
				税込（10%）			
通学	一括	18	Web※1	56,100円	53,295円	54,978円	LA24992
			DVD	72,600円	68,970円	71,148円	LA24991
	上3法	10	Web※1	31,900円	30,305円	31,262円	LA24992
			DVD	41,250円	39,187円	40,425円	LA24991
	下4法	8	Web※1	28,600円	27,170円	28,028円	LA24992
			DVD	37,400円	35,530円	36,652円	LA24991
通信	一括	18	Web※1	56,100円	53,295円	54,978円	LB24994
			DVD	72,600円	68,970円	71,148円	
	上3法	10	Web※1	31,900円	30,305円	31,262円	
			DVD	41,250円	39,187円	40,425円	
	下4法	8	Web※1	28,600円	27,170円	28,028円	
			DVD	37,400円	35,530円	36,652円	

※音声DL＋スマホ視聴付き

■一般価格とは、LEC各本校・LEC提携校・LEC通信事業本部・LECオンライン本校にてお申込される場合の受付価格です。■大学生協・書籍部価格とは、LECと代理店契約を結んでいる大学内の生協、購買会、書店にてお申込される場合の受付価格です。■代理店書店価格とは、LECと代理店契約を結んでいる一般書店（大学内の書店は除く）にてお申込される場合の受付価格です。■上記大学生協・書籍部価格、代理店書店価格を利用される場合は、必ず本冊子を代理店窓口までご持参ください。

【解約・返品について】　1.弊社所定書面をご提出下さい。実施済受講料、手数料等を清算の上返金します。教材等の返送料はご負担頂きます（LEC申込規定第3条参照）。
2.詳細はLEC申込規定（http://www.lec-jp.com/kouzamoushikomi.html）をご覧下さい。

LEC Webサイト ▷▷ www.lec-jp.com/

情報盛りだくさん！

資格を選ぶときも，
講座を選ぶときも，
最新情報でサポートします！

最新情報

各試験の試験日程や法改正情報，対策講座，模擬試験の最新情報を日々更新しています。

資料請求

講座案内など無料でお届けいたします。

受講・受験相談

メールでのご質問を随時受付けております。

よくある質問

LECのシステムから，資格試験についてまで，よくある質問をまとめました。疑問を今すぐ解決したいなら，まずチェック！

書籍・問題集（LEC書籍部）

LECが出版している書籍・問題集・レジュメをこちらで紹介しています。

充実の動画コンテンツ！

ガイダンスや講演会動画，
講義の無料試聴まで
Webで今すぐCheck！

動画視聴OK

パンフレットやWebサイトを見てもわかりづらいところを動画で説明。いつでもすぐに問題解決！

Web無料試聴

講座の第1回目を動画で無料試聴！気になる講義内容をすぐに確認できます。

LEC全国学校案内

＊講座のお問合せ，受講相談は最寄りのLEC各校へ

LEC本校

北海道・東北

札　幌本校　☎011(210)5002
〒060-0004 北海道札幌市中央区北4条西5-1　アスティ45ビル

仙　台本校　☎022(380)7001
〒980-0022 宮城県仙台市青葉区五橋1-1-10　第二河北ビル

関東

渋谷駅前本校　☎03(3464)5001
〒150-0043 東京都渋谷区道玄坂2-6-17　渋東シネタワー

池　袋本校　☎03(3984)5001
〒171-0022 東京都豊島区南池袋1-25-11　第15野萩ビル

水道橋本校　☎03(3265)5001
〒101-0061 東京都千代田区神田三崎町2-2-15　Daiwa三崎町ビル

新宿エルタワー本校　☎03(5325)6001
〒163-1518 東京都新宿区西新宿1-6-1　新宿エルタワー

早稲田本校　☎03(5155)5501
〒162-0045 東京都新宿区馬場下町62　三朝庵ビル

中　野本校　☎03(5913)6005
〒164-0001 東京都中野区中野4-11-10　アーバンネット中野ビル

立　川本校　☎042(524)5001
〒190-0012 東京都立川市曙町1-14-13　立川MKビル

町　田本校　☎042(709)0581
〒194-0013 東京都町田市原町田4-5-8　MIキューブ町田イースト

横　浜本校　☎045(311)5001
〒220-0004 神奈川県横浜市西区北幸2-4-3　北幸GM21ビル

千　葉本校　☎043(222)5009
〒260-0015 千葉県千葉市中央区富士見2-3-1　塚本大千葉ビル

大　宮本校　☎048(740)5501
〒330-0802 埼玉県さいたま市大宮区宮町1-24　大宮GSビル

東海

名古屋駅前本校　☎052(586)5001
〒450-0002 愛知県名古屋市中村区名駅4-6-23　第三堀内ビル

静　岡本校　☎054(255)5001
〒420-0857 静岡県静岡市葵区御幸町3-21　ペガサート

北陸

富　山本校　☎076(443)5810
〒930-0002 富山県富山市新富町2-4-25　カーニープレイス富山

関西

梅田駅前本校　☎06(6374)5001
〒530-0013 大阪府大阪市北区茶屋町1-27　ABC-MART梅田ビル

難波駅前本校　☎06(6646)6911
〒556-0017 大阪府大阪市浪速区湊町1-4-1
大阪シティエアターミナルビル

京都駅前本校　☎075(353)9531
〒600-8216 京都府京都市下京区東洞院通七条下ル2丁目
東塩小路町680-2　木村食品ビル

四条烏丸本校　☎075(353)2531
〒600-8413　京都府京都市下京区烏丸通仏光寺下ル
大政所町680-1　第八長谷ビル

神　戸本校　☎078(325)0511
〒650-0021 兵庫県神戸市中央区三宮町1-1-2　三宮セントラルビル

中国・四国

岡　山本校　☎086(227)5001
〒700-0901 岡山県岡山市北区本町10-22　本町ビル

広　島本校　☎082(511)7001
〒730-0011 広島県広島市中区基町11-13　合人社広島紙屋町アネクス

山　口本校　☎083(921)8911
〒753-0814 山口県山口市吉敷下東 3-4-7　リアライズⅢ

高　松本校　☎087(851)3411
〒760-0023 香川県高松市寿町2-4-20　高松センタービル

松　山本校　☎089(961)1333
〒790-0003 愛媛県松山市三番町7-13-13　ミツネビルディング

九州・沖縄

福　岡本校　☎092(715)5001
〒810-0001 福岡県福岡市中央区天神4-4-11
天神ショッパーズ福岡

那　覇本校　☎098(867)5001
〒902-0067 沖縄県那覇市安里2-9-10　丸姫産業第2ビル

EYE関西

EYE 大阪本校　☎06(7222)3655
〒530-0013　大阪府大阪市北区茶屋町1-27　ABC-MART梅田ビル

EYE 京都本校　☎075(353)2531
〒600-8413　京都府京都市下京区烏丸通仏光寺下ル
大政所町680-1　第八長谷ビル

LEC提携校

＊提携校はLECとは別の経営母体が運営をしております。
＊提携校は実施講座およびサービスにおいてLECと異なる部分がございます。

北海道・東北

八戸中央校【提携校】 ☎0178(47)5011
〒031-0035　青森県八戸市寺横町13　第1朋友ビル
新教育センター内

弘前校【提携校】 ☎0172(55)8831
〒036-8093　青森県弘前市城東中央1-5-2
まなびの森　弘前城東予備校内

秋田校【提携校】 ☎018(863)9341
〒010-0964　秋田県秋田市八橋鯲沼町1-60
株式会社アキタシステムマネジメント内

関東

水戸校【提携校】 ☎029(297)6611
〒310-0912　茨城県水戸市見川2-3079-5

所沢校【提携校】 ☎050(6865)6996
〒359-0037　埼玉県所沢市くすのき台3-18-4　所沢K・Sビル
合同会社LPエデュケーション内

日本橋校【提携校】 ☎03(6661)1188
〒103-0025　東京都中央区日本橋茅場町2-5-6　日本橋大江戸ビル
株式会社大江戸コンサルタント内

北陸

新潟校【提携校】 ☎025(240)7781
〒950-0901　新潟県新潟市中央区弁天3-2-20　弁天501ビル
株式会社大江戸コンサルタント内

金沢校【提携校】 ☎076(237)3925
〒920-8217　石川県金沢市近岡町845-1
株式会社アイ・アイ・ピー金沢内

福井南校【提携校】 ☎0776(35)8230
〒918-8114　福井県福井市羽水2-701
株式会社ヒューマン・デザイン内

中国・四国

松江殿町校【提携校】 ☎0852(31)1661
〒690-0887　島根県松江市殿町517　アルファステイツ殿町
山路イングリッシュスクール内

岩国駅前校【提携校】 ☎0827(23)7424
〒740-0018　山口県岩国市麻里布町1-3-3　岡村ビル　英光学院内

新居浜駅前校【提携校】 ☎0897(32)5356
〒792-0812　愛媛県新居浜市坂井町2-3-8
パルティフジ新居浜駅前店内

九州・沖縄

佐世保駅前校【提携校】 ☎0956(22)8623
〒857-0862　長崎県佐世保市白南風町5-15　智翔館内

日野校【提携校】 ☎0956(48)2239
〒858-0925　長崎県佐世保市椎木町336-1　智翔館日野校内

長崎駅前校【提携校】 ☎095(895)5917
〒850-0057 長崎県長崎市大黒町10-10　KoKoRoビル
minatoコワーキングスペース内

高原校【提携校】 ☎098(989)8009
〒904-2163　沖縄県沖縄市大里2-24-1
有限会社スキップヒューマンワーク内

※上記は2024年10月1日現在のものです。

書籍の訂正情報について

このたびは，弊社発行書籍をご購入いただき，誠にありがとうございます。
万が一誤りの箇所がございましたら，以下の方法にてご確認ください。

1 訂正情報の確認方法

書籍発行後に判明した訂正情報を順次掲載しております。
下記Webサイトよりご確認ください。

www.lec-jp.com/system/correct/

2 ご連絡方法

上記Webサイトに訂正情報の掲載がない場合は，下記Webサイトの入力フォームよりご連絡ください。

lec.jp/system/soudan/web.html

フォームのご入力にあたりましては，「Web教材・サービスのご利用について」の最下部の「ご質問内容」に下記事項をご記載ください。

・対象書籍名（○○年版，第○版の記載がある書籍は併せてご記載ください）
・ご指摘箇所（具体的にページ数と内容の記載をお願いいたします）

ご連絡期限は，次の改訂版の発行日までとさせていただきます。
また，改訂版を発行しない書籍は，販売終了日までとさせていただきます。

※上記「2ご連絡方法」のフォームをご利用になれない場合は，①書籍名，②発行年月日，③ご指摘箇所，を記載の上，郵送にて下記送付先にご送付ください。確認した上で，内容理解の妨げとなる誤りについては，訂正情報として掲載させていただきます。なお，郵送でご連絡いただいた場合は個別に返信しておりません。

送付先：〒164-0001 東京都中野区中野4-11-10 アーバンネット中野ビル
株式会社東京リーガルマインド 出版部 訂正情報係

・誤りの箇所のご連絡以外の書籍の内容に関する質問は受け付けておりません。
また，書籍の内容に関する解説，受験指導等は一切行っておりませんので，あらかじめご了承ください。
・お電話でのお問合せは受け付けておりません。